THÉÂTRE

Œuvres de Victor Hugo
parues dans la même collection :

Dans la collection Grand Format :

VICTOR HUGO

THÉÂTRE

Amy Robsart - Marion de Lorme
Hernani - Le roi s'amuse

↓ Texte : pp. 7-440
Notes : pp. 598-616

Édition établie
par
Raymond POUILLIART

GF-Flammarion

CHRONOLOGIE

1772 (19 juin) : Naissance à Nantes de Sophie-Françoise Trébuchet, mère de Hugo.

1773 (15 novembre) : Naissance à Nancy de Léopold-Joseph-Sigisbert Hugo.

1798 : Naissance d'Abel Hugo.

1802 (26 février) : Naissance de *Victor-Marie Hugo*, à Besançon.

1804 : Léopold Hugo nommé gouverneur de la province d'Avellino (Italie) et promu colonel.
Mme Hugo et ses enfants à Paris.

1807 (fin) : Mme Hugo et ses enfants rejoignent le père en Italie.

1808 : Retour à Paris. Léopold Hugo en Espagne.

1809 (mai) : Installation aux Feuillantines.

1810 (mars) : Départ pour l'Espagne. Victor et son frère Eugène au Collège des Nobles à Madrid.

1812 (mars) : Retour à Paris ; (octobre) : Le général Lahorie, amant de Mme Hugo, fusillé pour complicité de coup d'État.

1814 : Les époux entament une procédure en divorce. Victor et Eugène enlevés par leur tante sur l'ordre de leur père.

1815 (13 février) : Victor et Eugène entrent à la pension Cordier.

1816 : Victor écrit des vers et prépare l'école Polytechnique.
Octobre : Victor et Eugène entrent à Louis-le-Grand. Premiers essais dramatiques.

1817 (25 août) : Victor obtient une mention de l'Académie française pour son poème *Bonheur que procure l'Etude*.

1818 : Premières *Odes*.
Août : Les garçons retournent vivre avec leur mère. Hugo écrit le premier *Bug-Jargal*.

1819 : Couronné aux Jeux floraux.
Décembre : Fonde le *Conservateur littéraire*.

1820 : Odes et articles. Mme Hugo s'oppose au mariage de Victor avec Adèle Foucher, son amie d'enfance.

1821 : Composition de *Han d'Islande*.
27 juin : Mort de Mme Hugo.

1822 (janvier) : *Amy Robsart*, début d'une collaboration avec Alexandre Soumet.
Mars : Victor fiancé.
8 juin : Odes et poésies diverses.
Juin-juillet : Hugo obtient deux pensions du Roi.
12 octobre : Mariage de Hugo avec Adèle Foucher.
Folie d'Eugène.

1823 (8 février) : Publication de *Han d'Islande*.
Juillet : Début de *La Muse française*.
16 juillet-9 octobre : Naissance et mort du petit Léopold-Victor.

1824 (13 mars) : *Nouvelles Odes*.
15 juin : *La Muse française* cesse de paraître.
28 août : Naissance de Léopoldine.

1825 (29 avril) : Hugo nommé chevalier de la Légion d'honneur.
29 mai : Assiste au sacre de Charles X à Reims.
Juin : *Ode sur le Sacre*.
Juin-juillet : *Les Deux Îles*.
Août : Voyage dans les Alpes avec Nodier et leurs familles.

1826 (janvier) : Fin du remaniement du second *Bug-Jargal*, et *préface*.
30 janvier : Publication du second *Bug-Jargal*, sans nom d'auteur.
Juin : *Les Têtes du Sérail (Orientales)*.
30 juillet : La *Quotidienne* publie un article (anonyme) de Hugo sur le *Cinq-Mars* de Vigny.
6 août : Début du Ier acte de *Cromwell*.

24 août : Fin du 1er acte.
Préface des *Odes et Ballades*.
31 août : 2e acte de *Cromwell*.
20 septembre : Fin du 2e acte.
22 septembre : 3e acte.
9 octobre : Fin du 3e acte.
11 octobre : 4e acte.
19 octobre : Mort de Talma, à qui Hugo avait parlé de *Cromwell* et à qui il destinait le rôle.
25 octobre : Fin du 4e acte de *Cromwell*.
28 octobre : Début du 5e acte.
2 novembre : Naissance de Charles Hugo, fils du poète.
3 novembre : Hugo interrompt la rédaction de *Cromwell*.
7 novembre : Publication des *Odes et Ballades*.
9 décembre : Hugo reprend *Cromwell*.
31 décembre : Lettre de Hugo à une Académie provinciale, contenant un éloge de Napoléon.

1827 (début) : Hugo reprend et termine *Amy Robsart*.
1er janvier : *Cromwell :* Fin de la scène VI de l'acte V.
Janvier : Début de l'amitié de Hugo et de Sainte-Beuve.
26 janvier : *Cromwell*, V, VII.
1er février : Fin de la scène VII.
Début février : *Ode à la Colonne de la Place Vendôme.*
8 février : *Cromwell*, V, VIII.
Vers le 12 février : Lecture par Hugo chez Pierre Foucher des 4 premiers actes de *Cromwell*. Vigny et Sainte-Beuve présents.
Février : Lettre de Sainte-Beuve à Hugo à propos de la lecture de *Cromwell*.
12 mars : Nouvelle lecture de *Cromwell* (les 3 premiers actes).
15 mars : Hugo achève la scène X de l'acte V de *Cromwell*.
26 mars : Lecture chez Pierre Foucher des 2 derniers actes (?) de *Cromwell*.
Fin mars : Hugo s'installe 11, rue Notre-Dame-des-Champs : il pourra plus aisément recevoir ses amis poètes.
2 juin : Hugo lit les 3 premiers actes d'*Amy Robsart* au nouveau directeur de l'Odéon.

7 août : Reprise du travail sur *Cromwell* (V, XII).
1er septembre : *Amy Robsart* reçue à l'Odéon.
Août-septembre : *Cromwell* achevé.
Fin septembre : Hugo termine la rédaction de la *Préface*.
Fin octobre : Hugo écrit la *Note sur ces Notes*.
Milieu novembre : Hugo lit la *Préface* à ses amis.
5 décembre : Publication de *Cromwell* chez Ambroise Dupont.
6 décembre : Extraits de *Cromwell* dans *Le Globe*.

1828 (Nuit du 28 au 29 janvier) : Mort du général Hugo.
13 février : Echec d'*Amy Robsart*.
21 octobre : Naissance de Victor-François, deuxième fils de Hugo.
26 décembre : Fin du *Dernier Jour d'un condamné*.

1829 (19 janvier) : Publication des *Orientales*.
3 février : Publication du *Dernier Jour d'un condamné*.
1er au 30 juin : *Marion de Lorme*.
13 août : Interdiction de *Marion*.
29 août-24 septembre : Hugo écrit *Hernani*.

1830 (25 février) : Première représentation d'*Hernani*.
Juillet : Travaille à *Notre-Dame de Paris*.
28 juillet : Naissance d'Adèle Hugo, deuxième fille du poète.
Novembre : Début du conflit avec Sainte-Beuve à propos de Mme Hugo.

1831 (16 mars) : Publication de *Notre-Dame de Paris*.
11 août : Première de *Marion de Lorme*.
30 novembre : Publication des *Feuilles d'Automne*.

1832 (15 mars) : Nouvelle préface pour *Le Dernier Jour d'un condamné*.
8 octobre : Hugo s'installe Place Royale, pour 18 ans.
22 novembre : Première du *Roi s'amuse*.
23 novembre : Interdiction du *Roi s'amuse*.

1833 (2 février) : Première de *Lucrèce Borgia*.
16 février : Liaison de Hugo avec Juliette Drouet qui l'aimera pendant cinquante ans.
6 novembre : Première de *Marie Tudor*.

1834 (19 mars) : *Littérature et Philosophies mêlées*.
6 juillet : Publication de *Claude Gueux* dans *La Revue de Paris*.
6 septembre : Publication de *Claude Gueux* en librairie.

1835 (28 avril) : Première d'*Angelo, tyran de Padoue*.
Juillet-août : Hugo voyage avec Juliette dans l'Est et en Normandie.
27 octobre : *Chants du crépuscule*.

1836 (juin-juillet) : Voyage en Bretagne et en Normandie.

1837 (20 février) : Mort d'Eugène Hugo à l'asile de Charenton.
Mai-juin : Hugo fêté par le duc et la duchesse d'Orléans.
26 juin : *Les Voix intérieures*.
21 octobre : Écrit *Tristesse d'Olympio*.

1838 (8 novembre) : Première de *Ruy Blas*.

1839 (juillet-août) : Écrit le drame *Les Jumeaux*, inachevé.

1839 (août-novembre) : Voyage dans l'Est, la Suisse et la Provence, avec Juliette.

1840 (16 mai) : *Les Rayons et les Ombres*.
Août-novembre : Grand voyage sur le Rhin, avec Juliette.

1841 (7 janvier) : Elu à l'Académie française, après trois échecs.

1842 (12-28 janvier) : *Le Rhin*.

1843 (15 février) : Mariage de Léopoldine Hugo et de Charles Vacquerie.
7 mars : Première des *Burgraves*.
4 septembre : Mort de Léopoldine et de son mari, noyés accidentellement, à Villequier.

1845 (13 avril) : Nommé pair de France.
5 juillet : Flagrant délit d'adultère avec Mme Biard.
Novembre : Commence un roman qui deviendra *Les Misérables*.

1846-1847 : Travaille à ce roman.

1848 (24 février) : Tente, lors de la révolution, d'obtenir la régence pour la duchesse d'Orléans.
4 juin : Élu député conservateur.

1849 (13 février) : Réélu député conservateur.
Juillet-octobre : Ses discours lui aliènent la sympathie de la droite.

1850 : Interventions à la Chambre.

1851 (2 décembre) : Coup d'Etat de Louis-Napoléon Bonaparte. Hugo tente sans succès d'organiser la résistance.
11 décembre : Fuite vers Bruxelles.

1852 (5 août) : S'installe à Jersey. Publication à Bruxelles de *Napoléon le Petit*.
Travaille aux *Châtiments* et aux *Contemplations*.

1853 (6 septembre) : Mme de Girardin, à Jersey, initie Hugo et les siens au spiritisme.
21 novembre : *Les Châtiments*.

1855 (31 octobre) : Expulsé de Jersey, s'installe à Guernesey.

1856 (23 avril) : Publication des *Contemplations*.

1856-1858 : Travaille à plusieurs œuvres, *La Fin de Satan, Dieu, Les Petites Epopées* (plus tard *La Légende des Siècles*), *L'Ane, La Pitié suprême*.

1859 (28 septembre) : *La Légende des Siècles*.

1860-1861 : Travaille aux *Misérables*.

1862 : 30 mars à Bruxelles, 3 avril à Paris : Publication des *Misérables*.

1863 (18 mai) : Fuite d'Adèle Hugo.

1864 (14 avril) : Publication de *William Shakespeare*.

1865 (25 octobre) : Publication des *Chansons des rues et des bois*, en chantier depuis plusieurs années.

1865-1866 : Ecrit plusieurs pièces du *Théâtre en liberté*.

1866 (12 mars) : *Les Travailleurs de la mer*.

1868 (16 août) : Naissance de Georges, petit-fils de Hugo.
27 août : Mort de Mme Hugo.

1869 (19 avril) : Publication de *L'Homme qui rit*.
Mai-juin : Ecrit *Torquemada*.
29 septembre : Naissance de Jeanne, petite-fille du poète.

1870 (5 septembre) : Rentre à Paris le lendemain de la proclamation de la République.

1871 (13 mars) : Mort de Charles Hugo.
21 mars : Hugo à Bruxelles.
30 mai : Expulsé de Belgique pour avoir offert asile aux Communards, se rend au Luxembourg.

1872 (20 avril) : Publication de *L'Année terrible*.

1873 (26 décembre) : Mort de François-Victor, deuxième fils du poète.

1874 (20 février) : Publication de *Quatrevingt-Treize*.

1875 (mai-novembre) : Publication d'*Actes et Paroles*, I et II.

1876 (30 janvier) : Sénateur de Paris.
22 mai : Intervention pour l'amnistie.
5 juillet : *Actes et Paroles*, III.

1877 (26 février) : *La Légende des Siècles*, 2e série.
12 mai : *L'Art d'être grand-père*.
1er octobre : *Histoire d'un Crime*, 1re partie.

1878 (mars) : *Histoire d'un Crime*, 2e partie.
29 avril : *Le Pape*.
27 juin : Hugo est atteint d'une congestion cérébrale.

1879 (février) : *La Pitié suprême*.

1880 (avril) : *Religions et Religion*.
24 octobre : *L'Âne*.

1881 (31 mai) : *Les Quatre Vents de l'Esprit*.

1882 (26 mai) : *Torquemada*.

1883 (11 mai) : Mort de Juliette Drouet, sa compagne depuis cinquante ans.
9 juin : Troisième série de *La Légende des Siècles*.

1885 (14 mai) : Est atteint d'une congestion pulmonaire.
22 mai : Mort du poète.
1er juin : Funérailles nationales.

1886 : *Théâtre en liberté*.

1888 : *La Fin de Satan*.

1891 : Publication de *Dieu*.

INTRODUCTION

Les mythes prolifèrent sur l'œuvre de Victor Hugo. Peut-être plus sur son théâtre que sur ses romans ou ses poèmes : ses drames ont une relation directe avec le public, lettré ou populaire, formé — déformé — par l'enseignement, ou naïf et non prévenu. Ses romans, du moins un nombre certain, sont lus; ses poèmes le sont nettement moins; ses pièces de théâtre sont représentées selon des perspectives et dans des intentions variables. *Hernani*, *Ruy Blas* restent inscrits au répertoire du Théâtre-Français, au même titre que la plupart des tragédies de Racine et que quelques-unes de Corneille. Est-ce pour les mêmes raisons que Jean Vilar les présentait comme des classiques pour le grand public du Festival d'Avignon ? Hugo le géant, Hugo le héraut de la démocratie, Hugo le romantique classique des écoles, Hugo le maillon inévitable entre les grands auteurs du XVIIe siècle et ceux du XXe, est-il moderne, actuel ? Plus célèbre que connue, son œuvre est là, immense, donc mal lue parce qu'elle l'est incomplètement. La psychanalyse s'est emparée de lui, depuis Charles Baudouin; la sociologie l'a pris comme objet, plus récemment. La linguistique ne le néglige pas, elle que, dans une formule lapidaire, sommaire ou prémonitoire, il avait condamnée pour ses abus, cent cinquante ans d'avance :

> Il y a des gens qui voudraient réduire tous les arts à leur squelette : la musique à l'algèbre, l'architecture à la géométrie, la peinture et la sculpture à l'anatomie, la poésie à la grammaire. (Texte écrit vers 1827.)

Ses œuvres ont jailli à son esprit à tout moment, sous de multiples formes, avec une succession si rapide qu'elle se résout presque en une simultanéité. Elles portent, à travers les variations de sa pensée et de ses convictions, les mêmes hantises qui projettent dans l'être verbal des intuitions, des germes de pensée, des systèmes de demain. Le bouillonnement est extraordinaire : une image en appelle une autre, un thème est pensé et jeté sur le papier ; il y restera enfoui ou se développera en images, en personnages, en situations ; sa course aura été souterraine, et l'image en aura fécondé une autre, ou l'aura neutralisée. La création de Hugo reste un univers passionnant à explorer comme tous les mondes d'en bas où se révèlent des formes inattendues. Dynamiques chez l'écrivain, elles animent les créations qui affleurent à la surface et en constituent les ressorts mystérieux.

Les pièces écrites par Hugo représentent une partie de ses projets. Au hasard de ses lectures et de ses réflexions, bien des sujets ont pris forme, d'une manière tout élémentaire parfois, ou d'une façon plus élaborée. Une liste dressée vers 1827-1829 mentionne ces créations virtuelles : *La Mariposa. Épisode de D. Pantaléon Sà* — qui laissera des traces dans *Cromwell* — *Le Masque de Fer*, qui devait concerner Mazarin, *Gennaro*, dont le nom seul passera dans *Lucrèce Borgia, Louis XI* (sa mort), *Sabine Muchental, L'Enfance de Pierre le Cruel, Louis XVI*, où devaient se rencontrer le roi et Napoléon, *Charles Ier, Philippe II*, avec don Carlos, *Néron*, tragédie romaine. Un sujet en appelant un autre par ressemblance ou par contraste, qui peut savoir ce que ces « fusées » ont laissé dans les drames futurs, une situation homologue, une scène ? Le théâtre achevé, réellement composé, fait partie d'un système plus vaste, d'un grand jeu, de type stellaire ou arachnéen : Hugo procède non par juxtaposition mais par relation. Intelligence essentiellement imaginative, mais non exclusivement, celle de Hugo est foisonnante. La formule qu'on attribue à Leconte de Lisle : « bête comme l'Himalaya » est fausse à deux titres, et pour l'épithète et pour le substantif ; la pensée de Hugo existe, elle s'apparente au volcan en activité.

Un attrait viscéral le pousse vers le théâtre. Que telle représentation pour enfants y ait joué un rôle dans sa prime jeunesse importe peu : elle ne peut qu'avoir matérialisé un appel de son être. *Irtamène*, la tragédie qu'il offre à sa mère pour les étrennes de 1816 est et ne pouvait être qu'un exercice d'écolier doué, qui se situe dans le sillage de Racine et de Voltaire, avec des réminiscences de Corneille et, de surcroît, un effet emprunté au mélodrame, le tout exaltant le roi que protègent les dieux, et le peuple que guide le roi. Un an plus tard, *Athélie*, dont subsistent deux actes et un plan détaillé, récupère les thèmes du roman noir et du mélodrame : ces genres avaient été protégés par Napoléon, pour leur caractère moral et comme divertissements « innocents » du peuple. Qu'y succède un opéra-comique en vingt-quatre scènes n'a rien qui doive nous surprendre : le genre est à la mode. Mais le titre énigmatique est amusant et original : *A.Q.C.H.E.B.* (1817) rappelle le C.Q.F.D. des raisonnements mathématiques; Hugo joue avec un thème qui revêtira bientôt pour lui un sens capital, le hasard. Le mélodrame encore est le modèle sur lequel il construit *Inez de Castro* dont le thème ancien avait fourni à Houdar de la Motte le sujet d'une tragédie (1723). Cette fois, Hugo porte son œuvre au Panorama dramatique en décembre 1822; reçue par le comité de lecture, elle est interdite par la censure : roi faible, Alphonse de Portugal offre de la royauté une image péjorative.

Le public auquel le dramaturge songe maintenant est composite. L'ancienne aristocratie a gardé ses préférences littéraires, elle a conservé ses convictions politiques. La bourgeoisie récente, qu'ont enrichie la vente des biens nationaux et la spéculation sur les denrées pendant les guerres napoléoniennes — Balzac en a donné une image dans le père Goriot — veut d'autres distractions que la tragédie du XVIIe siècle ou du XVIIIe siècle; elle préfère Casimir Delavigne. Le drame nouveau, ou la tragédie moderne, ce sont *Les Vêpres siciliennes*, représentées depuis le 23 octobre 1819, à l'Odéon : l'ancienne formule y paraissait, mais rajeunie, dotée d'une couleur historique, mais toujours fidèle au vers et respectueuse des unités. Eugène Scribe, produit entre 1816 et 1830 une œuvre abondante, qu'il écrit seul ou avec des collaborateurs, deux cent quarante pièces comiques, sérieuses, parodiques. Le dramaturge qui veut s'affirmer doit tenir compte de telles œuvres et surtout de l'appui qu'elles trouvent auprès du public. Les directeurs des grandes salles constituent une force : ils ont créé la claque, payée par eux, qui oriente le succès.

Est-ce la raison de l'accord passé entre Hugo et Alexandre Soumet, l'écrivain modéré qui s'orientait vers le théâtre ? A qui revient le choix d'un roman de Scott ? Le romancier écossais était alors porté par une vogue immense en France, et cela n'a pas dû peser peu dans leur décision. Prendre appui sur Scott, c'était participer au courant qui, plus profondément que ne le ressentaient les contemporains, modifiait la relation de l'individu avec l'histoire dans les créations de l'esprit, peinture, littérature, historiographie, recherche érudite. Le génie naissant de Hugo a-t-il, inconsciemment, perçu cette forme nouvelle qui pouvait l'enrichir ? Ou en a-t-il pris conscience à l'occasion de cette collaboration, qui tourna court ? Entre 1822 et 1827, ses projets en matière de dramaturgie se font plus nombreux, ses idées prennent forme ; sa pensée théâtrale devient adulte. La *Préface* de *Cromwell* (1827) atteste qu'à vingt-cinq ans il est en pleine possession de ses forces.

Amy Robsart, la nouvelle version du *Château de Kenilworth* qui avait été écrite partiellement par Hugo cinq ans plus tôt, permet, en 1827, de le voir sortir de la gangue des souvenirs encombrants et des normes conventionnelles qui brimaient ses élans profonds. Déjà se dessinent des images fondamentales. L'innocence opprimée par la méchanceté, par l'orgueil et la soif du pouvoir, se trouve au centre du drame ; Hugo a rejeté plusieurs éléments positifs qui ont leur place chez Scott, le personnage de Tressilian, entre autres. En 1822, il avait écarté Flibbertigibbet, acteur de profession et ami des opprimés, qui annonce Ursus de *L'Homme qui rit*, et dont la figure pittoresque, pleine d'humour et de faconde, enrichit le roman. Intégré en 1827 par Hugo dans le texte dramatique, il lui confère une valeur positive : la bonté ; en lui Amy Robsart trouve l'aide morale et matérielle pour échapper au monde diabolique qui l'opprime. Cet acteur est, dans le théâtre de Hugo, la première image importante du peuple, qui contraste avec la noblesse, présentée ici sous des aspects négatifs. D'un point de vue dramaturgique, l'intégration de Flibbertigibbet était efficace : elle permettait à l'auteur de souligner le contraste moral par une antithèse verbale, la faconde du petit personnage, et d'ajouter ainsi au drame une note poétique. Flibbertigibbet a des allures de lutin ; esprit aérien, il se glisse partout, surgit au moment où on ne l'attend pas, imprévisible et insaisissable. Sir Hugh Robsart, errant comme un spectre autour du château dans lequel est enfermée sa fille, constitue une première esquisse de don Ruy Gomez. Alors surtout, Hugo commence son jeu savant avec les signes ; au-delà de l'aventure se déploie un ensemble de formes qui la prolongent et lui confèrent un sens plus mystérieux. La fenêtre et le poignard acquièrent une fonction plus qu'instrumentale; ils deviennent des symboles, ce qui permet de voir et empêche d'entendre, ce qui tue. La porte et le donjon sont mieux qu'un moyen technique ou un lieu; ils figurent ce qui enferme l'être, l'étouffement ou la possibilité de libération. Relisant Shakespeare avec un regard neuf, et, sans doute, dans une traduction meilleure — peut-être celle, révisée, de Letourneur (1821) — connaissant les représentations qui ont été données de septembre 1827 à juillet 1828, à l'Odéon, et aux Italiens, par des acteurs anglais, en anglais et selon la tradition anglaise, Hugo a été mis sur la voie d'une dramaturgie qui est tributaire du passé élisabéthain et non de la tradition française. Les couleurs deviennent signifiantes et non pas seulement ornementales ou historiques : Amy en robe blanche, Varney tout vêtu de noir, Flibbertigibbet surtout, tout de rouge, cheveux et costume, et laissant présager par tout son être l'embrasement final qu'il n'a ni causé ni voulu : le spectateur pouvait lire derrière les mots, derrière les faits un ensemble de signes visuels. Le hasard lui-même, en l'occurrence l'alambic, abandonné involontairement par Alasco sur le foyer et qui provoque l'incendie du donjon, devient l'image du destin. Désormais, les éléments sont en place dans l'imaginaire de Hugo. Dans une lettre il indique à Eugène Delacroix les détails précis qu'il souhaite pour les vêtements des acteurs; ce fait est capital : le metteur en scène s'éveille en lui, qui voit très concrètement les personnages.

Marion de Lorme pousse plus avant dans cette exploration des possibilités du langage dramatique. La donnée initiale est empruntée à l'histoire. Or, Hugo entend bien ne pas écrire un drame historique au sens étroit du terme : il a médité sur l'exemple de Walter Scott, qui a fait l'objet d'un long article dans *La Muse française*, en juillet 1823. L'histoire fournit une matière, qu'il veut respecter, dans la mesure où le lui permet l'information documentaire, à un moment où l'historiographie moderne se forme; elle doit être dépassée, afin de mettre en évidence les forces morales qui font agir les individus. A cette fin, la psychologie cédera le pas aux indices symboliques. Les actes feront alterner l'obscurité et la lumière. La chambre éclairée de Marion (acte I) contraste avec l'ombre extérieure, où, à minuit, a lieu la première rencontre de Didier avec Saverny, sans qu'ils puissent s'identifier. Le drame ne tient-il pas, dans une bonne mesure, dans la révélation de leur être, physique d'abord, puis morale ? Les actes II et V se déroulent le soir. Contrastent avec les trois séquences nocturnes ou vespérales celles que marque la clarté du plein jour ou d'un après-midi finissant. D'une manière nullement systématique et, sans doute, involontaire, Hugo fait aussi alterner l'intérieur et l'extérieur, la chambre de Marion, la place de Blois, le parc de Nangis, la salle des gardes ; l'acte V joint les mondes fermés et ouverts dans le préau du donjon, clos par le mur et ouvert sur le ciel. L'opposition est essentielle. La manière dont est présenté le roi (acte IV) est empreinte de symbolisme : prisonnier consentant et résigné de son ministre, le roi converse avec son bouffon dans une salle ; le seul moment où il puisse être lui-même, être libre, c'est la chasse, et seul le langage l'évoque ici.

Les personnages et les lieux sont posés dans l'existence selon le principe fondamental de la binarité. Les modalités en sont multiples. Didier et Saverny sont rivaux en amour, puis amis, puis frères dans la mort, alors que tout devrait les séparer. A Didier, la femme apparaît d'abord ange, puis démon, Marie et Marion. Le pouvoir est double, Roi et Cardinal ; le nœud du drame ne se situe-t-il pas au moment où le roi accorde sa grâce aux condamnés et dans le geste de Richelieu qui la révoque ? La binarité régit le dialogue du roi avec L'Angély, au moment central du drame : tous deux méditent sur la grandeur du pouvoir et la fragilité de l'existence. A la clémence s'oppose la justice, à la pendaison la hache, à Montaigne Rabelais. Paris est un monde absent, mais présent dans les conversations des gentilshommes rapportant les derniers échos de la mode ; la Touraine est présente, refuge pour Marion et pour Didier, exil pour les gentilshommes, lieu de l'amour et de la mort. Tout se passe comme si le duel, qui est au centre de l'action politique et humaine du drame, avait éveillé en Hugo certaines ondes secrètes et fait émerger sous des formes multiples une vision bipolaire des êtres et des choses.

La présence des comédiens à l'intérieur de la pièce est appelée moins par des réminiscences littéraires ou historiques que par une cause semblable, sinon identique : l'acteur vit un jeu où il assume un visage étranger. Marion récite le texte auquel, par hasard ou par un choix délibéré, elle s'identifie le mieux. Le travesti reçoit ici un sens dramaturgique réel, lié à une forme d'ontologie : si Didier et Saverny consentaient à revêtir les habits qui leur sont offerts — par deux voies, la faute de Marion, la pitié paternelle de Nangis — ils pourraient retrouver leur liberté et modifier, peut-être, leur destin.

Le drame apparaît aussi comme une symphonie en rouge et noir, organisée autour des thèmes jumelés du sang et de la mort. Didier est vêtu de noir, comme son adversaire Laffemas, et même comme son adversaire lointain, le roi. La pourpre, indice visible du pouvoir religieux, est liée au sang qu'il répand, comme la cire rouge qui scelle l'acte de condamnation. La litière de Richelieu est écarlate; c'est sur son image que se clôt l'action. Sur ces deux couleurs dominantes contrastent les vêtements clairs et de teintes variées que portent les officiers, monde futile, aux aguets du dernier écho parisien. Et si le blanc pare Marion au dernier acte, c'est qu'elle croit à la délivrance de Didier, à l'efficacité de son geste, et, peut-être, à une pureté retrouvée.

Le *fatum* reçoit un sens plus étendu et plus évident qu'il ne l'avait dans *Amy Robsart*. Des coïncidences mènent les héros vers une issue inévitable; les échappatoires qui s'offrent ou qu'ils se créent sont momentanées; l'étau se referme. Hugo transcrit dramaturgiquement une idée, ou une conviction, qu'il avait formulée deux ans plus tôt, en réfléchissant sur l'histoire : « La fatalité que les anciens disaient aveugle, y voit clair et raisonne. Les événements se suivent, s'enchaînent et se déduisent dans l'histoire avec une logique qui effraie. » Son drame doit donc être vu, lu, interprété non comme une succession de péripéties en contrastes, ni comme une suite de rebondissements inattendus; la logique est moins dans les faits que dans la force supérieure qui les commande. Un personnage, dans *Marion de Lorme*, est sensible à cette présence. Marqué par le destin, Didier se sent « fatal ». Sa naissance de père et de mère inconnus, le lui fait éprouver d'une manière quotidienne; son « astre est mauvais ». Le premier des héros dramatiques de Hugo à porter en soi le sentiment d'une malédiction originelle, il est un Caïn qui n'a commis aucune faute, hormis celle de naître. Aussi l'amour qui s'empare de lui est-il à la fois le premier et l'unique, il unifie l'être. Et la mort, si fortuites qu'en soient les circonstances, est dans la logique de sa nature. Au drame de vivre s'oppose le bonheur d'aimer; à la souffrance d'aimer une femme indigne, la pureté et la joie de l'amitié. Face à l'univers cruel et aveugle, le dramaturge s'est penché un moment sur la fraternité qui lie deux hommes.

Cette vision binaire naît de quelque expérience très profonde du dramaturge, une rupture a dû se produire en lui. A-t-elle sa cause lointaine dans la séparation de ses parents ? dans une scission plus ancienne encore, liée aux racines mêmes de l'être ? Ou une expérience plus récente a-t-elle projeté vers la surface et donné une forme à des inquiétudes sous-jacentes ? La fatalité est une expérience que Hugo porte en lui et qu'il formulera dans *Notre-Dame de Paris*, sous le terme d'*anankê*, la Nécessité. Dès qu'il acquiert la maîtrise de son expression, Hugo est amené à voir l'univers comme divisé ; l'imagination précède la pensée théorique, elle anticipe sur elle parce qu'elle tire sa substance des tréfonds de l'être. Le dualisme peut paraître simple au premier abord ; comme tout dualisme, il offre un côté élémentaire : l'univers n'est pas constitué de « oui ou non ». Mais cette simplicité de l'image première contient une force pour sa projection dynamique dans le drame. Et c'est de ses contraires que Hugo nourrit chacune des forces qui s'affrontent.

Du pouvoir politique une image était offerte dans *Marion de Lorme* : l'arbitraire ou la faiblesse. Il prend un autre visage dans *Hernani*, où sur la rivalité amoureuse se greffe une opposition de forces politiques. La haine du rebelle pour son roi s'enracine dans une tradition ancestrale, la fidélité de Ruy Gomez a sa source dans une longue et vitale adhésion au pouvoir et à l'Etat ; la scène des portraits, apparemment un morceau de bravoure, n'a de sens que par là. Au-delà du conflit psychologique se place un problème d'éthique et de politique. Hugo a vécu d'assez près, par son père, par sa propre enfance, l'aventure napoléonienne ; elle ne constitue pas un élément livresque, ou un fait perçu indirectement à travers des narrations ou des livres ; son séjour en Espagne, ses contacts avec son père en ont fait pour lui un donné vécu, tout autant que la liaison de sa mère avec Lahorie et le divorce de ses parents. Malgré sa robustesse congénitale, il n'a pas le pouvoir de croire totalement dans la vie, il n'est pas, comme le sera un long moment Tolstoï, doté de cet équilibre qui permet de voir d'en haut les destins individuels et de les situer sur le plan de l'humanité, considérée avec le regard d'un créateur qui domine ses créatures, à la fois attaché à elles et s'en différenciant, disposant le bien et le mal en un destin où tout, finalement, s'ordonne.

La vision ternaire devient dès lors fondamentale. Elle apparaît, non sans virtuosité, dans les microstructures que sont les phrases, les expressions et apostrophes triples, et jusque dans les parallélismes sonores des noms, Hernani, doña Sol, don Carlos (à quoi s'oppose le quadrisyllabe don Ruy Gomez) — une analyse psycho-phonétique serait possible dans cette perspective. Que, d'autre part, Hugo ait hésité entre trois titres est un hasard : « la jeunesse de Charles Quint », « Tres para una », « l'honneur castillan »; le second mettait en évidence la perspective ternaire. Mais chaque titre souligne un aspect différent, l'Empire, l'amour, la fidélité à l'honneur (de don Ruy Gomez d'abord, de Hernani ensuite). Le triple appel du cor n'a de sens que par là. Que doña Sol soit présentée comme « calme, innocente et pure », selon Hernani, qui veut vivre « une heure, la vie, l'éternité » avec elle, n'est pas un schème fortuit. Les quatre personnages qui sont aux prises au début se réduisent à trois dès que Charles Quint aura été élu par la Diète. Dans celle-ci Hugo, même s'il se fondait sur les données historiques, se plaît à souligner que les candidats possibles au titre impérial étaient trois. Cette constance n'est pas fortuite. La triade est un élément essentiel de la vision du monde pour Hugo en 1830.

L'exploitation dramaturgique des couleurs s'oriente dans une direction autre que dans *Marion de Lorme*. La blancheur de la robe de doña Sol est présente à travers tout le drame. Cette constance, déjà perceptible dans *Amy Robsart*, révélerait-elle une hantise de la pureté et de l'intégrité d'être ? Ici, le blanc marque la droiture morale; c'est elle qui, poussée à sa limite, appelle à l'existence don Ruy Gomez, dont la barbe et les cheveux blancs répondent à la couleur qui pare et caractérise sa nièce : de la même essence, ils sont séparés par l'âge et par le sentiment qu'ils portent à Hernani. Don Ruy Gomez est vêtu de noir, signe de la mort qui s'approche de lui et image du destin qu'il constitue pour les deux jeunes gens. Hernani n'est pas « connoté » d'abord à cet égard; ce n'est qu'à la soirée de son mariage qu'il est revêtu d'un riche habit noir, préfiguration, au sein même du bonheur, de sa mort imminente, alors que, autour de lui, se promènent des dominos colorés, parmi lesquels erre le domino noir — l'expression figure dans le manuscrit — du comte. Ainsi, la vision binaire, transformée et complétée dans les relations entre les personnages, subsiste dans les relations entre les signes colorés et dans les forces triples qui s'affrontent. Tout le drame s'inscrit d'ailleurs dans une opposition entre la clarté et l'obscurité, depuis la chambre éclairée du début — mais elle l'est peu puisque la venue de don Ruy Gomez se fait avec des flambeaux — jusqu'à l'acte final, le soir, dans le jardin. Don Carlos accède au titre impérial dans la forte pénombre des caveaux. Un seul acte se déroule en pleine lumière, celui des portraits : don Ruy Gomez y affirme ce qu'il cache et s'y montre tel qu'il est, dans son être le plus intime. Face au blanc et noir les bijoux offerts à doña Sol brillent de tout leur or, comme les carolus promis à celui qui capturera Hernani. Les choses aussi portent leur symbolisme coloré.

Le regard a une fonction importante dans le drame. Dans *Amy Robsart*, Hugo lui avait réservé un rôle précisément à propos de sir Hugh, si proche déjà de don Ruy Gomez : il voit Amy et Varney, il n'entend pas leur conversation et ne peut comprendre leurs rapports, par un tragique quiproquo. Dans *Hernani*, le regard est lié souvent aux effets de lumière et d'obscurité, aux jeux du masque et du dévoilement. Sur un plan plus secret, il a un rapport avec l'identité des héros telle qu'elle est perçue ou non par les autres. Don Ruy Gomez est totalement visible, transparent; jamais il ne se cache, sauf à l'heure de la vérité et du destin. Hernani et don Carlos se livrent à un jeu d'incognito. Dès que les identités sont perçues, les yeux de Hernani s'allument, se font ardents. Ce qui semble n'être qu'un ensemble d'indications scéniques se révèle être une partie des fonctions signifiantes, qui ont leur place dans un ensemble plus vaste, où est impliquée la nature même des personnages.

Hernani propose une réflexion sur la royauté et sur son pouvoir. Bandit d'honneur, le héros a comme adversaire le roi. Le long monologue de don Carlos devant le tombeau de Charlemagne est une méditation passionnée sur la puissance politique. L'évocation de Corneille Agrippa et de Trithème a une raison d'être qui dépasse la simple évocation historique. Elle contient une apologie, discrète, du volontarisme opposé à un providentialisme passif. Don Carlos devient homme d'action : à ses yeux, seuls les souverains hésitants demandent aux nécromants des conseils. Il envisage même le coup de force, en un passage

qui ne plut pas aux censeurs de 1830. Sur l'image du
prince de la Renaissance Hugo projette un portrait plus
proche de lui : le pouvoir impérial de Charles Quint, tel
qu'il est présenté ici, est déformé et amplifié par l'image
de Napoléon. Le rapport entre les pouvoirs temporel et
spirituel se justifiait pour Charlemagne; les spectateurs
de 1830 avaient-ils oublié que Napoléon s'était fait sacrer
empereur par le pape ? Et le peuple, océan dont l'empereur doit tenir compte, n'est-il pas celui d'après 1789 ?
La leçon ultime de clémence, qui modifie les relations
dramaturgiques entre les personnages, n'est pas seulement un effet d'humanité. Dans la vision dramatique de
Hugo passe une lueur d'espoir, de confiance dans
l'homme supérieur. Le pessimisme final aura été atténué
d'une nuance d'humanité, sur laquelle le visage de don
Carlos disparaît du drame.

Avec *Le Roi s'amuse*, les données dramaturgiques ainsi
établies ne sont pas modifiées pour l'essentiel. Le maté-
riau assemblé et affiné par Hugo devient plus fluide, malgré une schématisation évidente des personnages. Les
symétries sont moins apparentes et moins immédiatement
évidentes. Le vers lui-même se fait moins souvent abrupt
ou rompu, au point de se rapprocher de la prose. Le
temps théâtral est resserré : l'action se déroule en un jour,
ou un peu plus. Le passé doit donc être intégré par des
retours en arrière ou des rappels, indispensables pour la
compréhension de l'action, visites nocturnes de Triboulet et du roi, condamnation de Saint-Vallier. Contraste
avec ce rétrécissement la complication du lieu scénique.
Il faut maintenant à Hugo des lieux multiples, qui permettent au spectateur de suivre ce qui se passe à l'intérieur et à l'extérieur des demeures. Les contraintes matérielles se font sentir au créateur comme un carcan; son
imagination recherche des moyens d'expression qui relè-
veraient plus du cinéma que du théâtre. Or, comme le
diable boiteux, il lui faut révéler les actions que norma-
lement on ne peut voir; la conduite du roi avec Maguelonne, Triboulet chez lui alors que ses ennemis com-
plotent au-dehors. L'acte de voir et d'entendre, déjà
présent dans *Amy Robsart*, est exploité ici avec brutalité; il
est significatif que les deux scènes essentielles se déroulent
la nuit, l'une totalement obscure, l'autre ponctuée
d'éclairs. Dans les deux cas, et d'une manière parallèle,
l'être humain est rendu à l'évidence la plus cruelle :
Triboulet constate que sa fille a été enlevée, Blanche voit

et entend le mensonge du roi, elle comprend la vraie nature de celui qu'elle aime. Le père et la fille vivent une expérience analogue. Pour Blanche, le voyeurisme innocent, mais voulu par son père, a la valeur d'une prise de conscience. Sa désillusion poignante a son équivalent dans la découverte atroce que fait Triboulet lorsque, dans l'obscurité, il découvre le cadavre de Blanche.

Au Louvre, tout n'est qu'or, émaux, lumières, miroitement, splendeur. Tout s'y déroule dans la pleine clarté, même l'inconduite du roi. La demeure de Triboulet est marquée par le secret, par l'obscurité, comme les activités de Saltabadil. Sont-ce là des artifices assez élémentaires empruntés au mélodrame ? Hugo les charge d'une intensité exceptionnelle. Le contraste est délibéré qui oppose le palais royal et les deux maisons, les lustres et la nuit, la royauté et le monde des inférieurs qui s'unissent contre elle, pour des motifs très différents. De nouveau la vision de Hugo s'est faite binaire. Au roi sont associés les grands courtisans, en une union qui n'est pas exempte d'oppositions ; à eux tous Triboulet est amené à s'opposer, d'abord dans les formes permises par la vie de la cour, ensuite par la révolte et le régicide. A l'insensibilité du roi, égale à l'indifférence du sbire Saltabadil, le dramaturge oppose la passion paternelle du bouffon. Et le seul personnage qui aurait pu comprendre le sentiment de Triboulet, Saint-Vallier, se trouve séparé de lui non seulement par leur différence sociale, mais par les sarcasmes et les plaisanteries cruelles de l'amuseur officiel de la cour. Saint-Vallier et Triboulet incarnent deux formes de paternité également bafouée, par la même personne. A qui Triboulet s'adresse-t-il, implorant, lorsque sa fille a été enlevée ? A Clément Marot, comme lui bourgeois inséré dans l'aristocratie, comme lui amuseur public ; mais, poète, il a peut-être des réserves de sensibilité qu'ont perdues les grands parmi lesquels il vit. La prostitution avérée du roi trouve son pendant dans celle, discrète, de Maguelonne ; le Louvre et la masure de Saltabadil, qui se situent dans deux mondes apparemment sans relation, se répondent aux deux extrêmes de la société.

Au-delà d'un tableau qui met en scène la vie de cour sous François Ier, au-delà du drame qui naît de l'égoïsme d'un prince voué à ses plaisirs et d'un amour paternel affolé et exclusif, se profile une image plus grave. La malédiction de Saint-Vallier donne au drame son vrai

sens. Le meurtre organisé par Triboulet se retourne
contre sa fille et contre lui. Ainsi s'accomplit la malédiction de Saint-Vallier; ainsi, le fatum. Seul, le roi sort
indemne de l'aventure; davantage, il sera demain comme
il était hier, aussi futile, aussi léger dans sa vie privée.
Saura-t-il jamais ce qui s'est passé ? C'est par quoi le
drame reste incomplet. La malédiction n'a été prophé-
tique, et peut-être efficace, que pour l'être malheureux,
pour le subalterne méprisé, souffrant dans son corps
difforme et dans son amour paternel toujours aux abois.
Même sa méchanceté, odieuse, a, sinon son excuse, du
moins sa cause dans le monde où la vie l'a contraint
d'exercer sa profession; elle est née de la nature, qui l'a
constitué tel qu'il est. Triboulet a été un révolté qui n'a
pas vu la réalisation de ses deux espoirs, la sauvegarde de
sa fille, la vengeance. Le drame a un sens politique; mais
celui-ci prend fin au troisième acte. Après, le drame du
père et de l'homme crucifié dans sa seule affection, dans
sa seule raison de vivre, envahit la pièce.

A sa manière et avec d'autres données, Hugo a traité
le thème du malentendu tragique, que Zacharias Werner
traite en 1810 dans *Der 24. Februar*, Jean Cocteau, dans
Le Pauvre Matelot (1924, mis en musique par Darius
Milhaud), Albert Camus, dans *Le Malentendu* (1944) : le
meurtre d'un parent proche. Mais chez ces dramaturges
l'assassinat est provoqué par l'appât du gain, il est per-
pétré par les membres de la famille. Puisant dans le fond
de son être, Hugo a projeté dans le bouffon son instinct
le plus intime, l'amour pour ses enfants. Il y joint une
critique dure de la royauté. Peu importe que François Iᵉʳ ne corresponde pas au portrait qui en est donné ici ;
le dramaturge entend lever le masque, d'une manière
hyperbolique. La schématisation des traits entraîne un
aspect polémique, voire pamphlétaire. Hugo a-t-il deviné
qu'il était arrivé à un point avancé d'une pensée qui, par
sa projection dans le monde imaginaire, allait au-delà de
ses convictions expresses ? Avec *Lucrèce Borgia* l'aspect
politique prend un sens moins immédiat; si le drame va
plus loin dans l'exploration du crime et de la cruauté, le
prince coupable sera puni comme en vertu d'une justice
immanente. Peu importe que les événements historiques
soient déformés par le dramaturge. Il le sait : jamais il n'a
prétendu les présenter tels qu'ils se produisirent. Il se
documente, peu ou prou; il utilise les sources dont on
disposait en son temps, elles-mêmes déformées souvent

par les préjugés philosophiques, politiques, religieux : l'historien moderne sourit à la lecture de *La Gaule poétique* de Marchangy (1815-1817), qui se fonde sur des textes anciens, mais raconte le passé comme un roman-poème. Que Hugo voie l'âme de la reine Elisabeth à travers le roman de Walter Scott n'a rien qui doive nous étonner ; que Louis XIII soit compris à partir d'une *Biographie universelle*, et que ses contemporains soient perçus dans Tallemant des Réaux, faut-il le lui imputer à crime ? L'histoire moderne ne figurait pas encore dans les programmes de l'enseignement tel que l'avait consti-tué Napoléon, et les grandes synthèses historiques, aussi bien que les biographies solides, restaient à écrire. Le monde historico-légendaire du *Romancero general* suffit pour édifier *Hernani*, comme Brantôme pour *Le Roi s'amuse*. Il importe surtout de mettre en évidence un drame moral, psychologique, social ou politique, et, plus profondément, métaphysique ; et celui-ci ne gagne pas à s'attarder aux subtilités. A une dramaturgie de la nuance, telle que Hugo l'avait lue dans Racine, succède une esthétique de choc. Hugo devait le savoir ; l'échec de sa collaboration avec Soumet signifie plus que l'antago-nisme entre un lettré âgé, proche de l'Académie, et un débutant ; c'est l'incompréhension qui sépare deux natures et deux visions des choses, entre la mondanité élégante, mais éphémère, et la jeunesse qui entend boule-verser les conformismes et, en même temps, se prononcer par des œuvres majeures. Hugo terroriste veut modeler les imaginations et instaurer un âge nouveau.

Dès le début il choqua. Les réactions du public de 1830 n'étaient pas pures. On hua la distorsion que subis-sait le vers. Hugo accumulait les « fautes », comme à plaisir et par bravade : emploi de termes banals ou fami-liers, langage prosaïque placé dans la bouche des grands, passage inopiné de la formule polie au tutoiement, for-mules triviales (« vieillard stupide »), images audacieuses, métaphores percutantes et insolites : cet art de commotion contrastait avec la rhétorique tiède, fade et compassée dans laquelle se complaisait un public épris d'habi-tudes. La kyrielle des noms de duellistes ou d'académi-ciens, lancée dans *Marion de Lorme* à la tête du spectateur, soulignait l'abondance des combats singuliers et le nombre des académiciens, leur caractère anodin. Le vers s'étire ou se casse, au gré de la fantaisie du dramaturge et surtout selon les nécessités du thème qu'il traite.

Paradoxalement, Hugo utilise l'art de la litote au sein même de l'abondance. La force de son style réside dans l'étonnante virtuosité avec laquelle passent les modulations des voix, les ralentissements et les accélérations du débit, les variations subites dans l'intensité du ton.

Le même phénomène se produit au même moment dans la musique et dans la peinture. L'ouverture des *Francs-Juges*, de Berlioz, en 1828, suscite chez les mélomanes, et même chez les musiciens, le même désarroi ironique, pour l'effet « monstrueux » — le mot a été dit — de la palette orchestrale. Les *Huit scènes de Faust*, première forme de la célèbre *Damnation de Faust* en 1829, ont été jugées des « expectorations bruyantes », des « croassements », une « excroissance et [des] résidus d'avortement résultant d'un hideux insecte ». La vague romantique produisait dans la musique et au théâtre, arts destinés à la collectivité, le même phénomène insolite, lié à des formes similaires de rupture avec la tradition. L'art verbal de Hugo se structure selon des techniques de type rhapsodique ; les thèmes verbaux ne se développent plus selon des canons préétablis ; ils se produisent et s'engendrent dans une liberté qui paraissait de l'anarchie ; ils s'adjoignent des effets lumineux et colorés comme la musique recherchait des effets de pittoresque par les timbres des instruments. Les tableaux de Delacroix traduisent le mouvement, ils rompent avec les formes académiques ; la couleur veut être éloquente, frapper le regard, par ses structurations vigoureuses et insolites, dynamiques, où la ligne, chère aux peintres classiques, est soumise, sinon englobée, dans les couleurs. L'espace ne se compose plus selon des symétries évidentes, comme chez David, mais selon des affinités secrètes, en fonction de l'idéal particulier que porte en lui le peintre. Le romantisme, courant de fond, bouleverse toutes les formes de l'art. Selon des modalités semblables, les processus d'expression changent, dans une même direction. Une « correspondance » entre les arts les fait évoluer dans le même sens, chacun procédant selon des moyens qui évoquent les autres.

Raymond POUILLIART

BIBLIOGRAPHIE

EDITIONS DES ŒUVRES DE HUGO

Œuvres complètes. Paris, Ollendorff, puis Albin Michel, 1901-1953, 45 volumes. Dite de « l'Imprimerie nationale ».
    Première grande édition complète. Essentielle.

Œuvres complètes. Edition chronologique sous la direction de Jean Massin. Paris, Club Français du Livre, 1967-1971, 18 volumes. Très utile pour la qualité de l'édition et pour les « portefeuilles », outre les documents biographiques et iconographiques.

ETUDES SUR HUGO

PAUL ET VICTOR GLACHANT. *Un laboratoire dramaturgique. Essai critique sur le théâtre de Victor Hugo.* — I. *Les drames en vers de l'époque et de la formule romantiques (1827-1839).* — II. *Les drames en prose — Les drames épiques — Les comédies lyriques.* Paris, Hachette, 1902 et 1903.
Première étude des variantes de tout le théâtre alors connu. Utile à consulter pour les œuvres qui n'ont pas fait l'objet d'édition critique.

W. PENDELL. *Victor Hugo's Acted Dramas and the Contemporary Press.* Baltimore, Johns Hopkins Press, 1947.

JEAN-BERTRAND BARRÈRE. *Hugo. L'homme et l'œuvre.* Paris, Boivin, 1952. Connaissance des lettres.
Excellente initiation.

PATRICE BOUSSEL ET MADELEINE DUBOIS. *De quoi vivait Victor Hugo*. Paris, Les Deux-Rives, 1952. De quoi vivaient-ils ? 11. Initiation intéressante.

JEAN GAUDON. *Victor Hugo dramaturge*. Paris, L'Arche, 1955. Les grands dramaturges, 9.
Excellente vue d'ensemble.

PIERRE ALBOUY. *La Création mythologique chez Victor Hugo*. Paris, Corti, 1963.
Ouvrage essentiel pour l'imagination mythique.

FRANÇOISE LAMBERT. *Le Manuscrit du Roi s'amuse* [...] Paris, Les Belles Lettres, 1964. Annales littéraires de l'Université de Besançon, 63.

PHILIPPE VAN TIEGHEM. *Dictionnaire de Victor Hugo*. Paris, Larousse, 1969. Renseignements utiles.

SAMIA CHAHINE. *La dramaturgie de Victor Hugo (1816-1843)*. Paris, Nizet, 1971.
Synthèse objective et utile.

ANNE UBERSFELD. *Le Roi et le Bouffon. Etude sur le théâtre de Hugo de 1830 à 1839*. Paris, Corti, 1974.
Excellente thèse bien informée. Synthèse d'approches psychanalytique, sociologique et sémiologique.

SUR LE THÉÂTRE

MARIE-ANTOINETTE ALLEVY. *La mise en scène en France dans la première moitié du dix-neuvième siècle*. Paris, Droz, 1938.
Ouvrage capital.

MAURICE DESCOTES. *Le drame romantique et ses grands créateurs*. Paris, Presses universitaires de France, 1955.
Bonne synthèse.

NOTE SUR CETTE EDITION

Chez Hugo, le texte de l'édition originale ou d'éditions ultérieures ne correspond pas toujours à celui de la représentation. Les metteurs en scène, dès le XIXe siècle, ont élagué les drames, suivant généralement l'exemple de l'auteur. Nous avons retenu le texte *ne varietur* de la monumentale édition dite de l'Imprimerie nationale : *Œuvres complètes*, Paris, Ollendorff, puis Albin Michel, 1901-1953. Ont été reprises ici les variantes les plus importantes ou les plus significatives telles qu'elles apparaissent dans le manuscrit ou les ébauches élaborées, et, lorsqu'il y a lieu, dans des manuscrits de scène. N'ont pas été retenues les éditions de la contrefaçon. Les notes élucident les allusions et les références historiques, légendaires et littéraires les plus importantes.

....

AMY ROBSART

INTRODUCTION

Hugo a vingt ans. Poussé par des nécessités pécuniaires que rend plus urgentes l'espoir du mariage avec Adèle Foucher, désireux d'affronter le public, il se tourne vers Alexandre Soumet, dont la sympathie aux idées littéraires nouvelles est aussi évidente qu'elles sont peu définies. Se connaissent-ils ? Soumet avait été couronné plusieurs fois par les Jeux floraux, avait été nommé auditeur au Conseil d'Etat; il s'orientait vers le théâtre; ses premières tragédies *Clytemnestre* et *Saül* allaient être bientôt représentées à Paris (Théâtre-Français, 7 novembre 1828, et Théâtre de l'Odéon, 9 novembre 1828). Au début de 1822, les deux écrivains seraient convenus de tirer un drame d'un roman que Scott avait publié l'année précédente et qui avait été traduit immédiatement, puis une seconde fois, en français, *Le Château de Kenilworth*. Hugo écrivit-il trois actes ? les trois premiers ? ou le premier, le deuxième et le quatrième, dont subsistent le manuscrit autographe ? Deux mois lui suffisent pour rédiger son texte. La lecture laissa Soumet réticent; les associés se séparèrent. Hugo continua de composer ses poèmes, ses romans et ses articles : les *Odes et Poésies diverses* (1822), les *Odes* (janvier 1823), la première édition, anonyme, de *Han d'Islande* (février 1826), les *Odes et ballades* (novembre 1826), l'*Ode à la colonne de la Place Vendôme* (février 1827), en outre les articles que publièrent *L'Etoile*, *Le Réveil*, et, dans *Le Moniteur* du 26 novembre 1822, l'étude sur *Saül* de Soumet, dont Hugo loue « la nouveauté et la grandeur », le « haut talent dramatique ».

En cinq ans ses idées sur le théâtre évoluent et se précisent; autour de lui la montée des idées novatrices se fait de plus en plus évidente. Ses amis sont là, autour de lui, qui attestent ce mouvement. La rédaction de *Cromwell* et de sa *Préface* définit ses convictions littéraires ; sa dramaturgie a pris forme. Aussi revient-il à son texte de 1822. Il en surcharge le manuscrit de ratures et d'additions : l'écriture de 1827 est plus écrasée que la calligraphie élégante de 1822. Le drame est complété ; le personnage de Flibbertigibbet, écarté d'abord, est intégré à l'action ; Hugo en perçoit maintenant la fonction dramaturgique, à la lumière de ses réflexions sur le « grotesque », sur le rôle des bouffons dans le drame. La révision a dû être rapide, Hugo semble avoir voulu hâter la représentation : Soumet présentait un drame, *Emilia*, adapté du même roman de Scott, que le Théâtre-Français mit à son programme à partir du 1er septembre 1827. Hugo avait modifié le titre de son œuvre : *Le Château de Kenilworth* se muait en *Amy Robsart* ; le drame d'un lieu devenait celui d'une jeune femme. Son beau-frère, Paul Foucher, tenté par le théâtre, accepta de prêter son nom pour l'œuvre ainsi renouvelée ; un entrefilet de journal la lui attribue et annonce la présentation imminente. Mais c'est Hugo qui suit de près les répétitions ; à sa demande et sur ses indications son ami Eugène Delacroix dessine les costumes.

Au Théâtre Royal de l'Odéon, le 13 février 1828, les rôles principaux sont tenus par Lockroy (Leicester), Provost (Richard Varney), Doligny (Flibbertiggibet), Mmes Charton (Elisabeth) et Anaïs Aubert (Amy Robsart). Le drame connaît un échec complet. Le nom de l'auteur — lequel ? — lancé par un acteur à la fin du dernier acte, s'est perdu dans le brouhaha. Deux jours plus tard, dans une lettre envoyée à des journaux, Hugo revendique la paternité de la pièce. Il ne l'édite pas. Le texte fut retrouvé en 1889, lorsque Paul Meurice préparait la publication des œuvres inédites et envisageait, peut-être, une reprise ; mais il y apporta des corrections à sa manière et lui donna une scène finale médiocre. L'édition Hetzel-Quantin, en 1889, constitue la véritable édition originale. Dans l'édition in-16 de la même maison, on peut lire le dénouement inventé par l'exécuteur testamentaire abusif.

En 1827 la presse fut presque unanime à mettre en évidence les défauts — ou ce qui lui paraissait tel — de l'œuvre. On critiqua la « prose ostrogothe », les « phrases baroques », les « locutions puisées dans le plus bas comique », l'incendie final, les rôles d'Alasco et de Flibbertigibbet; on trouva l'œuvre extravagante et ennuyeuse, informe, sans originalité — le même roman avait inspiré plusieurs adaptations, portées à la scène entre 1822 et 1827. Seule *La Pandore* livre une appréciation plus positive : « L'insuccès du drame nouveau est encore un argument dont la mauvaise foi des absolutistes classiques s'armera contre les tentatives des novateurs littéraires. *Amy Robsart* ne prouve rien ni pour ni contre le romantisme [...]. L'événement d'hier soir a été un malheur ; il ajourne le triomphe des idées nouvelles au théâtre, comme certains tableaux du Louvre retardent le triomphe de la nouvelle école dans les arts du dessin. C'est un échec, mais ce n'est pas une bataille perdue. » (19 février.)

Les personnages historiques du drame sont empruntés au roman de Walter Scott : la reine Elisabeth, Robert Dudley, comte de Leicester (1532-1588), le comte de Sussex (v. 1526-1588).

PERSONNAGES

Distribution de 1828

DUDLEY, comte de Leicester. . . .	M. LOCKROY
RICHARD VARNEY	M. PROVOST
Sir HUGH ROBSART	M. AUGUSTE
FLIBBERTIGIBBET	M. DOLIGNY
ALASCO.	M. THÉNARD
Lord SUSSEX	M. PAUL
FOSTER	M. MÉNÉTRIER
ELISABETH	Mme CHARTON
AMY ROBSART.	Mme ANAÏS
JEANNETTE	Mme DORGEBRAY

SEIGNEURS, DAMES, GARDES, PAGES.

ACTE PREMIER

Le théâtre représente une grande chambre à fenêtre en ogives avec des meubles dégradés. A droite un grand fauteuil, de forme gothique, fort riche et neuf, recouvert d'un dais que surmontent les couronnes de comte et de comtesse. Quatre pans de velours à franges d'or cachent les pieds de ce fauteuil. — Plusieurs larges carreaux de damas à terre. — Une glace à gauche dans un riche cadre orné d'arabesques d'or[1].

SCÈNE PREMIÈRE

Le comte de Leicester[2], Varney

Le comte, enveloppé d'un manteau et coiffé d'un chapeau à plumes rabattu, entre suivi de son confident. Le jour commence à paraître[3].

Leicester. — Je me le répète encore pour m'affermir dans ma résolution, tu as raison, Varney, quoique tes conseils ne soient peut-être pas ceux de ma conscience. Tout découvrir à la reine est impossible!... En d'autres circonstances, j'aurais tout bravé, j'aurais tout quitté. C'eût été mon devoir et mon bonheur. Qu'est-ce que la faveur royale près de la félicité domestique ? qu'est-ce que la disgrâce d'Elisabeth près de la reconnaissance d'Amy ?... mais impossible, impossible !

Varney. — Il devrait suffire pour exciter la reconnaissance de mylady, d'entendre le noble comte de Leicester établir ce parallèle le jour même où il a l'honneur de recevoir la reine dans son château de Kenilworth[4].

Leicester. — Hélas !

VARNEY. — Un soupir d'amour, mylord! Le comte de
Sussex croirait bien plutôt votre seigneurie occupée à
étudier pour la reine quelque soupir d'ambition.

LEICESTER. — Tais-toi. Le comte de Sussex! le comte
de Sussex!... Je t'ai dit, Richard, que je ferai tout ce que
tu veux, tout ce qu'une situation impérieuse me commande. Et s'il arrive malheur, si Elisabeth découvre sans
moi... ce que tu m'empêches de lui découvrir moi-même...

VARNEY. — Soyez tranquille, mylord. Cette partie
ruinée du château ne sera visitée de personne. Elle est
éloignée des bâtiments neufs et passe pour déserte. Et
en vérité, si elle ne renfermait la colombe mystérieuse de
votre seigneurie, on pourrait, même en y laissant notre
vieux concierge, ne la dire habitée que par les chouettes
et les hiboux.

LEICESTER. — Ma tendre Amy!... Je vais attendre son
réveil, et lui dire adieu, car pendant le séjour de la reine,
je ne pourrai sans doute la voir... — Varney, pose sur cette
table ma cassette d'acier et mes pistolets. Laisse-moi seul
un moment.

SCÈNE II

LEICESTER, *seul.*

Il s'approche lentement d'une des croisées gothiques.

Pas un nuage dans le ciel! chaque étoile parcourt
brillante la carrière qui lui est assignée, et moi!... Ah!
s'il est vrai que nos destins puissent être soumis à l'influence des astres qui étincellent sur nos têtes, la protection des corps célestes ne me fut jamais plus nécessaire
qu'en ce moment. Ma route sur la terre est incertaine et
voilée, et je ne sais quelle misérable superstition s'est
emparée de mon esprit. — Cet homme, que Varney m'a
amené...

*Il s'assied près de la table, ouvre la cassette d'acier et en
tire un petit parchemin marqué de signes cabalistiques.*

Je ne puis détacher mes regards des signes mystérieux
tracés par la main d'Alasco [5]. Renferment-ils pour moi
une révélation de l'avenir? Dois-je en effet me fier à leurs
orgueilleuses prédictions?... — Que dirait l'Angleterre
si elle savait qu'à cette heure le noble comte de Leicester,

le tout-puissant favori d'Elisabeth, cherche comme un enfant à lire sa destinée dans les calculs d'un alchimiste, dans les lignes symboliques d'un astrologue ?... Ah! ma faiblesse a été partagée par tous ceux qui ont nourri dans leur cœur l'ambition d'un trône. Les destinées vulgaires n'ont pas d'horoscope. Mais César avait plus d'une fois consulté les prophétesses des Gaules avant de passer le Rubicon [6].

Il s'approche vivement de la muraille du fond, ouvre une porte basse et masquée, et jette autour de lui un coup d'œil rapide en criant d'une voix sourde :

Alasco! Démétrius Alasco!...

Un petit vieillard descend lentement un escalier étroit et obscur qui aboutit devant la porte et paraît. Il est vêtu d'une robe grise flottante. Sa barbe est très blanche, ses sourcils noirs et sa tête chauve.

SCÈNE III

LEICESTER, ALASCO

ALASCO. — Me voici à vos ordres, mylord.

LEICESTER, *après avoir réfléchi un moment.* — Hé bien, vieillard! parlez, dites-moi ce que je veux savoir.

ALASCO. — Quand je ne viendrais pas de lire dans les cercles brillants des constellations, il me suffirait de voir l'air de santé du noble comte, pour être convaincu que la maison de la vie de sa seigneurie n'est pas attaquée...

LEICESTER, *l'interrompant.* — Si je n'avais souci que de ma santé, ce n'est certes pas à vous que je m'adresserais. Parlez-moi de ma destinée.

ALASCO. — Il faut en effet que la destinée d'un homme soit bien importante pour m'avoir fait interrompre un instant l'étude sombre et profonde du grand *arcanum* [7] qui doit changer les destinées du monde. Oui, comte de Leicester, votre ambition est grande, mais votre fortune sera plus grande que votre ambition.

LEICESTER. — Comment! expliquez-vous, vieillard! quel avenir ?...

ALASCO. — Peut-être ?... dois-je le dire ? un trône... le premier trône du monde...

LEICESTER *se détourne violemment agité*. — Un trône !...

ALASCO. — Vous voulez la vérité, on ne dit pourtant pas toujours la vérité aux princes...

En ce moment le regard de Leicester rencontre l'œil faux et perçant du vieillard fixé sur lui. Il s'élance vivement sur ses pistolets.

LEICESTER. — Misérable ! tu me trompes ! De par la foi de mes aïeux, tu te joues de ma crédulité !

Il s'approche brusquement du vieillard, en le menaçant de ses pistolets.

Avoue-le, vieux imposteur, oui, avoue que je suis ta dupe insensée, ou, par la tête de Dudley mon père, je jure que la tienne...

ALASCO, *comprimant une légère émotion*. — Noble comte... — Mon fils, ma vie est dans vos mains, comme votre avenir dans mes révélations.

LEICESTER. — Oses-tu encore, vieillard impudent ?...

ALASCO. — Je le disais, la vérité ne se dévoile pas sans péril aux princes. — Ce qu'il plaît à Dieu se fera.

LEICESTER. — Ah ! c'est trop !... tu te railles de moi !

ALASCO, *d'une voix forte*. — Railler ! Convient-il de railler à celui qui a l'œil fixé sur le ciel et le pied sur la tombe ? — Mon fils, écoutez. N'est-ce pas aujourd'hui ?... oui, c'est aujourd'hui le jour de la pleine lune rousse dans le grand arc chaldéen[8]. Il m'a été révélé que ce jour-là votre indigne serviteur courrait un grand danger — mais qu'il en sortirait. — Il est en votre pouvoir, mon fils, de faire mentir cet oracle.

LEICESTER. — Oui, de par les anges ! je le ferai. Ta candeur affectée ne m'abuse pas. Ton regard faux m'a seul dit la vérité.

ALASCO. — Je suis vieux, faible et sans défense ; vous êtes jeune, fort et armé. Mais j'aurai plus de confiance que vous dans ce qui a été prédit. Je le répète sans hésiter, de grandes, de magnifiques destinées vous attendent, quoique je n'ignore pas, mon fils, en vous annonçant ce royal avenir, quels obstacles lui oppose le passé.

LEICESTER, *troublé*. — Comment ! quels obstacles ? que veux-tu dire ?... qui t'a dit ?...

ALASCO. — La voix qui m'a tout dit n'est pas de celles que fait taire un homme, même un puissant ministre. Elle passe au-dessus des têtes qui sont au-dessus de tout sur la terre. — Souvenez-vous, mon fils, que vous m'avez fait prendre comme une bête fauve dans ma retraite

ignorée; qu'une voiture fermée à tous les regards m'a
conduit hier à ce donjon isolé de toutes les demeures des
hommes; que nulle parole vivante n'a frappé mon oreille
depuis vingt-quatre heures; que, privé d'aliments et de
sommeil, comme le prescrit la loi cabalistique, j'étudie
pour vous de mes sombres yeux, du fond de cette étroite
tourelle, le grand livre qui n'a point de pages. Maintenant, interrogez-vous, et cherchez si quelque moyen
humain a pu m'apprendre que cette ruine n'est point
déserte comme on le croit, et qu'elle cache au monde une
habitante...

LEICESTER. — Dieu! Dieu! Arrêtez, vieillard. — Il a
raison. Comment a-t-il pu savoir?... Je suis confondu
d'étonnement et d'épouvante. — Varney est sûr comme
moi-même. — Alasco! juste ciel! quel démon lui a dévoilé
ces terribles secrets?

ALASCO. *Il tire un parchemin de son sein et paraît le
considérer attentivement.* — L'inégalité des zones stellaires indique que la naissance de la jeune fille, bien
qu'honorable, est inférieure au rang du noble comte;
cependant le croisement des lignes annonce un légitime
mariage, lequel est tenu secret comme le prouve le voisi-
nage de la nébuleuse *Chormith;* mais ce mariage ne peut
manquer de se dissoudre, car la pâle étoile de la jeune
lady disparaîtra dans la chevelure de la grande comète
méridionale, laquelle entraîne dans son tourbillon le bel
astre du glorieux comte, et représente... Mylord, vous
paraissez agité.

LEICESTER. — Achève, achève, malheureux!

ALASCO. — Sa seigneurie l'exige?

LEICESTER. — Hâte-toi, je l'ordonne.

ALASCO. — Je ne suis qu'un vieillard impuissant, ce
que dit ma bouche n'a point été conçu dans mon esprit.

LEICESTER. — Oh! parle, parleras-tu?

ALASCO. — La grande comète couronnée représente
une haute et puissante dame qui viendra du sud.

LEICESTER. — Juste ciel! que dit-il? Vieillard, sais-tu
quel sens cachent tes mystérieuses paroles? Dis-moi,
quelle est?... Quand arrive cette... princesse?

ALASCO. — Princesse, en effet, vous l'avez dit, noble
seigneur. Elle arrive aujourd'hui même dans ce château.

LEICESTER. — Plus de doute! Oh! quelle est cette infer-
nale puissance qui lui a tout révélé?... Explique-toi, de
grâce, clairement.

ALASCO. — Elle arrive pour jouir des fêtes que lui offre

son illustre favori et pour réconcilier deux puissants ennemis, le comte de Leicester et le comte de Sussex. Le comte
de Leicester veut dérober dans ce donjon ruiné aux
regards jaloux de la vierge-reine la fille du vieux chevalier
Robsart, la jeune Amy, qui, enlevée il y a quelques mois
par son écuyer Varney, a disparu de sa famille pour devenir l'épouse ignorée du plus éclatant seigneur de l'Angleterre, votre épouse, mon fils... La tête du comte et
celle, qui lui est bien plus chère, de la comtesse, sont en
danger si ce secret est dévoilé. La souveraine apporte à
Kenilworth une tendresse vague qui pourra s'y développer... et peut-être... qu'est-ce que l'amour devant l'ambition ? on ne refuse pas une main qui donne un sceptre...
le maître de ce château n'est point accoutumé à s'arrêter
dans la carrière des grandeurs, et... quel plus glorieux
hymen pourrait tenter l'orgueil d'un homme ?... d'ailleurs, le bonheur de l'Angleterre... l'intérêt de l'Etat....

LEICESTER. — Vieillard, arrêtez. Vous me parlez de
l'avenir et cependant votre voix trouble mon âme comme
celle du remords. Arrêtez.

ALASCO. — Je vous obéissais, mylord. Votre seigneurie
doute encore peut-être...

LEICESTER. — Que ne puis-je douter encore! Cependant, va, ta science ténébreuse ne peut pénétrer l'âme de
Dudley.

ALASCO. — Peut-être le noble lord désire-t-il que
j'entre dans de nouveaux détails ?...

LEICESTER. — Il suffit.

ALASCO. — Mais si pourtant sa seigneurie ne croit pas...

LEICESTER. — Tais-toi. Je te consulterai quand il sera
temps. Alasco, si ta vie t'est précieuse, aie ceci toujours
présent, que lorsqu'on peut tout savoir, il faut savoir aussi
tout taire. Je récompenserai généreusement tes paroles,
mais ton silence plus généreusement encore.

Il lui jette une bourse d'or.

Sois muet comme la mort, si tu es aussi sage que savant.

Il referme la cassette d'acier et la met sous son manteau.

Holà, Varney !

*Varney rentre portant un panier où l'on aperçoit des provi-
sions de bouche.*

SCÈNE IV

LEICESTER, ALASCO, VARNEY

LEICESTER. — Richard, je vous confie ce vieillard. Veillez sur lui, qu'il ne manque de rien. Vous aurez pour lui, Varney, les égards dus à son âge — et à sa science.

VARNEY, *s'inclinant*. — Mylord, il suffit.

SCÈNE V

ALASCO, VARNEY

VARNEY. *Il laisse le comte s'éloigner, puis jette un regard soigneux autour de lui et s'approche en riant d'Alasco.* — Hé bien! vieux fils du serpent d'enfer, mon maître et le tien est donc ta dupe? Le lion royal de l'Angleterre est pris dans tes rêts?

ALASCO. — Vous pourriez, mon fils, vous exprimer plus dignement. Oui, tout va à souhait. Il est bien vrai que sans quelque science, sans quelque adresse...

VARNEY. — Oui, ta science! ton adresse!... Allons, jette donc au moins le masque avec moi qui connais ta face. As-tu, dis-moi, eu besoin de la lunette de Satan pour apercevoir les signaux que je t'ai faits là-bas, de la tourelle de Mervyn, et t'a-t-il fallu beaucoup de science pour lire dans les astres ce que j'avais écrit sur le parchemin que je t'ai glissé dans la main hier à ton arrivée?...

ALASCO. — Vous oubliez, monsieur l'écuyer, les égards que vient de vous recommander votre maître.

VARNEY. — En vérité! respectez donc le sublime savoir de monsieur le magicien! N'est-ce pas moi qui t'ai créé sorcier? Qu'aurais-tu fait avec ta nécromancie et ta chiromancie toutes seules? Crois-tu que sans moi tu aurais fasciné le noble comte de tes grimaces cabalistiques?

ALASCO. — Oh! ma patience enfin...

VARNEY, *riant toujours*. — Va, va, fâche-toi. Je ne crains, mon vieux drôle, ni le pouvoir infernal de ta boule étoilée, ni les danses de tes lutins familiers parmi lesquels j'ai bien gagné ma place, ni les cercles magiques de ta baguette qui saurait bien mieux chasser les mouches qu'évoquer les fantômes...

ALASCO. — Suis-je assez humilié! Ce misérable valet, traiter ainsi Démétrius Alasco, le père de la science universelle, le maître futur de la nature occulte! Encore un pas, et j'aurai pénétré jusqu'au sein du grand laboratoire de la création, et je tiendrai dans mes mains la semence de l'or, la toute-puissante panacée, l'élixir de la vie; encore un pas, et ma route jusqu'ici tortueuse et obscure comme celle d'un ver de terre sera vaste et lumineuse comme celle d'un aigle; encore un pas, et je m'élèverai au-dessus des favoris et de leurs favoris, dont je suis aujourd'hui l'esclave!

VARNEY. — Ha! ha! mais voilà de l'enthousiasme!

ALASCO. — Il ose rire, cet aveugle insensé qui est fait pour rester toujours dans sa nuit, même au sein de la lumière! et c'est de moi qu'il rit, de moi, dont le nom prononcé à Varsovie, à Prague, à Amsterdam [9] sera salué de mille têtes graves et profondes, de moi devant lequel les plus vénérables docteurs de la loi judaïque essuieraient de leurs barbes blanches les degrés de la synagogue pour les rendre plus dignes de mon passage! et c'est lui, ce frêle adorateur d'une puissance éphémère qui insulte à la science éternelle!

VARNEY. — Là, là, monsieur Alasco, ne nous brouillons pas, voyez-vous? Je crois tellement à votre science que si je perdais vos bonnes grâces, je me nourrirais pendant deux mois d'œufs frais, afin d'être sûr...

ALASCO. — Méprisable bouffon d'un grand seigneur, veux-tu que je te le prouve, ce savoir dont tu ris?...

VARNEY, l'interrompant. — Non pas, s'il vous plaît, je connais le pouvoir de vos cornues et de vos alambics, je sais votre talent pour les breuvages et les philtres...

ALASCO. — Malheureux [10]! mes philtres et mes breuvages! crois-tu que je les perdrais sur toi? Crois-tu que je dépenserais pour ta misérable vie ces redoutables élixirs, quintessences sublimes des substances les plus primitives, des végétaux les plus rares, des minéraux les plus purs! ces compositions si subtiles, qu'elles exhalent la mort comme un parfum, et qu'il suffit de les respirer pour en mourir? Ces poisons, enfin, où se concentrent tant d'éléments précieux que le domaine d'un comte n'en paîrait pas une fiole, et que pour être digne d'en boire, il faut être empereur ou roi? Va, sois tranquille, Richard Varney. Je ne travaille pas pour des drôles de si bas étage que toi. Quoiqu'on puisse, certes, extraire de ton corps plus de venin que d'une vipère, tu ne vaux pas une goutte de mes poisons !

VARNEY. — Voilà ce que jusqu'ici tu m'as dit de plus rassurant.

ALASCO. *Il se promène comme violemment agité, puis s'arrête brusquement et fixe ses yeux perçants sur Varney.* — Tu ne crois donc à rien, Richard Varney ?

VARNEY. — Si vraiment. Je crois à ce que tu viens de me dire. Si je vaux six livres et si ton poison en coûte douze, je crois que tu ne m'empoisonneras point.

ALASCO. — C'est tout ? — Oui, ris, Varney, oui, applaudis-toi. — Tu restes donc invinciblement enfermé dans le cercle des jouissances brutales et des craintes matérielles ? Rien ne t'apparaît au-delà de cette limite stupide où tu emprisonnes ton esprit ?... Tu ne crois ni aux prévisions de l'avenir, ni aux visions sorties des tombes, ni aux révélations de l'autre monde, ni aux intelligences secrètes des âmes ?...

VARNEY. — Bah !

ALASCO. — Ça, veux-tu que je te prouve d'un mot toutes ces choses surhumaines ? Veux-tu que je pénètre au fond de ton cœur pour en arracher tes secrets diaboliques ? — Le mariage de ton maître que tu veux rompre... — c'est par intérêt pour lui, dis-tu, c'est pour qu'il ne s'arrête pas dans son éclatante carrière ?...

VARNEY. — Allons, et peut-être aussi un peu pour échanger la livrée d'écuyer d'un gentilhomme contre le manteau d'écuyer d'un roi, j'en conviens. Quel mal y a-t-il à cela ?

ALASCO. — Va, je vois plus loin, je vois ce que tu veux me cacher dans les ténébreuses profondeurs de ton âme... Cette passion désordonnée pour la comtesse que tu brûles d'assouvir...

VARNEY. — Chut !

A part.

Mais cet homme est dangereux ! Comment diable a-t-il deviné... Deviné ! c'est-à-dire, appris.

Ici Varney s'arrête et réfléchit, pendant que l'alchimiste fixe sur lui un regard pénétrant.

La jeune lady le sait, mais elle est trop généreuse pour en parler, et même trop hautaine pour y songer. D'ailleurs, le magicien ne l'a jamais vue. Qui donc ?... Il y a

bien ce petit drôle, laid, malicieux, agile et intelligent,
qui doit faire le rôle du diable dans la comédie que le
comte veut donner à la reine, et que j'avais chargé de
dérober certaine clef... — Ce lutin aurait-il pénétré mon
secret, et l'aurait-il pu dire à ce sorcier ? Sachons cela.

Il se tourne vers Alasco.

Tenez, mon cher Alasco, signons la paix. Je ne voulais
pas vous offenser. D'ailleurs nos intérêts sont communs.

ALASCO. — Voilà bien le courtisan. Son miel est amer
et son amertume est mielleuse. Va, va, je suis un vieux
drôle, un vieux charlatan...

VARNEY. — Alasco, mon ami, songez que mylord vous
fait étrangler vif, s'il apprend la manière dont vous l'avez
joué. Croyez-moi, réconcilions-nous. Rappelez-vous que
si nos plans réussissent, il est à Cumnor un beau domaine
où vous aurez un laboratoire, des fourneaux et des boules
étoilées qu'un ancien prieur y a laissées, et où vous pourrez fondre, amalgamer, multiplier, souffler, ressouffler,
calciner, vaporiser, volatiliser tout à votre aise jusqu'à ce
que le dragon vert se change en oie dorée [11].

ALASCO. — Soit. Mais, de grâce, que faut-il faire pour
que ces belles promesses se réalisent [12] ?

VARNEY. — Vous expliquer franchement sur mon
compte. Me dire comment vous avez su ce que vous pré-
tendez savoir.

ALASCO. — A quoi bon te raconter cela ? tu ne crois pas
aux apparitions possibles des esprits ?

VARNEY, *à part.* — Apparitions ! Esprits ! Veut-il me
donner le change, à moi aussi ? me prend-il pour un Leicester ? Voyons pourtant ce qu'il chante.

Haut.

Raison de plus pour me conter la chose. Si je n'y crois
pas, voilà une belle occasion de me convaincre.

ALASCO. — Tu as raison. Et de si peu de valeur que soit
un homme, c'est un devoir de l'éclairer quand on le peut.
— Regarde-moi donc, Richard.

VARNEY, *le regardant en face.* — Hé bien !

ALASCO. — Comment me trouves-tu ?

VARNEY. — Hideux.

ALASCO, *secouant la tête.* — Oui, — c'est qu'à la pâleur
naturelle à ce front ridé par les veilles s'est jointe la lividité
de la terreur. — J'ai eu cette nuit une apparition.

VARNEY. — Vraiment ? — Tu es en effet aussi blême
que si tu avais soupé avec le diable, je n'entends pas un

être comme toi ou moi, malgré nos prétentions fondées à ce titre, mais un vrai Satan bien ensoufré, muni de ses cornes longues de douze coudées, et de sa queue qui fait autant de tours sur elle-même que l'escalier en spirale du vieux clocher de Saint-Paul de Londres.

ALASCO. — Ne ris pas, Varney, et parle plus bas, c'est sérieux. — Oui, cette nuit, j'ai reçu la visite d'un spectre, d'un démon... — oui, spectre et démon tout à la fois, — qui m'a parlé de moi, et de toi aussi, Varney.

VARNEY. — Quoi! le diable t'a conté mes secrets! Au fait, il doit les savoir. — Où l'as-tu vu ?

ALASCO. — Dans cette tourelle.

VARNEY. — A quelle heure ?

ALASCO. — A minuit.

VARNEY. — Voilà qui est curieux.

ALASCO. — Curieux! Toujours les paroles de ce monde pour les choses de l'autre! — Ecoute donc. Et si ton incrédulité ne cède pas à la confidence que je vais te faire, va, tu es incurable. Ton aveuglement ne se dissiperait pas même à la lumière de l'enfer!

VARNEY. — J'écoute.

ALASCO. — Richard Varney, j'ai eu dans ma vie un domestique, un élève, un disciple...

VARNEY. — Oui, ce que le profane vulgaire appelle un compère.

ALASCO. — Paix! Trève! — C'était un être bizarre, malin et capricieux, le visage d'un gnome, l'esprit d'une salamandre, la vive agilité d'un sylphe, une espèce de nain, qui ressemblait plus à un enfant qu'à un homme, plus à un lutin qu'à un enfant. — Au reste, qu'importe ? — Cet élève pénétra mes secrets, il fallut me débarrasser de lui.

VARNEY. — Oh! là-dessus! je m'en repose sur toi.

ALASCO. — Silence donc! — Un jour, je disparus de la ville que j'habitais, laissant à mon élève pour héritage mon laboratoire, mes ustensiles et mon fourneau, sous lequel j'avais eu soin d'oublier un baril de poudre bien caché.

VARNEY. — Touchante attention!

ALASCO. — J'étais donc parfaitement tranquille, espérant que le dépositaire de mes secrets ne viendrait pas de l'autre monde me troubler dans celui-ci. — Richard, je me trompais. — Cette nuit, à l'heure où mes yeux lassés commençaient à ne plus suivre qu'à travers des éblouissements la clarté des astres que je contemplais, une figure étrange s'est montrée à moi sous l'ogive de la tourelle. J'ai reconnu mon élève défunt !

VARNEY. — En vérité ? — Et que vous a-t-il dit ?

ALASCO. — Des choses terribles, des choses que l'enfer, la mort et lui pouvaient seuls savoir. Il m'a reproché avec un rire affreux ce qu'il nommait son assassinat. J'étais, moi, à demi évanoui de terreur. Je l'ai pourtant entendu mêler distinctement ton nom à ses imprécations.

VARNEY. — Mon nom ?

ALASCO. — Il parlait de ta luxure, de tes infâmes espérances, d'une clef que tu aurais voulu dérober, de la clef d'un escalier secret qui mène à la chambre à coucher d'Amy Robsart...

VARNEY. — Comment ! tais-toi ! Parle moins haut ! Cela est sérieux en effet.

A part.

Damnation !

Haut.

Et quel était ce démon ?

ALASCO. — Je te le dis, c'était feu mon disciple, sorti pour me poursuivre du sépulcre que je lui avais creusé. C'était Flibbertigibbet.

VARNEY. — Vrai nom de lutin en effet.

ALASCO. — J'étais hors de moi, je suis tombé mourant dans mon fauteuil. Quand je suis revenu à moi, il avait disparu.

VARNEY. — Et sous quelle forme s'est-elle présentée à toi, l'ombre de Flibbertigibbet ?

ALASCO. — Sous la forme noire et velue d'un diable de l'enfer.

VARNEY. — La seule que puisse avoir l'ombre d'un élève d'Alasco.

A part.

C'est, à coup sûr, mon maudit petit comédien. Son costume de diable a été pris au sérieux par la bonne conscience d'Alasco. Le petit drôle aura voulu effrayer son ancien maître. Mais pénétrer mes secrets et les divulguer. Il faut que je le cherche et qu'il me paie ses curiosités et ses indiscrétions.

ALASCO. — Hé bien ! Richard, que dites-vous de tout cela ?

VARNEY. — Mais n'est-ce pas un rêve plutôt qu'une vision ?

A part.

Bah! pourquoi le détromper? Laissons à ce vieil insensé ses superstitions risibles.

ALASCO, *hochant la tête.* —Varney! Varney! Les puissances infernales se mêlent de nos affaires. Prenons garde à nous.

VARNEY. — Bon conseil. J'y vais prendre garde en effet. — Mais, mon cher sorcier, séparons-nous de peur d'être surpris ensemble. Tu es libre dans ce donjon pourvu que tu t'arranges de façon à n'être vu que de tes astres et de tes diableries.

Il lui montre le panier posé à terre.

Voici tes provisions.

Il fait quelques pas, puis revient vers Alasco pensif.

Un dernier mot! N'oublie pas ceci : c'est la double condition de ta vie et de ta fortune : — Dire ce que je te dirai et taire ce que je ferai.

ALASCO. — Bien. Adieu, Richard Varney.

A part.

Cet infâme coquin me fait horreur.

VARNEY. — Adieu, Démétrius Alasco.

A part.

Ce vieux scélérat fou me dégoûte.

SCÈNE VI

ALASCO *seul, puis* FLIBBERTIGIBBET

ALASCO. — Cet homme n'a pas de conscience! — Il ne croit pas seulement à l'enfer.

Alasco reste un moment rêveur et silencieux. Tout à coup une voix aigre crie du dehors de la salle :

Doboobius!

ALASCO, *tressaillant.* — Dieu! qui m'appelle sous ce nom ?

LA VOIX. — Docteur Doboobius!

ALASCO, *de plus en plus épouvanté.* — O ciel! c'est le nom sous lequel je suis proscrit! C'est la voix du spectre! — Où fuir ? — C'est lui!

Il se prosterne la face contre terre en joignant les mains.

LA VOIX. — Moi-même. Flibbertigibbet vient rendre visite à son ancien maître Doboobius!

ALASCO, *toujours prosterné*. — Oui, tu as été ma victime et tu es maintenant mon bourreau. — Grâce!

LA VOIX. — Grâce! Et dans quel moment! A l'heure même où tu médites sans doute quelque nouvelle action, comme celles qui ont depuis si longtemps dévoué ton corps aux feux des bûchers et ton âme aux flammes de l'enfer.

ALASCO. — Laisse-moi!

A part.

Essayons de la formule de l'adjuration.

Haut. Il se soulève à demi en étendant les mains comme pour repousser le spectre.

Par les sept-puissances, par les influences lunaires, par le grand Schahmazin [13] des rabbins, par les drachmes d'or du prophète, par le Sinaï et par le Golgotha! — Arrière! Esprit, retire-toi! — *Vade retro, Satanas* [14]!

LA VOIX. — Ta mémoire te sert mal. Tu oublies d'invoquer les vertus de l'élixir Alchabert Samech [15]. — Je ne t'obéirai pas.

ALASCO, *retombant la face contre terre*. — Que faire? qui me sauvera? — Esprit, que t'ai-je fait?

LA VOIX. — Ta mémoire est décidément mauvaise. Tu oublies le baril de poudre, si charitablement caché par toi sous ton fourneau.

ALASCO. — Oh! grâce! Pitié! Pardon!

LA VOIX. — Hé bien! soit! A une condition.

ALASCO. — Laquelle? parle! Que veux-tu pour me laisser en repos? pour me délivrer de tes apparitions?

Flibbertigibbet saute par la croisée ouverte au fond de la salle et paraît. Costume de diable. Longue queue, longues griffes. Cheveux rouges en désordre.

FLIBBERTIGIBBET, *montrant le panier de provisions*. — Un morceau de ce pain, un coup de ce vin.

ALASCO, *se relevant avec surprise*. — Quel langage pour une ombre!

Il considère Flibbertigibbet, qui s'est jeté sur le panier et mange avidement un gros morceau de pain qu'il en a tiré.

Mais tu n'es donc pas mort?

FLIBBERTIGIBBET, *mangeant*. — Si fait vraiment. De faim et de soif.

ALASCO, *le touchant de la tête aux pieds.* — Mais c'est qu'il est réellement vivant, çe pauvre Flibbertigibbet !

FLIBBERTIGIBBET, *continuant de manger.* — Il n'y a toujours pas de te faute. — Voix-tu ? je n'aurais pas mieux demandé que de te faire mourir de peur, pour me venger à mon tour. Mais il y avait bientôt dix-huit heures que le spectre n'avait mangé, et mon estomac n'est malheureusement pas l'estomac d'une ombre. J'ai donc jeté le masque, et je mange. Il faut que tout le monde vive, même les fantômes.

> *Il boit une gorgée de vin et poursuit.*

D'ailleurs, vois-tu bien, mon pourpoint d'esprit infernal est décousu en plusieurs endroits, et un Belzébuth en guenilles ne peut faire illusion que la nuit, encore n'est-ce qu'à de vieux fanatiques imbéciles comme vous, mon maître.

ALASCO, *à part.* — Diable ! ceci est-il heureux ou fâcheux ? Voilà un nouveau camarade qui sera bien gênant. C'est pis qu'un revenant.

> *Haut.*

Tu as donc échappé par miracle à l'explosion du baril que j'avais oublié par hasard ?...

FLIBBERTIGIBBET, *mangeant.* — C'est-à-dire, placé exprès. — Mais voyez-vous bien, mon docteur, si vous êtes adroit, je suis fin. Après votre disparition, je n'ai pas été si sot que de mettre du feu dans votre fourneau, sans avoir d'abord retourné votre boutique sens dessus dessous. C'est ainsi que j'ai découvert votre mine et privé votre seigneurie du plaisir d'entendre dire que votre maître Satan avait emporté votre élève Flibbertigibbet dans un globe de feu.

ALASCO. — Je te jure, enfant...

FLIBBERTIGIBBET. — Tenez, ne jurez pas. A quoi bon ? Nous nous connaissons. — Je vous craignais autrefois, maintenant je sais vos secrets, et je ne vous crains plus. Que m'importe ce que vous me dites ?

ALASCO, *à part.* — Maudit lutin !

> *Haut.*

Flibbertigibbet, tu doutes de mon attachement, et cependant je veux encore te servir. Que fais-tu maintenant ? pourquoi ce bizarre déguisement ? Exerces-tu toujours l'état ?

FLIBBERTIGIBBET. — L'état de sorcier ? Non. Après

votre départ, j'ai été inquiété par les archers et j'ai pris la fuite. Je suis devenu comédien ambulant. Je joue les diables dans les mascarades de Shakespeare et de Marlow [16].

ALASCO. — Tu fais sans doute partie de la troupe de bateleurs qui doit figurer dans les fêtes que le comte de Leicester donne à la reine ?

FLIBBERTIGIBBET. — Précisément. Et quoique arrivé à peine depuis deux jours à Kenilworth, j'ai déjà exercé mon talent pour débrouiller et embrouiller les intrigues. Je sais tous les secrets de ce grand coquin de Varney, presque tous les mystères de ce château. Cette nuit en rôdant sur les gouttières du donjon, j'ai remarqué la lumière de votre tourelle, je vous ai reconnu, docteur Doboobius, et je me suis diverti à vous effrayer.

ALASCO, *à part*. — Singe! je me vengerai de toi! En attendant, si je le lâche, il me nuira, si je le garde, il peut me servir.

Haut.

Lutin, aimes-tu ton nouveau métier ?

FLIBBERTIGIBBET. — De comédien ? Non. On est mal nourri. Et puis, je m'ennuie de faire toujours les mêmes grimaces sur les mêmes planches.

ALASCO. — Veux-tu revenir avec moi ?

FLIBBERTIGIBBET. — Pourquoi pas ? c'est un changement.

ALASCO. — C'est une fortune.

FLIBBERTIGIBBET. — Une fortune. Oui. Pourvu que le pain ne vous manque pas tandis que vous ferez de l'or.

ALASCO. — Sois tranquille. — Es-tu à moi ?

FLIBBERTIGIBBET. — Je vous dis que oui, en attendant que je sois au diable.

ALASCO. — Hé bien! commence ton service tout de suite. J'en voudrais savoir sur le comte de Leicester et sur sa jeune comtesse plus que Varney ne veut m'en dire. Tous deux vont venir ici. Cache-toi dans quelque coin, et écoute leur conversation. Tu me la rediras.

FLIBBERTIGIBBET. — Cela vous aidera pour vos horoscopes, je conçois. — Mais où me blottir ?

ALASCO, *lui montrant le grand fauteuil*. — Sous ce fauteuil.

FLIBBERTIGIBBET. — Je veux bien. Je serai charmé pour moi-même d'entendre roucouler la colombe et le faucon.

ALASCO. — Hé bien, dépêche-toi. J'entends venir quelqu'un.

Il aide Flibbertigibbet à se tapir sous le fauteuil. A part :

Si on pouvait le surprendre là et le pendre aux gouttières du château. Quel débarras !

FLIBBERTIGIBBET, *sous le banc.* — On vient. Rentrez,
docteur Doboobius.

ALASCO. — Oui, mais ne me nomme plus Doboobius.
Je suis maintenant Démétrius Alasco.

FLIBBERTIGIBBET *sous le fauteuil, à part.* — Bon ! Le
serpent a fait peau neuve !

Alasco rentre dans sa tourelle.

SCÈNE VII

LEICESTER, AMY,
FLIBBERTIGIBBET, *caché sous le fauteuil.*
La comtesse entre appuyée sur le comte.
Elle est en déshabillé du matin.

LEICESTER. — C'est ici, mon Amy, qu'il faut nous
quitter.

AMY. — Déjà ! Oh ! non, Dudley, à peine m'as-tu
embrassée ! Tu resteras un moment encore, car tu m'as
promis de me venir voir dans ton costume de prince, et
tu ne partiras pas avant que je l'ai admiré. Je veux t'ôter
moi-même ton manteau.

LEICESTER, *souriant.* — Mais vous êtes comme toutes
les femmes, Amy. La soie, les diamants, les plumes, sont
plus pour elles que l'homme qu'ils parent. Plus d'une
mauvaise lame brille dans un fourreau de velours.

*Pendant ces paroles, il lutte doucement contre la comtesse,
qui enlève le manteau et laisse voir le comte revêtu de son
grand costume et chargé de tous ses ordres. Il est vêtu tout
en blanc, chausses de mailles de soie blanche, pourpoint
de satin blanc, ceinture de cuir blanc brodé en argent,
manteau de velours blanc brodé en argent et décoré de
l'étoile de la Jarretière.*

AMY. — Ce n'est pas de toi qu'on peut dire cela, noble
comte ! Va, laisse-moi te contempler ainsi ; mais ne pense

pas qu'Amy puisse aimer le grand personnage que décèle ce costume glorieux plus que l'inconnu qui se cachait sous un manteau brun grossier, dans les bois de Devon.

LEICESTER. — Chère Amy! c'est toi qui es faite pour être servie et admirée. Jette un regard sur ce miroir.

AMY. — Ne me parlez pas de moi, mylord. Je ne sais pas comment cela se fait, mais je ne pense pas à moi quand je vois mon Dudley se réfléchir dans la glace. Ah! tu fais encore un mouvement pour me quitter! ne me refuse pas, laisse-moi un moment te considérer à mon aise, afin d'apprendre comment se mettent les princes. Assieds-toi là, comme un être devant qui tous les autres doivent s'incliner.

Elle conduit le comte au grand fauteuil. Il s'y assied.

LEICESTER. — Mais viens donc prendre ta place près de moi.

AMY, *s'asseyant sur un carreau devant le comte.* — J'y suis.

LEICESTER. — Ta place est à mon côté.

AMY. — Non, à tes pieds. — Laisse-moi maintenant, cher Lord. Commencez par me dire quelle est cette courroie brodée ?

LEICESTER. — Il faut faire tout ce que vous voulez, Amy. La courroie brodée, comme tu la nommes, qui entoure mon genou est cette jarretière anglaise [17] que le roi est fier de porter. Vois-tu ? ici est l'étoile qui lui appartient, et le diamant Georges, le bijou de l'ordre. Tu as entendu conter comme le roi Édouard et lady Salisbury...

AMY, *rougissant.* — Oui, je sais comment de la jarretière d'une dame ce roi fit la première décoration de la chevalerie d'Angleterre.

LEICESTER. — Précisément. C'est avec le duc de Norfolk [18], le marquis de Northampton et le comte de Ruthland que j'eus la gloire de recevoir cet ordre. J'étais moins élevé en dignité que ces trois nobles seigneurs, mais celui qui veut monter ne doit-il pas commencer par le premier échelon ?

AMY. — Et qu'est-ce que ce beau collier, si richement travaillé, qui supporte un bijou semblable à un mouton suspendu par le milieu du corps ?

LEICESTER. — C'est le signe d'un ordre respectable qui jadis appartenait à la maison de Bourgogne, l'ordre de la Toison d'or. Les plus belles prérogatives y sont attachées; le roi d'Espagne lui-même, héritier de la maison de Bourgogne, ne peut, sans l'assistance et le consentement du grand chapitre, juger un chevalier de l'ordre. Quoique bon protestant, j'ai dû accepter, par politique, l'honneur que m'a fait Philippe d'Espagne en me conférant sa première chevalerie. D'ailleurs cet ordre de la Toison d'or appartient proprement à la Flandre. Le comte d'Egmont, le prince d'Orange [19] sont fiers de le voir briller sur le cœur d'un Anglais...

AMY. — Vous savez ce que vous devez faire, mylord.

LEICESTER. *Il fait un mouvement pour se lever.* — Maintenant, Amy, vous voilà satisfaite, et...

AMY. — Oh! encore un mot, mylord : quel est cet autre collier ?

LEICESTER. — Mais tu n'y penses pas, tu ne sais pas quels devoirs m'appellent.

AMY. — Mon noble seigneur, je vous en supplie, un moment de plus avec votre pauvre femme délaissée. Dites-moi seulement à quel souverain appartient ce beau joyau ?

LEICESTER. — À un bien malheureux. C'est, ma chère amie, l'ordre de Saint-André, rétabli par Jacques, le dernier roi d'Ecosse. On me le conféra à l'époque où l'on croyait que la jeune douairière de France et d'Ecosse, cette infortunée Marie Stuart, ne refuserait pas d'épouser un baron breton. — Mais ne vaut-il pas mieux être libre et comte d'Angleterre que de partager avec une femme ce triste royaume des rochers du Nord ?

AMY. — Je pense comme mon noble Leicester. J'aurais toujours préféré la main de Dudley obscur à celle de tous les souverains de la terre.

LEICESTER, *se détournant.* — Hélas!

AMY. — Qu'as-tu, cher ami ? Est-ce que tu crois que l'amour d'une reine serait plus tendre et plus ardent que l'amour de ton Amy ?

LEICESTER, *mettant la main sur ses yeux.* — Dieu!

Il s'approche d'Amy et la serre sur son cœur.

Non, rien ne t'arrachera de mes bras, rien!... Tu es à moi, tu es mon épouse, mon épouse bien-aimée!

AMY. — Eh, sans doute! Dudley, je suis à toi! sans doute, je suis ton épouse! c'est bien légitimement que la fille d'un obscur gentilhomme campagnard est pressée sur ce sein glorieux chargé des signes de toutes les illustres chevaleries de l'Europe. Mylord, qu'avez-vous ? qui peut vouloir nous séparer quand le monde ignore même que nous sommes unis ? Hélas! quand donc enfin...

LEICESTER. — Malgré tout mon bonheur près de vous, il faut vous dire adieu, chère amie. Vos désirs sont remplis, vous avez vu votre vassal dans tout l'appareil que permet le costume d'un cavalier, car les couronnes et les robes ne se portent que dans le salon des rois ou dans les cérémonies de l'Etat.

AMY, *après avoir un moment rêvé.* — Hé bien, vous allez vous récrier, mon cher comte, cependant cela n'a rien qui doive vous étonner dans le cœur d'une femme, ce souhait accompli en a fait naître un nouveau.

LEICESTER, *d'un ton de reproche.* — Ah !

AMY. — Vous m'écouterez, mon Dudley. Un preux chevalier peut-il repousser une jolie femme qui l'implore pieds nus et en robe du matin ?

LEICESTER. — Et qu'est-ce que j'aurais la force de te refuser ? parle, mon Amy.

AMY. — Maintenant que mylord a selon mes désirs visité cette humble retraite sous sa parure de grand dignitaire, il me tarde d'être assise, moi, avec ma couronne de comtesse, dans un magnifique salon de la cour et de te voir entrer vêtu de bure comme lorsque tu gagnas le cœur de la pauvre fille, Amy Robsart.

LEICESTER, *troublé.* — Amy ! que demande-t-elle ?... — C'est un vœu bien simple, demain, si tu veux, tu me reverras vêtu de bure.

AMY. — Mais moi, pourrai-je aller voir avec vous comment la richesse de votre palais répondra à la grossièreté de votre habit ?

LEICESTER. — Si c'est un palais que tu désires, parle, Amy, et ma puissance n'aura pas plus de bornes que mon amour. Ce donjon sera transformé à l'instant en séjour royal.

AMY. — Peut-être avez-vous raison, mylord, de me traiter comme une faible enfant ou une femme frivole. Croyez pourtant que ce ne sont ni les parures, ni les châteaux des comtesses que je désire, mais la gloire d'être reconnue aux yeux de tous comme l'épouse légitime du plus noble pair d'Angleterre. Hélas ! que fait, que dit maintenant mon malheureux père ? Quelle désolation dans ses foyers le jour où il se leva sans recevoir à son réveil le baiser accoutumé de son Amy ! Mon pauvre père ! Et quand il a su que c'était ce Varney, votre écuyer, qui m'avait enlevée, peut-être a-t-il pensé que sa fille avait descendu jusqu'à... Grand Dieu ! non, il n'a pu penser cela. Cette idée m'est insupportable. Cependant il ne te connaît pas, mon Leicester, il ne t'a jamais vu, et si jamais il n'a pu abaisser sa fille jusqu'à Varney, jamais aussi il n'a pu l'élever jusqu'à toi. Cher ami, noble Dudley, permets-moi enfin de voler vers lui, de le détromper, de lui rendre, à ce vieillard, sa fille chérie, et de la lui rendre épouse de l'illustre comte de Leicester.

LEICESTER. — Un jour, oui, un jour, Amy, ce vœu aussi sera accompli. Crois-moi, tu ne peux aspirer à ce jour plus ardemment que moi. Quelle joie quand je pourrai consoler les vieux ans de ton vénérable père, et, jetant les ennuis du rang et les gênes de la puissance, passer tous mes jours à tes pieds, aux pieds de ma charmante Amy ! Hélas ! maintenant il faut encore attendre et se contenter d'espérer. Ces entrevues furtives, si courtes et si chères, sont tout ce que je peux donner à la plus adorable, comme à la plus adorée de celles de son sexe.

AMY. — Mais pourquoi cela ? Qui l'entrave donc encore, cette union que vous désirez, dites-vous, et que les lois humaines et divines prescrivent également ? Ah ! si vous le souhaitiez seulement un peu, rien n'oserait s'y opposer, car jamais une puissance plus grande n'aurait servi une plus juste volonté.

LEICESTER, *baissant la tête*. — Qu'il vous est facile de parler ainsi, Amy ! vous ne connaissez pas ma position. Pourquoi faut-il que vous me fassiez de telles demandes le jour même où je voulais vous recommander de vous tenir dans cette ruine, cachée plus que jamais ? Vous ne savez pas, Amy, vous ne savez pas que la reine m'a demandé à visiter ce château et qu'aujourd'hui même elle arrive...

AMY. — La reine, mylord, hé bien, quelle occasion plus facile de lui déclarer votre mariage !

LEICESTER. — Malheureuse [20] enfant, que dites-vous ? vous ignorez à quoi tient la faveur. Cette déclaration nous perdrait tous deux. Mais confie-toi à moi, ma bien-aimée Amy. Un temps plus heureux viendra, ou je l'amènerai. En attendant n'empoisonne pas ces adieux par une prière que ton intérêt même me défend de satisfaire.

Il se lève pour embrasser Amy, et en se levant repousse le fauteuil qui recule brusquement et laisse Flibbertigibbet à découvert.

LEICESTER, *apercevant Flibbertigibbet*. — Qu'est cela ? *Il s'arrache des bras d'Amy étonnée et se précipite sur le lutin.*

Que fait là ce drôle ?

FLIBBERTIGIBBET, *levant hardiment la tête.* — Vous le voyez, gracieux seigneur. J'assistais *incognito*, comme le jaloux Odragonal, aux entretiens du beau Mériandre et de la belle Indamira [21]. J'écoutais.

LEICESTER. — Oui ? — Eh bien, tu auras écouté aux dépens de tes oreilles.

FLIBBERTIGIBBET. — C'est ce qui me paraît probable.

LEICESTER. — Qui es-tu ?

FLIBBERTIGIBBET. — Ce qu'il vous plaira. Un mort ou un vivant, un mort, si tel est le bon plaisir de votre poignard ; sinon, un vivant qui aime mieux la fin d'un repas que le commencement d'une dispute.

LEICESTER. — Impudent railleur ! Tu joues avec la corde de ton gibet.

FLIBBERTIGIBBET. — Faute de la pouvoir couper.

LEICESTER, *violemment agité.* — C'est quelque émissaire de lord Sussex et de mes ennemis ! — Va, ton audace sera punie à faire trembler tous tes pareils.

FLIBBERTIGIBBET. — Ils sont rares. — Au reste, mylord comte, vous pouvez faire trois choses de moi, à votre choix. Comme voleur, me pendre à la plus haute branche de la forêt ; comme espion, me clouer à la plus grande porte du château ; comme sorcier, me renvoyer à l'enfer dans la flamme d'un fagot.

LEICESTER. — L'effronterie est peu commune ! Il faut pourtant que je sache qui l'avait envoyé là. — Ecoute, maraud, tu as mérité tous ces supplices et plus encore. Hé bien, tu peux les éviter et obtenir merci en me disant de qui tu es ici le misérable instrument.

FLIBBERTIGIBBET. — Pour sauver ma vie ? — Ce serait une lâcheté.

LEICESTER. — Je puis pour toi plus encore que te donner la vie. On te paie sans doute pour faire ce métier d'espion, dis-moi combien, et si tu ajoutes qui, je te donnerai le centuple de ce qui t'est promis. Apprends-moi pour le service de qui tu t'es caché ici, ta fortune est assurée ; révèle-moi cette misérable intrigue...

FLIBBERTIGIBBET. — Pour faire ma fortune ? — Ce serait une bassesse.

LEICESTER. — Quoi, toujours ! menaces et promesses ne peuvent rien sur toi, la force aura peut-être plus d'effet. Qui t'a fait cacher là ? Dis-le moi, obéis...

                                    Il le secoue rudement par le bras.

FLIBBERTIGIBBET. — Je me soucie de vous le dire ou de vous le taire comme des sept branches de la lampe merveilleuse, et, si vous l'aviez demandé autrement, je vous aurais répondu [22]. Celui qui m'a jeté dans ce mauvais pas est même un drôle dont j'eusse été ravi de me venger; mais j'aime encore mieux vous taquiner. Je vous dirai à mon tour, haut et puissant lord, qu'il me plaît de me taire. C'est le seul pouvoir qui me reste devant vous. Je serais bien dupe de l'abdiquer. Vous pouvez me faire écorcher vif, non me faire parler.

LEICESTER. — Ah! c'est trop!

Il tire son poignard.

Traître! tu mourras!

FLIBBERTIGIBBET. — A votre aise. Le secret mourra avec moi. Qu'est-ce que cela me fait?

AMY, *retenant avec effroi le bras du comte.* — Mylord! mon Dudley! qu'allez-vous faire? Terminer notre douce causerie d'amour par un meurtre!

LEICESTER, *le poignard levé.* — Oui, afin qu'elle ne se termine pas par une catastrophe plus sinistre encore.

AMY. — Ah! grâce pour ce malheureux, mylord!

FLIBBERTIGIBBET, *à part.* — Elle est charmante!

LEICESTER. — Amy, ne me retenez pas, ce drôle est un espion!

AMY. — Non, mylord. Voyez cet accoutrement ridicule, c'est quelque baladin, ou tout au plus un fou.

FLIBBERTIGIBBET. — C'est cela, défendez-moi, noble dame, il y a une parenté entre nous, je suis fou comme la lune et vous êtes belle comme le soleil.

AMY, *souriant.* — Vous voyez bien qu'il est insensé. — Allons, mylord poignarderez-vous, sous les yeux de votre Amy, ce malheureux sans défense? Ah! ce serait d'un vassal, mais non d'un noble comte. — Grâce! pitié! je réclame de votre chevalerie la merci des dames. Accordez-moi cette pauvre vie. Allons! allons!

Elle prend le poignard des mains du comte qui la regarde en souriant tristement et ne lui oppose qu'une faible résistance.

Donnez ce vilain poignard, monsieur, et qu'il cesse d'occuper une place près d'un cœur qui est tout à moi.

Elle jette la dague par la fenêtre ouverte.

FLIBBERTIGIBBET, *à part.* — Vilain poignard! peste! et par la fenêtre! une véritable miséricorde [23] de Tolède damasquinée en or!

LEICESTER. — Vous êtes une enfant, Amy. — En épargnant cette vie, vous sacrifiez peut-être la vôtre, et la mienne...

AMY, *vivement*. — Ne le croyez pas. Une action de clémence ne saurait porter malheur. D'ailleurs, comment le sort de l'aigle pourrait-il dépendre du sort de...

Elle hésite.

FLIBBERTIGIBBET. — De la chauve-souris. Laissez-moi choisir moi-même l'animal.

AMY. — Allons donc, mylord, qu'il ne soit pas dit que vous m'ayez tout refusé aujourd'hui.

Leicester la serre dans ses bras.
Elle se tourne vivement vers le lutin.

Tu as ta grâce.

LEICESTER. — Oui, drôle. Mais non ta liberté. Je dois m'assurer de toi, en attendant que je sache qui tu es.

FLIBBERTIGIBBET. — Un diable, beau sire; mais un bon diable et un pauvre diable.

LEICESTER. — Tais-toi! — Ta langue de serpent détruirait ce que la bouche de cet ange a fait pour toi. — Holà, Varney, Foster! Jeannette! Quelqu'un!

SCÈNE VIII

LES MÊMES, VARNEY;
FOSTER, *pourpoint de velours et bas jaunes;* JEANNETTE

Ils accourent en tumulte.

VARNEY. — Que veut mylord?

Apercevant Flibbertigibbet. A part.

Mon petit traître de comédien! Qu'est ceci?

LEICESTER. — Concierge Foster! vous faites bien négligemment votre service. Qui a laissé entrer cela?

FLIBBERTIGIBBET. — Ne grondez pas ce lourdaud, seigneur. J'ai fait ici mon entrée à la manière de nous autres diables, par le trou de la serrure.

LEICESTER. — Qu'on mette cet Arlequin dans la prison du château.

VARNEY, *à part*. — Je respire! Il ne m'a point vendu.

FOSTER. — Dans la tour des oubliettes, mylord ? — C'est entendu.

Au lutin.

D'où viens-tu donc, démon aux crins rouges ?

FLIBBERTIGIBBET, *riant et regardant le costume du concierge.* — Des marais, — où j'ai appris l'art d'attraper des oies aux larges pattes et aux pieds jaunes.

FOSTER, *se mordant les lèvres.* — Prends garde que ces oies ne se changent en vautours.

LEICESTER. — Qu'on tienne ce prisonnier étroitement renfermé. Qu'il ne puisse communiquer avec personne, mais qu'il ne manque de rien et qu'on ne lui fasse pas de mal. Allez.

Le concierge et Varney veulent entraîner Flibbertigibbet. Il se dégage de leurs mains et court s'agenouiller devant Amy.

FLIBBERTIGIBBET. — Un moment, mes maîtres.

A genoux devant Amy.

Vous êtes si bonne que vous pourriez vous passer d'être belle. Le lutin vous doit la vie, Madame, mais vous ne vous en repentirez pas.

Deux serviteurs du comte l'entraînent.

VARNEY, *à part.* — Te voilà en mon pouvoir, petit damné. Nous avons un compte à solder.

Tous trois sortent.

AMY, *à Leicester.* — Vous voyez bien qu'il est plus fou que méchant.

LEICESTER. — Ah!... voilà un incident qui me fait craindre des malheurs. C'est le point noir qui annonce la tempête. La solitude de cette demeure est violée. Que deviendra tout cela ? — Adieu, Amy, je te laisse avec Jeannette.

Ils s'embrassent.

AMY. — Vous reverrai-je aujourd'hui, mylord ?

LEICESTER. — Oui, les devoirs que m'impose la présence de la reine...

AMY. — A quelle heure vous reverrai-je ?

LEICESTER. — Quand tu entendras la grosse cloche du château sonner le retour de la reine dans ses appartements, je profiterai de ce moment de répit.

AMY. — Je vous attendrai, mon Dudley. Mais adieu, vous me laissez une douce espérance dans un amer regret.

La reine d'Angleterre est bien heureuse! elle vous possède plus que votre femme.

Leicester soupire profondément. Il l'embrasse, la quitte et revient encore.

LEICESTER. — Adieu, adieu.

Il sort.

SCÈNE IX

AMY, JEANNETTE

JEANNETTE. — Mylady, mylady, vous ne savez pas...

AMY. — Quoi?

JEANNETTE. — Il y a beaucoup d'hommes et de chevaux dans l'autre partie du château, la partie neuve et habitée, on entend de grands bruits, on prépare de belles fêtes, et nous ne les verrons pas, et l'on dit que la reine vient, et nous ne la verrons pas...

AMY. — Hé bien, je sais tout cela. Hélas! dans toute cette fête, ce n'est pas la reine que je voudrais être libre de voir.

JEANNETTE. — Ah! vous savez! Alors votre seigneurie sait peut-être aussi...

AMY. — Quoi encore?

JEANNETTE. — Ce que c'est que ce vieillard qui paraît, comme vous, ne se soucier nullement de la fête, et qui se borne à rôder continuellement autour de ce donjon.

AMY, *vivement*. — Comment! quel vieillard?

A part.

Je suis folle, on ne me parle pas d'un vieillard que je ne pense à mon père.

JEANNETTE. — Oui, mylady, et qui a une barbe blanche bien vénérable. Il s'assied souvent sur la colline parmi les broussailles et puis il cache sa tête dans son grand manteau brun, ou il la lève vers la tour comme un chasseur qui attend que l'oiseau s'envole.

AMY, *vivement émue*. — Et, dis-moi Jeannette, sait-on quel est ce vieillard? d'où il vient? ce qu'il veut?

JEANNETTE. — Mon père a d'abord pensé que c'était quelque mendiant, mais en ce cas il ferait bien mieux de s'adresser à l'autre porte du château.

AMY. — Comment! un mendiant! ton père est un insolent.

JEANNETTE. — Quoi qu'il en soit, ce vieux rôdeur gêne fort mon père, et comme les ordres de mylord sont positifs et que nous voulons conserver la place de concierge, mon père a pensé que c'était un espion de ce lord Sussex, comme l'est sans doute ce prisonnier qui vous a dit de si belles choses, et a délibéré s'il ne prendrait pas quelque moyen expéditif de s'en débarrasser...

AMY, *l'interrompant.* — Grand Dieu, Jeannette, sur la tête de ton père, défends-lui de tourmenter ce vieillard! — Dépêche-toi, conduis-moi sur-le-champ à une fenêtre d'où je puisse le voir.

JEANNETTE, *regardant vers la fenêtre ouverte.* — Mais, mylady, il n'est sans doute plus sur la colline.

AMY, *vivement.* — N'importe! obéis.

Elles sortent.

ACTE DEUXIÈME

Le théâtre représente un magnifique salon gothique.

SCÈNE PREMIÈRE

ELISABETH, LEICESTER

La reine vêtue d'un superbe habit de voyage entre suivie du comte en grand costume et en manteau court.

ELISABETH. — Je suis bien curieuse, mylord, de voir votre réconciliation avec lord Sussex. En vérité, ce domaine ne le cède en rien à nos domaines de Windsor, et l'accueil que vous nous faites est digne d'un chevalier, — digne même d'un roi...

LEICESTER, *à part.* — D'un roi!

Haut et s'inclinant profondément.

Tout ce que votre majesté daigne honorer ici d'un coup d'œil est dû à votre majesté, et je ne fais en le mettant à vos pieds, madame, que vous faire hommage de vos propres dons.

ELISABETH. — Comment, comte, c'est à moi que vous devez tout ce que j'admire dans ce château, tout ce que je suis presque tentée d'envier!...

LEICESTER, *soupirant*. — Ce que Leicester est tenté d'envier ici, madame, n'est pas ce dont il peut se dire le possesseur.

ELISABETH. — Et quoi donc, mylord ? il nous semble qu'ici tout vous appartient.

LEICESTER. — Tout m'appartient ici, madame!...

ELISABETH, *souriant*. — Mylord, il y a de l'audace parmi votre respect. Il me semble qu'en ce moment même où vous baissez si humblement votre front, vous élevez votre pensée bien haut.

LEICESTER, *à part*. — A quoi suis-je entraîné ?

Haut.

Je vois avec douleur que ma témérité vous offense, madame...

ELISABETH. — M'offense!... Je n'ai pas dit cela, Leicester. Seulement, près d'Elisabeth, on oublie quelquefois la reine, n'est-ce pas, pour ne se rappeler que la femme ?

LEICESTER. — Madame!

A demi-voix et se détournant.

Que je suis malheureux!

ELISABETH. — Malheureux! vous vous dites malheureux, noble comte! et vous le dites près de votre reine, dans cette même demeure où tout atteste votre puissance et ma... — et notre faveur! Que faut-il donc encore, pour nous assurer votre attachement, à cette ambition que rien ne satisfait ?

LEICESTER. — Grand Dieu, madame! que votre majesté connaît peu l'âme de Leicester! Otez à votre indigne serviteur ses châteaux, sa couronne de comte, sa robe de pair d'Angleterre, dépouillez-le de tout ce dont vous l'avez revêtu; ne laissez à Dudley, redevenu pauvre gentilhomme, que l'épée de son père et le donjon de ses aïeux, et ce cœur que vous méconnaissez conservera, dans l'exil et dans l'oubli, la même reconnaissance, le même amour profond et fidèle à sa reine, à sa bienfaitrice...

ELISABETH, *à part*. — Amour!

Haut.

Prenez garde, mylord, car même en abdiquant vos grandeurs, il vous échappe des paroles qui révèlent votre ambition.

LEICESTER. — Mon ambition!

ELISABETH, *souriant.* — Oui, en déposant à mes pieds
votre couronne de pair, ne pensez-vous pas à une autre
couronne plus belle ?

LEICESTER, *à part.* — Que lui répondre, ô ciel !

ELISABETH, *doucement.* — Vous vous taisez, Leicester,
craindriez-vous d'être deviné ?

LEICESTER. — Je crains, madame...

ELISABETH. — Allez, vous pourriez être deviné et
n'avoir pourtant rien à craindre.

LEICESTER. — Ah ! madame, croyez que ce n'est pas la
couronne...

ELISABETH. — Arrêtez, mylord. Laissez-moi croire que
ce n'est que de l'ambition.

LEICESTER. — Si j'osais, si mon âme était à nu devant
votre majesté, elle ne m'affligerait pas de ce langage
injuste.

ELISABETH. — Eh bien oui, je vois votre émotion et j'en
suis touchée. Je pénètre cette âme que vous n'osez me
dévoiler. Et pourquoi, Leicester ? suis-je donc votre
ennemie ?...

LEICESTER. — J'ai un secret, en effet, madame... tant
de bonté devrait m'enhardir...

ELISABETH, *troublée.* — Cessez, vous dis-je. — Non,
mylord, non, Dudley — ne me pressez plus. — Tous les
liens qui font le bonheur d'une femme obscure sont interdits à la reine. — Je lis votre cœur dans vos regards. —
Si j'étais, comme tant d'autres, libre de consulter mes
propres penchants, alors vraiment....

LEICESTER. — Madame...

A part.

Où suis-je, grand Dieu !

ELISABETH. — Mais cela est impossible. Ne m'en reparlez plus, je suis faible. Non, cela ne peut être. C'est une
folie à laquelle vous ne penserez plus désormais, mylord.
Elisabeth d'Angleterre ne doit être l'épouse et la mère que
de son peuple.

*Après ces derniers mots prononcés d'une voix ferme, elle
s'assied.*

LEICESTER. — Madame, vous aurais-je offensée ?

ELISABEH, *avec empressement.* — Non encore une fois,
Dudley; mais ce sont de douces chimères, n'en parlons
plus. — Dites-moi donc pourquoi vous ne voulez pas que
je visite ce donjon ruiné qui fait un si bel effet dans le
parc ? serait-ce que vous l'en jugez indigne ?

Leicester, *violemment agité*. — Ce donjon... Je ne sais...
Elisabeth. — Remettez-vous donc de votre trouble,
mon cher lord. Calmez-vous. Voici la porte qui s'ouvre.

SCÈNE II

Elisabeth, Leicester, un huissier

*L'huissier ouvre la porte du fond, s'arrête
devant le seuil, et s'incline profondément.*

Elisabeth. — Hé bien ?
L'huissier. — Un vieillard, qui dit avoir une plainte à
soumettre à votre majesté, demande la grâce d'un moment
d'audience secrète.
Elisabeth. — Ce vieillard use à son aise de nos
moments.
L'huissier. — C'est ce que je lui ai dit, mais il implore
cette faveur avec des instances si vives...
Elisabeth, *à Leicester*. — Mylord, l'étiquette de Kenilworth n'est pas celle de Windsor; nous ne sommes ici
que votre hôtesse. Si vous le permettez nous accorderons
un instant d'entretien particulier à ce vieillard qui se
plaint.
Leicester, *à part*. — Grâce à Dieu, je respire.

Haut.
Madame, je me retire.
Il salue la reine et sort par une des portes latérales.
Elisabeth. — Huissier, faites entrer ce vieillard.

L'huissier sort.

SCÈNE III

Elisabeth, *seule*.

Pourquoi suis-je reine ? Pauvre Leicester ! — Malheureuse Elisabeth ! — Je suis une insensée. De reine devenir
esclave ! la fille de Henri huit, épouse de Dudley ! cela
ne se peut. — Mais il est si beau, si grand, si noble, son
regard est si tendre et si fier; cependant l'épouser, c'est
abdiquer. — Que dis-je ? n'est-ce pas lui qui règne ?

SCÈNE IV

ELISABETH, SIR HUGH ROBSART

La porte du fond s'ouvre. Sir Robsart, en grand deuil, se précipite aux genoux de la Reine, qui se détourne d'un air surpris et mécontent.

SIR HUGH ROBSART. — Justice, madame ! justice !

ELISABETH, *d'une voix irritée.* — Monsieur, relevez-vous. Oubliez-vous que vous abordez votre reine ? Que signifie cela ? Sortez sur-le-champ.

SIR ROBSART. — Non, madame ! non, je ne quitterai pas vos sacrés genoux que vous ne m'ayez entendu. Votre majesté ne me refusera pas l'auguste et dernier appui qui me reste. Elle ne me réduira pas au désespoir, elle ne repoussera pas un vieillard en cheveux blancs, un ancien serviteur qui a versé son sang et tiré son épée de gentilhomme pour elle, un père outragé qui vient près de la vierge-reine réclamer sa fille enlevée et séduite !

ELISABETH, *d'un ton radouci.* — On vous a enlevé votre fille, vieillard !... Allons, relevez-vous, maintenant que je consens à vous entendre et à oublier la brusque rusticité de votre abord. On vous a enlevé votre fille, dites-vous ? Et qui donc se permet d'enlever les filles dans ce royaume d'Angleterre, que protègent Dieu et les saints ?

SIR ROBSART. —Il n'est que trop vrai, madame. Je suis Hugh Robsart, de Lidcote-Hall.

ELISABETH. — Le descendant de ce Roger Robsart qui servit si vaillamment notre aïeul Henri sept à la bataille de Stoke ?

SIR ROBSART. — Et qui mit en déroute lord Géraldin, le comte de Lincoln, et les Irlandais et les Flamands que la duchesse de Bourgogne avait soudoyés pour soutenir ce faux comte de Warwick, ce faux Edouard VI [24].

ELISABETH. — Oui, le cuisinier Lambert Simnel. Votre nom et vos services me sont connus, sir Robsart. Parlez en assurance, et croyez que nous sommes aussi bonne justicière que vous êtes tout sujet.

SIR ROBSART. — Je n'avais qu'une fille, madame, et il est permis à un vieux père qui va mourir de mettre toute sa joie et tout son orgueil dans sa fille. Hé bien, madame, un infâme séducteur s'est introduit comme un ami dans

ma retraite, il a fait parler sa langue de serpent, et mon
Amy l'a suivi.

ELISABETH. — Comment la nommez-vous ? Amy ?
Est-ce un nom de la légende ?

SIR ROBSART. — Madame...

ELISABETH. — Vraiment ! je vous plains. Nous ne savons,
nous qui sommes reine couronnée, comment une femme
peut se laisser prendre aux séductions d'un homme. Mais
il paraît que cela est possible, puisque c'est votre histoire.
Et quel est, mon brave chevalier, le nom du ravisseur ?

SIR ROBSART. — C'est... Madame, c'est un homme qui a
une puissante protection.

ELISABETH. — Eh bien, cette protection est-elle plus
puissante que la nôtre ?

SIR ROBSART. — Pardon, madame. Je suis peu habitué
au langage des cours et j'ignore de quel poids y sont les
paroles. Ce ravisseur est un écuyer du noble comte de
Leicester.

ELISABETH. — De Leicester ! L'homme le plus chaste
de l'Angleterre a un séducteur dans sa maison ! Et quel
est le nom de ce misérable écuyer ?

SIR ROBSART. — Ce lâche qui suit la robe des filles et
fuit l'épée des hommes s'appelle Richard Varney.

ELISABETH. — Richard Varney. Bien. Amy Robsart,
n'est-ce pas ? Et qu'a-t-il fait de votre fille ?

SIR ROBSART. — Hélas ! madame, elle est ici, ici même.
Je l'ai aperçue à l'une des fenêtres du donjon en ruine
qui est au milieu du parc.

ELISABETH. — Comment ! lord Leicester m'a dit que
cette ruine était inhabitable et par conséquent inhabitée.
Etes-vous sûr de ce que vous dites ? Vous n'avez pas
essayé d'entrer dans ce donjon ?

SIR ROBSART. — La porte m'en est restée fermée. C'est
sans doute parce que ce bâtiment passe pour désert que
cet infâme Varney y a caché ma malheureuse Amy.

ELISABETH. — Vieillard, nous vous ferons rendre justice. Par la mort de Dieu ! nous sommes la mère et la protectrice née de toutes les filles anglaises. Un vil écuyer,
un indigne valet, suborner l'héritière d'un honorable
baronnet ! Lord Leicester sera furieux quand il apprendra
cette œuvre d'iniquité. Nous vous promettons, chevalier,
notre appui près de lui contre ce Varney, dont vous craignez le crédit. En attendant, voici notre sauf-conduit
devant lequel toutes les portes s'ouvrent, et qui vous ser-
vira à vous assurer si votre Amy, comme vous dites, est

réellement dans ce donjon. — Je vous congédie, car la
cour attend qu'on l'introduise. Huissiers de ma chambre !

Un huissier paraît.

Conduisez ce vieillard et faites entrer les deux lords
avec leur suite.

*Sir Robsart sort par une porte latérale, tandis que celle du
fond s'ouvre et laisse le passage libre à toute la cour.*

SCÈNE V

ELISABETH, LEICESTER, SUSSEX, VARNEY ;
DAMES, ÉVÊQUES, PAIRS ET OFFICIERS DE LA REINE.
CHEVALIERS, PAGES ET GARDES DE LA SUITE
DES DEUX COMTES

*Les deux lords entrent en même temps par la grande porte
ouverte à deux battants, ils saluent la reine et vont se
ranger avec leurs partisans chacun d'un côté de la scène.
Le milieu est occupé par la suite de la reine.*

ELISABETH. — Mylords, qu'est-ce que cela veut dire ?
Nous vous appelons tous deux pour daigner vous réconcilier, et en notre présence vous vous divisez, pour parler
de même que mes poètes, comme les eaux du fleuve
Alphée et de la fontaine Aréthuse [25]. — Allons, rap-
prochez-vous et joignez vos mains, que la haine ne doit
pas désunir quand mon service les unit.

*Les deux comtes s'inclinent et restent en silence à leurs
places.*

Ratcliffe, comte de Sussex [26], Dudley, comte de Leicester, hé bien, nous avez-vous entendue ? qu'est-ce que
cette immobilité ? qu'est-ce que ce silence insolent ?
Aucun de vous ne veut faire le premier pas ?

LEICESTER. — Madame...

A part.

Un rustre de soldat !

SUSSEX, *à part.* — Un damoiseau ! un parvenu !

Haut.

Votre majesté...

ELISABETH. — Je sais que c'est ainsi qu'on m'appelle,

et c'est parce qu'on m'appelle ainsi que vous m'obéirez,
nobles comtes.

A Leicester.

Dudley, vous êtes le plus jeune et il est votre hôte, c'est
à vous de le prévenir.

A Sussex.

Mylord de Sussex, pour me plaire vous voleriez à une
bataille et vous reculez devant une réconciliation.

LEICESTER, *immobile*. — Il n'est rien que je ne fasse
avec joie pour satisfaire mon auguste souveraine; mais...

SUSSEX, *immobile*. — Je suis un soldat et ne sais qu'obéir;
cependant madame, je serais charmé que lord Leicester
voulût bien me dire en quoi j'ai pu l'outrager; car il n'est
rien dans ce que je fais ou dans ce que je dis que je ne sois
prêt à soutenir, à pied ou à cheval.

LEICESTER. — Et moi, sous le bon plaisir de sa majesté,
j'ai toujours été prêt à justifier mes faits et gestes, autant
que qui que ce soit du nom de Ratcliffe.

Les deux comtes se regardent fièrement.

ELISABETH. — Quel est celui de vous, mylords de Sussex et de Leicester, qui veut goûter de notre pain de la
Tour de Londres? Nous sommes ici l'hôtesse de l'un de
vous; mais, par la mort de Dieu! il se pourrait qu'avant
peu l'un de vous fût notre hôte. Pour la dernière fois,
obéissez et donnez-vous cordialement la main [27].

D'une voix impérieuse.

Comte de Sussex, je vous en prie.

D'une voix douce.

Lord Leicester, je vous l'ordonne.

SUSSEX. — C'en est fait, voilà ma disgrâce décidée.

VARNEY, *bas à Leicester*. — Votre triomphe est complet,
mylord.

Les deux comtes s'avancent et se serrent la main.

LEICESTER, *s'inclinant*. — Noble lord Sussex, c'est avec
un vrai plaisir...

A part.

Ce traître qui me fait espionner dans mon château.

SUSSEX, *s'inclinant*. — Comte de Leicester, je suis heureux...

A part.

Ce félon qui attache des empoisonneurs à mon chevet.

ELISABETH. — Bien, comtes. Abjurez vos jalousies et vos ressentiments. Que désormais mes deux plus fidèles serviteurs soient en même temps deux sincères amis. Mylord de Leicester, nous voulons signaler la gracieuse visite dont nous vous honorons par quelques promotions. Quel est celui d'entre vos officiers que vous jugez le plus digne du titre de chevalier ?

SUSSEX, *à part*. — Elle ne me parle pas des miens ; ma défaveur est certaine.

ELISABETH, *brusquement*. — A propos, comte de Leicester, n'y a-t-il pas parmi vos écuyers un nommé Richard... — Richard... Ah ! mon Dieu ! quel est son nom déjà ?...

VARNEY, *vivement à Leicester*. — C'est moi sans doute, mylord. La reine va me faire chevalier.

LEICESTER. — Si j'ose aider la mémoire de sa majesté, n'est-ce pas Richard Varney ?

ELISABETH. — Précisément. Mylord, que pensez-vous de ce Varney ?

LEICESTER. — C'est, madame, un serviteur fidèle de son maître, un sujet dévoué de votre majesté. L'élévation de son âme et la pureté de ses sentiments le placent vraiment au-dessus de son état, et si...

ELISABETH. — Est-il ici ?

LEICESTER. — Sans doute, Madame. — Varney !

VARNEY, *avec empressement*. — Me voici aux pieds de sa majesté.

ELISABETH. — Eh bien, mylord, je ne suis pas fâchée de vous détromper sur le compte d'un traître, d'un lâche, d'un fourbe, qui souille votre noble maison. Cet hypocrite, que vous me vantez avec tant de bonne foi, n'est qu'un indigne séducteur, qu'un odieux ravisseur. Croiriez-vous qu'il a osé, lui, ce valet, suborner et enlever la fille d'un respectable gentilhomme, de sir Hugh Robsart ?

LEICESTER, *avec un cri de terreur*. — Qu'entends-je ?... Grand Dieu, madame !...

A part.

Voilà le fruit des menées de l'espion de Sussex !...

ELISABETH. — Je partage votre indignation, et je l'accroîtrai encore en vous apprenant que ce scélérat a eu l'audace de cacher sa victime dans cette même demeure où vous recevez aujourd'hui votre reine.

LEICESTER, *consterné*. — Juste ciel, madame, croyez...

A part.

Je suis perdu.

Sussex, *à part*. — Oui-dà, que signifie ceci ? il me semble que ce beau dameret [28] favori est singulièrement pâle dans son triomphe.

Elisabeth. — Mylord, vous paraissez bien frappé...

Leicester. — Je suis étonné, madame...

Varney. *Il s'agenouille devant la reine, croise les mains et baisse la tête.* — Madame...

Elisabeth. — Qu'as-tu à dire ? confesses-tu ton crime ?

A part.

Comme Leicester paraît troublé !

Haut à Varney.

As-tu enlevé cette fille ? Est-elle cachée ici ? Réponds.

Varney. — Oui.

Leicester. — Scélérat !

Il veut se précipiter sur Varney. La reine l'arrête.

Elisabeth, *avec humeur*. — Mylord comte, si vous le permettez, nous instruirons seule cette affaire. Elle est de notre ressort. Nous n'avons pas terminé l'interrogatoire de votre officier.

A part.

Que veut dire tant d'émotion ?

Haut, à Varney.

Ton maître, le comte de Leicester, savait-il cette intrigue ? Dis-moi la vérité, contre quelque tête que ce soit, et ne crains rien. La tienne est sous notre sauvegarde.

Varney. — Votre majesté veut la vérité. La voici tout entière, en face du ciel. Tout cela s'est fait par la faute de mon maître.

Leicester, *à part*. — Dieu ! le traître !

Haut.

Infâme ! qu'oses-tu dire ?

Elisabeth, *les yeux enflammés*. — Taisez-vous, comte !... Continue, Varney ! Nul ne commande ici, que moi.

Varney. — Et je vous obéirai comme tous, madame. Mais je ne voudrais pas confier les affaires de mon maître à d'autres oreilles que les vôtres.

Leicester. — Pour me trahir à ton aise, serpent !

Elisabeth. — Les affaires de ton maître ?...

Varney. — Oui, madame, si j'osais élever une parole, je supplierais votre majesté de m'accorder un moment d'audience secrète. Je donnerais à mon auguste souve-

raine des explications qui la satisferaient peut-être, mais
dont l'honneur d'une respectable famille pourrait souffrir, si elles étaient publiques. Ces matières sont délicates.

ÉLISABETH. — J'y consens ; mais si tu cherches aussi à
me tromper, par l'esprit de mon royal père Henri huit,
le peuple de Londres verra se dresser ta potence. Qu'on
nous laisse seuls un instant.

LEICESTER, *à part*. — Je suis perdu !

*Toute la cour se retire, ainsi que Leicester, qui paraît vio-
lemment agité.*

SCÈNE VI

ELISABETH, VARNEY

*La reine s'assied et paraît méditer un moment,
tandis que Varney reste à genoux.*

ÉLISABETH. — Allons, drôle, relève-toi et parle. Qu'as-
tu à dire pour ta défense ? Je vous demande un peu, voilà
un cavalier de bonne mine et de haut rang pour séduire
les filles de notre royaume !

VARNEY. — Je conviens, madame, que je serais un
grand misérable, un odieux scélérat, si, abusant indigne-
ment de la faiblesse d'une jeune héritière, je l'avais
séduite sans pitié, enlevée sans scrupule et déshonorée
sans pudeur comme sa glorieuse majesté me fait l'injure
de le croire.

ÉLISABETH. — Et que me font ta pitié, tes scrupules et
ta pudeur ? Dans le fait, n'as-tu pas séduit, enlevé et
déshonoré miss Robsart, ou bien, Richard Varney, est-ce
que je suis mal instruite ? Serait-ce un autre que toi ?

VARNEY. — Non. La reine est bien instruite, mais sa
majesté n'est pas instruite de tout. Miss Robsart n'est
point déshonorée ; à moins qu'il ne soit déshonorant
d'être l'épouse d'un écuyer de mylord comte de Leicester.

ÉLISABETH. — Comment ! tu l'as épousée ! Miss Amy
Robsart est ta femme légitime ?

VARNEY. — Elle est ma femme légitime. Cela est vrai,
n'en déplaise à sa majesté.

ÉLISABETH. — Prenez garde de me tromper, monsieur.
Si vous l'avez épousée, pourquoi alors accuser le noble

comte ? Quelle faute lui imputez-vous ? Il ignorait peut-
être tout.

VARNEY. — Lord Leicester ignore tout, en effet. Mais,
je le répète, il est la cause de tout le mal. Que votre
majesté en juge elle-même. — Depuis longtemps, le
noble comte, cet honneur de la cour d'Angleterre, a
renoncé au mariage. Des ennuis secrets, dont nul n'ose
pénétrer la cause, lui font fuir toutes les femmes. On dit
que mon infortuné maître... Dois-je, madame, répéter
ce que l'on dit ?

ÉLISABETH. — Parlez, parlez.

VARNEY. — On dit que mylord nourrit au fond de son
âme une passion ardente et ignorée dont l'objet est tellement au-dessus de lui qu'il ne lui est pas permis d'espérer.

ÉLISABETH. — Quoi ! mais il me semble qu'il n'est point
de femmes auxquelles votre noble seigneur ne puisse
hautement prétendre.

VARNEY. — Hélas ! votre majesté doit savoir qu'il en
est encore au-dessus de lui.

ÉLISABETH. — Que dites-vous ? que voulez-vous dire ?
je ne vous comprends pas, mon cher Varney.

VARNEY. — Toutes conjectures sont téméraires. Mon
pauvre maître, souvent, quand il croit n'être point vu,
baise en pleurant une boucle de cheveux... Il faudrait
lever mes regards bien haut pour en voir de pareils.

ÉLISABETH. — C'est bien, c'est bien. Vous disiez donc
que votre maître ?...

VARNEY. — Je disais que mylord s'étant voué au célibat...

ÉLISABETH. — Malheureux Dudley !

VARNEY, *continuant*. — Ne voulait entendre parler de
mariage ni pour lui, ni même pour aucun des gens de sa
maison.

ÉLISABETH. — Infortuné Leicester !

VARNEY, *continuant*. — C'est pour cela qu'étant devenu
éperdument amoureux de miss Robsart, j'ai cru, madame,
devoir cacher notre mariage, afin de n'être pas remercié
par mylord. J'avais donc raison de dire que tout ce mystère avait eu lieu par la faute de mon maître.

ÉLISABETH. — Ah ! ce pauvre et noble comte !

VARNEY, *continuant*. — Je n'attendais qu'une occasion
favorable pour le lui déclarer, et si maintenant votre
majesté daigne lui dire quelques mots pour moi, je ne
doute pas qu'il ne m'accorde ma grâce, en me maintenant
dans ma charge, et en me laissant ma femme.

ELISABETH. — Puisque Amy Robsart est votre femme, en effet, Varney, je vous promets d'apaiser la colère de votre maître.

A part.

Cher Leicester !

VARNEY, *s'inclinant.* — Madame, ma reconnaissance...

ELISABETH. — Et nous allons tout arranger pour que sir Hugh ne rougisse pas de son gendre.

VARNET, *saluant plus profondément.* — Les bienfaits de votre majesté me pénètrent...

ELISABETH. — Oui, Varney, je suis contente des explications que vous m'avez données, et je vais à l'instant même plaider votre cause près de votre maître. Nous satisferons ensuite le beau-père. — Huissier, qu'on fasse rentrer la cour.

SCÈNE VII

ELISABETH, VARNEY, LEICESTER, SUSSEX,
TOUTE LA COUR

LEICESTER, *à part.* — L'orage va éclater. Préparons-nous à recevoir la foudre.

ELISABETH, *après un moment de silence.* — Comte de Leicester, donnez-moi votre épée.

LEICESTER, *à part.* — C'est cela. L'épée d'abord, la tête ensuite.

SUSSEX, *à part.* — Quoi donc ? est-ce que le favori est disgracié ?

Leicester détache son épée et la présente à la reine en fléchissant le genou.

ELISABETH. — Richard Varney, avancez et mettez-vous à genoux.

Varney obéit. Elle tire l'épée du fourreau. Mouvement de surprise dans l'assemblée et d'effroi parmi les dames.

LEICESTER et SUSSEX. — Que va-t-elle faire ?

ELISABETH. *Elle considère l'épée avec complaisance pendant que les dames s'en détournent d'un air de terreur.* — Si j'eusse été homme, nul de mes pères n'eût aimé autant que moi une bonne épée. J'aime à contempler de près les armes ; je ressemble à cette fée Morgane du poème italien [29]... Si Harrington, mon filleul [30] était ici, il nous rap-

pellerait le passage et le nom de l'auteur... N'importe!
Si le ciel m'avait douée de quelque beauté, c'est dans de
pareils miroirs que j'aimerais à étudier ma parure. D'ailleurs, n'est-ce pas, mon cousin de Sussex ? nous autres
filles, nous manions bien l'épée; et la vierge-reine d'Angleterre — ne m'appelle-t-on pas ainsi dans les ballades ?
— eût valu peut-être dans le métier des soldats cette
pucelle guerrière d'Orléans, qui du reste a été justement
brûlée pour le crime de magie.

> *Elle continue à admirer l'épée.*

LA DUCHESSE DE RUTHLAND, *détournant les yeux.* — Oh!
que la reine a de courage!

LEICESTER, *à part.* — Comment finira tout ceci ?

ELISABETH. — Vous êtes folle, Ruthland! — Richard
Varney, au nom de Dieu et de saint Georges, nous vous
faisons chevalier.

> *Elle le frappe du plat de l'épée sur l'épaule.*

Soyez fidèle, brave et heureux. — Sir Richard Varney,
levez-vous.

> *Etonnement dans l'assemblée.*

LEICESTER, *à part.* — Quoi! récompense-t-elle la
trahison de Varney avant de punir la mienne ?

ELISABETH. — La cérémonie des éperons d'or et les
autres formalités se feront demain dans la chapelle. Varney, voilà votre fortune commencée, mais sachez modérer
vos désirs; car — c'est, je crois, ce fou de William Shakespeare qui dit cela — « l'ambitieux se marque son but,
mais c'est toujours au-delà qu'il tombe [31] ». Allez!

*Varney fait un profond salut. La reine se retourne vers
Leicester.*

Eh bien! comte de Leicester, éclaircissez donc votre
front soucieux. Le mal qui a été fait est réparé.

LEICESTER, *à part.* — Qu'aura-t-il dit ?...

> *Haut.*

Je ne sais encore...

ELISABETH. — Oui, mylord, vos intentions ont été
méconnues; mais l'honneur de votre noble maison n'a
point été terni.

LEICESTER. — Je ne puis comprendre, madame, comment...

ELISABETH. — C'est moi qui vais vous en instruire;
mais promettez-moi d'abord de m'accorder une grâce.

Leicester. — C'est m'en faire une grande que m'adresser une semblable prière.

A part.

Je brûle...

Élisabeth. — Vous me promettez donc, mylord, la grâce de votre écuyer Varney qui, sans votre aveu, a épousé Amy Robsart.

Leicester. — Lui!... a épousé Amy Robsart!...

Il s'élance vers Varney.

Misérable! qu'as-tu fait ?

Élisabeth. — Comte, modérez votre indignation. Puisqu'il a été assez fou pour s'en éprendre et assez coupable pour l'enlever, il était juste au moins qu'il en fît son épouse légitime.

Leicester. — Insolent drôle, as-tu bien osé ?...

Varney, *baissant la tête*. — Mon maître et seigneur, il n'y avait que ce moyen de réparer un grand malheur, de sauver ce qui était perdu.

Élisabeth. — Sans doute.

Leicester. — Je ne puis me contenir. Il valait mieux tout perdre. Cette témérité, Varney, sera payée cher.

Élisabeth. — Mylord, nous vous avons demandé sa grâce.

Leicester. — Madame... Oh! comment a-t-il eu l'impudence de me faire cet affront ?

Élisabeth. — L'affront qu'il faisait à sir Hugh Robsart était bien plus cruel encore, noble comte.

Leicester. — Non, madame, je vais tout vous dire. Hélas! vous ne savez pas...

Varney, *précipitamment*. — Sa majesté sais tout, mylord. Elle connaît votre invincible répugnance pour le mariage, répugnance telle que vous ne pouvez le souffrir même dans vos serviteurs, elle sait que votre âme brûle en secret d'une passion mystérieuse...

Élisabeth, *vivement*. — Tais-toi, Varney!

A Leicester doucement.

Mylord, ne démentez-vous pas cette passion secrète qu'il a l'audace de vous supposer ?

Leicester. — C'est ce que je voulais dire à la reine. Il est trop vrai, madame, qu'un amour ignoré...

Élisabeth. — Noble comte, cessez.

A demi-voix et s'approchant de lui.

Quoi, Leicester, devant toute ma cour! Ah! cher

Dudley, croyez que je vous comprends, que je vous plains.
Songez que si, comme reine, je suis plus libre que vous
de dire ma pensée, comme femme, je le suis moins. Cher
Dudley, soyez heureux.

LEICESTER, *à part*. — O supplice!

Haut.

Je ne puis vous peindre, madame, l'état où me mettent
ces trop gracieuses paroles.

ELISABETH. — Mylord, je laisse Varney s'expliquer avec
vous. Songez que sa faute lui est pardonnée. Sir Richard
Varney, nous désirons que votre épouse Amy Robsart
nous soit présentée aujourd'hui même, à notre cercle.

LEICESTER, *à part*. — Dieu!

VARNEY. — Sa majesté sera obéie. Une telle faveur
honore ma femme et moi.

LEICESTER, *à part*. — L'impudent!

SUSSEX, *à part*. — Ce qui aurait renversé vingt autres
favoris n'a fait que replacer ce Leicester un peu plus
haut. Ses écuyers vont être admis à la cour maintenant.
Et si l'un de mes serviteurs avait agi ainsi!...

ELISABETH. — Mylords, venez. Allons jouir des divertissements que la courtoisie du noble comte nous a pré-
parés.

SCÈNE VIII

LEICESTER, VARNEY

LEICESTER. — Hé bien! insolent drôle, misérable
fourbe, c'est donc ainsi, en couvrant mon nom d'opprobre
et d'humiliation, en dégradant jusqu'à toi ma noble
épouse, c'est donc ainsi que tu me sers?

VARNEY. — Certes, mylord, il est difficile que mon
dévouement aille plus loin que d'encourir pour vous,
non seulement la vengeance implacable de la reine, mais
ce qui est bien plus encore la colère de mon vénéré maître
et seigneur.

LEICESTER. — Tais-toi. Crois-tu réparer un sanglant
outrage par de viles flatteries?

VARNEY. — Réfléchissez, mylord; et des expressions
de reconnaissance vont bientôt peut-être remplacer ces
paroles de ressentiment.

LEICESTER. — De la reconnaissance, de la reconnaissance pour toi !... Mon Amy, ma bien-aimée Amy ! elle
aura été crue un moment la victime et l'épouse de cet
odieux faquin !

VARNEY. — Seigneur, ce que vous dites est-il généreux ? Pour qui me suis-je exposé ? dans l'intérêt de qui
ai-je fait tout ce que vous me reprochez ? Qui allait être
perdu ? Qui fallait-il sauver ? Etait-ce moi, mylord, moi,
pauvre et obscur écuyer, qui n'ai pas de grands revers
de fortune à craindre, parce que je n'en ai pas reçu de
grandes faveurs ? Pour qui ai-je tout sacrifié jusqu'ici ?
À qui me suis-je toujours, partout et tout à fait dévoué ?...
Vous baissez la tête, mylord. Daignez y songer. Si votre
intérêt n'était ma loi impérieuse, aurais-je agi ainsi ?
Quelle récompense pouvais-je attendre de ma témérité
autre que votre colère, qui est pour moi le plus cruel des
châtiments ?

LEICESTER. — Vous pourriez avoir raison, Richard.
Seulement si vous n'aviez pas été jusqu'à dire qu'elle était
votre femme...

VARNEY. — Fallait-il donc laisser passer mylady pour
ma maîtresse ? Afin qu'on l'enlevât de vos bras et qu'on
la remît à son père, déshonorée et flétrie dans l'opinion
de tous ?

LEICESTER. — Arrêtez, arrêtez, Varney. Il fallait... il
aurait fallu...

VARNEY. — Quoi, mylord ?

LEICESTER. — Oui, plutôt un danger qu'un affront.
Il eût mille fois mieux valu tout découvrir.

VARNEY. — Tout découvrir ! Que votre seigneurie me
pardonne la comparaison, elle est comme l'alchimiste
Alasco qui abandonne toutes les idées les plus fécondes
pour son idée favorite, laquelle est une chimère. Tout
découvrir ! y pensez-vous, mylord ? La plus haute destinée de l'Europe abattue d'un seul mot ; le grand chêne
qui ombrageait l'Angleterre élagué, ébranché, mutilé, si
toutefois lord Sussex consent à ne pas le déraciner.

LEICESTER. — Lord Sussex ! lord Sussex !

VARNEY, *continuant*. — Le peuple trompé dans ses
espérances, la postérité dans son admiration ; le comte de
Leicester, celui qui donne les pairies, nomme les géné-
raux, distribue les épiscopats, convoque et dissout les
parlements, ce jeune et glorieux ministre que les ballades
populaires appellent à la plus auguste union, maintenant
promu à la dignité de gentilhomme campagnard, condui-

sant ses meutes, chassant le daim et le renard, buvant la
bière forte avec son pasteur et ses écuyers, et passant ses
vassaux en revue à l'ordre du grand shériff...

LEICESTER. — Varney, prenez garde.

VARNEY, *continuant*. — Le tout pour avoir voulu jouir
librement un peu trop tôt de deux jolis yeux brillants
qui deviennent tendres en se tournant vers sa seigneurie,
et n'avoir pas souffert qu'une noble dame gardât pendant
quelques jours l'incognito sous le nom d'un honnête et
fidèle écuyer.

LEICESTER. — Non, de par Dieu, je ne le souffrirai pas.
Cette idée me rend toute ma résolution. J'aime certes,
bien mieux, vivre avec ma douce Amy, paisible et ignoré
campagnard comme tu dis...

VARNEY. — Paisible! je n'ai pas dit cela, mylord. Et
d'ailleurs que de choses encore auxquelles je n'avais pas
réfléchi! Allez maintenant, allez trouver la fille de
Henri huit qui vous aime et se croit aimée; déclarez-lui
votre mariage au moment où elle songe peut-être à vous
offrir sa royale main; révélez à cette reine, quand elle
pense à faire un roi d'Angleterre, qu'il existe une comtesse de Leicester. Allez, mylord, apprendre à Elisabeth
Tudor qu'elle a une rivale, livrez votre tête, livrez une
tête adorée à sa toute-puissance furieuse...

LEICESTER. — Amy! mon Amy en péril!... Varney,
c'est assez. Tout ce que tu as fait est bien.

VARNEY. — Non mylord, non. Il vaut mieux dévoiler
tout.

LEICESTER. — De grâce, Richard, n'abuse pas de ma
position. J'avais en effet oublié que la vie d'Amy était
peut-être compromise. Je suis bien malheureux.

VARNEY. — Si votre seigneurie croit...

LEICESTER. — Mon parti est pris, te dis-je. Elle passera
pour cela près de la reine. Je consens à tout.

VARNEY. — Cela ne suffit pas, mylord. Il faut encore
que la comtesse daigne consentir.

LEICESTER. — Elle!... que dis-tu là? et pourquoi?

VARNEY. — Votre seigneurie a oublié que la reine
entend que ma prétendue épouse lui soit présentée
aujourd'hui.

LEICESTER. — Il est vrai. Dieu! ô Dieu!

VARNEY. — Pensez-vous que mylady puisse vaincre
sa répugnance à porter quelque temps mon nom?

LEICESTER. — Jamais!

VARNEY. — Cela est un peu dur.

LEICESTER. — Amy Robsart est aussi fière dans sa vertu qu'Elisabeth d'Angleterre dans sa puissance. Si nous cherchons à lui faire oublier qu'elle est l'épouse de lord Leicester, elle se rappellera qu'elle est fille de sir Hugh Robsart.

VARNEY. — Mais ne suis-je pas maintenant sir Richard Varney ?

LEICESTER. — Bah !

VARNEY. — Vous sentez, d'ailleurs, mylord, combien il est important de la fléchir et pour vous et surtout pour elle. Votre ascendant sur mylady est bien grand.

LEICESTER. — Mon ascendant, Varney, ne l'amènera pas à un déguisement qu'elle considérera comme indigne et déshonorant, elle qui brûle d'être reconnue à la face du soleil comme l'épouse de son mari. Que veux-tu Richard, que je lui dise ? Jamais je n'alarmerai son amour en lui parlant de ce fatal penchant de la reine. Ce serait donner le coup mortel à cette tendre et craintive Amy. Que lui dire ? réponds ?

VARNEY, *souriant.* — Sa seigneurie sait mieux que moi comme on persuade une femme. Parlez de votre rang, de votre faveur, de vos dangers, mylord, que peut répliquer une jeune fille à des raisons d'Etat ?

LEICESTER. — Elle me parlera de sa tendresse, et je serai plus faible qu'un enfant [32]. Ecoute, Varney, épargne-moi cette douloureuse et pénible scène. Parle-lui en mon nom.

VARNEY. — Mais ajoutera-t-elle, mylord, quelque foi à mes paroles ?

LEICESTER. — Je te donnerai une lettre pour elle. J'aurai du courage dans une lettre, mais je ne pourrais soutenir un de ses regards. Je lui dirai de croire tout ce que tu lui diras, de faire tout ce que tu lui prescriras. Je te donnerai plein pouvoir.

VARNEY, *à part.* — Plein pouvoir !

LEICESTER. — Dis-lui que tu tiens de moi le droit de la conjurer de consentir à passer pour ta femme, de le lui ordonner même; que son intérêt l'exige... — Et si elle s'y refuse obstinément, Varney ?

VARNEY. — Hé bien, mylord...

LEICESTER. — Si la reine exige qu'on la lui présente, comment faire ?

VARNEY. — Nous enlèverons de nouveau mylady, et nous la conduirons à votre domaine de Cumnor. On dira à la reine que ma femme est malade.

A part.

Ceci est du domaine d'Alasco.

LEICESTER. — Tu as raison. — Je me confie, Varney,
en ta fidélité. Adieu, je vais rejoindre Elisabeth. O Leicester, quelle situation! que deviendra ton avenir entre
deux femmes dont l'une a tout le pouvoir et l'autre tous
les droits ?

Il sort.

SCÈNE IX

VARNEY. — Bon, Varney, la bourrasque qui devait
engloutir ta nacelle, l'a poussée dans le port. Vous demandez ce que vous deviendrez, mylord, eh! pardieu! votre
seigneurie deviendra votre majesté, nous casserons votre
mésalliance, et votre douce colombe aux yeux noirs ne
sortira des serres de l'aigle que pour tomber dans les
griffes du faucon. Lady Leicester peut bien se changer
en lady Varney, car l'écuyer Varney est aujourd'hui
sir Richard. Sir Richard! bravo, mon ami l'écuyer, vous
les aurez dupés tous et tous vous auront récompensé.
Que ferons-nous de ce vieux Alasco ? — Ah! c'est un
instrument, et un instrument se brise. Allons, lady Amy,
abaissez un peu vos beaux yeux dédaigneux, et ces bras
blancs comme le cou d'un cygne qui ne se sont encore
attachés qu'au cou de l'heureux Leicester. Vous allez
être mylady Varney, et tout cela sera à Varney — bientôt
peut-être, car, quand on a le titre de mari on n'est pas
loin d'en avoir les droits.

Il sort.

ACTE TROISIÈME

La chambre gothique du premier acte.

SCÈNE PREMIÈRE

VARNEY, ALASCO

*Varney enveloppé d'un grand manteau. Il frappe trois coups
à la porte masquée. Au troisième coup, Alasco en sort.*

ALASCO. — Hé bien, comment tout cela va-t-il ?

VARNEY. — Bien et mal.

ALASCO. — Bien et mal ?

VARNEY. — Oui. Bien et mal. — Est-ce que cela ne te suffit pas ? C'est pourtant une parole qui n'engage à rien, une explication qui n'explique rien, une véritable réponse d'astrologue.

ALASCO. — Incurable insensé ! Toujours rire des choses sacrées !

VARNEY. — C'est aussi par trop fort. Il n'est pas permis au compère du sorcier de se moquer d'une science dont il fournit les éléments, d'un édifice dont il est la base ?

ALASCO. — Tais-toi, profane ! et ne ravale pas jusque dans ta sphère le monde ineffable des intelligences ! Crois-tu que les constellations gravitent autour de toi ? Prends-tu les astres pour tes satellites ?

VARNEY. — Peu m'importe ! Mais si je n'avais pas joué auprès d'eux le rôle du souffleur dans les tragi-comédies, ces pauvres astres auraient à coup sûr dit bien des sottises.

ALASCO. — Malheureux ! qui ne vois rien hors de toi ! Je conviens que tu ne m'as pas été inutile. Mais tu n'es que la matière sur laquelle opère l'esprit. C'est en combinant tes confidences terrestres avec les sublimes révélations des planètes que ma science s'est élevée à la hauteur de l'avenir. Des trivialités de tes entretiens, ma pensée a tiré des résultats resplendissants, comme la fournaise de Saint-Ildefonse qui change un sable vil en cristal éclatant.

VARNEY, *riant*. — Voilà ! Vous avez allumé votre soleil à ma chandelle. — Fort bien, mon cher docteur de l'université stygienne [33] ; mais laissons, je vous prie, cet entretien mystique et scientifique, que ne prouve à mes yeux qu'une chose, c'est que vous êtes fou, ou que vous me croyez imbécile. J'étais pourtant disposé à espérer que votre risible méprise de cette nuit vous aurait détrompé de vos croyances surnaturelles. Prendre un comédien de la foire pour le diable ! Crispin [34] pour Satan !

Il rit.

C'est drôle !

ALASCO, *se parlant à lui-même*. — Méprise étrange !... en effet. Je ne sais comment cela s'est fait, — mon esprit préoccupé... — ces lassitudes qui vous saisissent au milieu des hallucinations de l'âme...

VARNEY. — Eh bien ! oui. Tu as été dupe une fois pour toutes celles où tu dupes les autres.

ALASCO, *sans paraître l'entendre*. — Il faut bien être homme par quelque côté... — D'ailleurs, le grand enchanteur Altormino ne prit-il pas pour une procession de fantômes, des linges qu'une blanchisseuse de Biscaye avait mis à sécher au clair de lune ?

VARNEY. — Et l'autre grand sorcier *Don Quijote de la Manca* ne prit-il pas des moulins pour des géants ? — Mais parlons sérieusement, monsieur Alasco de la lune, et puisque nous sommes sur le compte de ce lutin de Flibbertigibbet, dis-moi, qu'en penses-tu ?

ALASCO. — Ce que j'en pense, Richard Varney. C'est qu'après Démétrius Alasco, il n'est pas un être plus instruit dans les sciences occultes et cabalistiques, pas un qui sache mieux préparer les élixirs de vie et de mort, pas un qui possède plus à fond la formule de l'évocation et celle de l'adjuration, pas un qui puisse monter plus rapidement tous les degrés de l'échelle céleste, ou parcourir plus savamment toutes les notes de la gamme stellaire...

VARNEY. — Là, là, je t'ai dit de parler sérieusement.

ALASCO. — Hé! crois-tu que ce soit pour exciter ton rire stupide que je t'entretiens de la puissance d'Alasco et de son élève Flibbertigibbet, les deux êtres les plus savants parmi ceux qui portent une face humaine ?

VARNEY. — Face humaine! Tu es bien honnête pour ton élève et pour toi. — Mais, voyons, en laissant de côté le grand *arcanum* et le haut *magisterium* [35], penses-tu que Flibbertigibbet puisse être bon à quelque chose dans les simples et basses affaires de cette vie ?

ALASCO. — Son adresse égale son intelligence. Franchir un fossé, escalader un mur, forcer une porte, ce sont des jeux pour lui. Il nous l'a bien prouvé cette nuit et ce matin. Il est aussi puissant de corps que d'esprit. C'est un singe quand ce n'est pas un diable.

VARNEY. — Voilà une apologie ? et presque aussi bon empoisonneur que toi! Il doit être bien fier de ton suffrage *Nil notabilius quam notari viro notato* [36].

ALASCO. — Sa subtilité est telle que je doute qu'il soit encore dans la prison du château à l'heure qu'il est.

VARNEY. — Va, va. Cette prison est plus forte qu'il n'est habile. Elle n'a qu'une issue, et cette issue donne sur la galerie des oubliettes; en sorte que, si je voulais me débarrasser de ton disciple, au lieu de fermer la porte, je la lui ouvrirais, et en ayant soin d'abord d'ouvrir également le verrou de la chausse-trape, je l'enverrai bien vite effrayer les caves du château d'une visite en ligne perpendiculaire.

ALASCO. — Vraiment ?

VARNEY. — Oui, mais d'après le portrait que tu en fais, ce serait dommage. A quoi bon détruire ce qui peut être utile ? Alasco, la présence à Kenilworth des deux femmes qui se disputent notre maître nous obligera peut-être à bien des tours de passe-passe. Prenons Flibbertigibbet à notre service.

ALASCO. — Je crois que pour se tirer de la position où il est, il ne s'y refuserait point. — Mais comment pénétrer jusqu'à lui ? Le comte a, devant toi, défendu à Foster de le laisser communiquer avec qui que ce soit, et sa prison, dis-tu, n'a qu'une porte.

VARNEY. — Oui, qu'une porte visible. — Mais écoute ; il en est une autre, masquée comme celle-ci, qui communique par un couloir secret de cette prison à la tourelle même qui te sert de laboratoire. — Ah ! je connais seul tous les détours de ce château.

ALASCO. — Comme Belzébuth seul connaît tous les détours de ton âme.

VARNEY. — C'est possible. Mais ne nous amusons pas. Voici la clef de la porte secrète dont je te parle. Va trouver Flibbertigibbet. Fais-lui nos propositions ; s'il les accepte, enrôle ton lutin dans notre bande de damnés. S'il les refuse, profite de ta visite pour mêler à son eau pure...

ALASCO. — C'est bon, c'est bon. Est-ce là tout ?

VARNEY. — Pas encore. J'ai gardé le plus important pour la fin. Il faut que tu prépares à l'instant un breuvage soporifique, une potion qui, administrée, dans un cas donné, à une personne... à une femme, par exemple, puisse l'endormir sur-le-champ, et si profondément que ladite.. — personne, — se laisse enlever en voiture, toute une nuit, sans se réveiller et, par conséquent, sans crier et sans résister.

ALASCO. — C'est entendu. Et pour qui est cette boisson ?

VARNEY. — Demande-le aux planètes.

ALASCO. — Je comprends. Faut-il s'arrêter au sommeil ?

VARNEY. — Vieil empoisonneur ! je te commande une boisson innocente, entends-tu ? innocente ! Comprends-tu ce mot-là ?

ALASCO. — Bien. Ainsi, il n'est pas nécessaire **que la** maison de la vie [37] soit attaquée.

VARNEY. — Garde-t'en bien, sur la propre maison de ta propre vie, à toi. Mais ce ne doit pas être une maison, tout au plus une baraque. — M'as-tu compris, alchimiste de malheur ? Si ta composition n'est pas aussi inoffensive qu'un verre d'eau, j'en jure sur mon âme, je te ferai subir autant de morts que tu as de cheveux sur la tête. — Tu ris, vieux spectre ?

ALASCO, *ôtant sa mitre*. — Sans doute. Comment tremblerais-je de ta menace ? Je suis chauve, et tu jures sur ton âme.

VARNEY. — Allons, va-t'en. J'entends marcher dans la galerie. — Va faire ta mixture léthargique, — innocente, surtout ! entends-tu, apothicaire du diable ?

Il le pousse dans l'escalier et referme la porte.

Maintenant tout obstacle est prévu. Allons vite chercher la lettre du noble comte.

Il sort.

SCÈNE II

AMY, JEANNETTE

La comtesse entre à demi vêtue. Jeannette la suit, portant une riche robe de velours et un écrin ouvert dans lequel on distingue une couronne de comtesse.

AMY. — Viens, Jeannette. — Je veux achever ma toilette devant cette glace que m'a donnée mon seigneur, devant cette glace qu'a effleurée tant de fois son image bien-aimée !

JEANNETTE. — C'est une glace d'Espagne, mylady, on dit que cela coûte des montagnes d'or et qu'on n'en voit de pareilles que chez la reine.

AMY. — Ce n'est pas là ce que la comtesse de Leicester lui envierait, Jeannette ! — Passe-moi ma robe.

JEANNETTE. — Beau velours, ma foi, et doublé de taffetas moiré, couleur de gingembre avec une broderie de scorpions de Venise.

Elle passe la robe à la comtesse.

AMY. — Crois-tu que je lui plaise avec ce costume ? — Mon collier ? mes bracelets ?

Jeannette lui attache le collier et les bracelets.

JEANNETTE, *admirant les parures d'Amy.* — Ces perles sont blanches, mais ce bras est encore plus blanc qu'elles. Elles sont bien belles, pourtant ! je gagerais que chacune d'elles a coûté plus de cent shellings !

AMY. — Fi, Jeannette ! Tous les galions de Portugal ne pourraient les payer ! C'est lui qui me les a données. — Maintenant, comment me trouves-tu ?

JEANNETTE, *avec une révérence.* — Charmante !

AMY. — Puisse-t-il penser comme toi, enfant ! Hélas ! si j'avais quelque beauté, elle a subi de rudes épreuves ! Mes pauvres yeux ont bien pleuré, depuis que j'ai quitté mon père. — Et dis-moi, Jeannette, ce vieillard que mes yeux ont inutilement cherché sur ta colline, a-t-il reparu ? l'a-t-on revu ?

JEANNETTE. — Pas depuis ce matin.

On entend le bruit sourd de la cloche du donjon.

AMY. — Ce pauvre vieillard !

Elle essuie une larme.

Il est comme moi peut-être, il attend. — Mais, Jeannette, n'est-ce pas la cloche du château, la grosse cloche ?

JEANNETTE. — Oui, s'il plaît à votre seigneurie.

AMY. — S'il me plaît ? — Je crois bien qu'il me plaît ! C'est le signal. La reine rentre dans ses appartements. Mon noble comte va venir. — Que je suis heureuse ! — Vite, Jeannette ! achève de m'habiller. Que je me montre à lui belle et parée de tous ses dons.

JEANNETTE, *la regardant de la tête aux pieds.* — Que manque-t-il donc à mylady ?

AMY, *lui montrant l'écrin.* — Comment ! cette couronne. Hélas ! tu as raison, Jeannette, j'aurai beau la mettre, elle me manquera encore, puisque je ne puis m'en montrer parée aux yeux du monde entier, aux yeux de mon père. Oh ! quand finira cette contrainte !

Elle met la couronne.

Qu'il me tarde d'être à la face du soleil avouée et proclamée dame comtesse de Leicester !

Entre Tony Foster.

Que veut le concierge Foster ?

FOSTER. — Madame, un inconnu est là, qui demande à vous voir...

AMY, *à part.* — Au moment où mon Dudley va venir !

Haut.

Et ne connaissez-vous pas, monsieur Foster, les
défenses de mylord ?

FOSTER. — Oui, mylady, mais il présente ce parchemin.

Il montre un parchemin à Amy qui s'en empare.

AMY. — Le sauf-conduit de la reine ! que veut dire
ceci ? — Allons, il faut introduire cet inconnu, Foster.
S'agît-il du sang et de la vie, il n'est pas de porte en
Angleterre qui ne doive s'ouvrir devant ce parchemin.

FOSTER. — Il suffit, madame !

Il se tourne vers la galerie.

Entrez, monsieur.

SCÈNE III

LES MÊMES, SIR HUGH ROBSART

Sir Hugh Robsart s'arrête sur le seuil de la porte.
Amy pousse un cri.

AMY. — Dieu ! mon père ! — Sortez, Foster, sortez
Jeannette.

*Les deux serviteurs sortent. Amy tombe à demi suffoquée
dans un fauteuil. Sir Hugh reste immobile, croise les
bras et garde un moment le silence. Enfin il le rompt avec
effort.*

SIR HUGH. — Oui, Dieu et votre père. — Votre père,
qui est ici devant vous, et Dieu, qui l'y a conduit.

Amy se lève et court à lui, les bras étendus. Il recule.

AMY, *s'arrêtant.* — Mon père !

SIR HUGH. — Madame... — Mais commencez d'abord
par me dire de quel nom je dois vous nommer, êtes-vous
dame ou damoiselle ? Ou...

Il s'arrête.

N'êtes-vous ni l'une, ni l'autre ?

AMY. — Ah ! mon père, mon vénérable père ! quelles
dures paroles ! Nommez-moi votre fille.

SIR HUGH. — Pas avant de savoir si vous l'êtes encore.

AMY. — Ah ! toujours ! je l'ai toujours été. Vous êtes
toujours mon père.

Sir Hugh. — Votre juge, Amy.

Amy. — Oh! ne me tuez pas de ce regard froid, de cette voix glacée, sir Hugh! — Si vous saviez...

Sir Hugh. — Quoi? parlez. Je ne vous condamnerai pas sans vous entendre.

Amy. — Je ne puis vous dire cela... non, pas encore... — Ces secrets ne sont pas seulement les miens.

Sir Hugh. — Oui, oui, c'est cela. Les secrets de la fille ne sont plus ceux du père, votre cœur n'a plus d'épanchement pour le mien, le détestable ravisseur s'est placé comme un mur d'airain entre vous et moi. Qu'importe! — Le sacrifice est fait. — Je ne sais ce que vous avez à me taire, voici ce que j'ai, moi, à vous dire. — Amy Robsart, vous descendez d'une honorable et noble lignée; depuis Edouard le Confesseur [38] jusqu'à la vierge-reine, le sang des Robsart a été transmis pur par les pères aux enfants. Peu de gentilshommes ont été autant que nos pères l'honneur de l'épée qu'ils portaient; peu de dames ont égalé nos mères en chasteté, en vertu, en sainteté. Un Robsart figurait dans le combat des Trente sous le chêne breton de Ploërmel [39], un Robsart a disputé à Talbot la gloire de mettre le pied le premier sur les créneaux d'Orléans [40]. C'est un Robsart de Lidcote-Hall qui a décidé le gain de la fameuse bataille de Stoke. C'est une Robsart qui soutint les derniers pas de la malheureuse reine Anne Boleyn sur l'échafaud. C'est une Robsart encore qui fut l'ange de Londres dans la grande peste de 1516 [41]. Je vous rappelle ces souvenirs afin de vous faire retomber de plus haut sur vous-même. Jusqu'ici, dans les cours, dans l'austérité des cloîtres, dans le tumulte des camps, dans la retraite des châteaux, les membres de cette famille ont vécu et sont morts, les hommes sans blâme, les femmes sans soupçon. L'honneur de leur nom s'était conservé intact entre tous les noms de la monarchie d'Angleterre. Eh bien! il manquait une tache parmi tant de splendeurs, une honte parmi tant de gloire. Cette lacune est désormais comblée; les Robsart ont à présent comme tous leur souillure à cacher, et cette souillure, Amy, c'est vous!

Amy. — Juste ciel, mon père!... Ne me flétrissez pas ainsi sur des conjectures...

Sir Hugh. — Des conjectures! Amy, ceux de notre famille avaient coutume de lever la tête en prononçant leur nom, il faudra maintenant qu'ils la baissent, et c'est à vous qu'ils le devront.

AMY. — Vous m'accablez, sir Hugh... que ne m'est-il permis...

SIR HUGH. — Expliquez-vous. Suis-je en proie à quelque vertige ? Ne suis-je pas ici à Kenilworth ? N'y suis-je pas venu chercher une malheureuse fille séduite ? N'avez-vous pas quitté votre père pour suivre ici un détestable ravisseur, cet écuyer de lord Leicester, ce ?... — Que me répondrez-vous ?

AMY. — Oui, mon père, un rêve possible vous abuse... les apparences...

SIR HUGH. — Rêve ! apparences ! — Voyez mes habits de deuil, voyez vos habits de fête, — sont-ce là des rêves ? Ah ! je ne veux pas d'autres preuves de mon malheur, d'autres témoins de votre honte. — Eh mais ! ma fille, dites-moi donc ? que signifie cette couronne de comtesse sur votre tête ? serait-elle là pour remplacer l'autre couronne, celle de vierge que vous avez perdue ? Ah ! malheureuse ! jouez-vous avec votre misère ! Qu'est-ce que cela ? parlez, je l'exige, de qui êtes-vous la maîtresse ou la favorite ?

AMY. — Mon père !... — Mon père, je suis mariée.

SIR HUGH. — Mariée ! — Mariée ! N'est-ce point là le rêve ? — Et à qui donc, madame ?

AMY. — Dieu ! ce nom ne doit pas sortir encore de ma bouche... j'ai promis... mon seigneur et père, je ne puis vous le dire...

SIR HUGH. — Je doute d'un mari que sa femme légitime ne peut nommer à un père.

AMY. — Vous doutez, mon père ! Autrefois, vous eussiez cru ma première parole...

SIR HUGH. — Oui, autrefois.

AMY. — Eh bien ! je ne puis vous le nommer, mais je puis vous le faire voir. — Vous me croirez alors, mon noble père, et vous excuserez ma faute qui n'a jamais été un crime. — Connaissez-vous, pour les avoir vus, quelques-uns des seigneurs de la cour d'Elisabeth ?

SIR HUGH. — Je suis plus empressé à servir ma reine dans les camps qu'à la courtiser dans ses palais. Je connais pourtant plusieurs de ces gentilshommes, lord Hunsdon, le comte de Sussex, le duc de Ruthland, lord Shrewsbury...

AMY. — Est-ce là tout ?

SIR HUGH. — J'ai vu aussi, ce matin, le jeune marquis de Northampton... et, j'oubliais, — le propriétaire de ce château, le ministre favori de la reine, le maître de votre séducteur, lord Leicester... — Mais à quoi bon toute

cette revue de grands seigneurs quand je vous demande
le nom de votre mari ?

AMY. *Elle conduit sir Hugh à la porte d'une galerie vitrée
au fond de la salle.* — Venez, mon père. Entrez dans
cette galerie. Le premier homme que maintenant vous
verrez entrer ici, c'est l'homme que je ne puis vous nommer, c'est l'époux noble et honoré de votre Amy.

SIR HUGH, *d'un ton radouci.* — Allons. Il faut se
prêter à vos folies, ma fille.

AMY. — Vous ne vous en repentirez pas, mon père.

SIR HUGH. — Dieu le veuille !

AMY. — La volonté de Dieu est déjà faite sur ce point.
Un dernier mot, mon noble père.

SIR HUGH. — Quoi ?

AMY. — Je vais avoir un entretien avec mon mari. Ses
secrets peuvent s'y mêler, et votre présence serait de ma
part une trahison envers lui. Promettez-moi donc de vous
placer ici de façon à tout voir, mais à ne rien entendre,
quoi qu'il arrive. — Me le promettez-vous ?

SIR HUGH. — Il suffit, Amy. — Vous en avez ma foi
de chevalier.

Il entre dans la galerie. Amy referme la porte vitrée.

SCÈNE   IV

AMY, *seule.* — Dudley tarde à venir ! — Que mon père
va être étonné ! Mon noble père ! Ce que je fais est-il bien ?
Ai-je le droit d'éluder ainsi les défenses de mon mari ?
Ah ! ne dois-je pas aussi quelque chose à mon père ?
Fallait-il lui cacher ma gloire pour lui laisser croire à
mon déshonneur ? Fallait-il lui laisser baisser la tête
quand il peut la lever si haut ? Il sera consolé, et je serai
pleinement heureuse. Quel mal d'ailleurs cela peut-il
faire ? — Cependant Leicester attache tant de prix au
secret, ses raisons sont graves sans doute, si j'allais
compromettre... — Ah ! que la position d'une pauvre
femme est difficile, quand ses devoirs d'épouse luttent
avec ses devoirs de fille ! — Il en sera ce qu'il plaira à
Dieu. — Mylord se fait bien attendre aujourd'hui. Il
était plus exact aux rendez-vous du bois de Devon... —
Je me reproche cette mauvaise parole. Il faut de l'indul-

gence. La présence de la reine lui ôte sans doute sa liberté.
Qu'elle est heureuse, cette reine, qu'elles sont heureuses
les nobles dames qui la suivent à ces fêtes ! Elles peuvent
voir à toute heure ce Leicester, qui m'appartient et
qu'elles possèdent plus que moi ! Mais je crois qu'on
vient, c'est lui, oui, c'est lui...

Entre Richard Varney, enveloppé d'un manteau, son cha-
peau rabattu sur le visage.

SCÈNE V

AMY, VARNEY

AMY. *Elle court à Varney les bras ouverts pour l'embras-*
ser. — Mon Dudley !...

                    Elle s'arrête en le reconnaissant.

Ha ! ce Varney !...

          Elle se détourne comme désagréablement surprise.

Qui vous amène, monsieur ?

VARNEY. — Mylady, l'ordre exprès de mon maître.

AMY. — C'est lui-même que j'attendais.

VARNEY, *lui présentant une lettre à laquelle pend un*
cachet attaché à des fils de soie. — Il m'a chargé de vous
remettre ce message.

AMY, *douloureusement.* — Il ne viendra pas !

VARNEY. — En effet, des soins importants... ses devoirs
près de l'hôtesse illustre...

AMY. — C'est bien, monsieur. C'est à sa lettre que je
veux demander des explications.

Elle cherche avec impatience à briser les fils de soie. Ils lui
résistent.

Des ciseaux ! Jeannette, des ciseaux !

VARNEY, *lui présentant son poignard.* — J'ai éloigné
Jeannette. Elle serait de trop dans l'entretien que je dois
avoir avec mylady. — Cette lame pourrait rendre le
même office à votre seigneurie.

AMY, *repoussant le poignard.* — Non, monsieur Varney,
avec votre permission, votre poignard ne dénouera pas
mon nœud d'amour.

VARNEY, *à part.* — Qui sait ?

                    Il remet le poignard dans sa ceinture.

AMY. — Ah! voici mes ciseaux!

Elle prend une paire de petits ciseaux en or sur une table. A part, et en ouvrant la lettre.

Il a éloigné Jeannette! cet homme cherche toujours à me surprendre sans témoins. Il a de ténébreux projets dans le cœur. Heureusement j'ai là mon père.

Elle ouvre la lettre et à mesure qu'elle lit, son visage prend l'expression d'un vif mécontentement. Varney l'observe avec attention.

Allons! je ne le verrai pas aujourd'hui. — Que veut dire ceci?

Haut à Varney en repliant la lettre.

Monsieur Varney, je vous fais compliment, mylord m'annonce que sur sa demande, sa majesté a daigné vous élever au rang de chevalier.

VARNEY, *à part.* — Sur sa demande! il y a bien un peu de mon adresse aussi. Ces grands seigneurs rapportent tout à eux.

Haut.

Mais est-ce qu'il ne dit rien de plus?

AMY, *continuant.* — Mylord m'annonce en outre que vous avez une communication à me faire de sa part. Je vous écoute.

VARNEY, *à part.* — Diable! n'aurait-il pas osé s'expliquer même par lettre? C'est bien là mylord Leicester!

Haut.

Oserai-je supplier mylady de me lire la partie de la lettre de mon maître qui concerne l'entretien que je dois avoir avec votre seigneurie?

AMY. — La voici.

Elle lit.

« ...J'ai un sacrifice à vous demander, Amy, et le plus « grand que mon amour puisse attendre du vôtre. De « graves circonstances obligent souvent les fortunes les « plus hautes aux plus obscurs déguisements. Au reste ce « ne sera qu'un moment, et de ce moment dépendent ma « vie, et la vôtre, Amy, qui m'est bien plus chère. Varney « a reçu mes intentions, il vous en fera part. Considérez « ce fidèle serviteur comme moi-même. Il ne vous dira « rien que par mes ordres, il ne fera rien qui ne lui ait « été prescrit par moi. » — Maintenant, parlez, monsieur Varney.

VARNEY. — Mylord est trop bon pour moi.

A part.

C'est cela ! Il me laisse tout à faire. Profitons de la latitude qu'il me donne. Travaillons à la fois pour lui et pour moi. C'est le moment d'essayer, ou jamais.

Haut.

Ce que j'ai à dire offensera peut-être mylady.

AMY. — Monsieur Varney, rien de ce qui vient de mylord ne peut m'offenser. — Parlez librement, monsieur Varney.

VARNEY, *à part.* — Elle ne daignera pas me dire une seule fois sir Richard.

Haut.

Je suis chargé, madame, de vous préparer à de tristes changements de fortune.

AMY, *pâlissant.* — Quels nouveaux malheurs ! que voulez-vous dire ? parlez, parlez donc vite !

VARNEY. — J'obéis, madame. Votre seigneurie a sans doute ouï parler de la reine d'Angleterre ?

AMY. — Sans doute. Et quel Anglais ne porte dans son cœur cette glorieuse Elisabeth, qui a fait vœu devant tout son peuple de vivre et mourir vierge et reine ?

VARNEY. — Si ce double titre est le seul qui la recommande à vos yeux, mylady, votre admiration pour la reine aura lieu bientôt de diminuer de moitié. — On parle du mariage de sa majesté.

AMY. — En effet, il y a eu, je crois, des princes d'Espagne et de France sur les rangs. N'a-t-on pas nommé le roi Philippe ? le duc d'Anjou ? Ou n'est-ce pas le duc d'Alençon [42] ?... Que sais-je, moi ?

VARNEY. — Votre seigneurie est en effet mal informée. — La reine, qui pouvait choisir parmi les plus belles couronnes royales de l'Europe, a daigné arrêter ses yeux sur un sujet.

AMY. — Comment ! le duc de Norfolk, peut-être ?...

VARNEY. — Mylady est peu au courant des affaires politiques. Le duc de Norfolk [43] est mort sur l'échafaud par la sentence de la reine.

AMY. — Alors, le duc de Lincoln ?

VARNEY, *souriant.* — Il est catholique.

AMY. — Serait-ce le duc de Leinster ?

VARNEY. — Un Irlandais !

AMY. — Je ne vois guère, en ce cas, que le duc de Ruthland...

VARNEY. — Il est marié. — Au reste, votre seigneurie a raison, ce ne serait pas un obstacle.

AMY. — Qu'osez-vous dire là, monsieur ?

VARNEY. — Une triste vérité politique, mylady. Les princes ne sont point sujets à la loi commune, et les mariages qui gênent les trônes, se cassent.

AMY. — Comment, monsieur Varney! Le trône n'est que le trône, et le mariage, c'est l'autel. Voilà de singuliers principes pour un écuyer du vertueux comte de Leicester.

VARNEY. — Ces principes viennent de plus haut que moi.

AMY. — Si le duc de Ruthland quitte sa femme pour sa reine, il est déshonoré.

VARNEY. — Vous êtes sévère, madame.

AMY. — Non. — D'ailleurs, que m'importe le mariage de la reine ?

VARNEY. — Plus que vous ne pensez, mylady. — Au reste, lord Ruthland n'est pas celui dont il s'agit. Parmi tous les seigneurs anglais, ce n'est pas même à une couronne ducale que la reine veut associer la sienne, mais à une simple couronne de comte.

AMY, *pâlissant de plus en plus et violemment agitée.* — De comte! de comte! Vous m'annoncez des changements de fortune, des malheurs. La reine est à Kenilworth, mon mari lui donne des fêtes, mon époux est son favori... — Dieu! se pourrait-il ?

VARNEY. — Il se pourrait, madame.

AMY. — Juste ciel! Dudley m'abandonner! épouser la reine! — Mais n'est-il pas déjà mon époux, à moi ? notre mariage!

VARNEY. — Je disais tout à l'heure à votre seigneurie que ce n'était point là un obstacle.

AMY. — O Dieu! ô mon Dieu! que t'ai-je fait ? ce coup est trop fort pour une faible femme. — Abandonnée! répudiée! qui sait ? — Non, Varney, tu me trompes ou l'on t'a trompé, un gentilhomme! un chevalier! un pair d'Angleterre! Dudley! — C'est impossible! — Tu mens.

VARNEY. — Je n'ai rien dit, madame.

AMY. — Non, mais tu m'as tout fait entendre. — Qui trahis-tu ici ?

VARNEY. — Je disais bien que mes paroles offenseraient mylady, et cependant je ne suis qu'un serviteur qui obéit à son maître. Cette commission est trop pénible pour moi, que mylord en charge un autre. Je me retire.

AMY, *l'arrêtant*. — Non, ne t'en va pas, Richard Varney! — Restez, monsieur. Dites-moi tout. Je veux tout savoir...

VARNEY. — Madame, j'en ai déjà trop dit. Mon maître ne m'avait pas autorisé à tout dévoiler, bien au contraire. Mon dévouement pour vous m'entraînait trop loin. Ma mission était de vous faire connaître les déterminations de mylord, mais non les raisons de ses déterminations. J'ai voulu vous servir en vous éclairant sur votre position; mais ma franchise est trop punie par le déplaisir de votre seigneurie...

AMY. — Que dites-vous? Leicester voulait me cacher... Parlez, Varney, de grâce, révélez-moi...

VARNEY. — Je manquerais à mon devoir, mylady, mettez que je n'ai rien dit.

AMY. — Oh! par pitié, ne me laissez pas dans l'horrible incertitude où vos demi-confidences m'ont jetée. Tuez-moi, ou dites-moi tout!

Elle pose sa main sur celle de Varney et lui dit d'un ton doux et suppliant :

Je vous en conjure, Varney.

VARNEY. — Si vous me parlez comme cela, je ne puis rien vous refuser. Vous me traitez souvent bien durement, madame, et cependant je donnerais tout mon sang pour une douce parole de votre bouche.

Il s'approche d'Amy qui recule.

AMY, *à part*. — Quel ton prend cet homme! pourquoi ai-je besoin de lui?

Haut.

La comtesse de Leicester vous écoute, monsieur.

VARNEY. — Hélas! mylady, personne n'eût plus ardemment que moi désiré de lui voir porter longtemps ce titre.

AMY. — Que voulez-vous dire? De grâce, expliquez-vous.

VARNEY. — Apprenez-donc tout, mylady. — Elisabeth d'Angleterre aime mylord de Leicester, mon maître, votre mari. Elle l'aime d'amour.

AMY, *anéantie*. — Elle l'aime! Et lui?

VARNEY. — Lui, madame? Que voulez-vous? L'Angleterre désire ce mariage, la France l'appuie, l'Espagne le laisse faire, l'Europe l'attend. Le peuple le chante dans ses ballades, les astrologues le lisent dans le ciel, les courtisans dans les yeux de la reine...

AMY. — Et la reine, achevez... dans les yeux de Leicester.

VARNEY. — Je n'ai point parlé de mylord.

AMY. — Je vous en parle, moi. — Je vous demande ce que pense, ce que fait le comte de Leicester ?

VARNEY. — Ce qu'il pense ? Madame, Dieu seul le sait. Ce qu'il fait ? lui-même le sait à peine encore... Cependant l'amour d'une reine, et d'une reine qui peut faire un roi !... la nécessité de toujours monter quand on a mis le pied sur l'échelle de l'ambition !... tout perdre ou tout acquérir ! le trône ou un abîme ! — Et puis refuse-t-on de partager un lit que surmonte un dais royal ?

AMY. — J'entends.

Elle tombe accablée dans un fauteuil.

Voilà le sacrifice qu'il exige de moi. C'est lui, c'est son cœur, c'est sa main qu'il me redemande, qu'il me reprend ! Casser notre union ! en a-t-il le droit ? — Leicester, pourquoi ce sacrilège ? A quoi bon offenser Dieu par un divorce et les hommes par un parjure ? Ne suffisait-il pas de m'annoncer que je n'avais plus ton amour ? Pouvais-je survivre à cette nouvelle ? Va, je serais morte assez vite, même pour l'impatience de ton ambition !

VARNEY, *à part.* — La chose est en bon chemin !

AMY, *toujours pâle et accablée.* — Et mon père ! mon père que je promettais si follement de consoler par mon éclatante fortune ! sur les cheveux blancs duquel je voulais poser la couronne de comte que je croyais partager ! Mon père qui attend, et à qui au lieu d'une fille heureuse, fière, aimée de son noble époux, je rendrai son Amy perdue, abandonnée, délaissée, répudiée ! Qui sait ? chassée peut-être sans avoir jamais été reconnue femme légitime !

VARNEY. — Je ne puis cacher à mylady que ce dernier malheur est à craindre.

AMY, *se levant à demi.* — Ne le dis-tu pas, Varney ? Oui, chassée comme une servante, comme une courtisane, comme une concubine ! Grand Dieu ! La comtesse légitime de Leicester, en proie aux risées, au dédain, à la pitié ! — Et c'est là où Dudley me réduit sur sa foi de comte et de gentilhomme ! Ce Dudley que j'aimais comme un ange, que j'admirais comme un dieu ! — O saints du ciel, donnez-moi la force de ne pas vous blasphémer, donnez-moi celle de ne pas le maudire. — La comtesse de Leicester redevient donc Amy Robsart, pas même Amy Robsart! Que serai-je aux yeux de mon père, aux yeux du monde! Quelque chose de honteux, de misérable, de déshonoré, qui n'a de nom que dans le mépris des hommes!

VARNEY, *avec une timidité affectée.* — Si j'osais hasarder une parole, je dirais à sa seigneurie qu'il existe un moyen pour elle d'éviter l'humiliation de cette position fausse et équivoque. Mylady pourrait cesser d'être comtesse de Leicester sans perdre pourtant le titre d'épouse légitime.

AMY. — Comment ? J'avoue que je ne vous comprends pas. De quel moyen parlez-vous ?

VARNEY. — Puisque mylady l'exige, je l'en entretiendrai. Mais sa seigneurie n'oubliera pas que c'est mon zèle pur, mon dévouement désintéressé pour sa personne...

AMY. — Monsieur Varney, pour ne me souvenir que de cela, il faut que j'oublie quelque chose...

VARNEY, *embarrassé.* — Madame...

AMY. — Dites-moi ce que vous vouliez dire, et je vous donne ma foi de comtesse que je mesurerai la reconnaissance au service.

VARNEY, *à part.* — Tant pis. Elle ne m'en devra guère, en ce cas.

Haut.

J'obéis à vos ordres, madame.

Il s'approche d'Amy.

Mylady, si au moment où mylord de Leicester, entraîné plus loin qu'il ne devrait sur cette pente irrésistible des grandeurs, va quitter votre main pour le sceptre d'Angleterre et vous priver d'un époux pour vous donner un roi, si, à l'heure où mon ambitieux maître abandonne pour les vaines pompes du trône...

Il s'approche de plus en plus d'Amy.

un trésor bien au-dessus de toutes les royautés de la terre, le trésor d'amour et de beauté que le trop heureux comte possède et que son trop infortuné serviteur a sous les yeux en ce moment...

AMY, *reculant.* — Parlez-moi d'un peu plus loin, monsieur, et venez au fait.

VARNEY. — Pardon! Madame, si donc maintenant que vous allez être publiquement rejetée loin de la maison de mon maître aux dérisions et aux malignités, mainte-

nant que sans avoir jamais été reconnue l'épouse d'un
grand seigneur, vous allez sortir de sa couche comme
une faible victime ou comme une maîtresse dont on est
las...

AMY. — Monsieur Varney!

VARNEY, *continuant*. — Pardon encore!... — Hé bien!
si en ce moment irrévocable dans votre destinée, un
homme, moins éclatant que le noble comte, mais plus
sûr, plus solide, plus fidèle, si cet homme se présentait à
vous, et qu'au lieu de l'opprobre d'un abandon injurieux
il vous offrît non plus un rang illustre et un mariage
secret, mais une fortune honorable et une publique union,
au lieu du cœur volage et égoïste qui vous échappe, un
amour ardent, exclusif, profond; si cet homme, qui préfé-
rerait un de vos regards à tous les sourires des rois et des
reines de la terre, brûlait depuis longtemps pour vous
d'une flamme d'autant plus dévorante qu'elle a dû être
plus concentrée dans son sein; si cet homme, dis-je,

Il s'approche de nouveau d'Amy.

si cet amant, ce mari, était devant vous, — était à vos
pieds!

*Il se jette aux genoux d'Amy qui demeure immobile et comme
pétrifiée.*

AMY, *blanche de terreur et à voix basse*. — Dieu!

VARNEY, *toujours à genoux*. — Parlez, madame. —
Forcée de renoncer au titre de comtesse de Leicester,
hésiteriez-vous à accepter, à porter le nom modeste, mais
honnête, mais légitime, du serviteur dévoué...

AMY, *avec une amère et douloureuse ironie* — C'est cela,
madame Varney!

VARNEY. — Non, mylady Varney. C'est le titre que
portera l'épouse de sir Richard, non plus écuyer d'un
comte, mais chevalier libre du royaume d'Angleterre.

*Voyant Amy toujours immobile de stupeur, il cherche à
l'attirer à lui en l'enlaçant dans ses bras.*

Lady Varney n'a-t-elle rien à me répondre?

*Le geste de Varney rappelle Amy à elle, elle se dégage de
ses bras, fait violemment un pas en arrière et fixe sur
Varney toujours agenouillé des regards fiers et étincelants d'indignation.*

AMY, *d'une voix tremblante de colère*. — Va-t'en, Satan[44]!

VARNEY, *interdit*. — Madame...

AMY, *éclatant*. — Relève-toi, Varney! Cesse de ramper à mes pieds, serpent! et de m'envelopper de tes replis empoisonnés! Relève-toi, te dis-je!

Varney se relève.

Est-ce que tu l'as bien pu penser, présomptueux drôle! Moi, ta femme! Amy Robsart, ta compagne! Lady Leicester, madame Varney! Pour qui me prends-tu? pour qui te prends-tu? Y a-t-il rien au monde qui soit si vil et si bas que toi? N'es-tu pas un valet?

VARNEY, *blessé*. — Madame!...

AMY. — Un valet!

VARNEY. — Ainsi, madame, vous refusez ma main et mon nom...

AMY, *l'interrompant avec un mépris hautain*. — Moi, avec toi!

VARNEY. *Il la saisit rudement par le bras et l'attire à lui, effrayée et furieuse*. — Eh bien! j'en suis fâché, madame, mais vous m'appartenez!

AMY, *se débattant*. — Je t'appartiens, misérable! La femme de ton maître! oses-tu porter la main sur l'épouse de lord Leicester?

VARNEY. — Vous invoquez mal à propos ce nom. Car c'est lord Leicester lui-même qui m'a chargé de vous ordonner de porter désormais mon nom, le nom de mylady Varney, ou madame Varney, si vous l'aimez mieux. Vous avez le choix.

AMY. — Scélérat! tu calomnies Leicester. Je vois maintenant le but de tes mensonges, car il n'y a rien dans ce que tu viens de me dire ici qui n'ait été odieusement inventé par toi! Tu espérais ainsi en venir à tes fins. Tu me peignais mon Dudley infidèle pour me rendre infidèle moi-même. Tu nous trahissais tous deux. Hé bien! tu t'es trompé, Richard Varney, je ne te crois pas. Ce mariage du comte et de la reine, cet abandon dont tu me menaçais doucereusement, tout cela est faux! Tu as déchiré toi-même le bandeau que tu avais épaissi sur mes yeux.

VARNEY. — Madame, je ne vous ai rien dit qui ne fût vrai, car c'est l'ordre exprès de mon maître que vous preniez mon nom.

AMY. — Ton nom!

VARNEY. — Et que vous soyez présentée à la reine qui désire vous voir aujourd'hui même, comme ma femme.

AMY. — Ta femme! — Et présentée à la reine de cette

façon! — Mensonge! invention! calomnie! Comme tout
le reste!

VARNEY. — Vous obéirez pourtant, madame, ou sinon...

Il la regarde fixement.

AMY, *tressaillant et secouant son bras.* — Lâchez-moi
monsieur Varney!

VARNEY, *la retenant toujours.* — Obéirez-vous,
madame? consentez-vous?...

AMY. — Jamais! — Mais lâchez-moi donc!

VARNEY. — Vous êtes à moi.

Il veut l'enlever dans ses bras.

AMY, *résistant.* — Si vous ne me laissez, j'appelle...

VARNEY. — Nous sommes seuls.

AMY. — Mon père! mon père! Comment ne voit-il
pas que j'ai besoin de son secours? — Mon père!

VARNEY, *la retenant toujours.* — Je crois que sa raison
se trouble. S'imagine-t-elle que l'écho de Kenilworth est
à Lidcote-Hall?

AMY. — Mon père!

Elle se débat dans les bras de Varney.

VARNEY, *essayant de lui fermer la bouche.* — Ne criez
pas ainsi, madame! On ne vous fait point de mal.

AMY. — Mon père! Tony Foster! Jeannette! — Quelqu'un! A mon secours, au nom du ciel! — Mon père!

*Les deux portes opposées s'ouvrent à la fois. Entrent Foster,
Jeannette d'un côté, Sir Hugh de l'autre.*

SCÈNE VI

LES MÊMES, FOSTER, JEANNETTE,
SIR HUGH ROBSART

AMY. — Ah! vous voici enfin, mon père!

Elle se dégage des bras de Varney étonné, et court à son père.

VARNEY. — Son père! — Mais c'est bien lui! ici!

JEANNETTE et FOSTER. — Madame...

SIR HUGH. — Qu'est-ce donc? qu'avez-vous, ma fille?

AMY. — Mon père! soyez témoin... Vous êtes témoin!
vous avez vu...

Sir Hugh. — Je n'ai rien vu. Vous m'aviez recommandé de me placer de façon à ne rien entendre. Je n'ai pas cru de mon côté qu'il convînt que je visse tout... Vous étiez avec votre mari.

Amy. — Mon mari !

Sir Hugh. — Ne m'avez-vous pas dit que le premier homme que je verrais entrer près de vous, c'était votre mari ? N'ai-je pas en effet reconnu l'homme de votre choix, votre séducteur, votre ravisseur, Richard Varney ? Je bénis le ciel qu'au moins il vous ait épousée.

Varney, *saluant sir Hugh.* — Oui, noble chevalier Robsart...

A part.

Il est tombé des nues et moi j'en tombe aussi.

Amy, *l'interrompant.* — N'écoutez point ce misérable, mon père. Je ne suis point sa femme !

Sir Hugh. — Vous n'êtes point sa femme ! Et que me disiez-vous donc ? Se serait-il refusé ?...

Il se tourne fièrement vers Varney.

Tête et sang ! Monsieur ! une fille que vous avez séduite ! une damoiselle de noble lignage ! une Robsart ! Vous réparerez votre insulte, vous l'épouserez ou vous m'en rendrez raison par la dague et par l'épée.

Amy. — Mon père, où descendez-vous ? L'insulte dont vous parlez est déjà réparée.

Varney. — Oui, sir Hugh, ce que vous désirez est fait.

Sir Hugh. — Eh bien ! que me dites-vous donc ? Avez-vous perdu la raison, Amy ? Je puis vous pardonner, ma fille, puisque votre faute est effacée. Mais vivez du moins en paix avec Varney, puisqu'il est votre mari et puisque vous l'avez voulu.

Amy. — Mon père ! je vous le dis, ce n'est point là mon mari.

Sir Hugh. — Encore ! Mais qui donc est votre époux ?

Amy, *violemment agitée.* — C'est...

Varney, *vivement et bas à l'oreille d'Amy.* — La tête de lord Leicester est dans vos mains, madame.

Amy, *laissant tomber sa tête sur sa poitrine.* — Je ne puis rien dire.

Sir Hugh. — Vous êtes donc folle, ma fille !

Varney, *bas à sir Hugh tandis qu'Amy semble absorbée dans une triste rêverie.* — Ne la tourmentez pas, mon père. — Vous êtes tombé parmi nous un mauvais jour. Lady Varney a parfois des accès d'humeur sombre, où

elle méconnaît tout le monde, jusqu'à moi, vous voyez ?
Il faut la laisser revenir d'elle-même. Votre présence
l'agite et la trouble.

AMY, *à demi-voix.* — Que je suis malheureuse !

SIR HUGH, *avec douceur.* — Oui, tu es malheureuse,
chère enfant. Tu renies maintenant le mari pour lequel
tu as abandonné ton père. C'est pourtant l'homme de
ton cœur, ma fille. Je t'aurais voulu donner un autre
époux, mais il peut entrer sans déshonneur dans la
famille Robsart, maintenant qu'il est chevalier et qu'il
peut s'élever encore par la faveur de ce puissant comte
de Leicester qui demain peut-être sera époux d'Elisabeth et roi d'Angleterre.

AMY, *à part.* — Qu'entends-je ? Il serait donc vrai !
J'espérais que Varney avait menti ! O Dieu !

SIR HUGH, *embrassant Amy.* — Adieu, ma fille. Tu
es pâle et froide comme une statue dans un sépulcre.

AMY. — Oh ! ne me quittez pas, mon père, je vous en
conjure.

SIR HUGH. — Calme-toi. Je reviendrai dans un meilleur moment. Je te laisse aux soins de ton mari.

AMY. — De Varney ! Restez, oh ! restez encore un
instant !

VARNEY, *bas à sir Hugh.* — Si vous prolongez cet
entretien, l'accès va la reprendre.

SIR HUGH. — Je ne puis Amy, tu me reverras bientôt. Adieu.

Il l'embrasse et sort.

AMY, *suivant d'un œil fixe son père qui sort.* — Il m'abandonne aussi !

SCÈNE VII

LES MÊMES, excepté SIR HUGH ROBSART

VARNEY, *à part.* — Allons ! voilà déjà la chose arrangée
pour le père, et vraiment cela a été tout seul.

Il s'approche d'Amy et lui parle à voix basse.

Vous le voyez, madame, en dépit de vous-même ou de
votre plein gré, vous êtes lady Varney, vous ne pouvez
désormais vous soustraire à ce nom...

AMY, *l'interrompant d'une voix haute.* — C'est encore

toi, infâme! Retire-toi! — Foster, Jeannette, venez ici,
et sachez que ce hardi misérable a osé lever les yeux et
porter la main sur la femme de votre maître, sur moi!
Vous ouvrez des yeux étonnés, vous ne pouvez croire à
ce que je vous dis. Cela est pourtant. Oui, c'est bien de
lui que je vous parle, de cet homme qui ose m'appeler sa
femme, de ce valet qui n'est bon qu'à séduire les filles
de taverne avec les vieux pourpoints de son maître,
rehaussés de rosettes neuves.

VARNEY, *furieux.* — Madame!... devant vos gens!

AMY. — Va-t'en, Varney! — Aussi bien, voici l'heure
où lord Leicester rentre de la chasse. Va; les bottes de
ton maître ont besoin de ton service, et la plume de ta
toque de chevalier n'est pas trop noble pour en essuyer
la poussière. — Va-t'en!

VARNEY, *grinçant des dents, à part.* — Comme elle me
traite! Quel raffinement de mépris! Elle me le paiera
cher! Adieu donc, belle dame, vous boirez la potion de
l'alchimiste et vous irez cuver votre orgueil à Cumnor. —
Allons sur-le-champ trouver Alasco.

Haut.

Venez, Foster, venez, Jeannette.

Tous trois sortent.

SCÈNE VIII

AMY, *seule. Elle tombe dans le fauteuil, et reste immo-*
bile et muette, la tête cachée dans ses deux mains. Enfin elle
la soulève lentement et promène autour d'elle des yeux égarés.
— Est-ce que réellement je ne rêve pas? Ce que me disait
ce Varney, c'est donc vrai! Le crime du comte m'est
confirmé par la voix de mon père! Ah! pourquoi ai-je
quitté en fugitive et en coupable la maison paternelle?
Je suis si peu de chose dans le monde maintenant, ma
place y est si ignorée, que l'on parle devant moi de ce qui
me déchire les entrailles comme d'une chose indifférente!
— ou même heureuse. — Voilà ce que la pauvre fille
Amy Robsart a gagné à sa couronne de comtesse! Ainsi,
demain, oui, demain peut-être, sans que la mort ait visité
Kenilworth, il n'y aura plus de lord ni de lady Leicester!
Lui, sera le roi d'Angleterre, et moi, la femme de Varney!

— La femme de Varney! Vivre avec Varney! Non, —
plutôt la mort et l'enfer!

*Entre Jeannette portant un gobelet d'argent sur un plateau
de vermeil.*

SCÈNE IX

AMY, JEANNETTE

JEANNETTE. — Madame...

Elle fait quelques pas. La comtesse demeure immobile.
Mylady!

AMY, *se détournant brusquement.* — Que me veut-on?
laissez-moi! (*Elle reconnaît Jeannette et reprend avec douceur.*) Ah! c'est toi, Jeannette! pardon.

JEANNETTE. — Que vous êtes bonne, madame, pour
être si malheureuse!

AMY. — Ah oui, bien malheureuse, chère enfant! —
Mais que m'apportes-tu là?

JEANNETTE. — Une potion calmante que Foster m'a
remise pour vous. Un breuvage qui doit vous rendre
quelque repos après toutes vos souffrances. Ceci vous
fera retrouver le sommeil.

AMY. — Le sommeil, Jeannette. Il n'en est plus pour
moi que dans la tombe. Mais pose ceci sur cette table,
et laisse-moi. J'ai besoin d'être un instant seule.

Jeannette, *à part.* — Comme elle est pâle, pour une
comtesse!

*Elle pose le plat sur la table près d'Amy, fait une révérence
profonde, et sort.*

SCÈNE X

AMY, puis FLIBBERTIGIBBET

AMY, *seule.* — Esprits simples, qui s'imaginent que les
plaies de l'âme peuvent se guérir avec les remèdes du
corps, et qu'on peut rendre le sommeil à des yeux qui
ne peuvent plus même pleurer! Comme si le désespoir

n'était qu'une maladie! Comme si l'on pouvait garder
la santé quand on a perdu le bonheur! A quoi bon
boire ceci?

Elle semble réfléchir un moment.

Mais ces bons serviteurs qui m'ont préparé ce breuvage, qui se sont dit : « Cela fera du bien à notre pauvre
maîtresse! » Repousserai-je leurs soins? Tromperai-je
leur espoir en refusant le cordial qu'ils m'ont destiné?
Allons! Il n'y a plus au monde que ces deux cœurs qui
s'intéressent à moi, il n'y a plus que ce concierge et cette
servante qui aient pitié de la comtesse de Leicester, je
leur dois au moins, puisqu'ils daignent me soigner, de me
laisser faire. — Buvons.

*Elle prend le gobelet et le porte à ses lèvres. En ce moment
une voix aigre crie, comme de l'intérieur des murs :*

UNE VOIX. — Ne buvez pas!

Amy s'arrête tremblante.

AMY. — Qui me parle?

*La porte d'Alasco s'ouvre et donne passage à Flibbertigibbet,
qui se place d'un bond en face de la comtesse.*

FLIBBERTIGIBBET. — Moi, noble dame. — Ne buvez pas.
AMY, *étonnée.* — Vous! qui êtes-vous?
FLIBBERTIGIBBET. — Un lutin, mais un lutin à qui vous
avez sauvé la vie et qui cherche à s'acquitter en sauvant la
vôtre à son tour.
AMY. — Je vous reconnais. Vous êtes le malheureux
que mylord ce matin...
FLIBBERTIGIBBET, *saluant.* — Oui, belle dame, l'histoire
du poignard. Ce pauvre poignard, soit dit en passant,
vous l'avez jeté par la fenêtre, et c'est le seul tort que je
vous connaisse. Il eût été bien beau pour jouer Méphistophélès dans le *Faust* de Marlow, ou sir Pandarus de
Troie [45]...
AMY. — Mais ne vous avait-on pas mis en prison?
Comment en êtes-vous sorti? Comment êtes-vous entré
ici? Et que voulez-vous me dire?
FLIBBERTIGIBBET. — Bien des questions à la fois, noble
comtesse; et pour peu que j'eusse la faconde d'un prédi-
cateur presbytérien, je pourrais faire aisément de ma
réponse un sermon en trois points; mais je tâcherai d'être
bref, et de remplacer autant que possible les *verumenim-
vèro* [46] par des *sed* tout court, dût mon éloquence y
perdre un peu. — Hum! — Je vous dirai donc, madame,

qu'en sortant d'ici ce matin, on m'a gracieusement
conduit dans ce qu'on appelle la prison du château. C'est
une vieille tourelle fort élevée à laquelle on arrive par une
galerie dont le parquet sonne diablement creux, et m'a
l'air, pour n'en dire qu'un mot, d'un système de chausse-
trapes. On m'a jeté là-dedans — non dans les chausse-
trapes, mais dans la tourelle — avec une cruche d'eau
et... Mais que vous importe ? Je commençai d'abord par
tenter une évasion, genre dans lequel j'excelle; mais ne
voyant à ma prison qu'une fenêtre fort bien grillée et
une porte fort bien close, je commençais à désespérer de
ma liberté quand tout à coup, il y a une heure environ,
je vois se démasquer dans ma cellule une porte pareille
à celle-ci et paraître le docteur Doboobius, autrement dit
Démétrius Alasco. Si vous me demandez ce que c'est
qu'Alasco, je vous dirai, gentille dame, que c'est un alchimiste, un sorcier, ou un astrologue, à votre choix, ou, si
vous l'aimez mieux, et ce serait une triste recommanda-
tion près de quelqu'un dont j'aurais l'honneur d'être
connu, Alasco est un de mes amis. La preuve, c'est qu'il
a essayé de m'envoyer voyager dans l'autre monde à
cheval sur un baril de poudre. — Mais pardon pour ces
niaiseries. — Alasco est donc un empoisonneur. J'étais
fort surpris de le voir, mais mon étonnement a cessé
quand dans l'entretien qui s'en est suivi, j'ai vu qu'il
avait besoin de moi. Il m'a fait des propositions fort
acceptables, et j'ai accepté. Du nombre était ma liberté.
Il faut vous dire que ma tourelle communiquait à la
sienne par le moyen de la susdite porte cachée. J'ai donc
quitté ma prison pour son laboratoire, c'est-à-dire le
purgatoire pour l'enfer. Or, à peine arrivé dans cet enfer,
j'ai été témoin d'un entretien entre lui et Richard Varney,
l'autre démon de Kenilworth. Ce Varney, autant que j'ai
pu comprendre ses paroles fort entrecoupées de regards
significatifs, venait chercher une boisson commandée à
Alasco par mylord Leicester et destinée à la comtesse
Amy. — Cette boisson, la voilà.

AMY. — Et qu'est-ce que cette boisson ?

FLIBBERTIGIBBET. — Vous me le demandez, noble
dame. Ne sort-elle pas de la cuisine d'Alasco ? qu'est-ce
que cela peut être, sinon du poison ?

AMY. — Du poison ! — Et c'est Leicester qui me l'envoie !

FLIBBERTIGIBBET. — C'est lui qui a commandé ce
breuvage pour vous.

AMY. — Grand Dieu, pardonne-moi !

Elle reprend le gobelet et le porte précipitamment à ses lèvres.

FLIBBERTIGIBBET, *l'arrêtant.* — Que faites-vous, madame ? ne m'avez-vous pas entendu ? c'est du poison.

AMY. — Et que veux-tu que j'en fasse ? Puisque c'est Leicester qui me l'envoie, ce poison, il faut bien que je le boive. C'est à la fois une blessure et un remède.

Elle porte de nouveau le verre à ses lèvres. Le lutin le lui arrache.

FLIBBERTIGIBBET. — Non, gentille dame. Je vous dois la vie, il faut, bon gré mal gré, que je paie ma dette. Il ne sera pas dit que j'aie manqué la seule bonne action où je me sois jamais aventuré. D'ailleurs cela fera si bien enrager mes deux amis !

Il jette le gobelet à terre.

Au diable cette liqueur du diable ! Vous verrez qu'avant une heure ce plancher sera aussi noir que s'il avait été brûlé par le triple souffle de Cerbère [47].

AMY, *l'œil fixé sur le breuvage répandu.* — Qu'avez-vous fait ? Que vais-je devenir maintenant que je n'ai plus de poison ?

FLIBBERTIGIBBET. — Ce que vous deviendrez, noble jeune dame. De par Shakespeare ! Entre un époux qui vous empoisonne en guise de divorce et un Varney qui vous convoite, il n'est qu'un parti d'usage immémorial dans toutes les tragédies, comédies et mascarades, — fuir.

AMY. — Fuir ? Où ? Comment ?

FLIBBERTIGIBBET. — Comment ? par cette croisée qui est presque de plain-pied avec le parc, et qui m'a bien l'air de n'avoir été faite que pour cela. — Où ? N'avez-vous point quelque tante ? quelque frère ? quelque père ? ce que vous autres nobles personnes appelez des parents, car pour moi pauvre diable, je n'ai jamais eu que mes folles idées pour famille et pour compagnie, le ciel étoilé pour dais de lit, et une pierre pour oreiller.

AMY. — Je cours trouver mon père. Tu as raison. Cette fenêtre... crois-tu ?

FLIBBERTIGIBBET. — Je vous aiderai à descendre. Pur enfantillage, madame.

AMY. — Mais seule...

FLIBBERTIGIBBET. — Est-ce que je ne suis pas là ? est-ce que je ne vous appartiens pas, sang et cervelle, os

et chair, corps et âme ? Je serai votre guide, votre défenseur, votre valet.

AMY. — Vous me serviriez ainsi! Qu'ai-je donc fait
pour tant de dévouement ?

FLIBBERTIGIBBET. — Vous m'avez sauvé la vie, et, belle
dame, si peu de chose que ce soit, c'est tout pour moi qui
n'ai que cela. D'ailleurs, je ne suis pas fâché de vous donner un échantillon de mon talent naturel pour les évasions.
— Mais hâtons-nous, je vous supplie, puisque la résolution est prise.

AMY. — Un dernier moment.

*Elle se met à une table et écrit quelques mots sur un papier
qu'elle plie.*

Comment sceller cette lettre ? Ah! une boucle de mes
cheveux!

Elle coupe une boucle de ses cheveux et en attache la lettre.

Ce sera à la fois un adieu et un souvenir de celle qu'il a
voulu empoisonner. Dépouillons-nous encore de cette
fatale couronne, — et partons.

Elle ôte sa couronne et la pose sur la table avec la lettre.

FLIBBERTIGIBBET. — Tout est-il fait ? Venez, madame.

AMY. — A la garde de Dieu!

*Flibbertigibbet l'aide à franchir la croisée derrière laquelle
elle disparaît.*

FLIBBERTIGIBBET, *la suivant du regard.* — Bien... c'est
cela... vous y voilà. — Je vous suis.

Il revient vers la table.

Un dernier coup d'œil ici. N'oublions-nous rien ?

Il regarde ce qu'Amy a laissé sur la table.

Cette couronne ? des perles fines, vraiment! Allons,
n'y touchons pas, je suis honnête homme pour le quart
d'heure. Cette lettre ? On l'interceptera. Il vaut mieux
que je m'en charge.

Il prend la lettre.

Quant à la couronne, elle pourrait nous être utile, si le
voyage est long par hasard. D'ailleurs on l'intercepterait
aussi. Allons!

*Il prend la couronne. Apercevant un autre papier sur la
table.*

Qu'est-ce que ce parchemin ?

Il l'examine.

La passe de la reine! Comment! Munissons-nous de
cela. Cela manquerait dans ma collection. Allons, je crois
que j'ai bien tout. Elle m'attend. Descendons. La charmante aventure! J'ai l'air d'un singulier Médor à enlever
ainsi des Angéliques [48]!

Il saute par la croisée.

ACTE QUATRIÈME

Le parc de Kenilworth. A gauche, quelques tours de la
partie ruinée du château. Au fond des arbres, au-dessus
desquels s'élèvent dans l'éloignement le donjon et les
toits découpés ou crénelés du château neuf.

SCÈNE PREMIÈRE

VARNEY, *seul. Il paraît chercher avec attention.* —
Qu'est-elle devenue ?... Je ne sais en vérité où la retrouver. Voilà bien un de ces retours de fortune!... Ce qui
devait nous perdre tantôt nous a sauvés et ce qui devait
nous sauver à présent nous perd. Qui peut prévoir les
suites de cette disparition de la comtesse ? On a trouvé
la fenêtre ouverte, elle aura fui par là dans le parc. Aussi,
quelle idée de femme et de folle! Aller s'imaginer que
l'innocent breuvage anodin préparé par cet honnête
Alasco est du poison, au moyen duquel le comte veut
se débarrasser d'elle et épouser la reine! Si mon pauvre
maître savait quelle bonne opinion a maintenant de lui
son Amy!... — D'un autre côté, si vos affaires s'arran-
geaient, mon cher Varney, si vous pouviez ressaisir sans
bruit la belle fugitive, il est probable que l'horreur dont
elle doit voir à présent un époux qui a voulu (du moins
elle le croit) l'empoisonner, il est probable, dis-je, que
cette horreur, ce mépris, et tous les autres sentiments
favoris des honnêtes gens en colère, empêcheraient la
jeune lady de s'opposer à la cassation du mariage, facili-
teraient vos vues sur elle et celles de la reine sur le noble
comte... — Holà, si ce nouvel incident fâcheux allait
tourner à bien ? Richard Varney, vous êtes encore plus

heureux qu'adroit, et ce n'est pas peu dire. — Mais suis-je fou ? ne voilà-t-il pas un beau moment pour me féliciter que celui où la fuite de la comtesse va peut-être dérouler et déchirer toute la trame ? Mon esprit s'est-il envolé comme ma proie ? Je suis bien maladroit et bien malencontreux... Mais voici ce vieux Alasco qui s'est mis comme moi à la recherche de l'oiseau échappé, et qui, si j'en juge à sa mine, ne paraît pas avoir été plus heureux que moi.

SCÈNE II

VARNEY, ALASCO

VARNEY. — Hé bien ?

ALASCO. — Eh bien !

VARNEY. — Ainsi, mon cher docteur en diablerie, la brebis a dupé deux loups ?

ALASCO. — J'ai cherché dans tout le parc et je n'ai rien vu, rien trouvé qui ressemblât à une robe blanche et à des cheveux épars.

VARNEY. — Aussi, monsieur Alasco, quelle idée d'aller présenter un philtre soporifique à une jeune fille évaporée qui aurait peur d'un verre d'eau !

ALASCO. — Allons, va-t-il maintenant s'en prendre à moi de ce que j'ai travaillé d'après ses intentions ?

VARNEY. — Je vous demande un peu si ce n'était pas la plus insigne folie que de s'imaginer qu'elle boirait cela quand sa fenêtre sans barreaux donne presque de plain-pied sur le parc et que la fille dont nous nous servions pour lui offrir le breuvage est bien plus dans les intérêts de la comtesse que dans les nôtres ?

ALASCO. — Hé ! mais ! c'était à vous de penser à tout cela. Pouvais-je, moi, prévoir ce qui arriverait ?

VARNEY. — Et pourquoi donc es-tu ici, vieux sorcier ? n'es-tu pas payé pour prévoir et prédire ?

ALASCO. — En vérité, les intérêts de trois ou quatre vers de terre, voilà de dignes sujets d'études pour une âme absorbée dans les calculs célestes !...

VARNEY. — Tant pis pour les calculs célestes, s'ils vous rendent incapable de combinaisons terrestres. En ce cas, demandez aux astres un domaine de Cumnor, un laboratoire d'abbé...

ALASCO. — Vous n'avez pas compris ce que je voulais dire, sir Richard...

VARNEY. — Allons, allons. Tu veux nous réconcilier, rien de plus aisé; nous n'étions pas brouillés, et jamais nous ne le serons. Nous nous connaissons tous deux trop à fond pour pouvoir nous dire de ces vérités qui surprennent désagréablement et coupent brusquement une vieille liaison.

ALASCO. — Cela est vrai.

VARNEY. — Ne perdons pas de temps. Lady Amy est certainement encore dans le parc, les murs de clôture sont élevés. Cherchons-la bien. Je crois la reine, le comte et toute la cour prêts à partir pour la chasse. Hâtons-nous. Et séparons-nous pour mieux chercher.

Ils sortent chacun d'un côté du théâtre.

SCÈNE III

AMY, FLIBBERTIGIBBET

Au moment où Varney et Alasco sortent, Flibbertigibbet se glisse sur le théâtre à travers les branches d'un massif de verdure, et fait signe à Amy de le suivre.

FLIBBERTIGIBBET. — Les chats-huants sont envolés, madame; vous pouvez sortir en toute sûreté de votre citadelle de houx et de broussailles; mais prenez garde à vos beaux yeux, car je n'ai jamais vu de branches plus disposées à vous caresser les paupières de leurs épines.

Amy paraît.

AMY. — Voilà donc les serviteurs du comte de Leicester [49]!

FLIBBERTIGIBBET. — Dignes de leur maître, madame. Car je vous le répète, et ce sont mes deux oreilles qui l'ont entendu, ce breuvage, ce poison était commandé par lui, pour vous.

AMY. — Par lui! pour moi! — Je ne sais où j'en suis. Ce matin, il me serrait tendrement dans ses bras, quelques heures après, il m'envoie un breuvage empoisonné! — Oui, ma vie l'importune, il est si près du trône! — Une barrière l'en sépare; il ne peut la franchir, il veut la briser. Leicester, si tu m'avais demandé ma vie pour prix d'un

peu d'amour, Dieu sait avec quelle joie, je te l'aurais
donnée. Mais l'immoler lâchement à l'ambition! Qui
m'eût dit cela de mon généreux Leicester?

FLIBBERTIGIBBET. — Pardon si je vous interromps,
noble dame. Ce que vous dites là est fort bien dit : vous
n'avez que trop de raisons pour parler ainsi et bien autrement encore. Mais moi, qui n'ai rien à dire, à quoi vous
suis-je bon ici, si vous ne me donnez rien à faire? Je suis
là devant vous comme la lanterne qui écoute si patiem-
ment la glose de Sosie dans l'*Amphitryon* de Plaute [50] ou
mieux encore comme l'urne à laquelle Hamlet adresse
ses terribles soliloques [51].

AMY. — Que désirez-vous de moi, mon ami?

FLIBBERTIGIBBET. — Que vous m'employiez, mylady.
Vous n'êtes pas en si belle position que je puisse rester
près de vous les bras croisés, vous faisant de temps en
temps un signe de tête, comme un confident de tragédie.
J'ai des talents faits exprès pour vous aider dans l'embarras où vous vous trouvez. Mettez-les à profit. Voyons :
vous plaît-il que je vous pratique une issue à travers les
grands murs de ce maudit parc, ou que je vous aille chercher votre père?

AMY. — Mon père! oh oui, mon père! Si tu pouvais le
trouver et me l'amener, je serais sauvée.

FLIBBERTIGIBBET. — Il suffit, gracieuse dame. Atten-
dez-moi ici. Vous y pouvez continuer paisiblement votre
monologue. Ceux qui vous cherchent en sortent et ne
s'aviseront pas d'y revenir. Adieu. Je reviens dans peu,
et comptez que votre père me suivra de près.

*Il fait un signe de la main à la comtesse, franchit le taillis
d'un saut et disparaît.*

SCÈNE IV

AMY, *seule*. — Mon père! Oui, je veux vous demander
pardon avant de mourir, car je mourrai, Leicester le veut.
Je n'ai point cherché à éviter la mort, mais à lui épargner
un crime. — C'est lui, ce matin, qui me serrait dans ses
bras, qui me disait : *Amy, rien ne nous séparera, rien!* Oui,
mon père, c'est lui qui, après vous avoir si longtemps
privé de votre Amy, vous l'enlève maintenant à jamais.
Hélas! j'ai donc été bien criminelle pour être si cruelle-

ment punie! Non, je n'aurais pas cru cela même de ce
Varney, de ce misérable dont la seule vue me fait horreur...
— Si... grand Dieu! Si ce n'était pas d'après l'ordre de
mon Leicester... — Ah! malheureuse! il est capable de
tout, celui qui a osé proposer à sa légitime épouse de
passer pour la femme d'un de ses valets, d'un vil écuyer!
Il a pu une lâcheté, il peut un crime. — Que faire? où
fuir? comment trouver mon père? mon père, où est-il?
mon père, venez, vous que j'ai abandonné, me protéger
contre l'époux que j'ai suivi! ses infâmes serviteurs me
cherchent, comment leur échapper? Ce parc est fermé.
A qui m'adresser? Ce sauveur que le hasard m'a donné,
cette espèce de bon génie qui a favorisé mon évasion,
m'abandonnerait-il aussi? Ou bien lui serait-il arrivé
quelque malheur? Quoi, tout, jusqu'à ce roseau, se
romprait sous moi! A quoi suis-je réduite, grand Dieu!
la fille du chevalier Robsart, la comtesse de Leicester
protégée par un batelier! Voilà ce que m'a fait le grand
comte, le noble Dudley! Tout est fini maintenant; il
n'y a plus dans mon âme une étincelle d'amour et de
dévouement pour lui. Le mépris a tout éteint. Je ne le
hais même pas.

*Elle s'assied pâle et immobile sur un piédestal placé près
d'une fontaine, à l'un des côtés du théâtre, et rêve profondément, tandis que la reine apparaît au fond du théâtre
et s'avance lentement.*

SCÈNE V

AMY, ELISABETH

ELISABETH, *sans voir Amy*. — Les paroles tendres de
cet infortuné comte me jettent dans un trouble!... J'avais
besoin d'être seule. Il y a tant de séduction dans l'amour
d'un homme tel que Leicester...

AMY, *à part et comme réveillée en sursaut*. — Leicester!...
Quel nom ai-je entendu?

Elle lève les yeux sur la reine.

Dieu! Quelle est cette femme?...
ELISABETH, *continuant*. — Ses regards fiers et timides,

ses demi-aveux, ce secret toujours prêt d'échapper de ses lèvres... Oh! que ne puis-je faire mon bonheur et celui de mon Dudley!

AMY, *à part*. — Qu'entends-je ? son Dudley!... leur bonheur!... Juste ciel! Je frémis de comprendre...

ELISABETH, *poursuivant*. — Elle serait bien heureuse, l'épouse de Leicester!

AMY, *à part*. — Hélas!

ELISABETH, *toujours sans voir Amy*. — Pourquoi moi-même me créer des obstacles! Qui pourrait empêcher cette union ? Dudley est libre...

AMY, *toujours à part*. — Le malheureux la trompe aussi — ou peut-être se croit-il libre à présent. Oh! que je souffre!

ELISABETH. — Oui, Dudley est libre, et moi, je suis toute-puissante. Est-ce que je ne puis pas ce que je veux ? Est-ce que je ne suis pas la reine ?

AMY. — La reine! ô ciel! Il est trop vrai! La reine! c'est la reine! Malheureuse que je suis!

ELISABETH, *se détournant*. — Qu'est cela ? Qui ose ?... Femme, que faites-vous ici ?

AMY. — Votre majesté... Je passais, je me retire...

ELISABETH. — Non, parlez. Vous paraissez troublée et prête à défaillir. Jeune fille, rassurez-vous. Vous êtes devant votre reine.

AMY. — C'est pour cela, madame, que je tremble...

ELISABETH. — Rassurez-vous, vous dis-je. Avez-vous quelque grâce à obtenir ? Que demandez-vous ?

AMY. — Votre protection, madame.

Elle tombe aux genoux de la reine.

ELISABETH. — Toutes les filles de notre royaume y ont droit lorsqu'elles la méritent. Relevez-vous et reprenez vos sens, que notre présence a si fort troublés. Qui êtes-vous ? Pourquoi et en quoi notre protection vous est-elle nécessaire ?

AMY. — Madame...

A part.

Que puis-je dire ?

Haut.

Madame, hélas! je n'en sais rien.

ELISABETH. — Voilà qui ressemble à de la démence. Savez-vous que nous ne sommes pas accoutumée à répéter aussi souvent une question sans obtenir de réponse ?

AMY. — Je vous supplie — j'implore votre majesté,

votre gracieuse protection est ici mon seul recours. Daignez ordonner qu'on me rende à mon père.

ELISABETH. — Eh mais! il faudrait que je le connusse d'abord, ce père. Qui êtes-vous ? qui est-il ?

AMY. — Je suis Amy, fille de sir Hugh Robsart.

ELISABETH. — Robsart! En vérité, je ne suis occupée que de cette famille depuis ce matin. Le père me demande sa fille, la fille me demande son père. Vous ne me dites pas encore tout ce que vous êtes. Vous êtes mariée ?...

AMY, *à part*. — Mariée!... Ciel!... saurait-elle le secret de Leicester ?...

Haut.

Oui, madame, il est vrai... Pardonnez! Oh! pardonnez-moi! Au nom de votre auguste couronne, grâce!

ELISABETH. — Vous pardonner, ma fille ? et qu'ai-je à vous pardonner ? C'est l'affaire de votre respectable père que vous avez trompé. Je sais, vous le voyez, toute votre histoire; votre rougeur la confirme. Vous vous êtes laissée séduire, et enlever...

AMY, *fièrement*. — Oui, madame, mais celui qui m'a séduite et enlevée m'a épousée.

ELISABETH. — En effet, je sais que vous avez réparé votre faute en épousant votre ravisseur, l'écuyer Varney.

AMY. — Ce Varney! Non, madame, comme il existe un ciel sur nos têtes, je ne suis pas la misérable créature que vous croyez voir en moi! Je ne suis pas la femme de cet odieux scélérat, de ce vil esclave! je ne suis point l'épouse de Varney! J'aimerais mieux être celle de Satan!

ELISABETH. — Que veut dire ceci ? Dieu merci, femme, on n'a pas besoin de vous arracher les paroles quand le sujet vous convient.

A part.

De qui suis-je le jouet ici ? Il se trame quelque mystère indigne.

Haut.

Eh! dis-moi, Amy Robsart, qui donc as-tu épousé ? De par le jour qui nous luit, je saurai de qui tu es la maîtresse ou la femme. Dis, parle, et sois prompte, car tu risquerais moins à te jouer d'une lionne qu'à tromper Elisabeth d'Angleterre.

AMY, *anéantie*. — Le comte de Leicester sait tout!

ELISABETH. — Leicester! Le comte de Leicester! femme, tu le calomnies, il n'entretient pas des créatures telles que toi. Qui t'a poussée à cet odieux mensonge ?

Qui t'a soudoyée pour outrager le plus noble lord,
l'homme le plus vertueux de ce royaume ? Viens sur-le-
champ avec moi ; mais le voici lui-même avec notre cour.
Tant mieux ; nous fût-il plus cher que notre main droite,
tu seras confrontée avec lui, tu seras entendue en sa présence, afin que je sache qui est assez insensé en Angleterre
pour mentir à la fille de Henri huit !

SCÈNE VI

AMY, ELISABETH, LEICESTER, VARNEY
TOUTE LA COUR

*Elisabeth, les yeux fixés sur Leicester. Amy, pâle et défail-
lante, appuyée sur le piédestal.*

LEICESTER, *avec un mouvement de terreur, à part.* — Ciel !
Amy avec la reine !

VARNEY. — Qu'est cela ?

ELISABETH, *à part.* — Comme il pâlit !

Haut.

Mylord de Leicester, connaissez-vous cette femme ?

LEICESTER, *d'une voix basse.* — Madame...

ELISABETH, *avec force.* — Mylord de Leicester, vous
connaissez cette femme !

LEICESTER. — La reine daignera-t-elle me permettre
d'expliquer...

A part.

Malheureux ! tout est perdu !

ELISABETH. — Leicester, est-ce moi que vous avez osé
tromper ? moi, votre bienfaitrice, votre confidente, votre
trop faible souveraine et maîtresse ? Votre trouble confesse
votre perfidie. S'il y a quelque chose de sacré sur la terre,
j'en jure par cela, déloyal comte, votre fourberie abominable sera dignement récompensée.

LEICESTER, *abattu.* — Je n'ai jamais voulu vous tromper, madame.

ELISABETH. — Taisez-vous ! Votre tête, mylord, court
maintenant les mêmes chances que courut jadis celle de
votre père.

AMY, *à part.* — O Dieu !

LEICESTER, *se relevant et d'une voix ferme.* — Reine, ma tête ne peut tomber que par le jugement de mes pairs. C'est à la barre du parlement impérial d'Angleterre que je plaiderai ma cause et non devant une princesse qui récompense de la sorte un dévoué serviteur. Le sceptre de votre majesté n'est pas une baguette de fée pour dresser en un jour mon échafaud.

ELISABETH. — Vous tous, mylords, qui m'entourez, vous entendez. Eh quoi! on nous défie, ce nous semble, on nous brave dans le château même que cet homme superbe tient de notre royale bienveillance! Mylord de Shrewsbury, vous êtes comte-maréchal d'Angleterre, attaquez ce rebelle en haute trahison.

AMY, *à part.* — Juste ciel!... Je tremble... Je ne croyais plus tant l'aimer.

ELISABETH. — Ne levez pas ainsi fièrement le front, Dudley, comte de Leicester. Notre illustre père, Henri huit, faisait tomber les têtes qui ne se courbaient pas. Allons! mon cousin lord Hunsdon, que les gentilshommes pensionnaires de notre suite se tiennent prêts; mettez cet homme en lieu de sûreté. Qu'il donne son épée, et qu'on se hâte, quand j'ai parlé.

Au moment où les gardes s'avancent vers Leicester calme et immobile, Amy se précipite mourante aux pieds de la reine.

AMY. — Epargnez-le, madame, grâce! justice! Il n'est pas coupable! non, il n'est pas coupable, nul ne peut accuser en rien le noble comte de Leicester!

ELISABETH. — Vraiment, ma fille. Ceci est nouveau. N'est-ce pas vous qui l'accusiez tout à l'heure, vous l'avez donc calomnié?

AMY. — L'ai-je accusé, madame? Oh! si je l'ai accusé, certainement je l'ai calomnié. Je suis seule digne de votre colère.

ELISABETH. — Prenez garde, insensée que vous êtes. Ne disiez-vous pas à l'instant que le comte savait toute votre histoire?

AMY. — Je ne sais ce que je disais, madame; on avait menacé ma vie, je me trompais, ma raison était troublée...

ELISABETH. — Quel est votre maître ou votre amant, femme, si, comme vous l'affirmiez tout à l'heure, vous n'êtes pas l'épouse de Varney?

LEICESTER, *s'avancant.* — Je dois avouer à sa majesté...

ELISABETH. — Mylord, laissez parler cette femme.

AMY. — Madame!

A part.

O ciel!...

Haut.

Oui, Madame, je suis l'épouse de Varney!

LEICESTER, *à part.* — Trop généreuse Amy!

ELISABETH. — Vous avouez donc, jeune femme, que tout le désordre dont vous venez d'être témoin est né de vos mensonges insolents et de vos absurdes impostures? Vous convenez que vous avez été soudoyée pour noircir et perdre dans notre estime l'illustre comte de Leicester?

AMY. — Il faut bien que j'en convienne.

LEICESTER, *à part.* — Tant de noblesse et de dévouement me déchirent.

Haut.

Que votre majesté daigne à présent m'écouter...

ELISABETH, *souriant.* — Un instant encore, comte. De grâce laissez-nous le plaisir de voir votre innocence éclater d'elle-même. Vos ennemis ont suscité contre vous cette malheureuse. Laissez-nous l'interroger.

VARNEY. — Madame, ma femme n'est pas aussi coupable qu'elle le semble à votre majesté. J'espérais que sa maladie aurait pu rester cachée, mais la reine a dû s'apercevoir que l'esprit de lady Varney... qu'une maladie mentale... sa raison se dérange souvent... Daigne sa majesté l'excuser.

LEICESTER, *à part.* — Misérable!

AMY, *à part.* — Il faut soutenir le sacrifice jusqu'au bout.

ELISABETH. — En vérité. Moi, monsieur Varney, je penche plutôt à croire que les rivaux de votre maître se sont servis de votre femme comme d'un instrument pour ébranler un crédit qu'ils n'ont fait qu'affermir. Cette créature l'avoue elle-même. En tout cas, qu'on l'emmène dans la prison du château; là, son cerveau se calmera, en attendant que nous disposions d'elle. Lord Hunsdon! c'est vous que je charge de cette prisonnière. Qu'elle soit étroitement gardée, et donnez au geôlier l'ordre que nul, quel qu'il soit, ne puisse pénétrer auprès d'elle s'il n'est muni d'un sauf-conduit signé de notre propre main. Vous entendez, mylord?

Lord Hunsdon s'incline. — On entraîne Amy.

LEICESTER, *à part.* — O douleur! ô rage! ma bien-aimée
Amy!

AMY, *en sortant, à part.* — Au moins, si je meurs maintenant, ce sera pour lui!

SCÈNE VII

LES MÊMES, excepté AMY

ELISABETH. — Lord [52] Leicester, c'est avec franchise
que nous vous adressons la première des paroles de
réconciliation.

LEICESTER. — Madame...

ELISABETH. — Peut-être vous semble-t-il que les
impostures de vos ennemis ont un facile accès près de
nous? Peut-être craignez-vous de voir ébranler encore
une faveur qui vous est pourtant plus assurée que jamais?
Peut-être même doutez-vous que cette femme, l'instrument de leur basse envie, soit punie comme elle le mérite?

LEICESTER. — Ah! madame, bien au contraire [53] si j'ai
une grâce à demander à votre majesté...

ELISABETH. — Soyez tranquille. Je vous promets que
son châtiment sera exemplaire. Nous apprendrons à vos
adversaires qu'Elisabeth d'Angleterre venge les injures
d'un fidèle sujet comme les siennes propres. D'ailleurs,
où l'on ne voit encore que de méprisables menées, il se
trouvera peut-être une vaste conspiration. Voici les
affaires d'Etat : l'instant des divertissements est passé. Je
repars ce soir pour Londres. Le procès de cette femme
s'y instruira. — Messieurs mes gentilshommes pensionnaires, en selle! Nous partons dans deux heures. — Adieu,
mylord de Leicester, nous vous attendons pour nous
tenir l'étrier; et votre reste de ressentiment contre nous
aura sans doute eu le temps de s'évanouir. C'est par la
punition éclatante d'Amy Robsart que je vous prouverai
mon inaltérable affection. — Voici notre main.

Elle lui tend sa main que Leicester baise en s'inclinant pro-
fondément.

SCÈNE VIII

LEICESTER, VARNEY

Pendant cette scène des troupes de masques en désordre passent de temps en temps au fond du théâtre.

LEICESTER, *se croyant seul.* — C'en est fait! me voilà décidé, et cette résolution me soulage. — Un moment de plus, et j'éclatais. Oui, mon Amy, ma douce, ma dévouée Amy, ton mari sera digne de toi. Je dévoilerai tout, j'exposerai tout pour te sauver. Qu'ai-je à ménager maintenant, maintenant qu'elle est en péril [54] ?

VARNEY. — Mylord...

Leicester se détourne brusquement.

LEICESTER. — Que fais-tu là ?

VARNEY. — Mylord au moment où votre seigneurie va peut-être tout perdre, je venais lui offrir [55]...

LEICESTER. — Quoi ?

VARNEY. — Mylord, si au lieu de prendre un parti extrême et périlleux, votre seigneurie daignait se servir de l'idée que j'ai déjà fait pressentir à la reine ?...

LEICESTER. — Que veux-tu dire ?

VARNEY. — Si l'on persuadait à la reine que la raison de sa prisonnière est dérangée ?...

LEICESTER. — Ah! je te retrouve donc, odieux serpent! Va, mon aveuglement a cessé. Je te connais maintenant. Oui, voilà un abominable conseil, digne de toi!

VARNEY. — J'ai lieu de m'étonner, après les services que j'ai rendus à votre seigneurie...

LEICESTER. — Tes services, scélérat! Oui, parle de tes services! C'est à toi que je dois mon malheur, ce malheur bien affreux puisque Amy le partage. C'est d'après tes avis que j'ai laissé croire à la reine que je répondais à son fatal penchant; c'est toi qui as nourri dans mon cœur toutes mes funestes ambitions; c'est toi qui m'entretenais du trône, et qui me faisais oublier que j'étais chevalier et homme d'honneur pour me faire sentir que je pourrais être roi; c'est toi qui m'as fait cacher mon mariage, par des raisons où il se mêlait trop de motifs ambitieux; c'est par toi, misérable! que j'ai été amené à proposer à ma noble épouse de porter ton odieux nom; c'est toi qui as voulu m'avilir et me dégrader en elle, et c'est toi qui oses encore me conseiller maintenant de faire passer cette généreuse victime pour folle et privée de sa raison. Va, tu me fais horreur! Va!

Il le repousse violemment.

VARNEY, *tranquillement à part.* — Que serait-ce donc, s'il savait tout!

Haut.

Je vous quitte, mylord. La douleur vous rend injuste, et c'est en vous servant encore malgré vous que ma fidélité répondra à vos reproches.

A part.

Pourquoi ma fortune est-elle liée à celle de cet insensé!

Il salue profondément le comte, et sort.

SCÈNE IX

LEICESTER, puis FLIBBERTIGIBBET

LEICESTER, *seul.* — Va-t'en, Richard Varney! J'ignore ce que tu as dans le cœur; mais c'est toi qui as mêlé un mauvais sort à ma destinée. Amy était mon ange : tu as été mon démon.

Le comte s'assied rêveur sur le piédestal en ruine. Entre Flibbertigibbet.

FLIBBERTIGIBBET, *accourant vers Leicester, que lui cache une touffe de verdure.* — Madame! mylady! voici votre sauveur! Il me suit. Je vous l'annonce...

Il s'arrête brusquement à l'aspect du comte.

Ce n'est pas mylady, c'est mylord.

LEICESTER, *se retournant.* — Qui me parle? — Oh! encore toi, drôle! Qui viens-tu espionner ici? Qui t'a mis dehors?

Amèrement.

Ha! je devine. Tu embarrassais la prison. Il n'y avait point place pour deux. — O mon Amy!...

FLIBBERTIGIBBET. — Foi de lutin, mylord comte, vous n'avez sans doute pas compris grand-chose à mes paroles; et moi, je ne comprends rien aux vôtres. Vous me parlez de prison, et moi, je ne m'occupe que de liberté. Depuis que je vous ai vu, j'ai déjà pratiqué deux évasions, la mienne, et celle de... — d'une autre. Ah ! c'est que, voyez-vous, noble seigneur, je suis un peu sylphe de ma nature. Il n'y a pas de prison close pour moi.

LEICESTER, *vivement*. — Dis-tu vrai ? Es-tu aussi habile que tu le prétends à ouvrir une prison ?

FLIBBERTIGIBBET. — Ma présence ici, beau sire, vous le prouve assez, ce me semble.

LEICESTER. — Hé bien, écoute. Tu connais le cachot de Mervyn ?

FLIBBERTIGIBBET. — La tour des oubliettes !... Sans doute, et c'est même à votre seigneurie que je dois cette agréable connaissance. Un bel intérieur de tourelle normande, pardieu, et où l'on pourrait jouer au naturel la scène du comte Ugolin [56].

LEICESTER, *lui prenant la main*. — Si tu parviens à faire évader de cette prison quelqu'un... une femme qu'on vient d'y renfermer, mille souverains d'or pour toi ! Entends-tu, mon ami ?

FLIBBERTIGIBBET. — Mon ami ! Et le mot *drôle* était trop doux tout à l'heure. On voit bien que l'épervier a besoin du moineau franc.

LEICESTER. — Mille souverains d'or. Acceptes-tu ?

FLIBBERTIGIBBET. — Mille souverains ! Ce serait gagner plus d'or en un jour que tous les Alasco du globe n'en feraient en vingt siècles. — Et dites-moi, mon roi des souverains d'or, faudrait-il se mettre bientôt à l'œuvre ?

LEICESTER. — Tout de suite, ce soir, à l'instant même.

FLIBBERTIGIBBET, *faisant une pirouette et une révérence*. — En ce cas, je suis bien votre serviteur, mylord, mais je ne puis vous servir.

LEICESTER. — Quoi ?

FLIBBERTIGIBBET. — J'ai quelque chose de plus pressé à faire. Je suis pour le moment au service d'une noble dame, d'une chevalière errante à laquelle je sers d'écuyer, de page, et de bouffon ; dont je suis le guide et le défenseur.

LEICESTER. — Plaisant guide et plaisant défenseur ! Te ris-tu de moi ?

FLIBBERTIGIBBET. — Non, mon bon lord. Je n'ai point envie de rire, car je suis fort inquiet. Ce n'est pas vous que je cherchais ici ; et il faut que je vous quitte pour me mettre en quête de ma dame.

LEICESTER. — Que veut dire cela ? Et que te donne cette dame pour te faire dédaigner mille souverains ?

FLIBBERTIGIBBET. — Elle me donne de temps en temps un sourire triste, et je suis payé.

LEICESTER. — Quelque comédienne comme toi! quelque aventurière de ta sorte!

FLIBBERTIGIBBET. — Plût à Dieu pour son bonheur qu'il en fût ainsi!

LEICESTER. — Cessons cet entretien ridicule. — Une dernière fois, acceptes-tu mes propositions?

FLIBBERTIGIBBET. — Une dernière fois non, glorieux comte. — Mais adieu, car ma maîtresse me réclame sans doute, et elle a besoin de mon secours dans ce labyrinthe où tout est pour elle dragon, griffon et salamandre.

Au moment où il se dispose à sortir, entre sir Hugh Robsart.

SCÈNE X

LES MÊMES, SIR HUGH ROBSART

Sir Hugh arrive pâle et hors de lui. En apercevant le comte, il s'arrête brusquement, puis fait vivement quelques pas vers lui, et met la main sur la garde de son épée. Flibbertigibbet, qui se disposait à sortir, reste en observation dans le fond du théâtre.

SIR HUGH, *à Leicester.* — Quoique je ne vous aie vu qu'une fois du milieu de la foule, je vous reconnais. Vous êtes lord Leicester?

LEICESTER. — Oui, monsieur. Que voulez-vous de moi?

SIR HUGH. — Votre vie, mylord.

Il tire son épée.

Défendez-vous.

LEICESTER, *étonné.* — Monsieur, vous vous méprenez. Je ne vous connais pas.

SIR HUGH, *sombre et sévère.* — Et moi, je vous connais trop. — Défendez-vous, vous dis-je.

LEICESTER, *haussant les épaules.* — Passez votre chemin. Adressez-vous ailleurs. — Je n'ai pas de temps, pauvre insensé, à perdre à vos folies.

SIR HUGH. — Très haut comte de Leicester, seriez-vous aussi lâche avec les hommes qu'avec les femmes?

LEICESTER. — Lâche! Des injures! Et que veut donc ce furieux?

SIR HUGH. — Moins de paroles, mylord, et plus de promptitude à saisir l'épée.

LEICESTER. — Vous voulez vous battre avec moi ? Et pourquoi ?

SIR HUGH. — Votre seigneurie a mis une tache sur mon nom ; et si je ne puis la laver, je veux du moins l'ensanglanter.

LEICESTER. — Voilà qui est étrange ! Mais ce nom, quel est-il, du moins ?

SIR HUGH. — Je vous le dirai, mylord, quand je vous tiendrai le pied sur la gorge et l'épée sur le cœur.

Il secoue son épée.

Allons !

LEICESTER, *amèrement*. — Sur ma foi de chevalier, monsieur, je me soucie de votre vie comme le vent se soucie de la girouette. Mais je ne suis pas assez heureux à l'heure qu'il est pour être patient. Je vous prends seulement à témoin que c'est vous qui vous heurtez à moi, et puisque cela vous fait plaisir, je vous tuerai pour que vous me laissiez tranquille.

Il tire son épée et se met en garde.

SIR HUGH. — A la bonne heure. Enfin !...

Ils croisent le fer et luttent quelque temps, sir Hugh avec plus d'emportement, Leicester avec plus d'adresse. Enfin Leicester désarme sir Hugh, le renverse sur un banc de mousse et lui met le genou sur la poitrine.

LEICESTER, *l'épée haute*. — Vous n'êtes plus assez jeune pour hasarder de ces folies, monsieur. Maintenant, que voulez-vous que je fasse de vous ?

SIR HUGH. — Frappez, mylord.

LEICESTER. — Vous frapper ! Je ne le ferai, certes, pas sans savoir votre nom.

SIR HUGH. — Que vous importe ! Vous l'avez assez souillé pour que je le cache. Frappez donc !

LEICESTER. — Mais, malheureux, vous ne m'avez point fait de mal.

SIR HUGH. — Et vous m'en avez trop fait, vous, pour m'épargner. Frappez, vous dis-je. Ce sera le seul service que vous m'ayez jamais rendu. Vous vouliez empoisonner la fille ; à présent, égorgez le père.

LEICESTER. — Empoisonner la fille, égorger le père ! C'est décidément un fou.

SIR HUGH. — Pas plus fou, mylord, que vous n'êtes loyal.

LEICESTER. — Ah! trêve d'insultes, si vous tenez à la vie. Je sens que mon sang-froid s'en va.

SIR HUGH. — Mylord, vous êtes un traître, un misérable et un félon!

LEICESTER, *furieux*. — Ah! c'est toi qui le veux! Hé bien! meurs donc et ferme ta bouche de malheur!

Au moment où il va frapper, Flibbertigibbet lui retient le bras.

FLIBBERTIGIBBET, *l'arrêtant*. — Arrêtez, beau seigneur! C'est sir Hugh Robsart, de Lidcote-Hall.

LEICESTER, *pétrifié, laissant tomber son épée*. — Sir Hugh Robsart!

Il se précipite sur le vieux chevalier et le serre dans ses bras.

Mon père!

SIR HUGH, *se relevant, à part*. — Son père? Que dit-il?

                                                    Haut.

Mylord, n'ajoutez pas une dérision à vos perfidies...

LEICESTER, *l'interrompant*. — Je suis votre gendre, sir Hugh. Votre fille est ma femme.

SIR HUGH. — Votre femme!

FLIBBERTIGIBBET, *à sir Hugh*. — A propos, c'est ce que j'avais oublié de vous dire. Je suis si habitué aux mariages bohémiens, que je ne prends pas garde à ces choses-là. D'ailleurs, vous venez d'apprendre cela d'une manière plus dramatique, ce qui vaut mieux.

SIR HUGH. — Ma fille, votre femme! Mon Amy, comtesse légitime de Leicester!

LEICESTER. — Oui, sir Hugh. Comme Elisabeth est reine légitime d'Angleterre. — Mais quoi, ne me pardonnerez-vous pas maintenant, n'embrasserez-vous pas votre gendre?

SIR HUGH. — Dieu m'en garde, mylord. Votre crime n'en est que plus horrible à mes yeux. Vous autres grands seigneurs, vous avez coutume de trouver tout moyen bon pour vous débarrasser d'une maîtresse ou d'une concubine [57], mais en user de la sorte avec une épouse légitime!

LEICESTER. — Que voulez-vous dire?

SIR HUGH. — Hé! quoi! N'avez-vous pas aujourd'hui même tenté de l'empoisonner?

LEICESTER. — L'empoisonner! Mon Amy! Tout autre que vous, chevalier Robsart...

SIR HUGH, *lui présentant une lettre*. — Ne vous hâtez pas de nier, mylord comte. — Lisez cette lettre.

Leicester saisit avidement la lettre.

FLIBBERTIGIBBET, *pendant qu'il la déploie.* — Aussi bien, mon cher seigneur, c'est à vous qu'elle est adressée. J'en étais porteur, et si je l'ai remise d'abord à monsieur, c'est que j'ai cru devoir courir au plus pressé.

LEICESTER. — Une lettre de mon Amy, à moi !

Il la baise et lit.

« Adieu, mon Dudley. Tu as voulu me livrer à l'infâme « amour de ton Varney, tu as voulu m'empoisonner, et « tout cela pour être roi ! Mais je te pardonne. Pardonne- « moi de n'être pas encore morte. Je le serai bientôt. Ce « n'est pas moi qui ai jeté le poison que tu m'envoyais. « — Ton Amy. » Dieu ! que d'horreurs ! Mon Amy ! mon Amy ! Et elle a pu croire !... Exécrable Varney !

Mettant la main sur son épée.

Où est-il, ce misérable ?

FLIBBERTIGIBBET. — Allons ! le Varney avait travaillé sans ordre. Cela n'est pas beau pour un confident.

SIR HUGH, *à Leicester.* — Ce n'est donc pas vous...

LEICESTER. — Ne revenez plus sur cette idée, sir Hugh. Elle me brise. Dieu ! Varney amoureux de ma femme ! Varney empoisonneur de mon Amy !

SIR HUGH. — Ce n'est donc pas par votre ordre que je l'ai vu entraîner tout à l'heure...

LEICESTER. — Ah ! ne m'imputez pas aussi les colères de la reine. Je vous dirai cela. Mais le temps presse, mon père. Mon Amy languit sans espoir dans un cachot ! Venez aviser avec moi aux moyens de la sauver. C'est en la déli-vrant au prix de ma tête et de mon sang que j'achèverai de me justifier à vos yeux et aux siens.

Il sort avec sir Hugh.

FLIBBERTIGIBBET, *seul.* — A votre aise, messieurs ! — Pauvre dame ! Entre quels ennemis te voilà, la reine qui peut tout, et le Varney qui ose tout ! Il est vrai que ton père et ton mari s'entendent maintenant pour ton salut, mais que vont-ils faire de bon ? Ils ne m'ont pas jugé digne d'assister à leur conférence. Là, pendant qu'ils arrangent les grands moyens, combinons les petits. Il serait curieux que deux seigneurs pussent moins qu'un baladin de la foire. Allons ! courage. La dent du rat vaut quelquefois mieux que l'ongle du lion [58].

Il sort.

ACTE CINQUIÈME

Intérieur de la tour ronde des oubliettes. Vieille architecture normande. On voit naître au-dessus des murs le
cône intérieur du toit. Au fond et au milieu, une porte
de fer. A droite de cette porte, une petite fenêtre grillée.
A gauche, un lit gothique à sculptures de bois. — Une
grande poutre, qui sert de contrefort à la base du toit,
traverse diamétralement la tour dans sa partie supérieure.

SCÈNE PREMIÈRE

AMY, *seule.*

*Elle est vêtue de blanc, et quand la toile se lève, on la voit
assise sur le lit, pâle, et les cheveux épars.*

Le sacrifice est fait! Plus d'espoir de bonheur, plus
d'espoir même de vie. Oui, plus d'espoir! Car je ne sais
comment, avec des fautes d'amour, je suis devenue
presque une criminelle d'Etat. La reine est ma rivale! la
reine! et sa colère dévorante ne m'aura sans doute pas
touchée en vain. Aujourd'hui la prison, demain l'échafaud. Ainsi, encore une nuit pour songer à mon Dudley.
Il voulait prendre ma vie; ne vaut-il pas mieux que ce soit
moi qui la lui donne! Oh! que le dévouement est doux,
même quand il est désenchanté, et quoique le Leicester
de Kenilworth ressemble si peu au Dudley des bois de
Devon! — Que fait-il en ce moment? Il sourit ambitieu-
sement à la reine en m'ouvrant le tombeau! — Adieu
donc! Qu'il reste à cette Elisabeth, qu'il soit son amant,
qu'il soit son époux, qu'il lui appartienne, moi je n'ai
plus que Dieu. — Ah oui, il lui appartiendra! Idée
affreuse! Elle brûlera d'amour près de lui, tandis que je
tressaillerai glacée sur la froide couche du sépulcre.
O supplice! et que la jalousie est douloureuse et poignante,
quand on va mourir!

*Elle cache sa tête dans ses mains et pleure. En ce moment
on voit s'ouvrir à droite, dans la muraille, une porte masquée par des sculptures; elle roule silencieusement sur ses
gonds, donne passage à Flibbertigibbet, et se referme sans*

*bruit d'elle-même. — Flibbertigibbet fait lentement quelques
pas et se place en face d'Amy, qui poursuit sans lever les
yeux.*

SCÈNE II

AMY, FLIBBERTIGIBBET

AMY. — Qu'y puis-je faire ? Ce cachot n'est-il pas
une mort ? N'y suis-je pas hors du monde vivant ? Qui
voudrait me secourir, et qui le pourrait ? Où est l'oreille
qui pourrait entendre ma voix ? Où est la main qui pourrait atteindre à ma main ?

FLIBBERTIGIBBET, *sans changer de position.* — Ici.

AMY, *tressaillant et levant les yeux, étonnée.* — Qui est
là ? — C'est vous ?

FLIBBERTIGIBBET. — Moi-même, comme on dit dans les
tragédies.

AMY. — Vous ? Et vous êtes donc réellement fée ou
lutin pour avoir pu entrer dans cette impénétrable prison,
et Dieu vous le pardonne, sans que la porte se soit
ouverte !

FLIBBERTIGIBBET. — Dieu n'a malheureusement rien
de ce genre à me pardonner, noble dame, car je vous
avoue franchement que je donnerais bien la meilleure
moitié de mon âme pour avoir en effet le secret d'entrer
dans les maisons sans ouvrir les portes.

AMY. — Eh ! si vous n'avez pas ce secret, comment
donc êtes-vous entré ici ?

FLIBBERTIGIBBET. — Comme vous en sortirez, madame.

AMY. — Je ne puis comprendre...

FLIBBERTIGIBBET. — Je veux dire que ma porte de fée
ou de lutin va vous laisser passer en ma compagnie sans
la moindre difficulté.

AMY. — Mais qu'êtes-vous donc, un diable ou un
ange ?

FLIBBERTIGIBBET. — Je me contenterais d'être un
diable ; mais c'est un bonheur qui ne peut m'arriver
qu'après ma mort.

AMY. — Ne parlez pas ainsi, vous tenteriez Dieu.

FLIBBERTIGIBBET. — Vous voulez dire Belzébuth. Mais
ne perdons pas les paroles, mylady, et s'il plaît à votre
gracieuse seigneurie, nous allons nous hâter ; car la pre-

mière chose que nous ayons à faire ici, c'est de sortir d'ici.

AMY. — Il faut bien que je croie à la possibilité d'en sortir, puisque vous y êtes entré; mais cependant je ne vois pas...

FLIBBERTIGIBBET. — Tenez, lady Amy, je ne veux pas vous laisser croire plus longtemps à ma sorcellerie, et je vais agir avec vous comme les charlatans avec leurs compères.

Il désigne du doigt l'entrée masquée.

Il y a ici une porte.

AMY. — Vraiment ? Et où mène-t-elle ?

FLIBBERTIGIBBET. — Je vous l'ai déjà dit dans une autre occasion, mais, vous autres grandes dames, vous n'êtes guère frappées de ce qui nous occupe, nous autres pauvres diables. Cette porte mène, par un escalier secret, au laboratoire d'Alasco, et de là à la grande chambre d'où vous vous êtes déjà évadée une fois, et d'où, grâce à Dieu ou au Diable, vous vous évaderez encore une seconde. Mais dépêchons-nous, le vieil Alasco qui est allé chercher des simples [59] dans le parc pour ses décoctions d'enfer ne peut tarder à rentrer, et le passage deviendrait difficile. Ainsi madame...

Il fait un pas vers la porte secrète.

AMY. — Je te remercie, mon pauvre ami. Mais je ne puis te suivre.

FLIBBERTIGIBBET. — Comment ? voilà que vous m'étonnez à votre tour. Venez donc vite.

AMY. — Non. Hâte-toi de fuir, toi, si l'on te surprenait ici...

FLIBBERTIGIBBET. — Bah!... C'est bien de moi qu'il s'agit.

AMY. — Je reste.

FLIBBERTIGIBBET, *frappant du pied.* — Ha! ha! est-ce que vous croyez que je suis venu ici pour m'en aller comme je suis venu ? Est-ce que vous croyez que moi, votre chien et votre valet, je vous laisserai ici dans une atmosphère humide et froide, avec des hiboux et des chauves-souris, des araignées autour de votre lit et des geôliers à votre porte, tandis qu'il y a hors d'ici un air pur et libre, des plaines, des fleuves et des forêts ? Si vous vouliez rester dans ce cachot, il ne fallait pas me sauver la vie. Vous viendrez avec moi.

AMY. — Je ne puis, pauvre ami. Ne suis-je pas condamnée à mort, par celui à qui mon souffle et mon âme appartenaient ? Que ferais-je de la vie, dis-moi, quand j'aurais la liberté ? Dudley ne m'est-il pas infidèle ? Dudley ne m'a-t-il pas voulu empoisonner ? Dudley ne m'abandonnait-il pas à son Varney ? Dudley ne va-t-il pas épouser Elisabeth ?

FLIBBERTIGIBBET. — Ta, ta, ta ! c'est vieux, cela, madame. La décoration a changé. Nous n'avons guère le temps de faire une exposition dans les règles. Je vous conterai cependant sommairement que votre Dudley n'est pas infidèle, qu'il n'a point tenté de vous empoisonner, qu'il ne vous livrait pas à son écuyer Satan-Varney, et que loin d'épouser la reine, il s'occupe en ce moment d'un acte de haute trahison contre elle, c'est-à-dire de votre délivrance.

AMY, *joignant les mains*. — Serait-il possible ? Dis-tu vrai ?

FLIBBERTIGIBBET. — C'est Varney seul qui a tout tramé, tout imaginé, tout supposé, et tout fait. — Seul, tout !

AMY. — Ah ! ce fut ma première pensée, et la chose devait être ainsi. — O mon Dudley, que je suis coupable envers toi !

FLIBBERTIGIBBET. — Vous lui demanderez pardon ailleurs. Je vous dirai encore que votre père sait votre mariage, qu'il s'est réconcilié avec votre mari, non sans s'être d'abord battu avec lui.

AMY. — Grand Dieu !

FLIBBERTIGIBBET. — Rassurez-vous. J'étais là, et le sang n'a point coulé.

AMY. — Vous êtes notre providence.

FLIBBERTIGIBBET. — Une providence qui aurait quelquefois besoin d'un pourvoyeur ! — Mais convenez, ma jeune reine, qu'il fallait que votre digne père fût fou de s'aller attaquer à la meilleure lame d'Angleterre avec ses vieux bras qui ne sont plus guère bons qu'à bénir et à embrasser ?

AMY. — Mène-moi vite près de lui, vite près de mylord...

FLIBBERTIGIBBET. — Enfin !... voilà le verrou tiré. Vous voulez bien sortir maintenant, et vous avez raison. Dépêchons-nous. Suivez-moi.

Il court à la porte masquée et cherche à la rouvrir. Elle résiste. Il tente de nouveaux efforts. Ils sont inutiles. La porte ne s'ébranle, ni ne s'ouvre. Il revient consterné vers Amy qui le regarde faire en tremblant.

FLIBBERTIGIBBET. — La porte est fermée!... Alasco et Varney seront rentrés et les soupçonneux drôles l'auront verrouillée en dedans.

Il essaye encore vainement d'ouvrir la porte.

C'est fini. Fermée! — Pourquoi ne m'avez-vous pas suivi tout de suite, ma noble dame ?

AMY. — Ah! vous avez raison. Accablez-moi de reproches. Vous voilà perdu avec moi pour m'avoir voulu sauver. Je vous entraîne dans ma ruine. Malheureuse que je suis! ma mauvaise fortune est contagieuse.

FLIBBERTIGIBBET. — Ne me parlez donc plus de moi, par miséricorde et pitié! Qu'importe ma personne de trois pieds et demi de haut! Qu'ai-je à perdre en tout ceci ? Suis-je riche, noble, aimé et heureux ? Ils me pendront. Eh! j'aurai encore la chance que la corde se casse; et d'ailleurs quand je resterais pendu six semaines à leur gibet, en plein air et en plein soleil, serai-je beaucoup plus sec pour cela ?

Il rit.

AMY. — Ne riez pas ainsi, vous me feriez pleurer.

FLIBBERTIGIBBET. — Est-ce que je vaux une de vos larmes, mylady ? Gardez-les pour vous, pour vous qui perdez tout!

AMY, *se rasseyant sur le lit et joignant les mains douloureusement.* — Me voilà donc retombée dans la nuit de mon cachot, et retombée avec un compagnon qui est ma victime. La dernière lueur d'espérance est éteinte.

FLIBBERTIGIBBET. — La dernière ? Non pas, chère noble dame. Il ne faut pas désespérer si vite. Nous avons encore plusieurs coups à jouer. Votre père et votre mari s'occupent à cette heure même, de votre salut. D'ailleurs le désespoir n'est bon à rien, pas même à mourir. Il inspire aux poètes de grandes phrases qu'on ne sait comment débiter sur les planches, et voilà tout. A ce sujet, ma noble camarade de prison, je vous dirai, puisque nous avons du loisir, que les comédiens diffèrent tous dans leur manière de représenter le désespoir. Mac Thovelan de Glascow regarde le ciel; O'Nor, de Dublin [60], regarde la terre. Le Gorju, le Parisien, se met du tabac dans les yeux pour se faire pleurer. Hannibal Sharp croise les bras et pousse de gros soupirs. Will Shakespeare se frappe le front de cette main qui écrivit *Henri huit* et garda les chevaux des seigneurs à la porte du théâtre [61]... — Mais pardon, je vous ennuie, ou ce qui est mieux, vous ne m'écoutez pas. Nourrissons-nous donc chacun de notre côté de nos pensées, puisque nous n'avons pas de meilleur souper. Pendant ce temps-là, je vais, moi, me mettre en sentinelle à cette fenêtre, afin de voir s'il ne se passe rien de nouveau autour de nous.

Il approche une escabelle de bois de la croisée, y monte et se hausse sur la pointe des pieds pour voir au-dehors.

Bon! — D'abord reconnaissons les lieux. C'est cela. Le parc. Le château habité là-bas; le château en ruine, ici. — Le soleil se couche, nous n'avons plus guère qu'une demi-heure de jour. Il descend derrière les arbres, — c'est très beau! — Le voilà couché. J'en suis charmé pour les chouettes, nos voisines. Elles nous régaleront tout à l'heure de quelque concert nocturne. Vous ne serez pas fâchée cette nuit d'avoir ma bavarde compagnie, madame. Vous auriez eu bien peur! — Si vous ne dormez pas, je vous réciterai les plus beaux passages de mes rôles; c'est moi qui fais *le lion* dans *Une nuit d'été;* c'est moi qui dis : *Hoh!*...[62] — Attention!... Voilà deux hommes enveloppés de manteaux qui se dirigent vers notre tourelle; ils s'arrêtent au pied du mur, ils le mesurent des yeux... — Madame, mylady, ce sont eux!

AMY. — Eux! Qui, eux?

FLIBBERTIGIBBET. — Et qui voulez-vous que ce soit, sinon votre père et votre mari?

AMY. — Mon mari! mon père? Ne vous abusez-vous pas? Laissez-moi voir!

FLIBBERTIGIBBET, *il saute à bas de la fenêtre. Amy monte sur l'escabelle.* — Voyez madame.

AMY, *à la fenêtre.* — Ah! Dieu, oui, le voilà! c'est bien lui, mon Dudley! Ce sont eux! Qu'on voit mal à travers ces barreaux! Mon père! mylord!

FLIBBERTIGIBBET. — La tour est trop haute pour qu'ils vous entendent, madame. Mais qu'importe! Vous devez être tranquille maintenant. Ils viennent pour vous délivrer.

AMY. — Me délivrer!

FLIBBERTIGIBBET. — Ne secouez pas ainsi la tête, lady Amy. Le succès est sûr. Quels geôliers résisteraient à lord Leicester? Il a du pouvoir et de l'or.

AMY. — Cela ne lui suffira pas aujourd'hui. Il n'entrera pas dans la tour. Vous ne savez pas, tu ne sais pas, mon pauvre ami, quels ordres la reine a donnés. Personne ne peut pénétrer ici sans être muni d'un sauf-conduit signé de sa propre main. Personne!...

FLIBBERTIGIBBET. — Personne... personne!... Le comte de Leicester, le favori...

AMY. — Lui, moins que tout autre.

FLIBBERTIGIBBET, *se grattant la tête.* — En vérité!

AMY. — Il faut un sauf-conduit royal, et la reine, dont la jalousie est peut-être éveillée au fond, n'en délivrera sans doute à qui que ce soit.

FLIBBERTIGIBBET, *fouillant dans sa poche.* — A propos!... — Hé mais! un sauf-conduit royal! cela est donc si difficile à trouver! Voilà un bel obstacle!

AMY. — Etes-vous fou?

FLIBBERTIGIBBET. — Madame, sont-ils encore là?

AMY. — Oui, ils paraissent se concerter, et désespérer.

FLIBBERTIGIBBET, *lui présentant un parchemin qu'il tire de sa poche.* — Jetez-leur ceci.

AMY, *prenant le parchemin.* — Ceci? Qu'est-ce donc?

FLIBBERTIGIBBET. — Un sauf-conduit royal.

AMY. *Elle déploie précipitamment le parchemin.* — En effet! — La signature de la reine! — Tu es sorcier.

FLIBBERTIGIBBET. — C'est sur votre propre table que j'ai pris ce talisman.

AMY. — Ah! oui, je me rappelle. Le sauf-conduit de mon père.

FLIBBERTIGIBBET. — Vous voyez que j'ai bien fait de ne pas l'oublier comme lui. Mais jetez vite ce parchemin à vos libérateurs. Ne laissons pas échapper cette dernière chance de salut.

AMY, *jetant le sauf-conduit par la croisée.* — A la conduite de Dieu!

FLIBBERTIGIBBET. — Suivez-le des yeux, suivez-le, madame. — Que devient-il?

AMY. — Il descend, il tournoie, le voici à la hauteur des arbres...

FLIBBERTIGIBBET. — Pourvu qu'il ne s'y niche pas!

AMY. — Non, il tombe toujours. Le voilà à terre, devant eux.

FLIBBERTIGIBBET. — L'ont-ils?

AMY. — Ils l'ont. Dieu soit béni!

FLIBBERTIGIBBET. — Nous sommes délivrés!

AMY. — Mon Dudley baise le parchemin, il me fait signe. Hélas! c'est à la croisée qu'il fait signe : il ne peut m'apercevoir. — Les voilà qui se dirigent tous deux vers la poterne : l'angle du mur me les dérobe; je ne les vois plus.

FLIBBERTIGIBBET. — C'est pour les revoir bientôt, et
de plus près, noble dame.

AMY, *descendant de la fenêtre.* — Dieu soit béni !

Elle regarde sa toilette négligée.

Il va venir. En quel état vais-je le recevoir ? Ces cheveux
épars, cette robe noire de poussière ; je suis à faire peur.

FLIBBERTIGIBBET. — C'est cela. Maintenant que la
mélancolie [63] a sauté par la fenêtre avec le royal parchemin,
voici la coquetterie qui arrive. — Mais je crois entendre
marcher.

Il va écouter à la porte de fer.

On vient en effet, ce sont des pas d'hommes. Que le
plancher de ce corridor sonne creux !

On entend le bruit d'une clef dans la serrure.

On ouvre, madame, on ouvre. La vertu du sauf-
conduit a opéré.

*La porte du fond s'ouvre. — Entrent sir Hugh et Leicester,
enveloppés de manteaux.*

SCÈNE III

LES MÊMES, LEICESTER, SIR HUGH

AMY, *se précipitant dans les bras de Leicester.* —
Mylord !

LEICESTER, *la serrant sur son cœur.* — Mon Amy !

FLIBBERTIGIBBET. — Elle était tout à l'heure pâle
comme une morte, la voilà à présent rose comme une
fiancée. Ces jeunes filles d'Eve changent de couleur plus
souvent et plus vite que l'étoile Aldebaran [64].

LEICESTER. — Tu dois bien m'en vouloir, Amy. Comment effacerai-je jamais mes torts ? Pardonne-moi, tu me
pardonnes, n'est-ce pas ?

AMY, *toujours dans ses bras.* — Ah ! c'est de toi, mon
noble comte, que tous les pardons doivent venir. De quoi
ne vous ai-je pas soupçonné, mylord ? Vous ne savez pas,
vous ne saurez jamais...

FLIBBERTIGIBBET. — Si fait, madame. La seigneurie
du noble comte sait tout. Je lui ai remis votre lettre
d'adieu.

AMY. — Ah! qu'as-tu fait ?

LEICESTER. — Il m'a rendu service. Cette lettre a déchiré le bandeau que Varney avait su épaissir sur mes yeux. — Mais, à propos, lutin, comment diable te trouves-tu ici ?

FLIBBERTIGIBBET. — Mon noble seigneur oublie que je suis le bon démon de mylady, et que je passe aisément par le trou des serrures.

AMY. — Je lui dois plus que la vie, mylord. Vous voyez qu'il est toujours profitable de pardonner.

A Sir Hugh.

Et vous, mon père, m'avez-vous pardonné ? me pardonnerez-vous ?

SIR HUGH, *les serrant tous deux dans ses bras.* — Ma fille !... mon enfant !

FLIBBERTIGIBBET. — Moi qui n'ai ici ni père, ni mari, ni femme, ni fille, ni beau-père, ni gendre, je vous rappellerai à tous que ce n'est point l'heure des embrassades, ni le lieu des attendrissements. Cette porte est ouverte. Que tardons-nous ?

LEICESTER. — Il a raison, chère Amy. Le temps est précieux.

AMY, *l'embrassant.* — Ah! cette prison est un palais quand mon noble seigneur l'habite !

LEICESTER. — Cette prison qui s'est refermée sur toi me fait horreur. — Mais écoute : tout est prêt pour ton évasion, pour la mienne. Dans une heure une voiture nous attendra dans le bois. Des amis sûrs [65], Fortescue, Strathallan, le comte de Fife protégeront notre fuite. Un brick prêt à faire voile pour la Flandre [66] nous recevra sur la côte ; et avant peu d'heures nous voguerons ensemble vers le bonheur, l'indépendance et le repos, toi loin de ta prison, moi loin de la cour, délivrés tous deux.

AMY. — Quoi, mylord, vous quittez pour moi honneurs, rang, faveur, fortune, et ce théâtre éclatant où l'Europe vous admire ! Que de sacrifices vous faites à une pauvre femme !

LEICESTER. — Cette pauvre femme, comme tu dis, en a fait bien d'autres pour moi.

AMY. — Vous vous condamnez à l'exil !

LEICESTER. — N'est-ce pas toi qui es ma patrie ?

AMY. — Dudley, tu renonces à tout.

LEICESTER. — À rien, puisque toi seule es tout pour Dudley.

AMY. — Qui sait ? à un trône peut-être ?

LEICESTER. — Un trône ? Va, mon Amy, en quittant la reine pour te suivre, quelque chose me dit que je ne renonce qu'à la chance de monter, un matin, non les marches d'un trône, mais l'échelle d'un échafaud. Elisabeth en termine ordinairement de la sorte avec ses favoris : la vierge-reine a plutôt coutume de leur demander leur tête que de leur donner sa couronne.

FLIBBERTIGIBBET. — Pour la deuxième fois, mylord comte, je ne vois pas ce que perdraient ces belles paroles à être dites sur le brick dont vous parliez tout à l'heure, en pleine mer et par un bon vent de nord-ouest.

LEICESTER. — C'est juste. — Adieu, Amy.

AMY. — Hé quoi ! vous me quittez, vous ne m'emmenez pas ?

LEICESTER. — Pas encore, ange ! pas encore. La reine part dans une heure de Kenilworth. En ce moment, sa suite encombre encore le château et ta fuite serait impossible. Je vais lui tenir l'étrier ; et, dès qu'elle sera partie, je reviens ; Kenilworth sera désert, et, à la faveur de la nuit, je t'enlève de cet horrible cachot.

AMY, *souriant*. — Ce sera la seconde fois que vous m'aurez enlevée, mylord... Ah ! pardon, mon père !

LEICESTER, *à Flibbertigibbet*. — Toi, lutin, suis-nous. Je te prends à mon service désormais, et ton adresse m'est nécessaire en un pareil moment.

FLIBBERTIGIBBET. — Ah ! c'est heureux !

AMY. — Vous allez donc me dire encore adieu, mylord ?

LEICESTER, *la serrant dans ses bras*. — Pour quelques instants.

AMY. — Ce mot d'adieu me serre toujours le cœur. Je vais donc rester seule !

LEICESTER. — Une heure, tout au plus.

AMY, *suspendue à son cou*. — Vous souvient-il, mylord, dans les premiers temps de nos amours, c'est le son de votre cor qui m'annonçait votre présence au bois de Devon. Hé bien ! il faut que ce soir vous m'annonciez votre retour de la même manière.

LEICESTER. — Je te le promets. Sois heureuse et tranquille. Adieu.

AMY. — Adieu.

Ils s'embrassent, et le comte sort avec Sir Hugh et Flibbertigibbet.

SCÈNE IV

AMY, *seule.*

Adieu!... Il y a quelque chose de saisissant dans ce mot. C'est comme si l'on se renvoyait à l'éternité.

Elle s'assied sur le lit et rêve.

Ils s'éloignent; je n'entends plus leurs pas... Me voilà seule! Absolument seule dans ce sinistre cachot. Je ne sais pourquoi des idées tristes reviennent m'assaillir. Ne suis-je pas, ne vais-je pas être heureuse ? Ne vais-je pas être libre, libre de le voir, de l'entendre, libre de l'aimer ? — J'ai la tête et le corps fatigués; les émotions de cette journée m'ont accablée, tour à tour femme de Dudley, femme de Varney, compagne fugitive d'un baladin, prisonnière d'Elisabeth, et enfin comtesse légitime et avouée de Leicester! Je crois qu'il faudrait prendre quelque repos au moment d'entreprendre ce voyage.

Elle se couche sur le lit.

Ce voyage qui va me mener au bonheur!

Peu à peu sa voix devient plus faible et son esprit semble s'appesantir.

O mon Dudley, quel ravissant avenir! — Un exil, mais un exil où tu seras; — quelque retraite bien obscure, et de longues journées près de toi, à tes côtés, et une vie toute de délices, d'abandon et d'amour... Pourvu que ce ne soit pas un rêve!

Elle s'endort.

SCÈNE V

VARNEY, ALASCO

Au moment où Amy s'endort, on voit s'entrouvrir la porte masquée, Varney passe la tête et s'assure, du regard, que la comtesse est endormie; puis il entre, conduisant par la main Alasco, qui paraît le suivre avec impatience.

VARNEY, *à Alasco.* — Viens, elle dort. — C'est donc fait, tout est perdu pour moi, tout échappe à la fois de mes mains!...

ALASCO, *posant sur l'escabelle une lampe de cuivre allumée.* — Tu veux dire, de tes griffes ? — Mais voyons, sir Richard, jusques à quand me traînerez-vous ainsi à la remorque ? Mon temps n'est pas si frivole que je puisse le perdre à écouter aux portes avec vous. Quel besoin avez-vous de moi ? Dites promptement et laissez-moi aller. Je suis en ce moment occupé des plus hautes recherches. J'ai trois cornues sur le fourneau et pleines d'une substance si redoutable que la moindre goutte qui tomberait dans le feu jetterait bas la tourelle et incendierait le château. Je travaille au grand œuvre.

VARNEY. — Alasco, j'ai besoin de toi. Tu vas me conseiller.

ALASCO. — Vous conseiller, Richard ! J'entre donc en partage avec Satan. Il aura une oreille, et moi l'autre.

VARNEY. — Alasco, tu viens d'entendre ?

ALASCO. — Je n'ai pas écouté.

VARNEY. — Le comte de Leicester fuit, il fuit avec sa femme que tu vois, qui dort ici.

ALASCO. — Si elle voit des anges dans son sommeil, c'est qu'elle a les yeux bien fermés.

VARNEY. — Dans peu d'heures, si cette fuite s'accomplit, le favori sera un exilé, la femme qui devait être à moi me sera enlevée pour jamais. Je me retrouverai seul et nu, ancien serviteur d'un proscrit, obligé de recommencer ma fortune, vu du mauvais œil, retombé du point où j'étais monté plus bas que le point d'où j'étais parti. Toutes mes espérances seront évanouies. Mon arbre sera coupé par la racine.

ALASCO. — Que m'importe ?

VARNEY. — Que t'importe ? Les biens du comte seront confisqués. Le domaine de Cumnor sera mis sous le séquestre avec le reste. Adieu ton laboratoire, ton cabinet, ton officine, ton observatoire, ta pharmacie de philtres, ta cuisine de poisons ! Tu vois qu'il t'importe ?

ALASCO. — Hé bien ! à quoi tiennent tous ces malheurs ? A l'évasion de cet oiseau. Va prévenir Elisabeth, et la cage ne s'ouvrira pas.

VARNEY. — Mieux que cela. Elle s'ouvrira pour recevoir le comte. Elisabeth l'enverra consommer sur l'échafaud sa noce avec Amy. Et qu'aurai-je gagné à cela ?

ALASCO. — La reine te saura gré de l'avoir détrompée sur le compte de son favori.

VARNEY. — Elle m'en saura gré ? Je lui ferai horreur. Le meilleur qui puisse m'arriver, c'est qu'on me jette

peut-être une somme d'argent, comme un os à un dogue.
Puis tout sera dit. Adieu ambition, rang, pouvoir, digni-
tés! Si je ne suis pas puni pour mes bons offices, je serai
oublié.

ALASCO. — Alors, ne lui dis pas que c'est le comte qui
trame l'évasion de sa femme.

VARNEY. — Alors, il reste puissant et favori, Elisabeth
ne le soupçonne pas, et son projet n'est que retardé.
Tandis que moi, tôt ou tard, sous un prétexte ou sous
un autre, je suis atteint par sa vengeance.

ALASCO. — Hé bien! Si tous les partis sont mauvais,
que prétends-tu faire ?

VARNEY. — Tous les partis ne sont pas mauvais.
Ecoute, Démétrius Alasco, tu connais le cœur humain
quoique tu fasses semblant de n'y lire qu'à travers les
étoiles.

Il se rapproche d'Alasco et baisse la voix.

Si une destinée frappait cette femme, cette Amy, qui
fait faire au comte tant de folies et à moi tant de crimes,
si elle disparaissait du monde, si elle mourait, — naturellement, — que penses-tu que deviendrait Leicester ?

ALASCO. — Il l'oublierait. — Il resterait l'heureux
ministre, le tout-puissant favori, l'hôte brillant des reines
et des princes, le grand comte qui donne des fêtes et des
spectacles aux belles dames.

VARNEY. — Et nous, Alasco, nous continuerions paisiblement notre route à sa suite, avançant à mesure qu'il
avancerait, et nous trouvant comtes ou barons le jour où
il s'éveillerait roi.

ALASCO. — Comme tu dis, le baron Varney, le prince
Démétrius Alasco.

VARNEY. — Ainsi l'existence de cette femme est notre
seul obstacle.

ALASCO. — A peu près. — Hé bien, que veux-tu faire ?

VARNEY, *s'approche d'Alasco et lui dit à l'oreille :* La
tuer.

ALASCO. — Comme tu voudras.

*Varney se frappe le front, saisit son poignard, et marche
droit au lit d'Amy.*

VARNEY, *le poignard levé sur Amy.* — Oui, la voilà! celle
que j'aurais disputée à toutes les puissances de l'enfer,
celle qui fait mon malheur dans ce monde et ma perdition
dans l'autre! la voilà! — Elle dort, elle sourit, elle sourit à
un poignard! — Oui, rêve de ta fuite, de ton bonheur, de

ton Leicester, je vais te faire un sommeil éternel. —
Meurs, puisque tu ne vis pas pour moi!

ALASCO, *l'arrêtant*. — Varney! Varney! que fais-tu?
— Tu te perds. — Un coup de poignard, du sang répandu,
un assassinat. On verra que c'est toi.

VARNEY. — Tu as raison.

ALASCO. — Il faut lui faire une mort naturelle.

VARNEY. — Oui, eh bien! n'as-tu pas?... N'as-tu pas
quelque élixir, quelque poison dont on meure dès qu'on
le respire?

ALASCO. — Un empoisonnement! On dira que c'est
moi.

VARNEY. — Quel parti prendre! conseille-moi donc.

ALASCO. — Ma foi, Richard, agis comme il te plaira.
Je ne veux pas me mêler de cette affaire. — Une femme,
une femme qui dort!

VARNEY. — Tu es un lâche.

ALASCO. — D'ailleurs, je te l'ai déjà dit, mes fourneaux
m'attendent.

VARNEY. — Tu es un fou.

Il semble méditer quelques instants.

Comment faire? Comment arriver à ce but sans laisser
trace de mon passage? — Mais à propos! une idée,
Alasco! D'où vient que je n'y ai pas songé plus tôt? Nous
sommes sauvés. Cette tour n'est-elle pas la tour des
oubliettes? Alasco, le plancher du corridor étroit qui sert
d'issue à ce cachot est coupé devant le seuil même de la
porte par une trappe.

ALASCO. — Hé bien?

VARNEY. — Il suffit de toucher un ressort, et les supports qui soutiennent cette trappe en dessous s'écartent.

ALASCO. — Hé bien?

VARNEY. — Elle reste alors adhérente au plancher qui
l'entoure, et n'offre à l'œil rien qui l'en puisse faire dis-
tinguer; mais il suffit de la plus légère pression pour la
précipiter dans l'abîme qu'elle recouvre.

ALASCO. — Hé bien?

VARNEY. — Cet abîme est effrayant. Il plonge de toute
la hauteur de cette tourelle dans les plus profondes caves
du château.

ALASCO. — Eh bien?

VARNEY. — Je vais presser le ressort qui enlève à cette
trappe ses supports.

ALASCO. — Et puis?

VARNEY. — Attends-moi un instant, et veille sur la prisonnière, de peur qu'elle ne s'éveille. — Le comte a précisément laissé cette porte ouverte.

Il sort par la porte qui est restée ouverte et qui se referme à demi de manière à cacher le corridor au spectateur.

ALASCO, *seul*. — Mes élixirs qui se consomment là-haut ! — Eh bien, Varney, as-tu fini ?

VARNEY, *rentrant*. — C'est fait. — Maintenant, malheur à qui mettra le pied sur cette trappe, eût-il la légèreté d'un sylphe, il descendrait avec elle dans les souterrains.

ALASCO. — Est-ce que tu vas maintenant prendre la prisonnière et la jeter dans ce gouffre ?

VARNEY. — Quelle brutalité me supposes-tu là ? Je ne toucherai pas à la prisonnière.

ALASCO. — En ce cas, je n'y comprends rien.

VARNEY, *bas à Alasco*. — Alasco, n'as-tu donc pas entendu que le comte a promis à sa femme de lui annoncer son retour par le son du cor ?

ALASCO. — Bon. Après ?

VARNEY. — Après ? — Lorsque la captive entendra résonner ce cor, crois-tu que, voyant cette porte ouverte, elle ait la patience d'attendre que son mari soit monté jusqu'ici ? crois-tu qu'elle se refuse au plaisir de l'embrasser quelques instants plus tôt ? crois-tu qu'elle hésite à courir au-devant de lui ? Eh bien, si elle franchit étourdiment cette porte, si les supports vermoulus de la trappe des oubliettes se brisent sous elle, si elle tombe... Qu'y puis-je faire ? Y aura-t-il de ma faute ? Ce sera un malheur.

ALASCO. — Trouver dans son amour le moyen de sa mort ! — Varney, tu ferais bouillir l'agneau dans le lait de sa mère.

VARNEY. — Retirons-nous. Nous ne sommes plus bons à rien ici, et il ne faudrait pas qu'elle nous y trouvât en s'éveillant. Le comte ne peut tarder. Retourne, si tu veux à ta chimie de damné. Moi, je resterai en observation derrière la porte masquée.

Ils sortent tous deux par la porte secrète.

SCÈNE VI

Amy, *seule.*

*Elle est endormie sur le lit. Un profond silence règne dans
le cachot, qui n'est que faiblement éclairé par la lampe
de cuivre, oubliée par Alasco sur l'escabelle. — Après
quelques instants de ce silence et de ce sommeil, le son du
cor se fait entendre du dehors : Amy se réveille en sursaut.*

Quel bruit m'a réveillée ? N'est-ce pas le cor ? n'est-ce
pas lui ?

Elle écoute.

Rien, que le vent qui siffle dans les brèches du donjon.
C'est peut-être ce qui m'a réveillée. Tant mieux, d'ailleurs,
je faisais un rêve affreux...

On entend de nouveau le son du cor.

Mais oui, je ne me trompais pas, c'est bien le cor, voilà
le signal...

Elle court à la croisée.

Des torches, des chevaux, des hommes armés, oui,
voilà mon Dudley, oh! que je le reconnais bien! Il descend de cheval, il aide mon père à descendre... Qu'il est
beau, mon Dudley! Ah! cette porte est justement restée
ouverte, courons à sa rencontre, il m'attend, épargnons-
lui de rentrer dans cette prison...

Elle s'enveloppe de son voile et s'agenouille.

O mon Dieu, c'est à toi que je nous recommande maintenant!

On entend une troisième fois le cor.

Dudley, je suis à toi!

*Elle prend la lampe sur l'escabelle, pousse la porte et dispa-
raît. Au moment où la porte retombe, on entend un grand
cri et un grand bruit, pareil à la chute d'un madrier pesant.
A ce bruit, la petite porte s'entrouvre et Varney paraît,
pâle et décomposé.*

SCÈNE VII

VARNEY, *seul*.

Il entre à pas lents et d'un air égaré.

Est-ce fait ?... Oui, j'ai entendu le bruit... Personne ici... — C'est fait. Eh bien, c'est fini. Est-ce que tu as peur, Varney ?

Avec un ricanement affreux.

La brebis est tombée dans la fosse au loup, est-ce un sujet de trembler ? — Si j'allais voir ?...

Il s'avance vers la porte, puis recule, et revient sur le devant du théâtre en riant et en se tordant les mains.

Ha! ha! Voir ? à quoi bon ? J'ai entendu, cela suffit. J'étais fou pourtant, je l'aimais, cette femme. Il était dans sa destinée d'être ma proie ou ma victime. Ma victime!... Du courage, allons, Richard Varney! L'obstacle a disparu, rien ne t'arrête plus désormais, nul ne peut te soupçonner, le comte pleurera deux semaines, puis on le fera roi et il saura gré dans son cœur à l'heureux hasard qui le débarrasse de son fardeau conjugal. Réjouis-toi, Richard, ta fortune et ta liberté datent de ce moment...

Ici on entend tout à coup un bruit affreux derrière la porte masquée, elle s'ouvre avec violence, une lueur rouge et tremblante s'en échappe et Alasco, blême et hideux, se précipite avec un cri d'horreur sur le théâtre.

SCÈNE VIII[67]

VARNEY, ALASCO

ALASCO. — Enfer! malédiction!
VARNEY. — Quel est ce bruit ? Alasco! qu'as-tu donc ?
ALASCO. — Malédiction sur nous!
VARNEY. — Quoi ?
ALASCO. — Damnation! Varney, mon alambic a fait explosion, la tourelle est à demi écroulée, le feu est au château!

VARNEY. — Que dis-tu, misérable ? Le feu au château !

ALASCO. — Regarde.

*La lueur devient de plus en plus ardente. On entend au-
dehors comme un sifflement de flammes.*

VARNEY. — Grand Dieu !

ALASCO. — Nous n'avons pas de temps à perdre. L'incendie marche. Fuyons.

VARNEY. — Fuyons.

*Ils courent à la porte de fer, Alasco la pousse et recule épou-
vanté devant le gouffre ouvert sur le seuil.*

ALASCO. — Démons ! quel est cet abîme ?

VARNEY. — Ne le sais-tu pas ? n'est-ce pas ton conseil
qui me l'a fait ouvrir ?

ALASCO. — Mon conseil, Richard ! N'as-tu pas tout
trouvé dans ta tête de damné ? Ah ! qu'allons-nous devenir ? Un gouffre qu'on ne peut franchir ! Toute fuite,
tout salut est impossible. Là, l'incendie, ici l'abîme. Il
faut mourir !

VARNEY. — C'est ta faute, empoisonneur !

ALASCO. — C'est la tienne, assassin !

VARNEY. — Je porte la peine de tes folies, de tes rêves,
de tes visions.

ALASCO. — Je suis puni de ta jalousie, de ton ambition.

VARNEY, *lui montrant l'embrasement.* — Qui a mis le
feu là ?

ALASCO, *lui montrant la trappe ouverte.* — Qui a ouvert
ce précipice ?

*L'incendie fait des progrès, les flammes arrivent par la
porte masquée, le toit se crevasse, le mur se lézarde, une
pluie de feu commence à tomber du faîte de la tour.*

VARNEY. — Faut-il donc périr ici misérablement ?
Vieux monstre d'alchimiste, tu mourras encore de ma
main.

ALASCO. — Scélérat !

*Tous deux s'étreignent violemment et cherchent à se préci-
piter dans la trappe. En ce moment Flibbertigibbet passe
par une crevasse du toit et paraît debout sur la charpente
transversale.*

SCÈNE IX

VARNEY, ALASCO, FLIBBERTIGIBBET

FLIBBERTIGIBBET. — Varney, Alasco!

VARNEY, *levant la tête.* — Qui nous appelle? Est-ce l'enfer?

FLIBBERTIGIBBET. — Il se contente de vous attendre. Ne vous reprochez rien l'un à l'autre. C'est moi qui ai causé l'explosion de l'alambic. C'est moi qui vous châtie.

ALASCO. — Ah! lutin damné!

VARNEY. — Nain de Satan!

FLIBBERTIGIBBET. — Je me ris de vous, je suis hors de vos atteintes. Allez, misérables! tordez-vous l'un sur l'autre comme deux serpents dans un brasier. Vous êtes pris au piège par vos propres crimes. Varney, regarde dans ce gouffre, vois-y palpiter ta victime, elle t'appelle, elle t'attire, et c'est elle qui du fond de ce tombeau t'entraîne avec elle. Adieu, Alasco! adieu, Varney! démons de cet ange que vous avez assassinée. Suivez-la dans ce gouffre. Vous ne la suivrez pas plus loin.

Il disparaît par une crevasse du toit qui s'écroule et ensevelit Varney et Alasco.

MARION DE LORME [1]

INTRODUCTION

Irtamène prouve que, à quatorze ans, Hugo suit les traces de Racine. Dans les années ultérieures, Corneille supplante progressivement le poète tragique du classicisme. Et Hugo gardera au dramaturge du *Cid* une admiration évidente. En 1826 il forme un projet de pièce, *Pierre Corneille*, dont subsistent des fragments, éléments d'intrigue et de scènes, des vers, des passages plus étendus et déjà mis en forme. Le baroquisme l'attire. Il aime aussi cet auteur jeune qui édifie son œuvre, fièrement, face à un monde aristocratique qu'il contraint à l'admirer, bon gré mal gré. Est-il téméraire de penser que le vers rompu ou discontinu, tel qu'on le trouve dans les premières pièces de Corneille, dans *La Galerie du Palais*, entre autres, ait contribué à libérer le jeune Hugo de l'emprise classique au théâtre ? S'apprêtant à remanier *Amy Robsart*, il puise dans ces souvenirs, dont la trace se trouve aussi dans la *Préface* de *Cromwell*. La solitude du jeune Corneille, de Corneille le bourgeois, c'était aussi celle de Hugo en 1826. De l'embryon du drame inachevé des éléments passeront dans *Marion de Lorme*, les discussions concernant *Le Cid*, l'hostilité des académiciens et des critiques — que la *Préface* de *Cromwell* évoque aussi — la présence des comédiens au château de Nangis; elles sont appelées par une nécessité autre que le simple désir du pittoresque ou la volonté de la couleur historique.

En 1823, Abel Hugo et Auguste Romieu avaient écrit un « à-propos » en un acte et en prose, *Pierre et Thomas Corneille* (Odéon, 6 juin). Pellissier et Désessarts d'Ambreville font jouer un drame lyrique en 1827, *Le Duel ou une loi de Frédéric* (Opéra-Comique, 4 juillet). Relisant *Le Château de Kenilworth* pour le remanier, Hugo pouvait-il ignorer que dans le roman un duel mettait aux prises Leicester et Tressilian à propos d'Amy, devant le château de la reine, alors que celle-ci avait interdit le duel ? Or, son ami Alfred de Vigny vient de publier *Cinq-Mars ou une conjuration sous Louis XIII* (avril 1826); Hugo consacre à la deuxième édition de ce roman un article dans *La Quotidienne* du 30 juillet. Outre l'évocation d'une époque et la description chaleureuse qui y est faite du château de Chambord, le roman offrait à ses lecteurs un chapitre, le vingtième, *La Lecture*, où Marion de Lorme reçoit chez elle, Place Royale, des gentilshommes et des écrivains, notamment Corneille et Milton. Est-ce alors que Hugo se documente sur cette femme qui avait tenu une place dans la vie mondaine du XVIIᵉ siècle ? Née à Paris en 1613, morte à Paris en 1650, Marion de Lorme (ou Delorme) avait connu un bon nombre de célébrités du temps. Sa vie avait donné naissance à des légendes, à des mémoires apocryphes. Hugo lit-il à ce moment Tallemant des Réaux ? Les *Historiettes* contiennent bien des commérages, mais aussi des scènes de la vie quotidienne et très privée de l'aristocratie, et, pour le dramaturge en quête de personnages, une série de noms : Gondi, Nesmond, Brichanteau, Nangis, Montpesat, d'Ailly, Guiches, d'Aste, d'Angennes, Lavardin, Pons, Sourdis, Soubise, Baupréau, Charnacé, Nogent, Simiane de Gorde, d'Humières, Cossé-Brissac : sa galerie de personnages secondaires s'en trouvera étoffée.

Marion de Lorme fut écrit rapidement, du 2 au 26 juin 1829. Une lecture privée eut lieu le 9 juillet. Le lendemain, le baron Taylor, directeur du Théâtre-Français, reçoit de l'auteur l'autorisation de représenter le drame, devançant les directeurs de l'Odéon et du Théâtre de la Porte-Saint-Martin, également désireux de se le voir réserver. Mais la censure impose des modifications au texte, concernant l'image qui, à l'acte IV, est donnée de Louis XIII, dont Charles X est le descendant. Hugo obtient du roi une entrevue; on lui offre de doubler la pension qui lui avait été accordée par Louis XVIII. Le 2 août il refuse tout remaniement et retire son drame.

Les trois dates apposées au bas du manuscrit, à la fin, pourraient indiquer que Hugo a hésité sur la forme qu'il voulait donner à la conclusion de son drame, à moins qu'elles n'aient une signification personnelle ou politique. Sur les instances de Marie Dorval, à qui le rôle avait été confié, et qui rejoignaient les pressions venant de ses amis, Hugo remaniera en 1831 la fin du dernier acte et fera fléchir Didier vers la clémence. Ce geste peut avoir été aussi dicté au dramaturge pour des raisons plus profondes, liées à sa vie la plus secrète, à la liaison de sa mère, entre autres.

La première de *Marion de Lorme* eut lieu le 11 août 1831. Hugo avait, cette fois, porté son drame au Théâtre de la Porte-Saint-Martin. Il voulait toucher un public plus large et plus populaire que celui du Théâtre-Français; il voulait des acteurs moins imprégnés de tradition classique — Mlle Mars n'avait-elle pas plaisanté souvent sur le rôle de doña Sol ? Le risque qu'il courait était double. Son ami Dumas venait de faire représenter depuis le 3 mai, sur la même scène, un drame moderne en prose, *Antony*, dont le sujet, la haute prostitution, s'apparentait au thème choisi par Hugo. D'autre part, n'étant pas subventionné, le Théâtre de la Porte-Saint-Martin ne pouvait garantir à l'auteur une recette aussi importante et aussi stable que le Théâtre-Français. Il y eut vingt-quatre représentations. La critique se montra assez tiède. Elle reprochait à Marion d'être « une mauvaise héroïne de roman, pleurant sans cesse, roulant par terre, jouant l'innocence et la vertu » (*Le Moniteur universel*, 15 août). Le personnage de Didier est critiqué au nom de la vraisemblance : comment un orphelin, sans fortune et de naissance obscure, pouvait-il obtenir la considération des aristocrates à l'époque de Richelieu ? Mais la manière dont celle-ci est évoquée dans la pièce est généralement appréciée par les critiques.

Mis en verve par *Hernani* et par l'animation que suscitait le conflit entre les « classiques » et les « romantiques », les parodistes ne manquèrent pas de brocarder le drame. Un vaudeville en deux actes, *Une nuit de Marion Delorme*, par Nicolas Brazier, Jules-E. Alboize et Dulac (Théâtre des Nouveautés, 17 juillet 1831), une « imitation burlesque en vers », *Gothon du Passage Delorme*, de Th.-M. Dumersan, Brunswick et Céran (Les Variétés, 19 août), et *Marionnette*, cinq actes de Ch.-D. Dupeuty et Félix Duvert (Théâtre du Vaudeville, 29 août 1831) constituèrent le produit éphémère de l'actualité.

Une reprise de *Marion de Lorme* eut lieu le 8 mars 1838 au Théâtre-Français. Marie Dorval tenait le rôle principal; Beauvalet celui de Didier et Geoffroy celui de Louis XIII. C'est à cette époque sans doute que Baude-

laire vit la pièce. Deux ans plus tard il écrivait à Hugo :
« Il y a quelque temps, je vis représenter *Marion de
Lorme;* la beauté de ce drame m'a tellement enchanté
et m'a rendu si heureux que je désire vivement
connaître l'auteur et le remercier de près. » (Lettre du
25 février 1840.)

Pour l'édition, Hugo s'était adressé à Renduel, le grand
éditeur des romantiques. Le volume parut le
27 août 1831, dépareillé par des « énormités typographiques » et imprimé sur du « papier à savon », estima
Hugo. Gosselin venait d'imprimer *Hernani ;* il intenta un
procès à Hugo, qui contrevenait au contrat qui les liait.
Le dramaturge et son nouvel éditeur furent condamnés
à 2 000 F de dommages et intérêts.

PRÉFACE

Cette pièce, représentée dix-huit mois après *Hernani*, fut faite trois mois auparavant. Les deux drames ont été composés en 1829 : *Marion de Lorme* en juin, *Hernani* en septembre. A cela près de quelques changements de détail qui ne modifient en rien ni la donnée fondamentale de l'ouvrage, ni la nature des caractères, ni la valeur respective des passions, ni la marche des événements, ni même la distribution des scènes ou l'invention des épisodes, l'auteur donne au public, au mois d'août 1831, sa pièce telle qu'elle fut écrite au mois de juin 1829. Aucun remaniement profond, aucune mutilation, aucune soudure faite après coup dans l'intérieur du drame, aucune main-d'œuvre nouvelle, si ce n'est ce travail d'ajustement qu'exige toujours la représentation. L'auteur s'est borné à cela, c'est-à-dire à faire sur les bords extrêmes de son œuvre ces quelques rognures sans lesquelles le drame ne pourrait s'encadrer solidement dans le théâtre.

Cette pièce est donc restée éloignée deux ans du théâtre. Quant aux motifs de cette suspension, de juillet 1829 à juillet 1830, le public les connaît : elle a été forcée : l'auteur a été empêché. Il y a eu, et l'auteur écrira peut-être un jour cette petite histoire demi-politique, demi-littéraire, il y a eu *veto* de la censure, prohibition successive des deux ministères Martignac et Polignac, volonté formelle du roi Charles X. (Et si l'auteur vient de prononcer ici ce mot de *censure* sans y joindre d'épithète, c'est qu'il l'a combattue assez publiquement et assez longtemps pendant qu'elle régnait, pour être en droit de ne pas l'insulter maintenant qu'elle est au rang des puissances tombées. Si jamais on osait la relever, nous verrions.)

Pour la deuxième année, de 1830 à 1831, la suspension de *Marion de Lorme* a été volontaire. L'auteur s'est abstenu. Et, depuis cette époque, plusieurs personnes qu'il n'a pas l'honneur de connaître lui ayant écrit pour lui demander s'il existait encore quelques nouveaux obstacles à la représentation de cet ouvrage, l'auteur, en les remerciant d'avoir bien voulu s'intéresser à une chose si peu importante, leur doit une explication; la voici.

Après l'admirable révolution de 1830, le théâtre ayant conquis sa liberté dans la liberté générale, les pièces que la censure de la restauration avait inhumées toutes vives *brisèrent du crâne*, comme dit Job, *la pierre de leur tombeau*, et s'éparpillèrent en foule et à grand bruit sur les théâtres de Paris, où le public vint les applaudir, encore toutes haletantes de joie et de colère. C'était justice. Ce dégorgement des cartons de la censure dura plusieurs semaines, à la grande satisfaction de tous. La Comédie-Française songea à *Marion de Lorme*. Quelques personnes influentes de ce théâtre vinrent trouver l'auteur; elles le pressèrent de laisser jouer son ouvrage, relevé comme les autres de l'interdit. Dans ce moment de malédiction contre Charles X, le quatrième acte, défendu par Charles X, leur semblait promis à un succès de réaction politique. L'auteur doit le dire ici franchement, comme il le déclara alors dans l'intimité aux personnes qui faisaient cette démarche près de lui, et notamment à la grande actrice qui avait jeté tant d'éclat sur le rôle de doña Sol : ce fut précisément cette raison, *la probabilité d'un succès de réaction politique*, qui le détermina à garder, pour quelque temps encore, son ouvrage en portefeuille. Il sentit qu'il était, lui, dans un cas particulier.

Quoique placé depuis plusieurs années dans les rangs, sinon les plus illustres, du moins les plus laborieux, de l'opposition; quoique dévoué et acquis, depuis qu'il avait âge d'homme, à toutes les idées de progrès, d'amélioration, de liberté; quoique leur ayant donné peut-être quelques gages, et entre autres, précisément une année auparavant, à propos de cette même *Marion de Lorme*, il se souvint que, jeté à seize ans dans le monde littéraire par des passions politiques, ses premières opinions, c'est-à-dire ses premières illusions, avaient été royalistes et vendéennes; il se souvint qu'il avait écrit une *Ode du Sacre*[a] à une époque, il est vrai, où Charles X, roi populaire, disait aux acclamations de tous : *Plus de censure! plus de hallebardes!* Il ne voulut pas qu'un jour on pût lui reprocher ce passé, passé d'erreur sans doute, mais aussi de conviction, de conscience, de désintéressement, comme sera, il l'espère, toute sa vie. Il comprit qu'un succès politique à propos de Charles X tombé, permis à tout autre, lui était défendu à lui; qu'il ne lui convenait pas d'être un des soupiraux par où s'échapperait la colère publique; qu'en présence de cette enivrante révolution de juillet, sa voix pouvait se mêler à celles qui applaudissaient le peuple, non à celles qui maudissaient le roi. Il fit son devoir. Il fit ce que tout homme de cœur eût fait à sa place. Il refusa d'autoriser la représentation de sa pièce. D'ailleurs les succès de scandale cherché et d'allusions politiques ne lui sourient guère, il l'avoue. Ces succès valent peu et durent peu. C'est Louis XIII qu'il avait voulu peindre dans sa bonne foi d'artiste, et non tel de ses descendants. Et puis c'est précisément quand il n'y a plus de censure qu'il faut que les auteurs se censurent eux-mêmes, honnêtement, consciencieusement, sévèrement. C'est ainsi qu'ils placeront haut la dignité de l'art. Quand on a toute liberté, il sied de garder toute mesure.

Aujourd'hui que trois cent soixante-cinq jours, c'est-à-dire, par le temps où nous vivons, trois cent soixante-cinq événements, nous séparent du roi tombé; aujourd'hui que le flot des indignations populaires a cessé de battre les dernières années croulantes de la restauration, comme la mer qui se retire d'une grève déserte; aujourd'hui que Charles X est plus oublié que Louis XIII, l'auteur a donné sa pièce au public; et le public l'a prise comme l'auteur la lui a donnée, naïvement, sans arrière-pensée, comme chose d'art, bonne ou mauvaise, mais voilà tout.

L'auteur s'en félicite et en félicite le public. C'est quelque chose, c'est beaucoup, c'est tout pour les hommes d'art, dans ce moment de préoccupations politiques, qu'une affaire littéraire soit prise littérairement.

Pour en finir sur cette pièce, l'auteur fera remarquer ici que, sous la branche aînée des Bourbons, elle eût été absolument et éternellement exclue du théâtre. Sans la révolution de juillet, elle n'eût jamais été jouée. Si cet ouvrage avait une plus haute valeur, on pourrait soumettre cette observation aux personnes qui affirment que la révolution de juillet a été nuisible à l'art. Il serait facile de démontrer que cette grande secousse d'affranchissement et d'émancipation n'a pas été nuisible à l'art, mais qu'elle lui a été utile; qu'elle ne lui a pas été utile,

mais qu'elle lui a été nécessaire. Et en effet, dans les
dernières années de la restauration, l'esprit nouveau du
dix-neuvième siècle avait pénétré tout, réformé tout,
recommencé tout, histoire, poésie, philosophie, tout,
excepté le théâtre. Et à ce phénomène, il y avait une raison bien simple : la censure murait le théâtre. Aucun
moyen de traduire naïvement, grandement, loyalement
sur la scène, avec l'impartialité, mais aussi avec la sévérité
de l'artiste, un roi, un prêtre, un seigneur, le Moyen Age,
l'histoire, le passé. La censure était là, indulgente pour
les ouvrages d'école et de convention, qui fardent tout,
et par conséquent déguisent tout ; impitoyable pour l'art
vrai, consciencieux, sincère. A peine y a-t-il eu quelques
exceptions ; à peine trois ou quatre œuvres vraiment historiques et dramatiques ont-elles pu se glisser sur la
scène dans les rares moments où la police, occupée ailleurs, en laissait la porte entrebâillée. Ainsi la censure
tenait l'art en échec devant le théâtre. Vidocq bloquait
Corneille. Or la censure faisait partie intégrante de la
restauration. L'une ne pouvait disparaître sans l'autre.
Il fallait donc que la révolution sociale se complétât pour
que la révolution de l'art pût s'achever. Un jour, juillet 1830 ne sera pas moins une date littéraire qu'une date
politique.

Maintenant l'art est libre : c'est à lui de rester digne.

Ajoutons-le en terminant. Le public, cela devait être
et cela est, n'a jamais été meilleur, n'a jamais été plus
éclairé et plus grave qu'en ce moment. Les révolutions
ont cela de bon qu'elles mûrissent vite, et à la fois, et
de tous les côtés, tous les esprits. Dans un temps comme
le nôtre, en deux ans, l'instinct des masses devient goût.
Les misérables mots à querelle, *classique* et *romantique*,
sont tombés dans l'abîme de 1830, comme *gluckiste* et
picciniste [b] dans le gouffre de 1789. L'art seul est resté.
Pour l'artiste qui étudie le public, et il faut l'étudier sans
cesse, c'est un grand encouragement de sentir se développer chaque jour au fond des masses une intelligence
de plus en plus sérieuse et profonde de ce qui convient
à ce siècle, en littérature non moins qu'en politique. C'est
un beau spectacle de voir ce public, harcelé par tant
d'intérêts matériels qui le pressent et le tiraillent sans
relâche, accourir en foule aux premières transformations
de l'art qui se renouvelle, lors même qu'elles sont aussi
incomplètes et aussi défectueuses que celle-ci. On le sent
attentif, sympathique, plein de bon vouloir, soit qu'on

lui fasse, dans une scène d'histoire, la leçon du passé, soit qu'on lui fasse, dans un drame de passion, la leçon de tous les temps. Certes, selon nous, jamais moment n'a été plus propice au drame. Ce serait l'heure, pour celui à qui Dieu en aurait donné le génie, de créer tout un théâtre, un théâtre vaste et simple, un et varié, national par l'histoire, populaire par la vérité, humain, naturel, universel par la passion. Poètes dramatiques, à l'œuvre! elle est belle, elle est haute. Vous avez affaire à un grand peuple habitué aux grandes choses. Il en a vu et il en a fait.

Des siècles passés au siècle présent, le pas est immense. Le théâtre maintenant peut ébranler les multitudes et les remuer dans leurs dernières profondeurs. Autrefois, le peuple, c'était une épaisse muraille sur laquelle l'art ne peignait qu'une fresque.

Il y a des esprits, et dans le nombre de fort élevés, qui disent que la poésie est morte, que l'art est impossible. Pourquoi? tout est toujours possible à tous les moments donnés, et jamais plus de choses ne furent possibles qu'au temps où nous vivons. Certes, on peut tout attendre de ces générations nouvelles qu'appelle un si magnifique avenir, que vivifie une pensée si haute, que soutient une foi si légitime en elles-mêmes. L'auteur de ce drame, qui est bien fier de leur appartenir, qui est bien glorieux d'avoir vu quelquefois son nom dans leur bouche, quoiqu'il soit le moindre d'entre eux, l'auteur de ce drame espère tout de ses jeunes contemporains, même un grand poète. Que ce génie, caché encore, s'il existe, ne se laisse pas décourager par ceux qui crient à l'aridité, à la sécheresse, au prosaïsme des temps. Une époque trop avancée? pas de génie primitif possible?... Laisse-les parler, jeune homme! Si quelqu'un eût dit à la fin du dix-huitième siècle, après le régent, après Voltaire, après Beaumarchais, après Louis XV, après Cagliostro [c], après Marat [d], que les Charlemagnes, les Charlemagnes grandioses, poétiques et presque fabuleux, étaient encore possibles, tous les sceptiques d'alors, c'est-à-dire la société tout entière, eussent haussé les épaules et ri. Hé bien! au commencement du dix-neuvième siècle, on a eu l'empire et l'empereur. Pourquoi maintenant ne viendrait-il pas un poète qui serait à Shakespeare ce que Napoléon est à Charlemagne?

Août 1831.

PRÉSENTATION DE *MARION DE LORME*
AU THÉÂTRE-FRANÇAIS POUR LA REPRISE
en 1873

L'apparition de *Marion de Lorme* à la scène date de 1831. Quarante-deux ans séparent de cette première représentation la reprise actuelle. L'auteur était jeune, il est vieux; il était présent, il est absent; il avait alors devant lui l'espérance, maintenant il a derrière lui la vie.

Son absence à cette reprise peut sembler volontaire, elle ne l'est pas. Les hommes que les cheveux blancs avertissent et devant qui le temps s'abrège ont des œuvres à terminer, sortes de testament de leur esprit. Ils peuvent être brusquement interrompus par l'arrivée subite de la fin; ils n'ont pas un jour à perdre; de là une nécessité sévère d'absence et de solitude. L'homme a des devoirs envers sa pensée. D'ailleurs tous les départs veulent quelques apprêts, l'entrée dans l'inconnu nous attend tous, et la solitude et l'absence sont une espèce de crépuscule qui prépare l'âme à cette grande ombre et à cette grande lumière.

L'auteur sent le besoin d'expliquer son absence à ceux qui veulent bien se souvenir de lui. Rien ne l'attristerait plus que de sembler ingrat. Tout solitaire qu'il est, il s'associe du fond du cœur à la foule qui aime et salue ces beaux talents, honneur de la reprise actuelle de *Marion de Lorme*, MM. Got, Delaunay, Maubant, Bressant, Febvre, groupe éclatant que vient compléter la jeune et brillante renommée de M. Mounet-Sully; il envoie toutes ses sympathies à ce glorieux Théâtre-Français, vieux et pourtant redevenu jeune, grâce à l'habile et intelligente initiative de M. Emile Perrin; et il accomplit un devoir en offrant sa triple reconnaissance à Madame Favart, qui fut avec tant de puissance et de grâce doña Sol avant d'être Marion, et qui, il y a deux ans, vaillante et charmante dans les ténèbres sublimes de Paris

assiégé, faisait redire à toutes les bouches ce mot qui est
son nom, *Stella*.

V. H.

Hauteville-House, 1er février 1873.

PERSONNAGES

Distribution de 1831

MARION DE LORME	Mme DORVAL
DIDIER	M. BOCAGE
LOUIS XIII.	M. GOBERT
LE MARQUIS DE SAVERNY. . . .	M. CHÉRI
LE MARQUIS DE NANGIS	M. AUGUSTE
L'ANGELY	M. PROVOST
M. DE LAFFEMAS.	M. JEMMA
M. DE BELLEGARDE	M. VALTER

LE MARQUIS DE BRICHAN-TEAU		M. DAVESNE
LE COMTE DE GASSÉ		M. EDOUARD
LE VICOMTE DE BOUCHA-VANNES	officiers du régiment d'Anjou	M. MATIS
LE CHEVALIER DE ROCHE-BARON		M. BLÉS
LE COMTE DE VILLAC		M. MONVAL
LE CHEVALIER DE MONT-PESAT		M. SEVRIN

L'ABBÉ DE GONDI
LE COMTE DE CHARNACÉ

LE SCARAMOUCHE		M. MOESSARD
LE GRACIEUX	comédiens de province	M. SERRES
LE TAILLEBAS		M. CRANGER

LE CRIEUR PUBLIC.	M. VISSOT
LE CAPITAINE QUARTENIER de la ville de Blois	M. HÉRET
UN GEÔLIER	M. VISSOT
UN GREFFIER	M. FONBONNE
DAME ROSE.	Mme CAUMONT

PREMIER OUVRIER
DEUXIÈME OUVRIER
TROISIÈME OUVRIER

Un valet
Comédiens de province, gardes, peuple, gentilshommes, pages

ACTE PREMIER

LE RENDEZ-VOUS

BLOIS [2]

Une chambre à coucher. — Au fond, une fenêtre ouverte sur un balcon. A droite, une table avec une lampe et un fauteuil. A gauche, une porte sur laquelle retombe une portière de tapisserie. Dans l'ombre, un lit.

SCÈNE PREMIÈRE [3]

MARION DE LORME, *négligé très paré, assise près de la table et brodant une tapisserie;* LE MARQUIS DE SAVERNY [4], *tout jeune homme blond sans moustache, vêtu à la dernière mode de 1638* [5].

SAVERNY, *s'approchant de Marion*
et cherchant à l'embrasser.

Réconcilions-nous, ma petite Marie!

MARION, *le repoussant.*

Réconcilions-nous de moins prêts, je vous prie.

SAVERNY, *insistant.*

Un seul baiser!

MARION, *avec colère.*
Monsieur le marquis!

SAVERNY

Quel courroux!
Votre bouche eut parfois des caprices plus doux.

MARION

5 Vous oubliez...

SAVERNY

Non pas ! je me souviens, ma belle.

MARION, *à part.*

L'importun ! le fâcheux !

SAVERNY

Parlez, mademoiselle.
Que devons-nous penser de la brusque façon
Dont vous quittez Paris ? et pour quelle raison,
Tandis que l'on vous cherche à la place Royale [6],
10 Vous retrouvé-je à Blois cachée ?... Ah ! déloyale !
Qu'est-on venue ici faire depuis deux mois ?

MARION

Je fais ce que je veux, et veux ce que je dois.
Je suis libre, monsieur.

SAVERNY

Libre ! et, dites, madame,
Sont-ils libres aussi, ceux dont vous avez l'âme ?
15 Moi, Gondi, qui passa l'autre jour devant nous
La moitié de sa messe, ayant un duel pour vous ;
Nesmond, le Pressigny, d'Arquien, les deux Caussades,
Tous de votre départ si fâchés, si maussades,
Que leurs femmes comme eux vous voudraient à Paris,
20 Pour leur faire après tout de moins tristes maris !

MARION, *souriant.*

Et Beauvillain ?

SAVERNY

Toujours il vous aime.

MARION

Et Céreste ?

SAVERNY

Il vous adore.

MARION

Et Pons ?

SAVERNY

Celui-là vous déteste.

MARION

C'est le seul amoureux. — Et le vieux président ?... —

Riant.

Son nom déjà ?...

Riant plus fort.

Leloup !

SAVERNY

Mais en vous attendant
25 Il a votre portrait, et fait mainte élégie.

MARION

Oui, voilà bien deux ans qu'il m'aime en effigie.

SAVERNY

Ah ! qu'il aimerait mieux vous brûler ! — Çà, vraiment,
Peut-on fuir tant d'amis ?

MARION, *sérieuse et baissant les yeux.*

Marquis, précisément.
Ce sont, à parler franc, les causes de ma fuite.
30 Tous ces brillants péchés qui, jeune, m'ont séduite,
N'ont laissé dans mon cœur que regrets trop souvent.
Je viens dans la retraite, et peut-être au couvent,
Expier une vie impure et débauchée.

SAVERNY

Gageons qu'une amourette est là-dessous cachée !

MARION

35 Vous croiriez...

SAVERNY

Que jamais ensemble on ne dut voir
Un voile et tant d'éclairs sous les cils d'un œil noir !
C'est impossible. — Allons ! vous aimez en province !
Clore un si beau roman d'un dénoûment si mince !

MARION

Il n'en est rien.

SAVERNY

Gageons.

MARION

Rose, quelle heure est-il ?

DAME ROSE, *du dehors*

40 Minuit bientôt.

MARION, *à part.*

Minuit!

SAVERNY

Le détour est subtil

Pour dire : allez-vous-en.

MARION

Je vis fort retirée...
Ne recevant personne et de tous ignorée...
Puis, il vous peut si tard arriver des malheurs...
Cette rue est déserte et pleine de voleurs.

SAVERNY

45 Soit : je serai volé.

MARION

Parfois on assassine!

SAVERNY

On m'assassinera.

MARION

Mais...

SAVERNY

Vous êtes divine!
Mais avant de partir je veux savoir de vous
Quel est l'heureux berger qui nous succède à tous.

MARION

Personne.

SAVERNY

Je tiendrai secrètes vos paroles.
50 Nous autres gens de cour, on nous croit têtes folles,
Médisants, curieux, indiscrets, brouillons : mais
Nous bavardons toujours et ne parlons jamais.
— Vous vous taisez ?...

Il s'assied.

Je reste.

MARION

Eh bien oui, que m'im-
[porte!
J'aime, et j'attends quelqu'un !

SAVERNY

Parlez donc de la sorte !
55 A la bonne heure ! Où donc l'attendez-vous ?

MARION

Ici.

SAVERNY

Et quand ?

MARION

Dans un instant.

Elle va au balcon et écoute.
Peut-être le voici.

Revenant.

Non.

A Saverny.

Vous voilà content.

SAVERNY

Pas trop.

MARION

Partez, de grâce.

SAVERNY

Oui, mais nommez-le-moi, ce galant qui me chasse
Et pour qui je me vois ainsi congédier.

MARION

60 Je ne connais de lui que le nom de Didier.
Il ne connaît de moi que le nom de Marie.

SAVERNY, *éclatant de rire.*

Vrai ?

MARION

Vrai.

SAVERNY, *riant.*

Mais, pasquedieu, c'est de la bergerie
Que ces amitiés-là ! c'est du Racan tout pur [7].
— Il va donc pour entrer escalader ce mur ?

MARION

65 Peut-être. — Maintenant partez vite. —

A part.

Il m'assomme !

SAVERNY, *reprenant son sérieux.*

Savez-vous seulement s'il est bon gentilhomme ?

MARION

Je n'en sais rien.

SAVERNY

Comment !

A Marion, qui le pousse doucement vers la porte.

Je pars...

Il revient.

Encore un mot,
J'oubliais : un auteur, qui n'est pas un grimaud [8],

Il tire un livre de sa poche et le remet à Marion.

A fait pour vous ce livre. Il cause un bruit énorme.

MARION, *lisant le titre.*

70 La Guirlande d'amour, — à Marion de Lorme [9].

SAVERNY

On ne parle à Paris que *Guirlande d'amour,*
Et c'est, avec *Le Cid,* le grand succès du jour.

MARION, *posant le livre.*

C'est fort galant. Bonsoir.

SAVERNY

A quoi bon être illustre ?
Venir à Blois filer l'amour avec un rustre !

MARION, *appelant dame Rose.*

75 Prenez soin du marquis, Rose, et le dirigez.

SAVERNY, *saluant.*

Marion! Marion! hélas! vous dérogez!

Il sort.

SCÈNE II

MARION, *puis* DIDIER

MARION, *seule.*

Elle referme la porte par laquelle Saverny est sorti.

Va, va donc!... Je tremblais que Didier...

On entend sonner minuit.

Minuit sonne!

Après avoir compté les coups.

Minuit. — Mais il devrait être arrivé...

Elle va au balcon et regarde dans la rue.

Personne!

Elle revient s'asseoir avec humeur.

Etre en retard! — Déjà! —

Un jeune homme paraît derrière la balustrade du balcon, la franchit lestement, entre, et dépose sur un fauteuil son manteau et une épée de main. Le costume du temps, tout noir. Bottines [10]. *Il fait un pas, s'arrête, et regarde quelques instants Marion assise et les yeux baissés. Marion, levant tout à coup les yeux, avec joie.*

Ha!

Avec reproche.

Me laisser compter

80 L'heure en vous attendant!

DIDIER, *gravement.*

J'hésitais à monter.

MARION, *piquée.*

Ah! monsieur!

DIDIER, *sans y prendre garde.*

Tout à l'heure, au pied de ces murailles,

J'ai senti de pitié s'émouvoir mes entrailles, —

Oui, de pitié pour vous. — Moi, funeste et maudit,
Avant que d'achever ce pas, je me suis dit :
85 « Là-haut, dans sa vertu, dans sa beauté première,
Veille, sans tache encore, un ange de lumière,
Un être chaste et doux, à qui sur les chemins
Les passants à genoux devraient joindre les mains.
Et moi, qui suis-je, hélas, qui rampe avec la foule ?
90 Pourquoi troubler cette eau si belle qui s'écoule ?
Pourquoi cueillir ce lys ? Pourquoi d'un souffle impur
De cette âme sereine aller ternir l'azur ?
Puisqu'à ma loyauté, candide, elle se fie,
Elle que l'innocence à mes yeux sanctifie,
95 Ai-je droit d'accepter ce don de son amour,
Et de mêler ma brume et ma nuit à son jour ? »

MARION, *à part.*

Ça, je crois qu'il me fait de la théologie.
Serait-ce un huguenot ?

DIDIER

Mais la douce magie
De votre voix, venant jusqu'à moi dans la nuit,
100 M'a tiré de mon doute et près de vous conduit.

MARION

Quoi ! vous m'avez ouï parler ? l'étrange chose !

DIDIER

Avec une autre voix.

MARION, *vivement.*

Celle de dame Rose.
N'est-ce pas qu'on dirait une voix d'homme ? Elle a
Le parler rude et fort. — Mais puisque vous voilà
105 Je ne vous en veux plus. — Seyez-vous, je vous prie,

Lui montrant une place près d'elle.

Ici.

DIDIER

Non. A vos pieds.

*Il s'assied sur un tabouret aux pieds de Marion et la regarde
quelques instants dans une contemplation muette.*

— Ecoutez-moi, Marie.
J'ai pour tout nom Didier. Je n'ai jamais connu
Mon père ni ma mère. On me déposa nu,

Tout enfant, sur le seuil d'une église. Une femme,
110 Vieille et du peuple, ayant quelque pitié dans l'âme,
Me prit, fut ma nourrice et ma mère; en chrétien
M'éleva, puis mourut, me laissant tout son bien,
Neuf cents livres de rente, à peu près, dont j'existe.
Seul, à vingt ans, la vie était amère et triste.
115 Je voyageai. Je vis les hommes, et j'en pris
En haine quelques-uns, et le reste en mépris;
Car je ne vis qu'orgueil, que misère et que peine
Sur ce miroir terni qu'on nomme face humaine.
Si bien que me voici, jeune encore et pourtant
120 Vieux, et du monde las comme on l'est en sortant;
Ne me heurtant à rien où je ne me déchire;
Trouvant le monde mal, mais trouvant l'homme pire.
Or, je vivais ainsi, pauvre, sombre, isolé,
Quand vous êtes venue, et m'avez consolé.
125 Je ne vous connais pas. Au détour d'une rue,
C'est à Paris, qu'un soir vous m'êtes apparue [11].
Puis, je vous ai parfois rencontrée, et toujours
J'ai trouvé doux vos yeux et tendres vos discours.
J'ai craint de vous aimer. J'ai fui... — Hasard étrange!
130 Je vous retrouve ici, partout, comme mon ange.
Enfin, troublé d'amour, flottant, irrésolu,
J'ai voulu vous parler, vous avez bien voulu.
Maintenant, disposez de mon cœur, de ma vie.
A quoi puis-je être bon dont vous ayez envie ?
135 Quel est l'homme ou l'objet qui vous est importun ?
Voulez-vous quelque chose, et vous faut-il quelqu'un
Qui meure pour cela ? qui meure sans rien dire
Et trouve tout son sang trop payé d'un sourire ?
Vous le faut-il ? Parlez, ordonnez, me voici.

MARION, souriant.

140 Vous êtes singulier, mais je vous aime ainsi.

DIDIER

Vous m'aimez! Prenez garde. Une telle parole,
Hélas, ne se dit pas d'une façon frivole.
Vous m'aimez ? Savez-vous ce que c'est que l'amour ?
Qu'un amour qui devient notre sang, notre jour,
145 Qui, longtemps étouffé, s'allume, et dont la flamme
S'accroît incessamment en purifiant l'âme,
Qui seul au fond du cœur, où nous les entassions,
Brûle les vains débris des autres passions!

Qu'un amour, à la fois sans espoir et sans borne,
150 Et qui, même au bonheur, survit, profond et morne !
— Dites, est-ce l'amour dont vous parliez ?

MARION, *émue*.

Vraiment...

DIDIER

Oh ! vous ne savez pas, je vous aime ardemment !
Du jour où je vous vis, ma vie encor bien sombre
Se dora, vos regards m'éclairèrent dans l'ombre.
155 Dès lors, tout a changé. Vous brillez à mes yeux
Comme un être inconnu, de l'espèce des cieux.
Cette vie, où longtemps gémit mon cœur rebelle,
Je la vois sous un jour qui la rend presque belle ;
Car, jusqu'à vous, hélas ! seul, errant, opprimé,
160 J'ai lutté, j'ai souffert... Je n'avais point aimé !

MARION

Pauvre Didier !

DIDIER

Marie !...

MARION

Eh bien oui, je vous aime.
Oui, je vous aime ! — Autant que vous m'aimez vous-
[même.
Plus peut-être ! — C'est moi qui suivis tous vos pas,
Et je suis toute à vous.

DIDIER, *tombant à genoux*.

Oh ! ne me trompez pas !
165 A mon amour si pur que votre amour réponde,
Et mon bonheur pourra faire la dot d'un monde,
Et mes jours ne seront, prosternés à vos pieds,
Qu'amour, délice et joie... — Oh ! si vous me trompiez !

MARION

Pour croire à mon amour que vous faut-il ? J'écoute.

DIDIER

170 Une preuve.

MARION

Parlez. Quoi ?

DIDIER

Vous êtes sans doute

Libre ?

MARION, *avec embarras.*

Oui...

DIDIER

Prenez-moi pour frère, pour appui ;
Epousez-moi !

MARION, *à part.*

Pourquoi suis-je indigne de lui ?

DIDIER

Eh bien ?

MARION

Mais...

DIDIER

Je comprends. Orphelin, sans fortune,
L'audace est inouïe, étrange, et j'importune.
175 Laissez-moi donc mon deuil, mes maux, mon abandon.
Adieu.

Il fait un pas pour sortir, Marion le retient.

MARION

Didier ! Didier ! que dites-vous !

Elle fond en larmes.

DIDIER, *revenant.*

Pardon !

Mais pourquoi balancer ?

S'approchant d'elle.

— Comprends-tu bien, Marie ?
Nous être l'un à l'autre un monde, une patrie,
Un ciel !... Vivre ignorés dans un lieu de ton choix,
180 Y cacher un bonheur à faire envie aux rois !...

MARION

Ah ! ce serait le ciel !

DIDIER

En veux-tu ?

MARION, *à part.*

Malheureuse!

Haut.

Je ne puis. Jamais.
Elle s'arrache des bras de Didier et tombe sur son fauteuil.

DIDIER, *glacial.*

L'offre était peu généreuse
De ma part. Il suffit. Je n'en parlerai plus,
Allons!

MARION, *à part.*

Ah! maudit soit le jour où je lui plus!

Haut.

185 Didier! je vous dirai... vous me déchirez l'âme...
Je vous expliquerai...

DIDIER, *froidement.*

Que lisiez-vous, madame,
Quand je suis arrivé!
Il prend le livre sur la table et lit.
La Guirlande d'amour,
A Marion de Lorme.

Amèrement.

Oui, la beauté du jour!
Jetant le livre à terre avec violence.

Ah! vile créature, impure entre les femmes!

MARION, *tremblante.*

Monsieur...

DIDIER

Que faites-vous de ces livres infâmes?
Comment sont-ils ici?

MARION, *faiblement et baissant les yeux.*

Le hasard...

DIDIER

Savez-vous,
Vous dont l'œil est si pur, dont le front est si doux,
Savez-vous ce que c'est que Marion de Lorme?
Une femme, de corps belle, et de cœur difforme,
195 Une Phryné[12] qui vend à tout homme, en tout lieu,
Son amour qui fait honte et fait horreur!

MARION, *la tête dans ses mains.*

Grand Dieu!
Un bruit de pas, un cliquetis d'épées au-dehors, et des cris.

VOIX dans la rue

Au meurtre!

DIDIER, *étonné*

Mais quel bruit dans la place voisine ?
Les cris continuent.

VOIX dans la rue

A l'aide! au meurtre!

DIDIER, *regardant au balcon.*

C'est quelqu'un qu'on assassine.
*Il prend son épée et enjambe la balustrade du balcon. Marion
se lève, court à lui, et cherche à le retenir par son manteau.*

MARION

Didier! si vous m'aimez... — ils vous tueront! — Restez!

DIDIER, *sautant dans la rue.*

200 Mais c'est lui qu'ils tueront, le pauvre homme!
Dehors aux combattants.

Arrêtez!
— Tenez ferme, monsieur!
Cliquetis d'épées.

Poussez! — Tiens, misérable!
Bruit d'épées, de voix et de pas.

MARION, *au balcon avec terreur.*

O ciel! Six contre deux!

VOIX dans la rue

Mais cet homme est le diable!
*Le cliquetis d'armes décroît peu à peu, puis cesse tout à fait.
Bruit de pas qui s'éloignent. On voit reparaître Didier qui
escalade le balcon.*

DIDIER, *encore en dehors du balcon,
et tourné vers la rue.*

Vous voici hors d'affaire. Allez votre chemin.

SAVERNY, *dehors.*

Je ne m'en irai pas sans vous serrer la main,
205 Sans vous remercier, s'il vous plaît.

DIDIER, *avec humeur.*

Passez vite !
De vos remercîments, monsieur, je vous tiens quitte.

SAVERNY

Je vous remercîrai !

Il escalade le balcon.

DIDIER

Hé ! sans monter ici
Ne pouviez-vous d'en bas me dire : Grand merci ?

SCÈNE III

MARION, DIDIER, SAVERNY

SAVERNY, *sautant dans la chambre, l'épée à la main.*

Pardieu ! la tyrannie est étrange, et trop forte
210 De me sauver la vie et me mettre à la porte !
— La porte, c'est-à-dire à la fenêtre ! — Non,
Il ne sera pas dit qu'un homme de mon nom
Soit bravement sauvé par un bon gentilhomme
Sans lui dire : Marquis... — Le nom dont on vous
                                                   [nomme,
215 Monsieur ?

DIDIER

Didier.

SAVERNY

Didier de quoi ?

DIDIER

Didier de rien.
Çà, l'on vous tue, et moi, je vous secours. C'est bien,
Allez-vous-en.

SAVERNY

Voilà vos façons ! — Par ces traîtres
Que ne me laissiez-vous tuer sous vos fenêtres !
J'eusse aimé mieux cela, car sans vous, sur ma foi,
220 J'étais mort. Six larrons, six voleurs contre moi !
Mort ! Six larges poignards contre une mince épée !...

Apercevant Marion, qui jusque-là a cherché à l'éviter.

Mais vous aviez ici l'âme bien occupée,
Je comprends. Je dérange un entretien fort doux.
Pardon.

A part.

Voyons pourtant la dame.
Il s'approche de Marion tremblante et la reconnaît. — Bas.

Quoi ! c'est vous !

Montrant Didier.

225 C'est donc lui !

MARION, *bas.*

Ha ! monsieur, vous me perdez !

SAVERNY, *saluant.*

Madame...

MARION, *bas.*

C'est la première fois que j'aime.

DIDIER, *à part.*

Sur mon âme,
Cet homme la regarde avec des yeux hardis !
Il renverse la lampe d'un coup de poing.

SAVERNY

Quoi donc, vous éteignez cette lampe ?

DIDIER

Je dis
Qu'il convient, s'il vous plaît, que nous partions ensemble.

SAVERNY

230 Soit. Je vous suis.

A Marion, qu'il salue profondément.
Adieu, madame.

DIDIER, *à part.*

A quoi ressemble

Ce muguet ?

A Saverny.

Venez donc!

SAVERNY

Vous êtes brusque, mais
Je vous dois d'être en vie, et s'il vous faut jamais
Dévoûment, zèle, ardeur, amitié fraternelle... —
Marquis de Saverny, Paris, hôtel de Nesle.

DIDIER

235 Bon.

A part.

La voir par un fat examiner ainsi !

*Ils sortent par le balcon. — On entend la voix de Didier
dehors.*

Votre route est par là. — La mienne est par ici.

SCÈNE IV

MARION, DAME ROSE.
Marion reste un moment rêveuse, puis appelle.

MARION

Dame Rose !

Dame Rose paraît. — Lui montrant la fenêtre.

Fermez.

DAME ROSE

*La fenêtre fermée, elle se retourne et voit Marion essuyer
une larme. — A part.*

On dirait qu'elle pleure.

Haut.

Il est temps de dormir, madame.

MARION

Oui, c'est votre heure,

A vous autres.

Défaisant ses cheveux.

Venez m'accommoder.

DAME ROSE, *la déshabillant.*

Eh bien,

240 Madame, le monsieur de ce soir est-il bien ?
— Riche ?

MARION

Non.

DAME ROSE

Galant ?

MARION

Non.

Se tournant vers Rose.

Rose, il ne m'a pas
[même

Baisé la main.

DAME ROSE

Alors, qu'en faites-vous ?

MARION, *pensive.*

Je l'aime.

ACTE DEUXIÈME

LA RENCONTRE

BLOIS

La porte d'un cabaret. — Une place. — On voit dans le
fond la ville de Blois en amphithéâtre et les tours de
Saint-Nicolas sur la colline couverte de maisons.

SCÈNE PREMIÈRE

LE COMTE DE GASSÉ, LE MARQUIS DE BRICHANTEAU, LE
VICOMTE DE BOUCHAVANNES, LE CHEVALIER DE ROCHE-

BARON. *Ils sont assis à des tables devant la porte; les uns*
fument, les autres jouent aux dés et boivent. — *Ensuite* LE
CHEVALIER DE MONTPESAT, LE COMTE DE VILLAC; — *puis*
L'ANGELY [13], — *puis* le crieur public *et* la foule.

BRICHANTEAU, *se levant, à Gassé qui entre.*

Gassé ! —

Ils se serrent la main.

Tu viens à Blois joindre le régiment ?

Le saluant.

Nous te complimentons de ton enterrement.

Examinant sa toilette.

₂₄₅ Ah !

GASSÉ

C'est la mode. Orange, avec des faveurs bleues.

Croisant les bras et retroussant ses moustaches.

Savez-vous bien que Blois est à quarante lieues
De Paris ?

BRICHANTEAU

C'est la Chine !

GASSÉ

Et cela fait crier
Les femmes ! Pour nous suivre il faut s'expatrier !

BOUCHAVANNES, *se détournant du jeu.*

Monsieur vient de Paris ?

ROCHEBARON, *quittant sa pipe.*

Dit-on quelques nouvelles ?

GASSÉ, *saluant.*

₂₅₀ Point. — Corneille toujours met en l'air les cervelles.
Guiche a l'ordre [14]. Ast est duc. Puis des riens à foison.
De trente huguenots on a fait pendaison.
Toujours nombre de duels. Le trois, c'était d'Angennes
Contre Arquien pour avoir porté du point de Gênes ;
₂₅₅ Lavardin avec Pons s'est rencontré le dix
Pour avoir pris à Pons la femme de Sourdis ;
Sourdis avec d'Ailly pour une du théâtre
De Mondori [15]. Le neuf, Nogent avec Lachâtre

Pour avoir mal écrit trois vers de Colletet [16] ;
260 Gorde avec Margaillan, pour l'heure qu'il était ;
D'Humière avec Gondi, pour le pas à l'église ;
Et puis tous les Brissac contre tous les Soubise
A propos du pari d'un cheval contre un chien.
Enfin, Caussade avec Latournelle, pour rien ;
265 Pour le plaisir. Caussade a tué Latournelle.

BRICHANTEAU

Heureux Paris ! les duels ont repris de plus belle !

GASSÉ

C'est la mode.

BRICHANTEAU

   Toujours festins, amours, combats.
On ne peut s'amuser et vivre que là-bas.

            Bâillant.

Mais on s'ennuie ici de façon paternelle !

            A Gassé.

270 Tu dis donc que Caussade a tué Latournelle ?

GASSÉ

Oui, d'un bon coup d'estoc.

    Examinant les manches de Rochebaron.

      Qu'avez-vous là, mon cher ?
Songez que ce n'est plus la mode du bel air.
Aiguillettes ! boutons ! d'honneur, rien n'est plus triste.
Des nœuds et des rubans !

BRICHANTEAU

     Refais-nous donc la liste
275 De tous ces duels. Qu'en dit le roi ?

GASSÉ

      Le cardinal
Est furieux, et veut un prompt remède au mal.

BOUCHAVANNES

Point de courrier du camp ?

GASSÉ

     Je crois que par surprise
Nous avons pris Figuère [17], ou bien qu'on nous l'a prise.

Réfléchissant.

C'est à nous qu'on l'a prise.

ROCHEBARON

Et que dit de ce coup

280 Le roi ?

GASSÉ

Le cardinal n'est pas content du tout.

BRICHANTEAU

Que fait la cour ? Le roi se porte bien sans doute ?

GASSÉ

Non pas. Le cardinal a la fièvre et la goutte [18],
Et ne va qu'en litière.

BRICHANTEAU

Etrange original !
Quand nous te parlons roi, tu réponds cardinal.

GASSÉ

285 Ah ! — c'est la mode.

BOUCHAVANNES

Ainsi rien de nouveau ?

GASSÉ

Que dis-je ?
Pas de nouvelles ? — Mais, un miracle, un prodige,
Qui tient depuis deux mois Paris en passion !
La fuite, le départ, la disparition...

BRICHANTEAU

De qui ?

GASSÉ

De Marion de Lorme, de la belle
290 Des belles.

BRICHANTEAU, *d'un air mystérieux.*

A ton tour écoute une nouvelle.

Elle est ici.

GASSÉ

Vraiment ! à Blois !

BRICHANTEAU

Incognito.

GASSÉ, *haussant les épaules.*

Marion ! — Vous raillez, monsieur de Brichanteau !
Elle ici ! Marion ! elle qui fait la mode !
Mais c'est que de Paris ce Blois est l'antipode !
295 Regardez : — tout est laid, tout est vieux, tout est mal.

Montrant les tours de Saint-Nicolas.

Ces clochers même ont l'air gauche et provincial !

ROCHEBARON

C'est vrai.

BRICHANTEAU

Douterez-vous que Saverny l'ait vue ?
Cachée ici ? déjà d'un grand amant pourvue ?
Lequel même a sauvé Saverny, s'il vous plaît,
300 De voleurs qui la nuit l'avaient pris au collet,
Bons larrons, qui voulaient faire en cette rencontre
L'aumône avec sa bourse et voir l'heure à sa montre.

GASSÉ

Mais c'est toute une histoire !

ROCHEBARON, *à Brichanteau.*

En êtes-vous bien sûr ?

BRICHANTEAU

Comme j'ai six besants d'argent [19] sur champ d'azur !
305 Si bien que Saverny depuis n'a d'autre envie
Que de trouver cet homme auquel il doit la vie.

BOUCHAVANNES

Mais il peut bien l'aller trouver chez elle.

BRICHANTEAU

Non.
Elle a changé depuis de logis et de nom.
On a perdu sa trace.

*Marion et Didier traversent lentement le fond sans être vus
des interlocuteurs, et entrent par une petite porte dans
une des maisons latérales.*

GASSÉ

Il fallait que je vinsse
310 A Blois, pour retrouver Marion en province !

*Entrent MM. de Villac et de Montpesat, parlant haut et
se disputant.*

VILLAC

Moi je te dis que non !

MONTPESAT

                                   Moi je te dis que si !

VILLAC

Le Corneille est mauvais !

MONTPESAT

                                   Traiter Corneille ainsi !
Corneille enfin, l'auteur du *Cid* et de *Mélite !*

VILLAC

Mélite, soit ! j'en dois avouer le mérite ;
315 Mais Corneille n'a fait que descendre depuis,
Comme ils font tous ! Pour toi je fais ce que je puis.
Parle-moi de *Mélite* et de *La Galerie
Du Palais* [20] ! Mais *Le Cid*, qu'est cela, je te prie ?

GASSÉ, *à Montpesat.*

Monsieur est modéré.

MONTPESAT

                                   Le Cid est bon !

VILLAC

                                                     Méchant !
320 Ton *Cid*, mais Scudéry [21] l'écrase en le touchant !
Quel style ! ce ne sont que choses singulières,
Que façons de parler basses et familières.
Il nomme à tout propos les choses par leurs noms.
Puis *Le Cid* est obscène [22] et blesse les canons [23].
Le Cid n'a pas le droit d'épouser son amante.
Tiens, mon cher, as-tu lu *Pyrame* [24] et *Bradamante* [25] ?
Quand Corneille en fera de pareils, donne-m'en.

ROCHEBARON, à *Montpesat*.

Lisez aussi *Le Grand et Dernier Soliman* [26]
De monsieur Mairet. C'est la grande tragédie.
330 Mais *Le Cid!*

VILLAC

                    Puis il a l'âme vaine et hardie,
Croit-il pas égaler messieurs de Boisrobert,
Chapelain, Serisay, Mairet, Gombault, Habert,
Bautru, Giry, Faret, Desmarets, Malleville,
Duryer, Cherisy, Colletet, Gomberville [27],
335 Toute l'académie enfin !

BRICHANTEAU, *riant de pitié et haussant les épaules*.

C'est excellent !

VILLAC

Puis monsieur veut créer ! inventer ! Insolent !
Créer après Garnier ! après le Théophile !
Après Hardy ! Le fat ! Créer, chose facile !
Comme si ces esprits fameux avaient laissé
340 Quelque chose après eux qui ne fût pas usé !
Chapelain là-dessus le raille d'une grâce [28] !

ROCHEBARON

Corneille [29] est un croquant !

BOUCHAVANNES

                    Mais l'évêque de Grasse,
Monsieur Godeau [30], m'a dit qu'il a beaucoup d'esprit.

MONTPESAT

Beaucoup !

VILLAC

                    S'il écrivait autrement qu'il n'écrit,
345 S'il suivait Aristote [31] et la bonne méthode...

GASSÉ

Messieurs, faites la paix. Corneille est à la mode.
Il succède à Garnier, comme font de nos jours
Les grands chapeaux de feutre aux mortiers de velours [32].

MONTPESAT

Moi, je suis pour Corneille et les chapeaux de feutre.

GASSÉ, *à Montpesat.*

350 Tu vas trop loin ! —

A Villac.

Garnier est très beau. — je suis
[neutre,

Mais Corneille a du bon parfois.

VILLAC

D'accord.

ROCHEBARON

D'accord.

C'est un garçon d'esprit et que j'estime fort.

BRICHANTEAU

Mais ce Corneille-là, c'est de courte noblesse ?

ROCHEBARON

Ce nom sent le bourgeois d'une façon qui blesse.

BOUCHAVANNES

355 Famille de robins, de petits avocats,
Qui se sont fait des sous en rognant des ducats.
*Entre L'Angely, qui va s'asseoir à une table seul et en
silence. — En noir, velours et passequilles* [33] *d'or.*

VILLAC

Messieurs si le public goûte ses rapsodies [34],
C'en est fait du bel art des tragi-comédies !
Le théâtre est perdu, ma parole d'honneur !
360 C'est ce que Richelieu...

GASSÉ, *regardant L'Angely de travers.*

Dites donc monseigneur,

Ou parlez plus bas...

BRICHANTEAU

Baste ! au diable l'éminence !
N'est-ce donc pas assez que, soldats et finance,
Il ait tout, que de tout il puisse disposer,
Sans que sur notre langue il vienne encor peser !

BOUCHAVANNES

365 Meure le Richelieu qui déchire et qui flatte !
L'homme à la main sanglante, à la robe écarlate !

ROCHEBARON

A quoi donc sert le roi ?

BRICHANTEAU

                    Les peuples dans la nuit
Vont marchant, l'œil fixé sur un flambeau qui luit.
Il est le flambeau, lui. Le roi, c'est la lanterne
370 Qui le sauve du vent sous sa vitre un peu terne.

BOUCHAVANNES

Oh! puissions-nous un jour, et ce jour sera beau,
Du vent de notre épée éteindre ce flambeau!

ROCHEBARON

Ah! si chacun pensait comme moi sur son compte!...

BRICHANTEAU

Nous nous réunirions...

                                        A Bouchavannes.
                        Qu'en penses-tu, vicomte ?

BOUCHAVANNES

375 Et nous lui donnerions un bon coup de Jarnac [35]!

        L'ANGELY, *se levant, d'une voix lugubre.*
Un complot! Jeunes gens, songez à Marillac [36]!
Tous tressaillent, se retournent, et se taisent consternés,
    l'œil fixé sur L'Angély, qui se rassied en silence.

        VILLAC, *prenant Montpesat à l'écart.*
Chevalier, tout à l'heure, à propos de Corneille,
Tu m'as parlé d'un ton qui m'a choqué l'oreille.
Je voudrais à mon tour te dire, s'il te plaît,
380 Deux mots.

MONTPESAT

        A l'épée ?

VILLAC

Oui.

MONTPESAT

                    Veux-tu le pistolet ?

VILLAC

L'un et l'autre.

MONTPESAT, *lui prenant le bras.*

Cherchons quelque coin par la ville.

L'ANGELY, *se levant.*

Un duel! Souvenez-vous du sieur de Boutteville [37]!

*Nouvelle consternation dans l'assistance. Villac et Mont-
pesat se quittent, l'œil attaché sur L'Angely.*

ROCHEBARON

Quel est cet homme noir qui me fait peur, ma foi ?

L'ANGELY

Mon nom est L'Angely. Je suis bouffon du roi.

BRICHANTEAU, *riant.*

385 Je ne m'étonne plus que le roi soit si triste.

BOUCHAVANNES, *riant.*

C'est un plaisant bouffon qu'un fou cardinaliste!

L'ANGELY, *debout.*

Prenez garde, messieurs. Le ministre est puissant;
C'est un large faucheur qui verse à flots le sang;
Et puis, il couvre tout de sa soutane rouge,
390 Et tout est dit.
                                              Un silence.

GASSÉ

Mordieu!

ROCHEBARON

                    Du diable si je bouge!

BRICHANTEAU

Çà, près de ce bouffon Pluton [38] est un rieur.

*Entre un flot de peuple qui sort des rues et des maisons et
couvre la place. Au milieu, le crieur public à cheval, avec
quatre valets de ville en livrée, dont un sonne de la
trompe, tandis qu'un autre bat du tambour.*

GASSÉ

Que vient donc faire ici ce peuple ? — Ah ! le crieur !
Que va-t-il nous chanter, en fait de patenôtre ?

BRICHANTEAU, *à un bateleur qui est mêlé à la foule
et qui porte un singe sur son dos.*

Mon bon ami, lequel de vous deux fait voir l'autre ?

MONTPESAT, *à Rochebaron.*

395 Voyez donc si nos jeux de cartes sont complets.

Montrant les quatre valets de ville en livrée.

Je gage qu'en l'un d'eux on a pris ces valets.

LE CRIEUR PUBLIC, *d'une voix nasillarde.*

Bourgeois, silence !

BRICHANTEAU, *bas, à Gassé.*

Il est d'une mine farouche
Et sa voix doit user son nez plus que sa bouche.

LE CRIEUR

« Ordonnance. — Louis, par la grâce de Dieu... »

BOUCHAVANNES, *bas, à Brichanteau.*

400 Manteau fleurdelysé qui cache Richelieu !

L'ANGELY

Ecoutez, messieurs !

LE CRIEUR, *poursuivant.*

« ... Roi de France et de Navarre... »

BRICHANTEAU, *bas, à Bouchavannes.*

Un beau nom dont jamais ministre n'est avare.

LE CRIEUR, *poursuivant.*

« ... A tous ceux qui verront ces présentes, salut !

Il salue.

« Ayant considéré que chaque roi voulut
405 « Exterminer le duel par des peines sévères ;
« Que malgré les édits, signés des rois nos pères,
« Les duels sont aujourd'hui plus nombreux que jamais ;
« Ordonnons et mandons, voulons que désormais

« Les duellistes, félons qui de sujets nous privent,
410 « Qu'il en survive un seul ou que tous deux survivent,
« Soient pour être amendés traduits en notre cour,
« Et, noble ou vilains, soient pendus haut et court.
« Et, pour rendre en tout point l'édit plus efficace,
« Renonçons pour ce crime à notre droit de grâce.
415 « C'est notre bon plaisir. — Signé LOUIS. — Plus bas
« RICHELIEU. »

Indignation parmi les gentilshommes.

BRICHANTEAU

Nous, pendus comme des Barabbas !

BOUCHAVANNES

Nous pendre ! Dites-moi comment l'endroit se nomme
Où l'on trouve une corde à pendre un gentilhomme !

LE CRIEUR, *poursuivant.*

« Nous, prévôt, pour que tous se le tiennent pour dit,
420 « Enjoignons qu'en la place on attache l'édit. »

*Deux valets de ville attachent un grand écriteau à une
potence en fer qui sort d'un mur à droite.*

GASSÉ

A la bonne heure, au moins ! c'est l'édit qu'il faut pendre.

BOUCHAVANNES, *secouant la tête.*

Oui, comte !... — en attendant celui qui l'a fait rendre !

*Le crieur sort. Le peuple se retire. — Entre Saverny. — Le
jour commence à baisser.*

SCÈNE II

LES PRÉCÉDENTS, LE MARQUIS DE SAVERNY.

BRICHANTEAU, *allant à Saverny.*

Mon cousin Saverny ! — Hé bien, as-tu trouvé
L'homme qui des larrons l'autre nuit t'a sauvé ?

SAVERNY

425 Non. Par la ville en vain je cherche, je m'informe.
Les voleurs, le jeune homme, et Marion de Lorme,
Tout s'est évanoui comme un rêve qu'on a.

BRICHANTEAU

Mais tu dois l'avoir vu quand il te ramena
Comme un chrétien tiré des mains de l'infidèle ?

SAVERNY

430 Il a d'abord du poing renversé la chandelle.

GASSÉ

C'est étrange.

BRICHANTEAU

Pourtant tu le reconnaîtrais
En le rencontrant ?

SAVERNY

Non. Je n'ai point vu ses traits.

BRICHANTEAU

Sais-tu son nom ?

SAVERNY

Didier.

ROCHEBARON

Ce n'est pas un nom d'homme,
C'est un nom de bourgeois.

SAVERNY

C'est Didier qu'il se nomme.
435 Beaucoup, qui sont de race et qui font les vainqueurs,
Ont bien de plus grands noms, mais non de plus grands
[cœurs.
Moi, j'avais six voleurs, lui, Marion de Lorme;
Il la quitte, et me sauve. Ah! ma dette est énorme!
Et je la lui paîrai, je vous le jure à tous,
440 De tout mon sang!

VILLAC

Marquis, depuis quand payez-vous
Vos dettes ?

SAVERNY, *fièrement.*

J'ai toujours payé celles qu'on paie
Avec du sang. Mon sang, c'est ma seule monnaie.

*La nuit est tout à fait tombée. On voit les fenêtres de la ville
s'éclairer l'une après l'autre. — Entre un allumeur, qui
allume un réverbère, au-dessus de l'écriteau et s'en va. —
La petite porte par laquelle sont entrés Marion et Didier
se rouvre. Didier en sort rêveur, marchant lentement, les
bras croisés dans son manteau.*

SCÈNE III

LES PRÉCÉDENTS, DIDIER.

DIDIER, *s'avançant lentement du fond, sans être vu
ni entendu des autres.*

Marquis de Saverny !... — Je voudrais bien revoir
Ce fat, qui fut près d'elle effronté l'autre soir.
445 J'ai son air sur le cœur.

BOUCHAVANNES, *à Saverny qui cause avec Brichanteau.*

Saverny !

DIDIER, *à part.*

C'est mon homme !

*Il s'avance à pas lents, l'œil fixé sur les gentilshommes, et
vient s'asseoir à une table placée sous le réverbère qui
éclaire l'écriteau, à quelques pas de L'Angely, qui
demeure aussi immobile et silencieux.*

BOUCHAVANNES, *à Saverny qui se retourne.*

Connaissez-vous l'édit ?

SAVERNY

Quel édit ?

BOUCHAVANNES

Qui nous somme

De renoncer au duel ?

SAVERNY

Mais, c'est très sage.

BRICHANTEAU

Oui, mais

Sous peine de la corde.

SAVERNY

Ah! tu railles! — Jamais.
Qu'on pende les vilains, c'est très bien.

BRICHANTEAU, *lui montrant l'écriteau.*

Lis toi-même.
450 L'édit est sur le mur.

SAVERNY, *apercevant Didier.*

Hé! cette face blême

Peut me le lire.

A Didier, haussant la voix.

Holà! hé! l'homme au grand manteau!
L'ami! — Mon cher! —

A Brichanteau.

Je crois qu'il est sourd, Brichanteau.

DIDIER, *qui ne l'a pas quitté des yeux,*
levant lentement la tête.

Me parlez-vous?

SAVERNY

Pardieu! — Pour récompense honnête,
Lisez-nous l'écriteau placé sur votre tête.

DIDIER

455 Moi?

SAVERNY

Vous. Savez-vous pas épeler l'alphabet?

DIDIER, *se levant.*

C'est l'édit qui punit tout bretteur du gibet,
Qu'il soit noble ou vilain.

SAVERNY

Vous vous trompez, brave
[homme

Sachez qu'on ne doit pas pendre un bon gentilhomme;
Et qu'il n'est dans ce monde, où tous droits nous sont dus,
460 Que les vilains qui soient faits pour être pendus.

Aux gentilshommes.

Ce peuple est insolent!

A Didier, en ricanant.

            Vous lisez mal, mon maître!
Mais vous avez la vue un peu basse peut-être.
Otez votre chapeau, vous lirez mieux. Otez!

DIDIER, *renversant la table qui est devant lui.*

Ah! prenez garde à vous, monsieur! vous m'insultez.
465 Maintenant que j'ai lu, ma récompense honnête
Il me la faut! — Marquis, c'est ton sang, c'est ta tête!

SAVERNY, *souriant.*

Nos titres à tous deux, certes, sont bien acquis.
Je le devine peuple, il me flaire marquis.

DIDIER

Peuple et marquis pourront se colleter ensemble!
470 Marquis, si nous mêlions notre sang, que t'en semble?

SAVERNY, *reprenant son sérieux.*

Monsieur, vous allez vite, et tout n'est pas fini.
Je me nomme Gaspard, marquis de Saverny.

DIDIER

Que m'importe?

SAVERNY, *froidement.*

            Voici mes deux témoins. Le comte
De Gassé; l'on n'a rien à dire sur son compte;
475 Et monsieur de Villac, qui tient à la maison
La Feuillade, dont est le marquis d'Aubusson [39].
Maintenant êtes-vous noble homme?

DIDIER

                      Que t'importe?
Je ne suis qu'un enfant trouvé sur une porte,
Et je n'ai pas de nom. Mais, cela suffit bien,
480 J'ai du sang à répandre en échange du tien!

SAVERNY

Non pas, monsieur, cela ne peut suffire, en somme;
Mais un enfant trouvé de droit est gentilhomme,
Attendu qu'il peut l'être; et que c'est plus grand mal,
Dégrader un seigneur qu'anoblir un vassal.
485 Je vous rendrai raison. — Votre heure?

DIDIER

Tout de suite.

SAVERNY

Soit. — Vous n'usurpez pas la qualité susdite ?...

DIDIER

Une épée!

SAVERNY

Il n'a pas d'épée! Ah! pasquedieu!
C'est mal. On vous prendrait pour quelqu'un de bas lieu.

Offrant sa propre épée à Didier.

La voulez-vous ? Elle est fidèle et bien trempée.
L'Angely se lève, tire son épée et la présente à Didier.

L'ANGELY

490 Pour faire une folie, ami, prenez l'épée
D'un fou. — Vous êtes brave, et lui ferez honneur.

Ricanant.

En échange, écoutez, pour me porter bonheur
Vous me laisserez prendre un bout de votre corde.

DIDIER, *prenant l'épée, amèrement.*

Soit.

Au marquis.

Maintenant Dieu fasse aux bons miséricorde!

BRICHANTEAU, *sautant de joie.*

495 Un bon duel! c'est charmant!

SAVERNY, *à Didier.*

Mais où nous mettre ?

DIDIER

Sous

Ce réverbère.

GASSÉ

Allons! messieurs, êtes-vous fous ?
On n'y voit pas. Ils vont s'éborgner, par saint George!

DIDIER

On y voit assez clair pour se couper la gorge.

SAVERNY

Bien dit.

VILLAC

On n'y voit pas!

DIDIER

On y voit assez clair,
500 Vous dis-je! et chaque épée est dans l'ombre un éclair!
Allons, marquis! .

Tous deux jettent leurs manteaux, ôtent leurs chapeaux, dont
ils se saluent et qu'ils jettent derrière eux. — Puis ils
tirent leurs épées.

SAVERNY

Monsieur, à vos ordres.

DIDIER

En garde!

Ils croisent le fer et ferraillent pied à pied, en silence et avec
fureur. — Tout à coup, la petite porte s'entrouvre, et
Marion en robe blanche paraît.

SCÈNE IV

LES PRÉCÉDENTS, MARION

MARION

Quel est ce bruit?

Apercevant Didier sous le réverbère.

Didier!

Aux combattants.

Arrêtez!

Les combattants continuent.

A la garde!

SAVERNY

Qu'est-ce que cette femme?

DIDIER, *se détournant.*

Ah! Dieu!

BOUCHAVANNES, *accourant*, à Saverny.

Tout est perdu !
Le cri de cette femme au loin s'est entendu.
505 J'ai des archers de nuit vu briller les rapières.

Entrent les archers avec des torches.

BRICHANTEAU, à Saverny.

Fais le mort, ou tu l'es !

SAVERNY, *se laissant tomber.*

Ah !
Bas à Brichanteau, qui se penche sur lui.
Les maudites pierres !
Didier, qui croit l'avoir tué, s'arrête.

LE CAPITAINE QUARTENIER [40]

De par le roi !

BRICHANTEAU, *aux gentilshommes.*

Sauvons le marquis ! Il est mort
S'il est pris !

Les gentilshommes entourent Saverny.

LE CAPITAINE QUARTENIER

Arrêtez ! messieurs ! — Pardieu, c'est fort !
Venir se battre en duel sous la propre lanterne
510 De l'édit !

A Didier.

Rendez-vous !
*Les archers saisissent et désarment Didier, qui est resté
seul. — Montrant Saverny couché à terre et entouré des
gentilshommes.*

Et cet autre à l'œil terne,
Qu'est-il ? Son nom ?

BRICHANTEAU

Gaspard, marquis de Saverny.
Il est mort.

LE CAPITAINE QUARTENIER

Mort ? Alors son procès est fini.
Il fait bien. Cette mort vaut encor mieux que l'autre.

MARION, *effrayée.*

Que dit-il ?

LE CAPITAINE QUARTENIER, *à Didier.*

Maintenant, cette affaire est la vôtre.
515 Venez, monsieur.

Les archers emmènent Didier d'un côté. Les gentilshommes
emportent Saverny de l'autre.

DIDIER, *à Marion, immobile de terreur.*

Adieu, Marie, oubliez-moi !

Adieu !

Ils sortent.

SCÈNE V

MARION, L'ANGÉLY

MARION, *courant pour le retenir.*

Didier ! Pourquoi cet adieu-là ? pourquoi
T'oublier ?

Les soldats la repoussent; elle revient vers L'Angély avec
angoisse.

Est-il donc perdu pour cette affaire ?
Monsieur, qu'a-t-il donc fait, et que veut-on lui faire ?

L'ANGÉLY *lui prend la main et la mène en silence*
devant l'écriteau.

Lisez.

MARION. *Elle lit et recule avec horreur.*

Dieu ! juste Dieu ! la mort ! Ils me l'ont pris !
520 Ils le tueront ! C'est moi qui le perds par mes cris !
J'appelais au secours, mais à mes cris funèbres
La mort venait, hâtant ses pas dans les ténèbres !
— C'est impossible ! — Un duel ! est-ce un si grand
[forfait ?

A L'Angély.

N'est-ce pas qu'on ne peut le condamner ?

L'ANGÉLY

Si fait.

MARION

525 Mais il peut s'échapper.

L'ANGÉLY

Les murailles sont hautes!

MARION

Ah! c'est moi qui lui fais un crime avec mes fautes!
Dieu le frappe pour moi. — Mon Didier! —

A L'Angély.

Savez-vous
Que c'est lui pour qui rien ne m'eût semblé trop doux?
Dieu! les cachots! la mort! Peut-être la torture!...

L'ANGÉLY

530 Peut-être. — Si l'on veut.

MARION

Mais je puis d'aventure
Voir le roi? Le roi porte un cœur vraiment royal,
Il fait grâce?

L'ANGÉLY

Oui, le roi. Mais non le cardinal.

MARION, *égarée.*

Mais qu'en ferez-vous donc?

L'ANGÉLY

L'affaire est capitale.
Il faut qu'il roule au bas de la pente fatale.

MARION

535 C'est horrible.

A L'Angély.

Monsieur, vous me glacez d'effroi!
Et qui donc êtes-vous?

L'ANGÉLY

Je suis bouffon du roi.

MARION

O mon Didier! je suis indigne, vile, infâme.
Mais ce que Dieu peut faire avec des mains de femme,
Je te le montrerai. Je te suis!

Elle sort du côté par où est sorti Didier.

L'Angély, *resté seul.*

Dieu sait où!

Ramassant son épée laissée à terre par Didier.

540 Çà, qui dirait qu'ici c'est moi qui suis le fou ?

Il sort.

ACTE TROISIÈME

LA COMÉDIE

CHÂTEAU DE NANGIS

Un parc dans le goût de Henri IV. — Au fond, sur une
hauteur, on voit le château de Nangis, neuf et vieux.
Le vieux, donjon à ogives et tourelles; le neuf, maison
haute, en briques, à coins de pierre de taille, à toit
pointu. — La grande porte du vieux donjon est tendue
de noir, et de loin on y distingue un écusson, celui des
familles de Nangis et de Saverny.

SCÈNE PREMIÈRE

M. DE LAFFEMAS [41], *petit costume de magistrat du temps;*
LE MARQUIS DE SAVERNY, *déguisé en officier du régiment d'Anjou, perruque, moustaches et royale* [42] *noires,
un emplâtre sur l'œil.*

LAFFEMAS

Çà, vous étiez présent, monsieur, à l'algarade ?

SAVERNY, *retroussant sa moustache.*

Monsieur, j'avais l'honneur d'être son camarade.
Il est mort.

LAFFEMAS

Le marquis de Saverny ?

SAVERNY
                                        Bien mort !
D'une botte poussée en tierce, qui d'abord
545 A rompu le pourpoint, puis s'est fait une voie
Entre les côtes, par le poumon, jusqu'au foie,
Qui fait le sang, ainsi que vous devez savoir,
Si bien que la blessure était horrible à voir !

LAFFEMAS
Est-il mort sur le coup ?

SAVERNY
                                        A peu près. Son martyre
550 A peu duré. J'ai vu succéder au délire
Le spasme, puis au spasme un affreux tétanos,
Et l'emprostothonos à l'opistothonos [43].

LAFFEMAS
Diable !

SAVERNY
                        D'après cela, voyez-vous, je calcule
Qu'il est faux que le sang passe par la jugule [44],
555 Et qu'on devrait punir Pecquet [45] et les savants
Qui, pour voir leurs poumons, ouvrent des chiens
                                                [vivants.

LAFFEMAS
Mort, ce pauvre marquis !

SAVERNY
                                Une botte assassine !

LAFFEMAS
Vous êtes donc, monsieur, docteur en médecine ?

SAVERNY
Non.

LAFFEMAS
Vous l'avez pourtant étudiée ?

SAVERNY
                                        Un peu,
560 Dans Aristote [46].

LAFFEMAS
                        Aussi vous en parlez, morbleu !

SAVERNY

Ma foi, je suis d'un cœur fort épris de malice ;
Nuire me plaît. Je fais le mal avec délice ;
J'aime à tuer. Aussi j'eus toujours le dessein
De me faire à vingt ans soldat ou médecin.
565 J'ai longtemps hésité. Puis j'ai choisi l'épée.
C'est moins sûr, mais plus prompt. — J'eus bien l'âme
[occupée
Un moment d'être acteur, poète et montreur d'ours ;
Mais j'aime assez dîner et souper tous les jours.
Foin des ours et des vers !

LAFFEMAS

                    Pour cette fantaisie,
570 Vous aviez donc, mon cher, appris la poésie ?

SAVERNY

Un peu, dans Aristote.

LAFFEMAS

                    Et vous étiez connu
Du marquis ?

SAVERNY

                    Je ne suis qu'un soldat parvenu.
Il était lieutenant que j'étais anspessade [47].

LAFFEMAS

Vraiment ?

SAVERNY

                    J'étais d'abord à monsieur de Caussade,
575 Lequel au colonel du marquis me donna.
Maigre était le cadeau. L'on donne ce qu'on a.
Ils m'ont fait officier ; j'ai la moustache noire,
Et j'en vaux bien un autre, et voilà mon histoire !

LAFFEMAS

On vous a donc chargé de venir au château
580 Avertir l'oncle ?

SAVERNY

                    Avec son cousin Brichanteau
Je suis venu, traînant son cercueil en carrosse
Pour qu'on l'enterre ici, comme on eût fait sa noce.

LAFFEMAS

Comment le vieux marquis de Nangis a-t-il pris
La mort de son neveu ?

SAVERNY

Sans bruit, sans pleurs, sans cris.

LAFFEMAS

585 Il l'aimait fort pourtant ?

SAVERNY

Comme on aime sa vie.
Sans enfants, il n'avait qu'un amour, qu'une envie,
Qu'un espoir, — ce neveu, qu'il aimait d'un cœur chaud,
Quoiqu'il ne l'eût pas vu depuis cinq ans bientôt [48].

*Passe au fond le vieux marquis de Nangis. — Cheveux
blancs, visage pâle, les bras croisés sur la poitrine. Habit
à la mode de Henri IV. Grand deuil. La plaque et le
cordon du Saint-Esprit. Il marche lentement. Neuf gardes,
vêtus de deuil, la hallebarde sur l'épaule droite et le mous-
quet sur l'épaule gauche, le suivent sur trois rangs à
quelque distance, s'arrêtant quand il s'arrête et marchant
quand il marche.*

LAFFEMAS, *le regardant passer.*

Pauvre homme !

Il va au fond et suit le marquis des yeux.

SAVERNY, *à part.*

Mon bon oncle !

Entre Brichanteau, qui va à Saverny.

SCÈNE II

LES MÊMES, BRICHANTEAU.

BRICHANTEAU

Ah ! deux mots à l'oreille.

Riant.

590 Mais depuis qu'il est mort, il se porte à merveille !

SAVERNY, *bas lui montrant le marquis qui passe.*

Regarde Brichanteau. — Pourquoi m'as-tu forcé
De lui porter ce coup que j'étais trépassé ?
Si nous lui disions tout ? Veux-tu pas que j'essaie ?

BRICHANTEAU

Garde-t'en bien ! Il faut que sa douleur soit vraie.
595 Il faut qu'à tous les yeux il pleure abondamment.
Son deuil est un côté de ton déguisement.

SAVERNY

Mon pauvre oncle !

BRICHANTEAU

Il se peut bientôt qu'il te revoie.

SAVERNY

S'il n'est mort de douleur, il mourra de la joie.
De tels coups sont trop forts pour un vieillard.

BRICHANTEAU

Mon cher,
Il le faut.

SAVERNY

600   J'ai grand'peine à voir son rire amer
Par moments, son silence et ses pleurs. Il me navre
A baiser ce cercueil !

BRICHANTEAU

Un cercueil sans cadavre.

SAVERNY

Oui, mais il m'a bien mort et sanglant dans son cœur.
C'est là qu'est le cadavre.

LAFFEMAS, *revenant.*

Ah ! pauvre vieux seigneur !
605 Comme on voit dans ses yeux le chagrin qui le mine !

BRICHANTEAU, *bas à Saverny.*

Quel est cet homme noir et de mauvaise mine ?

SAVERNY, *avec un geste d'ignorance.*

Quelque ami qui se trouve au château.

BRICHANTEAU, *bas.*

Le corbeau
Est noir de même et vient à l'odeur du tombeau.
Plus que jamais, tais-toi. — C'est une face ingrate
610 Et louche, à rendre un fou prudent comme Socrate!

Rentre le marquis de Nangis, toujours plongé dans une pro-
fonde rêverie. Il vient à pas lents, sans paraître voir per-
sonne, s'asseoir sur un banc de gazon.

SCÈNE III

LES MÊMES, LE MARQUIS DE NANGIS

LAFFEMAS, *allant au-devant du vieux marquis.*

Ah! monsieur le marquis! nous avons bien perdu.
C'était un neveu rare, et qui vous eût rendu
La vieillesse bien douce. Avec vous je le pleure.
Beau, jeune, on n'était point de nature meilleure!
615 Servant Dieu, réservé près des femmes, toujours
Juste en ses actions et sage en ses discours.
Un seigneur parfait, brave, et que chacun célèbre!
Mourir si tôt!

Le vieux marquis laisse tomber sa tête dans ses mains.

SAVERNY, *bas à Brichanteau.*

Le diable ait l'oraison funèbre!
Il me loue, et le rend plus triste, sur ma foi!
620 Toi, pour te consoler, dis-lui du mal de moi.

BRICHANTEAU, *à Laffemas.*

Vous vous trompez, monsieur. J'étais du même grade
Que Saverny. C'était un mauvais camarade,
Un fort méchant sujet, qui dans ces derniers temps
Se gâtait tous les jours. Brave, on l'est à vingt ans;
625 Mais, après tout, sa mort n'est pas digne d'estime.

LAFFEMAS

Un duel! Mais voyez donc! le grand mal! le grand crime!
A Brichanteau, d'un air goguenard, lui montrant son épée.
Vous êtes officier?

BRICHANTEAU, *du même ton, lui montrant sa perruque.*
Vous êtes magistrat ?

SAVERNY, *bas.*

Continue.

BRICHANTEAU

Il était quinteux, menteur, ingrat.
Peu regrettable au fond ; il allait aux églises,
630 Mais pour cligner de l'œil avec les Cidalises [49].
Ce n'était qu'un galant, qu'un fou, qu'un libertin.

SAVERNY, *bas.*

Bien ! bien !

BRICHANTEAU

Avec ses chefs indocile et mutin.
Quant à sa bonne mine, il l'avait fort perdue,
Boitait, avait sur l'œil une loupe étendue,
635 De blond devenait roux, et de courbé bossu.

SAVERNY, *bas.*

Assez.

BRICHANTEAU

Puis il jouait, on s'en est aperçu.
Il eût joué son âme aux dés, et je parie
Qu'il avait au brelan mangé sa seigneurie.
Tout son bien chaque nuit s'en allait au grand trot.

SAVERNY, *le tirant par la manche.* — *Bas.*

640 Assez, que diable, assez ! tu le consoles trop !

LAFFEMAS, *à Brichanteau.*

Mal parler d'un ami défunt, c'est sans excuse !

BRICHANTEAU, *montrant Saverny.*

Demandez à monsieur.

SAVERNY

Ah ! moi, je me récuse.

LAFFEMAS, *affectueusement au vieux marquis.*

Monseigneur, monseigneur, nous vous consolerons.
On a son meurtrier ; — eh bien ! nous le pendrons !

645 Il est sous bonne garde, et son affaire est sûre.

A Brichanteau et à Saverny.

Comprend-on le marquis de Saverny ? Je jure
Qu'il est des duels que nul ne peut répudier;
Mais s'aller battre avec je ne sais quel Didier !

SAVERNY, *à part.*

Didier !

*Le vieux marquis, qui est resté pendant toute la scène immo-
bile et muet, se lève et sort à pas lents du côté opposé à
celui d'où il est venu. Ses gardes le suivent.*

LAFFEMAS, *essuyant une larme et le suivant des yeux.*

En vérité, sa douleur me pénètre.

UN VALET, *accourant.*

650 Monseigneur !

BRICHANTEAU

Laissez donc tranquille votre maître.

LE VALET

C'est pour l'enterrement du feu marquis Gaspard.
Quelle heure fixe-t-on ?

BRICHANTEAU

Vous le saurez plus tard.

LE VALET

Puis, des comédiens, qui viennent de la ville,
Pour cette nuit céans demandent un asile.

BRICHANTEAU

655 Pour des comédiens le jour est mal choisi;
Mais l'hospitalité, c'est un devoir aussi.

Montrant une grange à gauche.

Donnez-leur cette grange.

LE VALET, *tenant une lettre.*

Une lettre qui presse...

Lisant.

Monsieur de Laffemas...

LAFFEMAS

Donnez. C'est mon adresse.

BRICHANTEAU, *bas à Saverny,*
qui est resté pensif dans un coin.

Hâtons-nous, Saverny! viens tout expédier
660 Pour ton enterrement.

                                    Le tirant par la manche.

                    Çà, rêves-tu ?

SAVERNY, *à part.*

                              Didier!

                                        Ils sortent.

SCÈNE IV

LAFFEMAS, *seul.*

C'est le sceau de l'état. — Oui, le grand sceau de cire
Rouge. Allons! quelque affaire! Ouvrons vite.

                                                  Lisant.

                                          « Messire

« Lieutenant criminel, on vous fait ici part
« Que Didier, l'assassin du feu marquis Gaspard,
665 « S'est échappé... » — Mon Dieu, c'est un malheur
                                              [énorme!
« Une femme, qu'on dit la Marion de Lorme,
« L'accompagne. Veuillez au plus tôt revenir. »
— Vite, des chevaux! — Moi qui croyais le tenir!
Bon! une affaire encor manquée, et mal conduite!
670 Malheur! sur deux, pas un! L'un est mort, l'autre en
                                              [fuite.
Ah! je le reprendrai!

Il sort. — Entre une troupe de comédiens de campagne,
hommes, femmes, enfants, en costumes de caractère. Parmi
eux, Marion et Didier, vêtus à l'espagnole; Didier coiffé
d'un grand feutre et enveloppé d'un manteau.

SCÈNE V

Les comédiens [50], Marion, Didier

UN VALET, *conduisant les comédiens à la grange.*
                    Voici votre logis.
Vous êtes chez monsieur le marquis de Nangis.
Tenez-vous décemment et tâchez de vous taire,
Car nous avons un mort que demain l'on enterre.
675 Surtout ne mêlez pas de chansons et de bruit
Aux chants que pour son âme on chantera la nuit.

Le Gracieux, *petit et bossu* [51].

Nous ferons moins de bruit que tous vos chiens de chasse
Qui vous vont aboyant aux jambes quand on passe.

Le valet

Mais des chiens ne sont pas des baladins, mon cher.

Le Taillebras, *au Gracieux.*

680 Tais-toi! tu nous feras, toi, coucher en plein air.

                                        Le valet sort.

Le Scaramouche, *à Marion et à Didier,*
qui jusque-là sont restés immobiles dans un coin.

Çà, maintenant, causons. Vous voilà de la troupe.
Pourquoi monsieur courait portant madame en croupe,
Si l'on est deux époux ou deux tendres amants,
Si l'on fuit la police, ou bien les nécromans [52],
685 Qui tenaient méchamment madame prisonnière,
Cela ne me regarde en aucune manière.
Que jouerez-vous ? voilà tout ce que je veux voir.
— Ecoute, tu feras les Chimènes, œil noir!

                                Marion fait une révérence.

Didier, *indigné.* — A part.

Lui voir ainsi parler par un vil saltimbanque!

Le Scaramouche, *à Didier.*

690 Quant à toi, si tu veux d'un beau rôle, il nous manque
Un matamore. — On est fendu comme un compas,
On fait la grosse voix et l'on marche à grands pas,

Puis, quand on a d'Orgon [53] pris la femme ou la nièce,
On vient tuer le Maure à la fin de la pièce.
695 C'est un rôle tragique. Il t'irait entre tous.

DIDIER

Comme il vous plaira.

LE SCARAMOUCHE

> Bon. Mais ne me dis plus *vous*.
Tu me manques.

> *Avec une profonde révérence.*

Salut, matamore !

DIDIER, *à part.*

> Ces drôles !

LE SCARAMOUCHE, *aux autres comédiens.*

Sur ce, faisons la soupe, et repassons nos rôles.

Tous entrent dans la grange, excepté Marion et Didier.

SCÈNE VI

MARION, DIDIER, *puis* LE GRACIEUX, SAVERNY,
puis LAFFEMAS

DIDIER, *après un long silence et avec un rire amer.*

Marie ! Eh bien, l'abîme est-il assez profond ?
700 Vous ai-je, misérable, assez conduite au fond ?
Vous m'avez voulu suivre ! Hélas ! ma destinée
Marche, et brise la vôtre à sa roue enchaînée.
Eh bien, où sommes-nous ? — Je vous l'avais bien dit.

MARION, *tremblante et joignant les mains.*

Didier ! est-ce un reproche ?

DIDIER

> Ah ! que je sois maudit,
705 Et plus maudit du ciel, et plus proscrit des hommes
Qu'on ne le fut jamais et que nous ne le sommes,
Hélas ! si de ce cœur, dont toi seule es la foi,
Jamais il peut sortir un reproche pour toi !

Quand tout me frappe ici, me repousse et m'exile,
710 N'es-tu pas mon sauveur, mon espoir, mon asile ?
Qui trompa le geôlier ? Qui vint limer mes fers ?
Qui descendit du ciel pour me suivre aux enfers ?
Avec le prisonnier qui donc se fit captive ?
Avec le fugitif qui se fit fugitive ?
715 Quelle autre eût eu ce cœur, plein de ruse et d'amour,
Qui délivre, soutient, console tour à tour ?
Moi, fatal et méchant, m'as-tu pas, faible femme,
Sauvé de mon destin, hélas ! et de mon âme ?
N'as-tu pas eu pitié de ce pauvre opprimé ?
720 Moi, que tout haïssait, ne m'as-tu pas aimé ?

MARION, *pleurant.*

Didier, c'est mon bonheur, vous aimer et vous suivre !

DIDIER

Oh ! laisse de tes yeux, laisse, que je m'enivre !
Dieu voulut, en mêlant une âme à mon limon,
Accompagner mes jours d'un ange et d'un démon ;
725 Mais, oh ! qu'il soit béni, lui dont la grâce étrange
Me cache le démon et me laisse voir l'ange !

MARION

Vous êtes mon Didier, mon maître et mon seigneur.

DIDIER

Ton mari, n'est-ce pas ?

MARION, *à part.*

Hélas !

DIDIER

Que de bonheur,
En quittant cette terre implacable et jalouse,
730 Te prendre et t'avouer pour dame, et pour épouse !
Tu veux bien ? dis, réponds.

MARION

Je serai votre sœur,
Et vous serez mon frère.

DIDIER

Oh non ! cette douceur

De t'avoir devant Dieu pour mienne, pour sacrée,
Ne la refuse pas à mon âme altérée !
735 Va, tu peux avec moi venir en sûreté,
Car l'amant à l'époux garde ta pureté.

MARION, à part.

Hélas !

DIDIER

   Saviez-vous bien quel était mon supplice ?
Souffrir qu'un baladin vous parle et vous salisse !
Ah ! ce n'est pas la moindre entre tant de douleurs
740 Que de vous voir mêlée à ces vils bateleurs !
Vous, chaste et noble fleur, jetée avec ces femmes,
Avec ces hommes pleins d'impuretés infâmes !

MARION

Didier, soyez prudent.

DIDIER

   Dieu ! que j'ai combattu
Contre ma colère !... Ah ! cet homme, il vous dit : <i>tu !</i>
745 Quand moi, moi, votre époux, à peine encor je l'ose,
De crainte d'enlever à ce front quelque chose !

MARION

Vivez bien avec eux, il y va de vos jours, —
Des miens !

DIDIER

   Elle a raison, elle a raison toujours !
Ah ! quoique à chaque instant mon mauvais sort renaisse,
750 Tu me donnes ton cœur, ton bonheur, ta jeunesse !
D'où vient que tous ces dons sont prodigués pour moi
Qui seraient peu payés du royaume d'un roi ?
Je ne t'offre en retour que misère et folie.
Le ciel te donne à moi, l'enfer à moi te lie.
755 Pour mériter tous deux ce partage inégal,
Qu'ai-je donc fait de bien et qu'as-tu fait de mal ?

MARION

Ah ! Dieu, tout mon bonheur me vient de vous.

DIDIER, redevenu sombre.

         Ecoute :
Quand tu parles ainsi, tu le penses sans doute.

Mais je dois t'avertir, oui, mon astre est mauvais.
760 J'ignore d'où je viens et j'ignore où je vais.
Mon ciel est noir. — Marie, écoute une prière.
Il en est temps encor, toi, retourne en arrière.
Laisse-moi suivre seul ma sombre route; hélas!
Après ce dur voyage, et quand je serai las,
765 La couche qui m'attend, froide d'un froid de glace,
Est étroite, et pour deux n'a pas assez de place.
— Va-t'en!

MARION

Didier, je veux dans l'ombre et sans témoins
Partager avec vous... — oh! celle-là du moins!

DIDIER

Que veux-tu donc? Sais-tu qu'à me suivre poussée,
770 Tu vas cherchant l'exil, la misère? insensée!
Et peut-être, entends-tu? de si longues douleurs
Que tes yeux adorés s'éteindront dans les pleurs.

Marion laisse tomber sa tête dans ses mains.

Ah! je le jure ici, cette peinture est vraie,
Et tu me fais pitié! ton avenir m'effraie,
775 Va-t'en!

MARION, *éclatant en sanglots.*

Ah! tuez-moi, si vous voulez encor
Parler ainsi!

Sanglotant.

Mon Dieu!

DIDIER, *la prenant dans ses bras.*

Marie, ô mon trésor!
Tant de larmes! j'aurais donné mon sang pour une!
Fais ce que tu voudras! suis-moi, sois ma fortune,
Ma gloire, mon amour, mon bien et ma vertu!
780 Marie! ah! réponds-moi. Je parle, m'entends-tu?

Il l'assied doucement sur le banc de gazon.

MARION, *se dégageant de ses bras.*

Ah! vous m'avez fait mal.

DIDIER, *à genoux et courbé sur sa main.*

Moi qui mourrais pour elle!

MARION, *souriant dans ses larmes.*

Vous m'avez fait pleurer, méchant!

DIDIER

Vous êtes belle !

Il s'assied sur le banc à côté d'elle.

Un seul baiser, au front, pur comme nos amours !

*Il la baise au front. — Tous deux, assis, se regardent avec
ivresse.*

Regarde-moi, Marie, — encore, — ainsi, — toujours !

LE GRACIEUX, *entrant.*

785 On appelle doña Chimène dans la grange.

*Marion se lève précipitamment d'auprès de Didier. — En
même temps que le Gracieux, entre Saverny, qui s'arrête
au fond, et considère attentivement Marion, sans voir
Didier, qui est resté assis sur le banc, et qu'une broussaille
lui cache.*

SAVERNY, *au fond, sans être vu. — A part.*

Pardieu ! c'est Marion ! l'aventure est étrange !

Riant.

Chimène !

LE GRACIEUX, *à Didier qui veut suivre Marion.*

Restez là, vous, monsieur le jaloux.
Je veux vous taquiner.

DIDIER

Corps-Dieu !

MARION, *bas à Didier.*

Contenez-vous.

Didier se rassied. Elle entre dans la grange.

SAVERNY, *au fond. — A part.*

Qui donc lui fait courir le pays de la sorte ?
790 Serait-ce le galant qui m'a prêté main-forte
Et sauvé l'autre soir ? Son Didier ! c'est cela.

Entre Laffemas.

LAFFEMAS, *en habits de voyage, saluant Saverny.*

Monsieur, je prends congé de vous...

SAVERNY, *saluant.*

Ah ! vous voilà,

Monsieur ! vous nous quittez...

Il rit.

LAFFEMAS

Qu'avez-vous donc à rire ?

SAVERNY, *riant.*

C'est une folle histoire, et l'on peut vous la dire.
795 Parmi ces bateleurs qui ne font qu'arriver,
Là, devinez un peu qui je viens de trouver !

LAFFEMAS

Parmi ces bateleurs ?

SAVERNY

Oui.

Riant plus fort.

Marion de Lorme !

LAFFEMAS, *tressaillant.*

Marion de Lorme !

DIDIER, *qui depuis leur arrivée a le regard fixé sur eux.*

Hein !

Il se lève à demi sur son banc.

SAVERNY, *riant toujours.*

Il faut que j'en informe
Tout Paris. — Allez-vous, monsieur, de ce côté ?

LAFFEMAS

800 Oui, le fait y sera fidèlement porté.
Mais êtes-vous bien sûr d'avoir cru reconnaître ?...

SAVERNY

Vive France ! on connaît sa Marion, peut-être !

Fouillant dans sa poche.

J'ai sur moi son portrait, doux gage de sa foi,
Qu'elle fit peindre exprès par le peintre du roi.

Il donne à Laffemas un médaillon.

805 Comparez.

Montrant la porte de la grange.

On la voit par cette porte ouverte... —
En espagnole, — avec une basquine verte...

LAFFEMAS, portant les yeux tour à tour
sur le portrait et sur la grange.

C'est elle! — Marion de Lorme!...

A part.

Je le tiens!

A Saverny.

A-t-elle un compagnon parmi tous ces payens?

SAVERNY

Sans l'avoir vu, j'en jure. — Hé! sans être bégueules,
810 Ces dames n'aiment pas courir le pays seules.

LAFFEMAS, à part.

Faisons vite garder la porte. Il faudra bien
Que je démêle après le faux comédien.
A coup sûr, il est pris.

Il sort.

SAVERNY, regardant sortir Laffemas. — A part.

J'ai fait quelque sottise.

Bah!

Prenant à part le Gracieux, qui jusque-là était resté dans
un coin, gesticulant tout seul et grommelant son rôle entre
ses dents.

— Quelle est cette dame, — ici, — dans l'ombre,—
[assise?

Il lui montre la porte de la grange.

LE GRACIEUX

815 La Chimène?

Avec solennité.

Seigneur, je ne sais pas son nom.

Montrant Didier.

Parlez à ce seigneur, son noble compagnon.

Il sort du côté du parc.

SCÈNE VII

DIDIER, SAVERNY

SAVERNY, *se tournant vers Didier.*

C'est monsieur ? Dites-moi... — Mais c'est singulier
[comme
Il me regarde... Allons, mais c'est lui, c'est mon homme.—

Haut à Didier.

S'il n'était en prison, vous ressemblez, mon cher...

DIDIER

820 Et vous, s'il n'était mort, vous avez un faux air
D'un homme... — Que son sang sur sa tête retombe ! —
A qui j'ai dit deux mots qui l'ont mis dans la tombe.

SAVERNY

Chut ! — Vous êtes Didier !

DIDIER

Vous, le marquis Gaspard !

SAVERNY

C'est vous qui vous trouviez certain soir quelque part.
825 Donc, je vous dois la vie...

Il s'approche les bras ouverts. — Didier recule.

DIDIER

Excusez ma surprise,
Marquis, mais je croyais vous l'avoir bien reprise.

SAVERNY

Point. Vous m'avez sauvé, non tué. Maintenant,
Vous faut-il un second, un frère, un lieutenant ?
Que voulez-vous de moi ? mon bien ? mon sang ? mon
[âme ?

DIDIER

830 Non, rien de tout cela. Mais ce portrait de femme.

Saverny lui donne le portrait. Amèrement, en regardant le portrait.

Oui! voilà son beau front, son œil noir, son cou blanc,
Surtout son air candide, — il est bien ressemblant.

SAVERNY

Vous trouvez ?

DIDIER

C'est pour vous, dites, qu'elle fit faire
Ce portrait ?

SAVERNY, *avec un signe affirmatif, saluant Didier.*

A présent, c'est vous qu'elle préfère,
835 Vous qu'elle aime et choisit entre tant d'amoureux.
Heureux homme!

DIDIER, *avec un rire éclatant et désespéré.*

Est-ce pas que je suis bien heureux!

SAVERNY

Je vous fais compliment. C'est une bonne fille,
Et qui n'aime jamais que des fils de famille.
D'une telle maîtresse on a droit d'être fier,
840 C'est honorable; et puis cela donne bon air;
C'est de bon goût; et si de vous quelqu'un s'informe
On dit tout haut : l'amant de Marion de Lorme!

Didier veut lui rendre le portrait; il refuse de le recevoir.

Non. Gardez le portrait. Elle est à vous; ainsi
Le portrait vous revient de droit. Gardez.

DIDIER

Merci.

Il serre le portrait dans sa poitrine.

SAVERNY

Mais savez-vous qu'elle est charmante en espagnole!
Donc vous me succédez! un peu, sur ma parole,
Comme le roi Louis succède à Pharamond [54].
Moi, ce sont les Brissac, — oui, tous les deux, — qui
                                                [m'ont
Supplanté.

Riant.

Croiriez-vous ?... le cardinal lui-même.
850 Puis le petit d'Effiat, puis les trois Saint-Mesme,
Puis les quatre Argenteau... — Vous êtes dans son cœur
En bonne compagnie...

Riant.

Un peu nombreuse...

DIDIER, *à part.*

Horreur.

SAVERNY

Çà, vous me conterez... Moi, pour ne rien vous taire,
Je passe ici pour mort, et demain on m'enterre.
855 Vous, vous aurez trompé sbires et sénéchaux,
Marion vous aura fait ouvrir les cachots,
Vous aurez joint en route une troupe ambulante,
N'est-ce pas ?... Ce doit être une histoire excellente !

DIDIER

Toute une histoire !

SAVERNY

Elle a, pour vous, fait les yeux doux
860 Sans doute à quelque archer ?

DIDIER, *d'une voix de tonnerre.*

Tête et sang ! croyez-vous ?

SAVERNY

Quoi ! seriez-vous jaloux ?

Riant.

Oh ! ridicule énorme !

Jaloux de qui ? jaloux de Marion de Lorme !
La pauvre enfant ! N'allez pas lui faire un sermon !

DIDIER

Soyez tranquille !

A part.

O Dieu ! l'ange était un démon !

*Entrent Laffemas et le Gracieux. — Didier sort. Saverny le
suit.*

SCÈNE VIII

LAFFEMAS, LE GRACIEUX

LE GRACIEUX, *à Laffemas.*

865 Seigneur, je ne sais pas ce que vous voulez dire.

A part.

Humph ! Costume d'alcade [55] et figure de sbire !

Un petit œil, orné d'un immense sourcil !
Sans doute il joue ici le rôle d'alguazil [56] !

LAFFEMAS, tirant une bourse.

L'ami !

LE GRACIEUX, se rapprochant. — Bas à Laffemas.

Notre Chimère est ce qui vous intrigue,
870 Et vous voulez savoir ?...

LAFFEMAS, bas en souriant.

Oui, quel est son Rodrigue ?

LE GRACIEUX

Son galant ?

LAFFEMAS

Oui.

LE GRACIEUX

Celui qui gémit sous sa loi ?

LAFFEMAS, avec impatience.

Est-il là ?

LE GRACIEUX

Sans doute.

LAFFEMAS, s'approchant vivement de lui.

Eh ! fais-le moi voir !

LE GRACIEUX, avec une profonde révérence.

C'est moi.
J'en suis fou.

Laffemas, désappointé, s'éloigne avec dépit, puis se rapproche, faisant sonner sa bourse à l'oreille et aux yeux du Gracieux.

LAFFEMAS

Connais-tu le son des génovines [57] ?

LE GRACIEUX

Ah Dieu ! cette musique a des douceurs divines !

LAFFEMAS, à part.

875 J'ai mon Didier !

Au Gracieux.

Vois-tu cette bourse ?

LE GRACIEUX

Combien ?

LAFFEMAS

Vingt génovines d'or.

LE GRACIEUX

Humph !

LAFFEMAS, *lui faisant sonner la bourse sous le nez.*

Veux-tu ?

LE GRACIEUX, *lui arrachant la bourse.*

Je veux bien.
D'un ton théâtral, à Laffemas qui l'écoute avec anxiété.

Monseigneur ! si ton dos portait, — bien à son centre, —
Une bosse, en grosseur égale à ton gros ventre,
Si tu faisais remplir ces deux sacs de ducats,
880 De louis, de doublons, de sequins,... en ce cas...

LAFFEMAS, *vivement.*

Eh bien ! que dirais-tu ?

LE GRACIEUX, *mettant la bourse dans sa poche.*

J'empocherais la somme,

Et je dirais :

Avec une profonde révérence.

Merci, vous êtes un bon homme !

LAFFEMAS, *à part, furieux.*

Peste du jeune singe !

LE GRACIEUX, *à part, riant.*

Au diable le vieux chat !

LAFFEMAS, *à part.*

Ils se sont entendus au cas qu'on le cherchât.
885 C'est un complot tramé. Tous se tairont de même.
Oh ! les maudits satans d'Egypte et de Bohême [58] !

Au Gracieux, qui s'en va.

Çà, rends la bourse au moins !

LE GRACIEUX, *se retournant, d'un ton tragique.*

                                    Pour qui me prenez-vous,
Seigneur ? Et l'univers, que dirait-il de nous ?
Vous, proposer, et moi, faire la chose infâme
890 De vous vendre à prix d'or une tête et mon âme !

                                    Il veut sortir.

LAFFEMAS, *le retenant.*

Fort bien ! mais rends l'argent.

LE GRACIEUX, *toujours sur le même ton.*

                                    Je garde mon honneur,
Et je n'ai pas de compte à vous rendre, seigneur !

            Il salue et rentre avec majesté dans la grange.

SCÈNE IX

LAFFEMAS, *seul.*

Vil baladin ! l'orgueil en des âmes si basses !
S'il se pouvait qu'un jour en mes mains tu tombasses,
895 Et si je ne chassais un plus noble gibier... —
Comment dans tout cela découvrir le Didier ?
Prendre toute la bande en masse, et puis la faire
Mettre à la question, on ne peut. — Quelle affaire !
C'est chercher une aiguille en tout un champ de blé.
900 Il faudrait un creuset d'alchimiste endiablé
Qui, rongeant cuivre et plomb, mît à nu la parcelle
D'or pur que ce lingot d'alliage recèle. —
Retourner sans ma prise auprès de monseigneur
Le cardinal !

                                    Se frappant le front.

                    Mais oui... quelle idée !... O bonheur !
905 Il est pris !

                    Appelant par la porte de la grange.

                    Hé ! messieurs de la troupe comique,
Deux mots !

                    Les comédiens sortent en foule de la grange.

SCÈNE X

LES MÊMES, LES COMÉDIENS, *parmi eux* MARION *et* DIDIER,
puis SAVERNY, *puis* LE MARQUIS DE NANGIS.

LE SCARAMOUCHE, *à Laffemas.*

Que nous veut-on ?

LAFFEMAS

Sans phrase académique,
Voici : — Le cardinal m'a commis à l'effet
De trouver, pour jouer dans les pièces qu'il fait [59]
Aux moments de loisir que lui laisse le prince,
910 De bons comédiens, s'il en est en province.
Car, malgré ses efforts, son théâtre est caduc
Et lui fait peu d'honneur pour un cardinal-duc.

Tous les comédiens s'approchent avec empressement. —
Entre Saverny, qui observe avec curiosité ce qui se passe.

LE GRACIEUX, *à part,*
comptant les génovines de Laffemas.

Douze! il m'avait dit vingt! il m'a volé! Vieux drôle!

LAFFEMAS

Dites-moi tour à tour chacun un bout de rôle,
915 Tous! — pour que je choisisse et que je juge enfin.

A part.

S'il se tire de là, le Didier sera fin.

Haut.

Etes-vous au complet ?

Marion s'approche furtivement de Didier, et cherche à l'en-
traîner. Didier recule et la repousse.

LE GRACIEUX, *allant à eux.*

Eh! venez donc, vous autres!

MARION

Juste ciel!

Didier la quitte et va se mêler aux comédiens; elle le suit.

LE GRACIEUX

Etes-vous heureux d'être des nôtres !
Avoir des habits neufs, tous les jours un régal,
920 Et dire tous les soirs des vers de cardinal !
C'est un sort !

*Tous les comédiens se rangent devant Laffemas. Marion et
Didier parmi eux. Didier sans regarder Marion, l'œil
fixé en terre, les bras croisés sous son manteau ; Marion
attachant sur Didier des yeux pleins d'anxiété.*

LE GRACIEUX, *en tête de la troupe.* — *A part.*

Eût-on cru que ce corbeau sinistre
Recrutât des farceurs au cardinal-ministre !

LAFFEMAS, *au Gracieux.*

Toi, d'abord. Quel es-tu ?

LE GRACIEUX, *avec un grand salut et une pirouette
qui fait ressortir sa bosse.*

Je suis le Gracieux
De la troupe, et voici ce que je sais le mieux :

Il chante.

925   Des magistrats, sur des nuques [60]
             Ce sont d'énormes perruques.
             De toute cette toison
             On voit sortir à foison
             Gênes, gibet, roue, amende,
930   Au moindre signe évident
             D'une perruque plus grande
             Qu'on nomme le président.
             L'avocat, c'est un déluge
             De mots tombant sur le juge,
935   C'est un mélange matois
             De latin et de patois...

LAFFEMAS, *l'interrompant.*

Tu chantes faux, à rendre envieuse une orfraie !
Tais-toi !

LE GRACIEUX, *riant.*

Le chant est faux, mais la chanson est vraie.

LAFFEMAS, *au Scaramouche.*

A votre tour.

LE SCARAMOUCHE, *saluant.*

Je suis Scaramouche, seigneur.
940 J'ouvre la scène ainsi dans *La Duègne d'honneur* [61] :

[Déclamant.

« Rien n'est plus beau, disait une reine d'Espagne,
« Qu'un évêque à l'autel, un gendarme en campagne,
« Si ce n'est dame au lit et voleur au gibet... »

*Laffemas l'interrompt du geste, et fait signe au Taillebras
de parler. Le Taillebras salue profondément et se redresse.*

LE TAILLEBRAS, *avec emphase.*

Moi, je suis Taillebras. J'arrive du Thibet,
945 J'ai puni le grand Khan, pris le Mogol rebelle...

LAFFEMAS

Autre chose !

Bas à Saverny, qui est debout près de lui.

Vraiment, que Marion est belle !

LE TAILLEBRAS

C'est pourtant du meilleur. — S'il vous plaît cependant,
Je serai Charlemagne, empereur d'occident.

Il déclame avec emphase.

« Quel étrange destin ! ô ciel ! je vous appelle [62] !
950 « Soyez témoin, ô ciel, de ma peine cruelle ;
« Il me faut dépouiller moi-même de mon bien,
« Délivrer à un autre un amour qui est mien,
« En douer mon contraire, et l'emplir de liesse,
« M'enfiellant l'estomac d'une amère tristesse.
955 « Ainsi pour vous, oiseaux, aux bois vous ne nichez ;
« Ainsi, mouches, pour vous aux champs vous ne ruchez ;
« Ainsi pour vous, moutons, vous ne portez la laine ;
« Ainsi pour vous, taureaux, vous n'écorchez la plaine ! »

LAFFEMAS

Bon.

A Saverny.

— Tudieu ! les beaux vers ! c'est dans la *Bradamante*
960 De Garnier ! quel poète !

A Marion.

A votre tour, charmante !

Votre nom ?

MARION, *tremblante.*

Moi, je suis la Chimène.

LAFFEMAS

Vraiment!

La Chimène ? En ce cas, vous avez un amant
Qui tue en duel quelqu'un...

MARION, *effrayée.*

Moi!

LAFFEMAS, *ricanant.*

J'ai bonne mémoire,

Et qui se sauve...

MARION, *à part.*

Dieu!

LAFFEMAS

Contez-nous cette histoire.

MARION, *à demi tournée vers Didier.*

965 « Puisque, pour t'empêcher de courir au trépas,
  « Ta vie et ton honneur sont de faibles appas,
  « Si jamais je t'aimais, cher Rodrigue, en revanche
  « Défends-toi maintenant pour m'ôtez à don Sanche.
  « Combats pour m'affranchir d'une condition
970 « Qui me livre à l'objet de mon aversion.
  « Te dirai-je encor plus ? va, songe à ta défense,
  « Pour forcer mon devoir, pour m'imposer silence;
  « Et, si tu sens pour moi ton cœur encore épris,
  « Sors vainqueur d'un combat dont Chimène est le
                                    [prix [63] ! »

Laffemas se lève avec galanterie et lui baise la main. Marion,
  pâle, regarde Didier, qui demeure immobile, les yeux
  baissés.

LAFFEMAS

975 Certes, il n'est pas de voix qui, mieux que vous ne faites,
Nous prenne au fond du cœur par des fibres secrètes;
Vous êtes adorable!

A Saverny.

On ne peut le nier,

Le Corneille, après tout, ne vaut pas le Garnier.

Pourtant, il fait en vers meilleure contenance
980 Depuis qu'il a l'honneur d'être à son éminence.

A Marion.

Quel talent! quels beaux yeux! vous enterrer ainsi!
Vous n'êtes pas, madame, à votre place ici.
Asseyez-vous donc là.

*Il s'assied et fait signe à Marion de venir s'asseoir près de
lui. Elle recule.*

MARION, *bas à Didier, avec angoisse.*

Grand Dieu! restons ensemble!

LAFFEMAS, *souriant.*

Mais venez près de moi vous asseoir.

*Didier repousse Marion, qui vient tomber effrayée sur le
banc près de Laffemas.*

MARION, *à part.*

Ah! je tremble!

LAFFEMAS, *souriant à Marion d'un air de reproche.*
985 Enfin!...

A Didier.

Vous, votre nom?

*Didier fait un pas vers Laffemas, jette son manteau et
enfonce son chapeau sur sa tête.*

DIDIER, *d'un ton grave.*

Je suis Didier.

MARION, LAFFEMAS, SAVERNY

Didier!

Etonnement et stupeur.

DIDIER, *à Laffemas, qui ricane avec triomphe.*

Vous pouvez à présent tous les congédier!
Vous avez votre proie. Elle reprend sa chaîne.
Ah! cette joie enfin vous coûte assez de peine!

MARION, *courant à lui.*
Didier!

DIDIER, *avec un regard glacé.*

De celui-ci ne me détournez pas,
990 Madame!

Elle recule et vient tomber anéantie sur le banc. A Laffemas.

Autour de moi j'ai vu tourner tes pas,
Démon! j'ai dans tes yeux vu la sinistre flamme
De ce rayon d'enfer qui t'illuminait l'âme!
Je pouvais fuir ton piège, inutile à moitié.
Mais tant d'efforts perdus, cela m'a fait pitié!
995 Prends-moi, fais-toi payer ta pauvre perfidie!

LAFFEMAS, *avec une colère concentrée, et s'efforçant de rire.*

Donc, vous ne jouez pas, monsieur, la comédie?

DIDIER

C'est toi qui l'as jouée!

LAFFEMAS

Oh! je la jouerais mal.
Mais j'en fais une avec monsieur le cardinal;
C'est une tragédie, — où vous aurez un rôle.

*Marion pousse un cri d'effroi. Didier se détourne avec
dédain.*

1000 Ne tournez pas ainsi la tête sur l'épaule,
Nous irons jusqu'au bout admirer votre jeu.
Allez! recommandez, monsieur, votre âme à Dieu.

MARION

Ah!

*En ce moment, le marquis de Nangis repasse au fond, tou-
jours dans sa première attitude et avec son peloton de
hallebardiers. Au cri de Marion, il s'arrête et se tourne
vers les assistants, pâle, muet et immobile.*

LAFFEMAS, *au marquis de Nangis.*

Monsieur le marquis, je réclame main-forte.
Bonne nouvelle! mais prêtez-moi votre escorte.
1005 L'assassin du marquis Gaspard s'était enfui,
Mais nous l'avons repris.

MARION, *se jetant aux genoux de Laffemas.*

Monsieur, pitié pour lui!

LAFFEMAS, *avec galanterie.*

Vous à mes pieds, madame! Eh! ma place est aux vôtres!

MARION, *toujours à genoux et joignant les mains.*

Oh! monseigneur le juge! ayez pitié des autres,
Si vous voulez qu'un jour un juge plus jaloux,
1010 Prêt à punir aussi, prenne pitié de vous!

LAFFEMAS, *souriant.*

Mais quoi! c'est un sermon vraiment que vous nous
[faites!
Ah! madame, régnez aux bals, brillez aux fêtes,
Mais ne nous prêchez point. — Pour vous je ferais tout,
Mais cet homme a tué, c'est un meurtre...

DIDIER, *à Marion.*

Debout!

Marion se relève tremblante. A Laffemas.

1015 Tu mens! ce n'est qu'un duel.

LAFFEMAS

Monsieur...

DIDIER

Tu mens, te
[dis-je.

LAFFEMAS

Paix!

A Marion.

— Le sang veut du sang. Cette rigueur m'afflige.
Il a tué! tué qui? — Le marquis Gaspard
De Saverny, —

Montrant M. de Nangis.

Neveu de ce digne vieillard, —
Jeune seigneur parfait! C'est la plus grande perte
1020 Pour la France et le roi!... S'il n'était pas mort, certe,
Je ne dis pas... mon cœur n'est pas de roche... et si...

SAVERNY, *faisant un pas.*

Celui que l'on croit mort n'est pas mort. — Le voici!

Etonnement général.

LAFFEMAS, *tressaillant.*

Gaspard de Saverny! mais à moins d'un prodige!...
Ils ont là son cercueil!

SAVERNY, *arrachant ses fausses moustaches,*
son emplâtre et sa perruque noire.

Il n'est pas mort, vous dis-je!
1020 Me reconnaissez-vous?

LE MARQUIS DE NANGIS, *comme réveillé d'un rêve,*
pousse un cri et se jette dans ses bras.

Mon Gaspard! mon neveu!

Mon enfant!

Ils se tiennent étroitement embrassés.

MARION, *tombant à genoux et les yeux au ciel.*

Ah! Didier est sauvé! — Juste Dieu!

DIDIER, *froidement à Saverny.*

A quoi bon? Je voulais mourir.

MARION, *toujours prosternée.*

Dieu le protège!

DIDIER, *continuant sans l'écouter.*

Autrement croyez-vous qu'il m'eût pris à son piège,
Et que je n'eusse pas rompu de l'éperon
1030 Sa toile d'araignée à prendre un moucheron?
La mort est désormais le seul bien que j'envie.
Vous me servez bien mal pour me devoir la vie.

MARION

Que dit-il? Vous vivrez!

LAFFEMAS

Çà, tout n'est pas fini.
Est-il sûr que c'est là Gaspard de Saverny?

MARION

1035 Oui!

LAFFEMAS

C'est ce qu'il convient d'éclaircir à cette heure.

MARION, *lui montrant le marquis de Nangis*
qui tient toujours Saverny embrassé.

Regardez ce vieillard qui sourit et qui pleure.

LAFFEMAS

Est-ce bien là Gaspard de Saverny ?

MARION

Comment
Pouvez-vous en douter à cet embrassement ?

LE MARQUIS DE NANGIS, *se détournant.*

Si c'est lui! mon Gaspard! mon fils! mon sang! mon âme!

A Marion.

1040 N'a-t-il pas demandé si c'était lui, madame ?

LAFFEMAS, *au marquis de Nangis.*

Ainsi vous affirmez que c'est votre neveu
Gaspard de Saverny ?

LE MARQUIS DE NANGIS, *avec force.*

Oui.

LAFFEMAS

D'après cet aveu,

A Saverny.

De par le roi, marquis Gaspard, je vous arrête.
— Votre épée.

Etonnement et consternation dans l'assistance.

LE MARQUIS DE NANGIS

O mon fils !

MARION

Ciel !

DIDIER

Encore une tête !
1045 Au fait, il en faut deux. Au cardinal romain
C'est le moins qu'il revienne, une dans chaque main !

LE MARQUIS DE NANGIS

De quel droit ?...

LAFFEMAS

Demandez compte à son éminence.
Tous survivants au duel tombent sous l'ordonnance.

A Saverny.

Donnez-moi votre épée.

DIDIER, *regardant Saverny.*

Insensé !

SAVERNY, *tirant son épée et la présentant à Laffemas.*

La voici.

LE MARQUIS DE NANGIS, *l'arrêtant.*

1050 Un instant ! Devant moi nul n'est seigneur ici.
Seul j'ai dans ce château justice basse et haute [64] ;
Notre sire le roi n'y serait que mon hôte.

A Saverny.

Ne remettez qu'à moi votre épée.

Saverny lui remet son épée et le serre dans ses bras.

LAFFEMAS

En honneur,
C'est un droit féodal fort déchu, monseigneur.
1055 Monsieur le cardinal pourra m'en faire un blâme,
Mais moi qui ne veux pas vous affliger...

DIDIER

Infâme !

LAFFEMAS, *s'inclinant devant le marquis.*

J'y souscris. En revanche, à présent, pour raison,
Prêtez-moi votre garde avec votre prison.

LE MARQUIS DE NANGIS, *à ses gardes.*

Vos pères ont été vassaux de mes ancêtres,
1060 Je vous défends à tous de faire un pas !

LAFFEMAS, *d'une voix tonnante.*

Mes maîtres !

Ecoutez ! — Je suis juge au secret tribunal,
Lieutenant-criminel du seigneur cardinal.
Qu'on les mène tous deux en prison. Il importe
Que quatre d'entre vous veillent à chaque porte.
1065 Vous en répondez tous. Or vous seriez hardis
De ne pas m'obéir ; car si, lorsque je dis

A l'un de vous qu'il aille, exécute et se taise,
Il hésite, alors c'est — que sa tête lui pèse.

*Les gardes consternés entraînent en silence les deux prison-
niers. Le marquis de Nangis se détourne, indigné, et cache
ses yeux de sa main.*

MARION

Tout est perdu !

A Laffemas.

Monsieur, si votre cœur...

LAFFEMAS, *bas à Marion.*

Ce soir
1070 Je vous dirai deux mots, si vous me venez voir.

MARION, *à part.*

Que me veut-il ? Il a des sourires funèbres.
C'est une âme profonde et pleine de ténèbres.

Se jetant vers Didier.

Didier !

DIDIER, *froidement.*

Adieu, madame !

MARION, *frissonnant du son de sa voix.*

Eh bien ! qu'ai-je donc fait ?
Ah ! malheureuse !

Elle tombe sur le banc.

DIDIER

Oui. Malheureuse, en effet !

SAVERNY. *Il embrasse le marquis de Nangis,
puis se tourne vers Laffemas.*

1075 Monsieur, doublera-t-on le paîment pour deux têtes ?

UN VALET, *entrant, au marquis.*

De monseigneur Gaspard les obsèques sont prêtes.
Pour la cérémonie on vient de votre voix
Savoir l'heure et le jour.

LAFFEMAS

Revenez dans un mois.

Les gardes emmènent Didier et Saverny.

ACTE QUATRIÈME

LE ROI

CHAMBORD

La salle des gardes au château de Chambord.

SCÈNE PREMIÈRE

LE DUC DE BELLEGARDE, *riche costume de cour avec toutes les broderies et toutes les dentelles, le cordon du Saint-Esprit au cou et la plaque au manteau;* LE MARQUIS DE NANGIS, *grand deuil, et toujours suivi de son peloton de gardes. Ils traversent tous deux le fond de la salle.*

LE DUC DE BELLEGARDE

Condamné ?

LE MARQUIS DE NANGIS

Condamné !

LE DUC DE BELLEGARDE

Bien. Mais le roi fait grâce.
1080 C'est un droit de son trône, un devoir de sa race.
Soyez tranquille. Il est, de cœur comme de nom,
Fils d'Henri quatre.

LE MARQUIS DE NANGIS

Et moi j'en fus le compagnon.

LE DUC DE BELLEGARDE

Vive-Dieu ! nous avons pour le père avec joie
Usé plus d'un pourpoint de fer, et non de soie !
1085 Marquis, allez au fils, montrez vos cheveux gris,
Et pour tout plaidoyer dites : Ventre-Saint-Gris [65] !

— Que Richelieu lui donne une raison meilleure!
— Mais cachez-vous d'abord.

Il lui ouvre une porte latérale.

Il viendra tout à l'heure.
Puis, à vous parler franc, vos habits que voici
1090 Sont coupés d'une mode à faire rire ici.

LE MARQUIS DE NANGIS

Rire de mon deuil!

LE DUC DE BELLEGARDE

Ah! tous ces muguets [66]! — Compère,
Tenez-vous là. Le roi viendra bientôt, j'espère.
Je le disposerai contre le cardinal.
Puis, quand je frapperai du pied, à ce signal
1095 Vous viendrez.

LE MARQUIS DE NANGIS, *lui serrant la main.*

Dieu vous paie!

LE DUC DE BELLEGARDE, *à un mousquetaire
qui se promène devant une petite porte dorée.*

Eh! monsieur de Navaille,
Que fait le roi?

LE MOUSQUETAIRE

Mon duc, sa majesté travaille...

Baissant la voix.

Avec un homme noir.

LE DUC DE BELLEGARDE, *à part.*

Je crois que justement
C'est un arrêt de mort qu'il signe en ce moment.

Au vieux marquis, en lui serrant la main.

Courage!

Il l'introduit dans la galerie voisine.

En attendant que je vous avertisse,
1100 Regardez ces plafonds qui sont du Primatice [67].

*Ils sortent tous deux. — Entre Marion en grand deuil par
la grande porte du fond qui donne sur l'escalier.*

SCÈNE II

MARION, LES GARDES.

LE HALLEBARDIER *de garde, à Marion.*

1105 Madame, on n'entre pas.

MARION, *avancant.*

Monsieur...

LE HALLEBARDIER, *mettant sa hallebarde
en travers de la porte.*

On n'entre point.

MARION, *avec dédain.*

Ici contre une dame on met la lance au poing!
Ailleurs, c'est pour.

LE MOUSQUETAIRE, *riant, au hallebardier.*

Attrape!

MARION, *d'une voix ferme.*

Il faut, monsieur le garde,
Que je parle à l'instant au duc de Bellegarde.

LE HALLEBARDIER, *baissant sa hallebarde. A part.*

Hum! tous ces verts-galants [68]!

LE MOUSQUETAIRE

Madame, entrez.
Elle entre et s'avance d'un pas déterminé.

LE HALLEBARDIER, *à part,
et la regardant du coin de l'œil.*

C'est clair!
1110 Le bon vieux duc n'est pas si vieux qu'il en a l'air.
Jadis le roi l'eût fait mettre à la tour du Louvre
Pour donner rendez-vous chez lui.

LE MOUSQUETAIRE, faisant signe
au hallebardier de se taire.

La porte s'ouvre.

*La petite porte dorée s'ouvre. M. de Laffemas en sort tenant
à la main un rouleau de parchemin auquel pend un sceau
de cire rouge à des tresses de soie.*

SCÈNE III

MARION, LAFFEMAS

Geste de surprise de tous deux. —
Marion se détourne avec horreur.

LAFFEMAS, *s'avançant vers Marion à pas lents. Bas.*

Que faites-vous céans ?

MARION

Et vous ?

LAFFEMAS déroule le parchemin
et l'étale devant ses yeux.

Signé du roi.

MARION, après un coup d'œil,
cachant son visage de ses mains.

1115 Dieu !

LAFFEMAS, se penchant à son oreille.

Voulez-vous ?

*Marion tressaille et le regarde en face. Il fixe ses yeux sur
ceux de Marion. Baissant la voix.*

Veux-tu ?

MARION, le repoussant.

Tentateur ! laisse-moi !

LAFFEMAS, *se redressant avec un ricanement.*

Donc, vous ne voulez pas ?

MARION

Crois-tu que je te craigne ?
Le roi peut faire grâce, et c'est le roi qui règne.

LAFFEMAS

Essayez-en. — Usez du bon vouloir du roi !

*Il lui tourne le dos, puis revient tout à coup sur ses pas, croise
les bras, et se penche à son oreille.*

Prenez garde qu'un jour je ne veuille plus, moi !

Il sort. — Entre le duc de Bellegarde.

SCÈNE IV

MARION, LE DUC DE BELLEGARDE

MARION, *allant au duc.*

1120 Monsieur le duc, ici vous êtes capitaine.

LE DUC DE BELLEGARDE

Quoi ! charmante, c'est vous !

Saluant.

Que voulez-vous, ma reine ?

MARION

Voir le roi.

LE DUC DE BELLEGARDE

Quand ?

MARION

Sur l'heure.

LE DUC DE BELLEGARDE

Eh ! l'ordre est bref ! — Pourquoi ?

MARION

Pour quelque chose.

LE DUC DE BELLEGARDE, *éclatant de rire.*

Allons ! faites venir le roi.
Comme elle y va !

MARION

C'est un refus ?

LE DUC DE BELLEGARDE

Mais je suis vôtre !

En souriant.

1125 Nous sommes-nous jamais rien refusé l'un l'autre ?

MARION

C'est fort bien, monseigneur, mais parlerai-je au roi ?

LE DUC DE BELLEGARDE

Parlez d'abord au duc. Je vous donne ma foi
Que vous verrez le roi tout à l'heure au passage.
Mais causons cependant. Çà, petite ! est-on sage ?
1130 Vous en noir ! on dirait une dame d'honneur.
Vous aimiez tant à rire autrefois.

MARION

Monseigneur,

Je ne ris plus.

LE DUC DE BELLEGARDE

Pardieu ! mais je crois qu'elle pleure.

Vous !

MARION, *essuyant ses larmes, d'une voix ferme.*

Monseigneur le duc, je veux parler sur l'heure
Au roi.

LE DUC DE BELLEGARDE

Mais dans quel but ?

MARION

Ah ! c'est pour...

LE DUC DE BELLEGARDE

Est-ce aussi

1135 Contre le cardinal ?

MARION

Oui, duc.

Le duc de Bellegarde, *lui ouvrant la galerie.*

Entrez ici.

Je mets les mécontents dans cette galerie.
Ne sortez pas avant le signal, je vous prie.

Marion entre. Il referme la porte.

J'eusse pour le marquis fait ce coup hasardeux.
Il n'en coûte pas plus de travailler pour deux.

*Peu à peu la salle se remplit de courtisans qui causent entre
eux. Le duc de Bellegarde va de l'un à l'autre. — Entre
L'Angely.*

SCÈNE V

Les courtisans

Le duc de Bellegarde, *au duc de Beaupréau.*

1140 Bonjour, duc.

Le duc de Beaupréau

Bonjour, duc.

Le duc de Bellegarde

Et que dit-on ?

Le duc de Beaupréau

On parle

D'un nouveau cardinal.

Le duc de Bellegarde

Qui ? l'archevêque d'Arles ?

Le duc de Beaupréau

Non, l'évêque d'Autun. Du moins, tout Paris croit
Qu'il a le chapeau rouge.

L'abbé de Gondi

Il lui revient de droit.

C'est lui qui commandait l'artillerie au siège
1145 De La Rochelle [69].

Le duc de Bellegarde

Oui-da !

L'Angély
                    J'approuve le saint-siège.
Un cardinal du moins fait selon les canons [70].

L'Abbé de Gondi, *riant.*

Ce fou de L'Angely!

L'angély, *saluant.*
                    Monsieur sait tous mes noms.

Entre Laffemas. Tous les courtisans l'entourent à l'envi et s'empressent autour de lui. Le duc de Bellegarde les observe avec humeur.

Le duc de Bellegarde, *à L'Angély.*

Bouffon, quel est cet homme à fourrure d'hermine?

L'Angély

A qui de toute part on fait si bonne mine?

Le duc de Bellegarde

1150 Oui. Je n'ai point encor vu cet homme céans.
Est-ce que c'est quelqu'un de monsieur d'Orléans [71]?

L'Angély

On l'accueillerait moins.

Le duc de Bellegarde, *l'œil sur Laffemas qui se pavane.*
                    Quels airs de grand d'Espagne!

L'Angély, *bas.*

C'est le sieur Laffemas, intendant de Champagne,
Lieutenant-criminel.

Le duc de Bellegarde, *bas.*
                    Lieutenant infernal!
1155 Celui qu'on surnommait bourreau du cardinal?

L'Angély, *toujours bas.*

Oui.

Le duc de Bellegarde

Cet homme à la cour!

L'ANGÉLY

Pourquoi pas, je vous prie ?
Un chat-tigre de plus dans la ménagerie !
— Vous le présenterai-je ?

LE DUC DE BELLEGARDE, *avec hauteur.*

Ah ! bouffon !

L'ANGÉLY

En honneur,
Je le ménagerais si j'étais grand seigneur.
1160 Soyez de ses amis. Voyez, chacun le fête.
S'il ne vous prend la main, il vous prendra la tête !

*Il va chercher Laffemas et le présente au duc, qui s'incline
d'assez mauvaise grâce.*

LAFFEMAS, *saluant.*

Monsieur le duc...

LE DUC DE BELLEGARDE, *saluant.*

Monsieur, je suis charmé...

A part.

Vrai Dieu !
Où sommes-nous tombés !... — Monsieur de Richelieu !...

Laffemas s'éloigne.

LE VICOMTE DE ROHAN, *éclatant de rire
au fond de la salle dans un groupe de courtisans.*

Charmant !

L'ANGÉLY

Quoi ?

LE VICOMTE DE ROHAN

Marion, là, dans la galerie !

L'ANGELY

1165 Marion ?

LE VICOMTE DE ROHAN

Je faisais cette plaisanterie :
Marion chez Louis le Chaste [72], c'est charmant !

L'ANGÉLY

Oui-da, monsieur, c'est très spirituel, vraiment !

LE DUC DE BELLEGARDE, *au comte de Charnacé.*

Monsieur le louvetier [73], avez-vous quelque proie ?
Bonne chasse ?

LE COMTE DE CHARNACÉ

Nulle. Hier, j'eus une fausse joie.
1170 Les loups avaient mangé trois paysans. D'abord
J'ai cru que nous aurions force loups à Chambord.
Bah ! j'ai fouillé le bois, pas un loup, pas de trace !

A L'Angély.

Fou, que sais-tu de gai ?

L'ANGÉLY

Rien de ce qui se passe.
Ah ! si fait. — On va pendre, à Beaugency [74], je crois,
1175 Deux hommes pour un duel.

L'ABBÉ DE GONDI

Bah ! pour si peu !

La petite porte dorée s'ouvre.

UN HUISSIER

Le roi !

*Entre le roi. Tout en noir, pâle, les yeux baissés, avec le
Saint-Esprit au pourpoint et au manteau. Chapeau sur la
tête. — Tous les courtisans se découvrent et se rangent en
silence sur deux haies. — Les gardes baissent leurs piques
ou présentent leurs mousquets.*

SCÈNE VI

LES PRÉCÉDENTS, LE ROI

*Le roi entre à pas lents, traverse, sans lever la tête, la foule
des courtisans, puis s'arrête sur le devant, et reste quelques
instants rêveur et silencieux. Les courtisans se retirent au
fond de la salle.*

LE ROI

Tout va de mal en pis... Tout ! —

Aux courtisans, avec un signe de tête.

Messieurs, Dieu vous
[garde !

Il se jette dans un grand fauteuil et soupire profondément.

Ah !... j'ai bien mal dormi, monsieur de Bellegarde !

LE DUC, *s'avançant avec trois profondes révérences.*

Mais, sire, on ne dort plus maintenant.

LE ROI, *vivement.*

N'est-ce pas ?
Tant l'état marche au gouffre et se hâte à grands pas !

LE DUC

1180 Ah, sire ! il est guidé d'une main forte et large...

LE ROI

Oui, le cardinal-duc porte une lourde charge !

LE DUC

Sire !...

LE ROI

A ses vieilles mains je devrais l'épargner.
Mais, duc, — j'ai bien assez de vivre, sans régner !

LE DUC

Sire,... le cardinal n'est pas vieux...

LE ROI

Bellegarde !
1185 Franchement, — nul ici n'écoute et ne regarde, —
Que pensez-vous de lui ?

LE DUC

De qui, sire ?

LE ROI

De lui.

LE DUC

De l'éminence ?

LE ROI

Hé ! oui.

LE DUC

Mon regard ébloui

Peut se fixer à peine...

LE ROI

Est-ce votre franchise ?

Regardant autour de lui.

Pourtant point d'éminence ici, — rouge ni grise [75] !
1190 Pas d'espion ! Parlez, que craignez-vous ? Le roi
Veut votre avis tout franc sur le cardinal.

LE DUC

Quoi !

Tout franc, sire ?

LE ROI

Tout franc.

LE DUC, *hardiment.*

Eh bien ! — C'est un grand
[homme.

LE ROI

Au besoin, n'est-ce pas, vous l'iriez dire à Rome ?
Entendez-vous ? — L'état souffre, — entendez-vous
[bien ?
1195 Entre lui qui fait tout, et moi qui ne suis rien.

LE DUC

Ah !...

LE ROI

Règle-t-il pas tout, paix, guerre, états, finances ?
Fait-il pas lois, édits, mandements, ordonnances ?
Il est roi, dis-je ! Il a dissous par trahison
La ligue catholique ; il frappe la maison
1200 D'Autriche [76], qui me veut du bien, — dont est la reine.

LE DUC

Sire ! il vous laisse faire au Louvre une garenne.
Vous avez votre part !

LE ROI

Avec le Danemark

Il intrigue !

LE DUC

Il vous a laissé fixer le marc
De l'argent aux joailliers [77].

LE ROI, *dont l'humeur augmente.*

A Rome il fait la guerre !

LE DUC

1205 Il vous a laissé seul rendre un édit naguère
Qui défend qu'un bourgeois, quand même il le voudrait,
Mange plus d'un écu par tête au cabaret.

LE ROI

Et tous les beaux traités qu'il arrange en cachette !

LE DUC

Et votre rendez-vous de chasse à la Planchette ?

LE ROI

1210 Lui seul fait tout. Vers lui requêtes et placets [78]
Se précipitent. Moi, je suis pour les Français
Une ombre. En est-il un qui pour ce qu'il désire
Vienne à moi ?

LE DUC

Quand on a les écrouelles [79], sire !

La colère du roi va croissant.

LE ROI

Il veut donner mon ordre à monsieur de Lyon [80],
1215 Son frère ; mais non pas, j'entre en rébellion !

LE DUC

Mais...

LE ROI

On m'a dégoûté des siens.

LE DUC

Sire, l'envie !

LE ROI

Sa nièce Combalet [81] mène une belle vie !

LE DUC

La médisance!...

LE ROI

Il a deux cents gardes à pié.

LE DUC

Mais il n'en a que cent à cheval.

LE ROI

C'est pitié!

LE DUC

1220 Sire, il sauve la France.

LE ROI

Oui, duc ? — Il perd mon âme !
D'un bras il fait la guerre à nos payens, — l'infâme !
De l'autre il signe un pacte aux huguenots suédois [82].

Bas à l'oreille de Bellegarde.

Puis, si j'osais compter les têtes sur mes doigts,
Les têtes qu'il a fait tomber en Grève [83] ! Toutes
1225 De mes amis ! Sa pourpre est faite avec des gouttes
De leur sang ! et c'est lui qui m'habille de deuil !

LE DUC

Traite-t-il mieux les siens ? Epargna-t-il Saint-Preuil [84] ?

LE ROI

S'il a pour ceux qu'il aime une tendresse amère,
Certe, il m'aime ardemment ! —

Brusquement, après un silence, en croisant les bras.

Il m'exile ma mère [85] !

LE DUC

1230 Mais sire, il croit toujours agir à vos souhaits,
Il est fidèle, sûr, dévoué...

LE ROI

Je le hais !
Il me gêne, il m'opprime ! et je ne suis ni maître,
Ni libre, moi qui suis quelque chose peut-être.
A force de marcher à pas si lourds sur moi,
1235 Craint-il pas à la fin de réveiller le roi ?

Car près de moi, chétif, si grande qu'elle brille,
Sa fortune à mon souffle incessamment vacille,
Et tout s'écroulerait si, disant un seul mot,
Ce que je veux tout bas, je le voulais tout haut !

Un silence.

1240 Cet homme fait le bon mauvais, le mauvais pire.
Comme le roi, l'état, déjà malade, empire.
Cardinal au dehors, cardinal au dedans,
Le roi jamais ! — Il mord l'Autriche à belles dents,
Laisse prendre, à qui veut mes vaisseaux dans le golfe
1245 De Gascogne [86], me ligue avec Gustave-Adolphe [87]...
Que sais-je ?... Il est partout comme l'âme du roi,
Emplissant mon royaume, et ma famille, et moi !
Ah ! je suis bien à plaindre !

Allant à la fenêtre.

Et toujours de la pluie !

LE DUC

Votre majesté donc souffre bien ?

LE ROI

Je m'ennuie.

Un silence.

1250 Moi, le premier de France, en être le dernier !
Je changerais mon sort au sort d'un braconnier.
Oh ! chasser tout le jour ! en vos allures franches
N'avoir rien qui vous gêne, et dormir sous les branches !
Rire des gens du roi ! chanter pendant l'éclair,
1255 Et vivre libre aux bois, comme l'oiseau dans l'air !
Le manant est du moins maître et roi dans son bouge.
— Mais toujours sous les yeux avoir cet homme rouge,
Toujours là, grave et dur, me disant à loisir :
— « Sire ! il faut que ceci soit votre bon plaisir ! »
1260 — Dérision ! cet homme au peuple me dérobe.
Comme on fait d'un enfant, il me met dans sa robe,
Et quand un passant dit : — Qu'est-ce donc que je vois
Dessous le cardinal ? on répond : C'est le roi !
— Puis ce sont tous les jours quelques nouvelles listes,
1265 Hier des huguenots, aujourd'hui des duellistes,
Dont il lui faut la tête. — Un duel ! le grand forfait !
Mais des têtes toujours ! — Qu'est-ce donc qu'il en fait ?

*Bellegarde frappe du pied. — Entrent le marquis de Nangis
et Marion.*

SCÈNE VII

Les mêmes, Marion, le marquis de Nangis

*Le marquis de Nangis s'avance avec sa suite à quelques pas
du roi, et met un genou en terre. Marion tombe à genoux
à la porte.*

LE MARQUIS DE NANGIS

Justice !

LE ROI

Contre qui ?

LE MARQUIS DE NANGIS

Contre un tyran sinistre,
Armand, qu'on nomme ici le cardinal-ministre.

MARION

1270 Grâce !

LE ROI

Pour qui ?

MARION

Didier...

LE MARQUIS DE NANGIS

Pour le marquis Gaspard
De Saverny.

LE ROI

J'ai vu ces deux noms quelque part.

LE MARQUIS DE NANGIS

Sire, grâce et justice !

LE ROI

Et quel titre est le vôtre ?

LE MARQUIS DE NANGIS

Je suis l'oncle de l'un.

LE ROI, *à Marion.*
Vous ?

. MARION, *avec fermeté.*
Je suis sœur de l'autre.

LE ROI
Or çà, l'oncle et la sœur, que voulez-vous ici ?

LE MARQUIS DE NANGIS, *montrant tour à tour*
les deux mains du roi.

1275 De cette main justice, et de l'autre merci.
Moi, Guillaume, marquis de Nangis, capitaine
De cent lances, baron du mont et de la plaine,
Contre Armand Duplessis, cardinal Richelieu,
Requiers mes deux seigneurs, le roi de France, et Dieu.
1280 C'est de justice enfin qu'ici je suis en quête.
Gaspard de Saverny, pour qui je fais requête,
Est mon neveu.

MARION, *bas au marquis.*
Parlez pour les deux, monseigneur !

LE MARQUIS DE NANGIS, *continuant.*

Il eut le mois dernier une affaire d'honneur
Avec un gentilhomme, avec un capitaine,
1285 Un Didier, que je crois de noblesse incertaine.
Ce fut un tort. — Tous deux ont fait en braves gens.
Mais le ministre avait aposté des sergents...

LE ROI
Je sais l'affaire. Assez. Qu'avez-vous à me dire ?

LE MARQUIS DE NANGIS, *se relevant.*

Je dis qu'il est bien temps que vous y songiez, sire ;
1290 Que le cardinal-duc a de sombres projets,
Et qu'il boit le meilleur du sang de vos sujets.
Votre père Henri, de mémoire royale,
N'eût pas ainsi livré sa noblesse loyale ;
Il ne la frappait point sans y fort regarder ;
1295 Et bien gardé par elle, il la savait garder.
Il savait qu'on peut faire avec des gens d'épées
Quelque chose de mieux que des têtes coupées ;
Qu'ils sont bons à la guerre. Il ne l'ignorait point,
Lui dont plus d'une balle a troué le pourpoint.

1300 Ce temps était le bon. J'en fus, et je l'honore.
Un peu de seigneurie y palpitait encore.
Jamais à des seigneurs un prêtre n'eût touché.
On n'avait point alors de tête à bon marché.
Sire! en des jours mauvais comme ceux où nous sommes,
1305 — Croyez un vieux, — gardez un peu de gentilshommes.
Vous en aurez besoin peut-être à votre tour.
Hélas! vous gémirez peut-être quelque jour
Que la place de Grève ait été si fêtée,
Et que tant de seigneurs de bravoure indomptée,
1310 Vers qui se tourneront vos regrets envieux,
Soient morts depuis longtemps qui ne seraient pas vieux!
Car nous sommes tout chauds de la guerre civile [88],
Et le tocsin d'hier gronde encor dans la ville.
Soyez plus ménager des peines du bourreau.
1315 C'est lui qui doit garder son estoc au fourreau,
Non pas nous. D'échafauds montrez-vous économe.
Craignez d'avoir un jour à pleurer tel brave homme,
Tel vaillant de grand cœur, dont, à l'heure qu'il est,
Le squelette blanchit aux chaînes d'un gibet!
1320 Sire! le sang n'est pas une bonne rosée;
Nulle moisson ne vient sur la Grève arrosée,
Et le peuple des rois évite le balcon
Quand aux dépens du Louvre on peuple Montfaucon [89].
Meurent les courtisans, s'il faut que leur voix aille
1325 Vous amuser, pendant que le bourreau travaille!
Cette voix des flatteurs qui dit que tout est bon,
Qu'après tout on est fils d'Henri quatre, et Bourbon,
Si haute qu'elle soit, ne couvre pas sans peine
Le bruit sourd qu'en tombant fait une tête humaine.
1330 Je vous en donne avis, ne jouez pas ce jeu,
Roi, qui serez un jour face à face avec Dieu.
Donc, je vous dis, avant que rien ne s'accomplisse,
Qu'à tout prendre il vaut mieux un combat qu'un
                                              [supplice,
Que ce n'est pas la joie et l'honneur des états
1335 De voir plus de besogne aux bourreaux qu'aux soldats,
Que c'est un pasteur dur pour la France où vous êtes
Qu'un prêtre qui se paie une dîme de têtes,
Et que cet homme illustre entre les inhumains
Qui touche à votre sceptre, — a du sang à ses mains!

Le roi

1340 Monsieur le cardinal est mon ami. Qui m'aime
L'aimera!

LE MARQUIS DE NANGIS

Sire!...

LE ROI

Assez. C'est un autre moi-même.

LE MARQUIS DE NANGIS

Sire!...

LE ROI

Plus de harangue à troubler nos esprits !

Montrant ses cheveux qui grisonnent.

Ce sont les harangueurs qui font nos cheveux gris.

LE MARQUIS DE NANGIS

Pourtant, sire, un vieillard, une femme qui pleure !
1345 C'est de vie et de mort qu'il s'agit à cette heure !

LE ROI

Que demandez-vous donc ?

LE MARQUIS DE NANGIS

                    La grâce de Gaspard !

MARION

La grâce de Didier !

LE ROI

                    Tout ce qu'un roi départ[90]
En grâces, trop souvent est pris à la justice.

MARION

Ah ! sire ! à notre deuil que le roi compatisse.
1350 Savez-vous ce que c'est ? Deux jeunes insensés,
Par un duel jusqu'au fond de l'abîme poussés !
Mourir, grand Dieu ! mourir sur un gibet infâme !
Vous aurez pitié d'eux ! — Je ne sais pas, moi femme,
Comment on parle aux rois. Pleurer peut-être est mal ;
1355 Mais c'est un monstre enfin que votre cardinal !
Pourquoi leur en veut-il ? Qu'ont-ils fait ? Il n'a même
Jamais vu mon Didier. — Hélas ! qui l'a vu, l'aime.
— A leur âge, tous deux ! les tuer, pour un duel !
Leurs mères ! songez donc ! — Ah ! c'est horrible ! — O
                                              [ciel !
1360 Vous ne le voudrez pas !... — Ah ! femmes que nous
                                              [sommes,
Nous ne savons pas bien parler comme les hommes,

Nous n'avons que des pleurs, des cris, et des genoux
Que le regard d'un roi ploie et brise sous nous!
Ils ont eu tort, c'est vrai! Si leur faute vous blesse,
1365 Tenez, pardonnez-leur. Vous savez? la jeunesse!
Mon Dieu! les jeunes gens savent-ils ce qu'ils font?
Pour un geste, un coup d'œil, un mot, — souvent au **fond**
Ce n'est rien, — on se blesse, on s'irrite, on s'**emporte.**
Les choses tous les jours se passent de la sorte;
1370 Chacun de ces messieurs le sait. Demandez-leur,
Sire. — Est-ce pas, messieurs? — Ah! Dieu! l'**affreux**
[malheur!
Dire que vous pouvez d'un mot sauver deux têtes!
Oh! je vous aimerai, sire, si vous le faites!
Grâce! grâce! — Oh! mon Dieu! si je savais parler,
1375 Vous verriez, vous diriez: Il faut la consoler,
C'est une pauvre enfant, son Didier, c'est son âme... —
J'étouffe. Ayez pitié!

LE ROI

Qu'est-ce que cette dame?

MARION

Une sœur, majesté, qui tremble à vos genoux!
Vous vous devez au peuple.

LE ROI

Oui, je me dois à tous.
1380 Le duel n'a jamais fait de ravages plus amples.

MARION

Il faut de la pitié, sire!

LE ROI

Il faut des exemples.

LE MARQUIS DE NANGIS

Deux enfants de vingt ans, sire! songez-y bien.
Ah! leur âge à tous deux fait la moitié du mien!

MARION

Majesté, vous avez une mère, une femme,
1385 Un fils, quelqu'un enfin que vous aimez dans l'âme,
Un frère, sire! — Eh bien! pitié pour une sœur!

LE ROI

Un frère ? non, madame.

Il réfléchit un instant.

Ah! si fait. J'ai MONSIEUR.

Apercevant la suite du marquis.

Çà, marquis de Nangis, qu'elle est cette brigade [91] ?
Sommes-nous assiégés ? allons-nous en croisade ?
1390 Pour nous mener ainsi vos gardes sous les yeux,
Etes-vous duc et pair ?

LE MARQUIS DE NANGIS

Non, sire, je suis mieux

Qu'un duc et pair, créé pour des cérémonies.
Je suis baron breton de quatre baronnies.

LE DUC DE BELLEGARDE, *à part.*

L'orgueil est un peu fort et par trop maladroit !

LE ROI

1395 Bien. Dans votre manoir remportez votre droit,
Monsieur. Mais laissez-nous les nôtres sur nos terres.
Nous sommes justicier.

LE MARQUIS DE NANGIS, *frissonnant.*

Sire ! au nom de vos pères,

Considérez leur âge et leurs torts expiés,

Il tombe à genoux.

Et l'orgueil d'un vieillard qui se brise à vos pieds.
1400 Grâce !

*Le roi fait un signe brusque de colère et de refus. Le marquis
se relève lentement.*

Du roi Henri, votre père et le nôtre,
Je fus le compagnon, et j'étais là quand l'autre...
— L'autre monstre [92], — enfonça le poignard... —
                                           [Jusqu'au soir
Je gardai mon roi mort, car c'était mon devoir.
Sire ! j'ai vu mon père, hélas ! et mes six frères
1405 Choir tour à tour au choc des factions contraires;
La femme qui m'aimait, je l'ai perdue aussi.
Maintenant, — le vieillard que vous voyez ici
Est comme un patient qu'un bourreau qui s'en joue
A pour tout un grand jour attaché sur la roue.

1410 Le Seigneur a brisé mes membres tour à tour
De sa barre de fer. — Voici la fin du jour,

Mettant la main sur sa poitrine.

Et j'ai le dernier coup. — Sire, Dieu vous conserve!

*Il salue profondément et sort. Marion se lève péniblement
et va tomber mourante dans l'enfoncement de la porte
dorée du cabinet du roi.*

LE ROI, *essuyant une larme et le suivant des yeux,
à Bellegarde.*

Pour ne pas défaillir il faut qu'un roi s'observe.
Bien faire est malaisé... Ce vieillard m'a touché...

Il rêve un moment et sort brusquement de son silence.

1415 Aujourd'hui pas de grâce; hier j'ai trop péché.

Se rapprochant de Bellegarde.

Pour vous, duc, avant lui vous veniez de me dire
Mainte chose hardie et qui pourra vous nuire
Quand au cardinal-duc je redirai ce soir
La conversation que nous venons d'avoir.
1420 J'en suis fâché pour vous. Désormais prenez garde...

Bâillant.

Ah! j'ai bien mal dormi, mon pauvre Bellegarde!

Congédiant du geste gardes et courtisans.

Messieurs, laissez-nous seul. Allez.

A L'Angély.

Demeure, toi.

*Tout le monde sort, excepté Marion que le roi ne voit pas.
Le duc de Bellegarde l'aperçoit accroupie au seuil de la
porte, et va à elle.*

LE DUC DE BELLEGARDE, *bas à Marion.*

Vous ne pouvez rester à la porte du roi.
Qu'y faites-vous, collée ainsi qu'une statue ?
1425 Ma chère, allez-vous-en.

MARION

J'attendrai qu'on m'y tue.

L'ANGÉLY, *bas au duc.*

Laissez-la, duc.

Bas à Marion.

Restez.

*Il revient auprès du roi, qui s'est assis dans le grand fauteuil
et rêve profondément.*

SCÈNE VIII [93]

LE ROI, L'ANGÉLY

LE ROI, *avec un soupir profond.*

L'Angély! L'Angély!
Viens, j'ai le cœur malade et d'amertume empli.
Point de rire à la bouche, et dans mes yeux arides
Point de pleurs. Toi qui seul quelquefois me dérides,
1430 Viens. — Toi qui n'as jamais peur de ma majesté,
Fais luire dans mon âme un rayon de gaîté.

Un silence.

L'ANGÉLY

N'est-ce pas que la vie est une chose amère,
Sire ?

LE ROI

Hélas !

L'ANGÉLY

Et que l'homme est un souffle éphémère ?

LE ROI

Un souffle, et rien de plus.

L'ANGÉLY

N'est-ce pas, dites-moi,
1435 Qu'on est bien malheureux d'être homme, et d'être roi,
Sire ?

LE ROI

On a double charge.

L'ANGÉLY

Et, plutôt qu'être au monde,
Que mieux vaut le tombeau, si l'ombre en est profonde ?

LE ROI

Je l'ai toujours dit.

L'ANGÉLY

Sire, être mort, ou pas né,
Voilà le seul bonheur. Mais l'homme est condamné.

LE ROI

1440 Que tu me fais plaisir de parler de la sorte !

Un silence.

L'ANGÉLY

Une fois au tombeau, pensez-vous qu'on en sorte ?

LE ROI, *dont la tristesse a été toujours croissant
aux paroles du fou.*

Nous le saurons plus tard. — J'en voudrais être là.

Un silence.

Fou, je suis malheureux ! — Entends-tu bien cela ?

L'ANGÉLY

Je le vois. — Vos regards, votre face amaigrie,
1445 Votre deuil...

LE ROI

Et comment veux-tu donc que je rie ?

Se rapprochant du fou.

Car avec moi, vois-tu, — tu perds ta peine. — A quoi
Te sert de vivre donc ? Beau métier ! fou de roi !
Grelot faussé, — pantin qu'on jette et qu'on ramasse,
Dont le rire vieilli n'est plus qu'une grimace ! —
1450 Que fais-tu sur la terre, à jouer arrêté ?
Pourquoi vis-tu ?

L'ANGÉLY

Je vis par curiosité.
Mais vous, — à quoi bon vivre ? — Ah ! je vous plains
[dans l'âme !
Comme vous êtes roi, mieux vaudrait être femme !
Je ne suis qu'un pantin dont vous tenez le fil ;
1455 Mais votre habit royal cache un fil plus subtil
Que tient un bras plus fort ; et moi, j'aime mieux être
Pantin aux mains d'un roi, sire, qu'aux mains d'un
[prêtre !

Un silence.

LE ROI, *rêvant et de plus en plus triste.*

Tu ris, mais tu dis vrai. C'est un homme infernal.
— Satan pourrait-il pas s'être fait cardinal ?
1460 Si c'était lui dont j'ai l'âme ainsi possédée ?
Qu'en dis-tu ?

L'ANGÉLY

J'ai souvent, sire, eu la même idée.

LE ROI

Ne parlons plus ainsi. Ce doit être un péché.
Vois comme le malheur sur moi s'est attaché.
Je viens ici ; j'avais des cormorans d'Espagne, —
1465 Pas une goutte d'eau pour pêcher ! — La campagne !
Point d'étang assez large en ce maudit Chambord
Pour qu'un ciron [94] s'y voie en s'y mirant du bord !
Je veux chasser ? — la mer. Je veux pêcher ? — la plaine.
Suis-je assez malheureux ?

L'ANGÉLY

                              Oui, votre vie est pleine
1470 D'affreux chagrins.

LE ROI

                    Comment me consolerais-tu !

L'ANGÉLY

Tenez, un autre encor. Vous tenez pour vertu,
Avec raison, cet art de dresser les alètes [95]
A la chasse aux perdrix. Un bon chasseur, vous l'êtes,
Fait cas du fauconnier.

LE ROI, *vivement.*

                        Le fauconnier est dieu !

L'ANGÉLY

1475 Eh bien, il en est deux qui vont mourir sous peu.

LE ROI

A la fois ?

L'ANGÉLY

Oui.

LE ROI

Qui donc ?

L'ANGÉLY

Deux fameux!

LE ROI

Qui, de grâce ?

L'ANGÉLY

Ces jeunes gens pour qui l'on vous demandait grâce...

LE ROI

Ce Gaspard ? ce Didier ?...

L'ANGÉLY

Je crois qu'oui. Les derniers.

LE ROI

Quelle calamité! Vraiment, deux fauconniers!
1480 Avec cela que l'art se perd! Ah! duel funeste!
Moi mort, cet art aussi s'en va, — comme le reste!
— Pourquoi ce duel ?

L'ANGÉLY

Mais l'un à l'autre soutenait
Que l'alète au grand vol ne vaut pas l'alfanet [96].

LE ROI

Il avait tort. — Pourtant le cas n'est pas pendable.

Un silence.

1485 Mais, après tout, mon droit de grâce est imperdable.
Au gré du cardinal je suis toujours trop doux.

Un silence.
A L'Angély.

Richelieu veut leur mort.

L'ANGÉLY

Sire, que voulez-vous ?

LE ROI, *après réflexion et silence.*

Ils mourront [97]!

L'ANGÉLY

C'est cela.

LE ROI

Pauvre fauconnerie!

L'ANGÉLY, *allant à la fenêtre.*

Voyez donc sire !

LE ROI, *se détournant en sursaut.*

Quoi ?

L'ANGÉLY

Regardez, je vous prie.

LE ROI, *se levant et allant à la fenêtre.*

1490 Qu'est-ce ?

L'ANGÉLY, *lui montrant quelque chose en dehors.*

On vient relever la sentinelle.

LE ROI

Eh bien ?

C'est tout ?

L'ANGÉLY

Quel est ce drôle aux galons jaunes ?

LE ROI

Rien.

Le caporal.

L'ANGÉLY

Il met un autre homme à la place.
Que lui dit-il ainsi tout bas ?

LE ROI

Le mot de passe.

Bouffon, où veux-tu donc en venir ?

L'ANGÉLY

A ceci :
1495 Que les rois ici-bas font sentinelle aussi.
Au lieu de pique, ils ont un sceptre qui les charge.
Quand ils ont tout leur temps trôné de long en large,
La mort, ce caporal des rois, met en leur lieu
Un autre porte-sceptre, et de la part de Dieu
1500 Lui donne le mot d'ordre, et ce mot, c'est : CLÉMENCE !

LE ROI

Non. C'est : JUSTICE. — Ah! deux fauconniers, perte
[immense!
— Ils mourront!

L'ANGÉLY

            Comme vous, comme moi. — Grand, petit,
La mort dévore tout d'un égal appétit.
Mais, tout pressés qu'ils sont, les morts dorment à l'aise.
1505 Monsieur le cardinal vous obsède et vous pèse,
Attendez, sire! — Un jour, un mois, l'an révolu,
Lorsque nous aurons bien, durant le temps voulu,
Fait tous trois, moi le fou, vous le roi, lui le maître,
Nous nous endormirons, et, si fier qu'on puisse être,
1510 Si grand que soit un homme au compte de l'orgueil,
Nul n'a plus de six pieds de haut dans le cercueil!
Lui, voyez déjà comme en litière on le traîne!...

LE ROI

Oui, la vie est bien sombre et la tombe est sereine. —
Si je ne t'avais pas pour m'égayer un peu...

L'ANGÉLY

1515 Sire, précisément, je viens vous dire adieu.

LE ROI

Que dis-tu?

L'ANGÉLY

        Je vous quitte.

LE ROI

                Allons, quelle folie!
Du service des rois la mort seule délie.

L'ANGÉLY

Aussi vais-je mourir!

LE ROI

            Es-tu fou pour de bon?
Dis?

L'ANGÉLY

Condamné par vous, roi de France et Bourbon.

LE ROI

1520 Si tu railles, bouffon, dis-nous où nous en sommes.

L'ANGÉLY

Sire, j'étais du duel de ces deux gentilshommes.
Mon épée en était, du moins, si ce n'est moi.
Je vous la rends.

> *Il tire son épée et la présente un genou en terre.*

LE ROI, *prenant l'épée et l'examinant.*

Vraiment! une épée! oui, ma foi!
D'où te vient-elle, ami?

L'ANGÉLY

Sire, on est gentilhomme.
Vous n'avez pas fait grâce aux coupables, en somme
1525 J'en suis.

LE ROI, *grave et sombre.*

Alors, bonsoir. Laisse-moi, pauvre fou,
Avant qu'il soit coupé, t'embrasser par le cou.

> *Il embrasse L'Angély.*

L'ANGÉLY, *à part.*

Il prend terriblement au sérieux la chose!

LE ROI, *après un silence.*

Jamais à la justice un vrai roi ne s'oppose.
Mais, cardinal Armand, vous êtes bien cruel.
1530 Deux fameux fauconniers et mon fou, pour un duel!

> *Il se promène vivement agité et la main sur le front. Puis il
> se tourne vers L'Angély inquiet.*

Va, va! console-toi, la vie est bien amère,
Mieux vaut la tombe, et l'homme est un souffle éphémère.

L'ANGÉLY

Diable!

> *Le roi continue de se promener et paraît violemment agité.*

LE ROI

Ainsi, pauvre fou, tu crois qu'ils te pendront?

L'ANGÉLY, *à part.*

Comme il y va! j'en ai la sueur sur le front!

Haut.

1535 A moins d'un mot de vous [98]...

LE ROI

Qui donc me fera rire ?
Si l'on sort du tombeau, tu viendras me le dire.
C'est une occasion.

L'ANGÉLY

Le message est charmant !

*Le roi continue de se promener à grands pas, adressant çà
et là la parole à L'Angély.*

LE ROI

L'Angély! quel triomphe au cardinal Armand !

Croisant les bras.

1540 Crois-tu, si je voulais, que je serais le maître ?

L'ANGÉLY

Montaigne eût dit : *Que sais-je?* et Rabelais : *Peut-être.*

LE ROI, *avec un geste de résolution.*

Bouffon! un parchemin !

*L'Angély lui présente avec empressement un parchemin qui
se trouve sur une table près d'une écritoire. Le roi écrit
précipitamment quelques mots, puis tend le parchemin à
L'Angély.*

Je vous fais grâce à tous !

L'ANGÉLY

A tous trois ?

LE ROI

Oui.

L'ANGÉLY, *courant à Marion.*

Madame, arrivez! A genoux!
Remerciez le roi !

MARION, *tombant à genoux.*

Nous avons notre grâce ?

L'Angély

1545 Et c'est moi...

Marion

Quels genoux faut-il donc que j'em-
[brasse ?
Les vôtres ou les siens ?

Le roi, *étonné, examinant Marion. — A part.*

Que veut dire ceci ?
Est-ce un piège ?

L'Angély, *donnant le parchemin à Marion.*

Prenez le papier que voici.

Marion baise le parchemin, et le met dans son sein [99].

Le roi, *à part.*

Suis-je dupe ?

A Marion.

Un instant, madame ! il faut me rendre
Cette feuille...

Marion

Grand Dieu !

Au roi, avec hardiesse, en montrant sa gorge.

Sire, venez la prendre !
1550 Et m'arrachez aussi le cœur !

Le roi s'arrête et recule embarrassé.

L'Angély, *bas à Marion.*

Bon ! gardez-la,
Tenez ferme ! Le roi ne met pas ses mains là.

Le roi, *à Marion.*

Donnez, dis-je !

Marion

Prenez.

Le roi, *baissant les yeux.*

Quelle est cette sirène ?

L'Angély, *bas à Marion.*

Il n'oserait rien prendre au corset de la reine !

LE ROI, *congédiant Marion du geste, après un moment*
d'hésitation, et sans lever les yeux sur elle.

Eh bien, allez !

MARION, *saluant profondément le roi.*

Courons sauver les prisonniers !

Elle sort.

L'ANGÉLY, *au roi.*

1555 C'est la sœur de Didier, l'un des deux fauconniers.

LE ROI

Elle est ce qu'elle veut. Mais c'est étrange comme
Elle m'a fait baisser les yeux, — moi qui suis homme !

Un silence.

Bouffon ! tu m'as joué. C'est un autre pardon
Qu'il faut que je t'accorde.

L'ANGÉLY

Eh ! sire, accordez donc !
1560 Toute grâce est un poids qu'un roi du cœur s'enlève.

LE ROI

Tu dis vrai. J'ai toujours souffert les jours de Grève.
Nangis avait raison, un mort jamais ne sert,
Et Montfaucon peuplé rend le Louvre désert.

Se promenant à grands pas.

C'est une trahison que de venir en face
1565 Au fils du roi Henri rayer son droit de grâce.
Que fais-je ainsi, déchu, détrôné, désarmé ?
Comme dans un sépulcre, en cet homme enfermé ?
Sa robe est mon linceul, et mes peuples me pleurent.
Non ! non ! je ne veux pas que ces deux enfants meurent.
1570 Vivre est un don du ciel trop visible et trop beau.

Après une rêverie.

Dieu qui sait où l'on va peut ouvrir un tombeau.
Un roi, non. Je les rends tous deux à leur famille.
Ils vivront. Ce vieillard et cette jeune fille
Me béniront. C'est dit. J'ai signé, moi le roi !
1575 Le cardinal sera furieux, mais, ma foi,
Tant pis, cela fera plaisir à Bellegarde.

L'ANGÉLY

On peut bien une fois être roi par mégarde [100] !

ACTE CINQUIÈME

LE CARDINAL

BEAUGENCY

Le donjon de Beaugency. — Un préau. Au fond, le donjon; tout à l'entour, un grand mur. — A gauche, une
haute porte en ogive. A droite, une petite porte surbais-
sée dans le mur. Près de la porte une table de pierre
devant un banc de pierre.

SCÈNE PREMIÈRE [101]

DES OUVRIERS

Ils travaillent à démolir l'angle du mur du fond à gauche.
La brèche est déjà assez avancée.

PREMIER OUVRIER, *piochant.*

Hum! c'est dur!

DEUXIÈME OUVRIER, *piochant.*

          Peste soit du gros mur qu'il nous faut
Jeter par terre!

TROISIÈME OUVRIER, *piochant.*

         Pierre, as-tu vu l'échafaud?

PREMIER OUVRIER

1580 Oui.

          Il va à la grande porte et la mesure.

La porte est étroite, et jamais la litière
Du seigneur cardinal n'y passerait entière.

TROISIÈME OUVRIER

C'est donc une maison?

PREMIER OUVRIER, *avec un geste affirmatif.*

Avec de grands rideaux.
Vingt-quatre hommes [102] à pied la portent sur leur dos.

DEUXIÈME OUVRIER

Moi, j'ai vu la machine, un soir, par un temps sombre,
1585 Qui marchait... On eût dit Léviathan [103] dans l'ombre.

TROISIÈME OUVRIER

Que vient-il ici faire avec tant de sergents ?

PREMIER OUVRIER

Voir l'exécution de ces deux jeunes gens.
Il est malade, il a besoin de se distraire.

DEUXIÈME OUVRIER

Finissons !

Ils se remettent au travail. Le mur est presque démoli.

TROISIÈME OUVRIER

As-tu vu l'échafaud noir, mon frère ?
1590 Ce que c'est qu'être noble !

PREMIER OUVRIER

Ils ont tout !

DEUXIÈME OUVRIER

Il faut voir
Si l'on ferait pour nous un bel échafaud noir !

PREMIER OUVRIER

Qu'ont donc fait ces seigneurs, qu'on les tue ? Hein,
[Maurice,
Comprends-tu cela, toi ?

TROISIÈME OUVRIER

Non. C'est de la justice.

*Ils continuent à démolir le mur. Entre Laffemas. Les
ouvriers se taisent. Il arrive par le fond, comme s'il venait
d'une cour intérieure de la prison. Il s'arrête devant les
ouvriers et paraît examiner la brèche et leur donner quelques
ordres. La brèche finie, il leur fait tendre d'un côté à
l'autre un grand drap noir qui la cache entièrement, puis
il les congédie.*

Presque en même temps paraît Marion en blanc, voilée. Elle entre par la grande porte, traverse rapidement le préau, et court frapper au guichet de la petite porte. Laffemas se dirige du même côté à pas lents. Le guichet s'ouvre. Paraît le guichetier.

SCÈNE II

MARION, LAFFEMAS

MARION, *montrant un parchemin au guichetier.*

Ordre du roi.

LE GUICHETIER

Madame, on n'entre pas.

MARION

Comment !

LAFFEMAS, *présentant un papier au guichetier.*

Signé du cardinal.

LE GUICHETIER

Entrez.

Laffemas, au moment d'entrer, se retourne, considère un instant Marion, et revient vers elle. Le guichetier referme la porte.

LAFFEMAS, *à Marion.*

Mais quoi, vraiment,
1595 C'est encor vous ! Ici ! L'endroit est équivoque.

MARION

Oui.

Avec triomphe et montrant le parchemin.

J'ai la grâce !

LAFFEMAS, *montrant le sien.*

Et moi, l'ordre qui la révoque.

MARION, *avec un cri d'effroi.*

L'ordre est d'hier matin !

LAFFEMAS

Le mien, de cette nuit.

MARION, *les mains sur ses yeux*.

Oh! plus d'espoir!

LAFFEMAS

L'espoir n'est qu'un éclair qui luit.
La clémence des rois est chose bien fragile.
1600 Elle vient à pas lents, et fuit d'un pied agile.

MARION

Pourtant le roi lui-même à les sauver s'émeut!...

LAFFEMAS

Est-ce que le roi peut quand le cardinal veut?

MARION

O Didier! la dernière espérance est éteinte!

LAFFEMAS, *bas*.

Pas la dernière.

MARION

Ciel!

LAFFEMAS, *se rapprochant d'elle*. — *Bas*.

Il est — dans cette enceinte —
1605 Un homme, — qu'un seul mot de vous — peut faire ici
Plus heureux qu'un roi même, — et plus puissant aussi!

MARION

Oh! va-t'en!

LAFFEMAS

Est-ce là le dernier mot?

MARION, *avec hauteur*.

De grâce!

LAFFEMAS

Qu'un caprice de femme est chose qui me passe!
Vous étiez autrefois tendre facilement.
1610 Aujourd'hui, — qu'il s'agit de sauver votre amant... —

MARION

Il faut que vous soyez un homme bien infâme,
Bien vil, — décidément ! — pour croire qu'une femme,
— Oui, Marion de Lorme ! — après avoir aimé
Un homme, le plus pur que le ciel ait formé,
1615 Après s'être épurée à cette chaste flamme,
Après s'être refait une âme avec cette âme,
Du haut de cet amour si sublime et si doux,
Peut retomber si bas qu'elle aille jusqu'à vous [104] !

LAFFEMAS

Aimez-le donc !

MARION

     Le monstre ! il va du crime au vice !
1620 Laisse-moi pure !

LAFFEMAS

     Donc je n'ai plus qu'un service
A vous rendre à présent ?

MARION

     Quoi ?

LAFFEMAS

        Si vous voulez voir,
Je puis vous faire entrer. — Ce sera pour ce soir.

MARION, *tremblant de tout son corps.*

Dieu ! ce soir !

LAFFEMAS

     Oui, ce soir. — Pour voir par la portière,
Monsieur le cardinal viendra dans sa litière.

*Marion est plongée dans une profonde et convulsive rêverie.
Tout à coup elle passe ses deux mains sur son front et se
tourne comme égarée vers Laffemas.*

MARION

1625 Comment feriez-vous donc pour les faire évader ?

LAFFEMAS, *bas.*

Si... vous vouliez ?... — Alors je puis faire garder [105]
Cette brèche, par où viendra son éminence,
Par deux hommes à moi...

Il écoute du côté de la petite porte.

Du bruit... — On vient, je
[pense.

MARION, *se tordant les mains.*

Et vous le sauveriez ?

LAFFEMAS

Oui.

Bas.

Pour tout dire ici
1630 Les murs ont trop d'échos... — Ailleurs...

MARION, *avec désespoir.*

Venez !

Laffemas se dirige vers la grande porte et lui fait signe du doigt de le suivre. — Marion tombe à genoux, tournée vers le guichet de la prison. Puis elle se lève avec un mouvement convulsif, et disparaît par la grande porte, à la suite de Laffemas. — Le petit guichet s'ouvre. Entrent, au milieu d'un groupe de gardes, Saverny et Didier.

SCÈNE III

DIDIER, SAVERNY

Saverny, vêtu à la dernière mode, entre avec pétulance et gaîté ; Didier, tout en noir, pâle, à pas lents. Un geôlier accompagné de deux hallebardiers les conduit. Le geôlier place les deux hallebardiers en sentinelle près du rideau noir. — Didier va s'asseoir en silence sur le banc de pierre.

SAVERNY, *au geôlier qui vient de lui ouvrir la porte.*

Merci !

Le bon air !

LE GEÔLIER, *le tirant à l'écart, bas.*

Monseigneur, à vous deux mots, de grâce.

SAVERNY

Quatre !

LE GEÔLIER, *baissant de plus en plus la voix.*
Voulez-vous fuir ?

SAVERNY, *vivement.*
                    Par où faut-il qu'on passe ?

LE GEÔLIER
C'est mon affaire.

SAVERNY
        Vrai ?
                    Le geôlier fait un signe de tête.
                Monsieur le cardinal,
Vous vouliez m'empêcher de retourner au bal !
1635 Pardieu ! nous danserons encor ! La bonne chose
Que de vivre !
                                    Au geôlier.
        Ah çà, quand ?

LE GEÔLIER
                    Ce soir, à la nuit close.

SAVERNY, *se frottant les mains.*
D'honneur, je suis charmé de quitter ce logis.
— D'où me vient ce secours ?

LE GEÔLIER
                    Du marquis de Nangis.

SAVERNY
Mon bon oncle !
                                    Au geôlier.
            A propos, c'est pour tous deux, je pense ?

LE GEÔLIER
1640 Je n'en puis sauver qu'un.

SAVERNY
                    Pour double récompense ?

LE GEÔLIER
Je n'en puis sauver qu'un.

SAVERNY, *hochant la tête.*

Qu'un ?

Bas au geôlier.

Alors, écoutez,

Montrant Didier.

Voilà celui qu'il faut sauver.

LE GEÔLIER

Vous plaisantez.

SAVERNY

Non pas. — Lui.

LE GEÔLIER

Monseigneur, quelle idée est la vôtre !
Votre oncle fait cela pour vous, non pour un autre.

SAVERNY

1645 Est-ce dit ? En ce cas, préparez deux linceuls.
Il tourne le dos au geôlier, qui sort étonné. Entre un greffier.
Bon ! — on ne pourra pas rester un instant seuls !

LE GREFFIER, *saluant les prisonniers.*

Messieurs, un conseiller du roi près la grand'chambre
Va venir.

Il salue de nouveau et sort.

SAVERNY

Bien. —

En riant.

Avoir vingt ans, être en septembre,
Et ne pas voir octobre ! — Est-ce pas ennuyeux ?

DIDIER, *tenant le portrait à la main, immobile sur le devant,
et comme absorbé dans une contemplation profonde.*

1650 Viens, viens. Regarde-moi. — Bien, — tes yeux sur mes
[yeux. —
Ainsi ! — Comme elle est belle ! — et quelle grâce
[étrange !
Dirait-on une femme ? Oh ! non, c'est un front d'ange !
Dieu lui-même, en douant ce regard de candeur,
S'il y mit plus de flamme, y mit plus de pudeur.
1655 Cette bouche d'enfant, qu'entr'ouvre un doux caprice,
Palpite d'innocence !... —

Jetant par terre le portrait avec violence.

                    Oh! pourquoi ma nourrice,
Au lieu de recueillir le pauvre enfant trouvé,
M'a-t-elle pas brisé le front sur le pavé?
Qu'est-ce que j'avais fait à ma mère pour naître?
1660 Pourquoi dans son malheur, — dans son crime peut-être,
En m'exilant du sein qui dût me réchauffer,
Fut-elle pas ma mère assez pour m'étouffer!

          SAVERNY, *revenant du fond du préau.*

Regardez, mon ami, comme cette hirondelle
Vole bas! Il pleuvra ce soir.

                              DIDIER, *sans l'entendre.*

                              Chose infidèle
1665 Et folle qu'une femme! être inconstant, amer [106],
Orageux et profond, comme l'eau de la mer!
Hélas! à cette mer j'avais livré ma voile!
Je n'avais dans mon ciel rien qu'une seule étoile.
J'allais, j'ai fait naufrage, et j'aborde au tombeau!
1670 — Pourtant, j'étais né bon, l'avenir m'était beau,
J'avais peut-être même une céleste flamme, —
Un esprit dans le cœur!... — Oh malheureuse femme!
Oh! n'as-tu pas frémi de me mentir ainsi,
Moi qui laissais aller mon âme à ta merci!

                    SAVERNY

1675 C'est encor Marion! — Vous avez vos idées
Là-dessus.

          DIDIER, *sans l'écouter, ramassant le portrait
                    et y fixant les yeux.*

          Quoi! parmi les choses dégradées
Il faut te rejeter, femme qui m'as trompé!
Démon, d'une aile d'ange aux yeux enveloppé!

                    Il remet le portrait sur son cœur.

Reviens-là, c'est ta place! —

                              Se rapprochant de Saverny.

                              Un bizarre prodige!
1680 Ce portrait est vivant. — Il est vivant, te dis-je!
Tandis que tu dormais, en silence et sans bruit,
— Ecoute, — il m'a rongé le cœur toute la nuit!

SAVERNY

Pauvre ami! — De la mort disons quelque parole.

A part.

Cela m'attriste un peu, mais cela le console.

DIDIER

1685 Que me demandiez-vous ? Je n'ai point écouté.
Car, depuis qu'on m'a dit ce nom, il m'est resté
Un étourdissement dont j'ai l'âme affaiblie.
Je ne me souviens pas, je ne sais pas, j'oublie.

SAVERNY, *lui prenant le bras.*

La mort ?

DIDIER, *avec joie.*

Ah!

SAVERNY

Parlez-moi de la mort, mon ami.
1690 Qu'est-ce enfin ?

DIDIER

Cette nuit avez-vous bien dormi ?

SAVERNY

Très mal. — Mon lit est dur, à meurtrir qui le touche!

DIDIER

Bien. — Quand vous serez mort, mon ami, votre couche
Sera plus dure encor, mais vous dormirez bien.
Voilà tout. On a bien l'enfer, mais ce n'est rien
1695 Près de la vie!

SAVERNY

Allons! ma crainte s'est enfuie.
Mais, diable! être pendu, voilà ce qui m'ennuie!

DIDIER

Eh! c'est toujours la mort. N'en demandez pas tant!

SAVERNY

A votre aise! Mais moi, je ne suis pas content.
Je crains peu de mourir, je le dis sans jactance,
1700 Quand la mort est la mort, et n'est pas la potence.

DIDIER

La mort a mille aspects. Le gibet en est un.
Sans doute ce doit être un moment importun
Quand ce nœud vous éteint comme on souffle une
[flamme,
Et vous serre la gorge, et vous fait jaillir l'âme !
1705 Mais après tout, qu'importe ! et, si tout est bien noir,
Pourvu que sur la terre on ne puisse rien voir, —
Qu'on soit sous un tombeau qui vous pèse et vous loue,
Ou que le vent des nuits vous tourmente, et se joue
A rouler des débris de vous, que les corbeaux [107]
1710 Ont du gibet de pierre arrachés par lambeaux, —
Qu'est-ce que cela fait ?

SAVERNY

Vous êtes philosophe.

DIDIER

Que le bec du vautour déchire mon étoffe,
Ou que le ver la ronge, ainsi qu'il fait d'un roi,
C'est l'affaire du corps : mais que m'importe, à moi !
1715 Lorsque la lourde tombe a clos notre paupière,
L'âme lève du doigt le couvercle de pierre,
Et s'envole...

Entre un conseiller, suivi et précédé de hallebardiers en noir.

SCÈNE IV

LES MÊMES, UN CONSEILLER À LA GRAND'CHAMBRE,
en grand costume ; geôliers, gardes.

LE GEÔLIER, *annonçant*
Monsieur le conseiller du roi.

LE CONSEILLER, *saluant tour à tour Saverny et Didier.*
Messieurs, mon ministère est pénible, et la loi
Est sévère...

SAVERNY
J'entends. Il n'est plus d'espérance.
1720 Eh bien, parlez, monsieur.

LE CONSEILLER

Il déroule un parchemin et lit.

« Nous, Louis, roi de France
« Et de Navarre, au fond, rejetons le pourvoi
« Que lesdits condamnés ont formé près du roi;
« Pour la forme, des leurs ayant l'âme touchée,
« Nous commuons leur peine à la tête tranchée. »

SAVERNY, *avec joie.*

1725 A la bonne heure!

LE CONSEILLER, *saluant de nouveau.*

Ainsi, messieurs, tenez-vous prêts.
Ce doit être aujourd'hui.

Il salue et se dispose à sortir.

DIDIER, *qui est resté dans son attitude rêveuse,*
à Saverny.

Je disais donc qu'après,
Après la mort, qu'on ait mis le cadavre en claie,
Qu'on ait sur chaque membre élargi quelque plaie,
Qu'on ait tordu les bras, qu'on ait brisé les os,
1730 Qu'on ait souillé le corps de ruisseaux en ruisseaux,
De toute cette chair, morte, sanglante, impure,
L'âme immortelle sort sans tache et sans blessure!

LE CONSEILLER, *revenant sur ses pas, à Didier.*

Messieurs, occupez-vous de passer ce grand pas.
Pensez-y bien.

DIDIER, *avec douceur.*

Monsieur, ne m'interrompez pas.

SAVERNY, *gaîment à Didier.*

1735 Plus de gibet!

DIDIER

Je sais. On a changé la fête.
Le cardinal ne va qu'avec son coupe-tête.
Il faut bien l'employer. La hache rouillerait.

SAVERNY

Tiens! vous prenez cela froidement! L'intérêt
Est grand pourtant.

Au conseiller.

Merci de la bonne nouvelle.

LE CONSEILLER

1740 Monsieur, je la voudrais meilleure encor. — Mon zèle...

SAVERNY

Ah! pardon. A quelle heure?

LE CONSEILLER

A neuf heures, — ce soir.

DIDIER

Bien. Que du moins le ciel comme mon cœur soit noir.

SAVERNY

Où sera l'échafaud?

LE CONSEILLER, *montrant de la main la cour voisine.*

Ici, — dans la cour même.
Monseigneur doit venir.

*Le conseiller sort avec tout son cortège. Les deux prisonniers
restent seuls. Le jour commence à baisser. On aperçoit
seulement au fond briller la hallebarde des deux sentinelles qui se promènent en silence devant la brèche.*

SCÈNE V

DIDIER, SAVERNY

DIDIER, *solennellement, après un silence.*

A ce moment suprême,
1745 Il convient de songer au sort qui nous attend.
Nous sommes à peu près du même âge, et pourtant
Je suis plus vieux que vous. Donc, je dois faire en sorte
Que ma voix jusqu'au bout vous guide et vous exhorte.
D'autant plus que c'est moi qui vous perds; le défi
1750 Vint de moi; vous viviez heureux, il m'a suffi
De toucher votre vie, hélas! pour la corrompre.
Votre sort sous le mien a ployé jusqu'à rompre.

Or, nous entrons tous deux ensemble dans la nuit
Du tombeau. Tenons-nous par la main...

On entend des coups de marteau.

SAVERNY

Qu'est ce bruit ?

DIDIER

1755 C'est l'échafaud qu'on dresse, ou nos cercueils qu'on
[cloue.

Saverny s'assied sur le banc de pierre. Continuant.

— Souvent au dernier pas le cœur de l'homme échoue.
La vie encor nous tient par de secrets côtés.

L'horloge sonne un coup.

Mais je crois qu'une voix nous appelle... Écoutez !

Un nouveau coup.

SAVERNY

Non, c'est l'heure qui sonne

Un troisième coup.

DIDIER

Oui, l'heure !

Un quatrième coup.

SAVERNY

A la chapelle.

Quatre autres coups.

DIDIER

1760 C'est toujours une voix, frère, qui nous appelle.

SAVERNY

Encore une heure.

Il appuie ses coudes sur la table de pierre et sa tête sur ses mains. On vient relever les hallebardiers de garde.

DIDIER

Ami ! gardez-vous de fléchir,
De trébucher au seuil qui nous reste à franchir !
Du sépulcre sanglant qu'un bourreau nous apprête
La porte est basse, et nul n'y passe avec sa tête.
1765 Frère ! allons d'un pas ferme au-devant de leurs coups.
Que ce soit l'échafaud qui tremble, et non pas nous.

On veut notre tête ? eh ! pour n'être pas en faute,
Au bourreau qui l'attend il faut la porter haute.

Il s'approche de Saverny immobile.

Courage !

Il lui prend le bras, et s'aperçoit qu'il dort.

Il dort. — Et moi qui lui prêchais si bien
1770 Le courage !... Il dormait ! Qu'est le mien près du sien ?

Il s'assied.

Dors, toi qui peux dormir ! — Bientôt me viendra l'heure
De dormir à mon tour. — Oh ! pourvu que tout
[meure [108] !
Pourvu que rien d'un cœur dans la tombe enfermé
Ne vive pour haïr ce qu'il a trop aimé !

*La nuit est tout à fait tombée. Pendant que Didier se plonge
de plus en plus dans ses pensées, entrent par la brèche du
fond Marion et le geôlier. Le geôlier la précède avec une
lanterne sourde et un paquet. Il dépose le paquet et la lanterne à terre. Puis il s'avance avec précaution vers Marion,
qui est restée sur le seuil, pâle, immobile, comme égarée.*

SCÈNE VI

LES MÊMES, MARION, LE GEÔLIER

LE GEÔLIER, *à Marion.*

1775 Surtout, soyez dehors avant l'heure indiquée.

*Il s'éloigne. Pendant tout le reste de la scène, il continue de
se promener de long en large au fond.*

MARION

*Elle s'avance en chancelant et comme absorbée dans une pen-
sée de désespoir. De temps en temps, elle passe la main sur
son visage, comme si elle cherchait à effacer quelque chose.*

... Sa lèvre est un fer rouge et m'a toute marquée !

*Tout à coup, dans l'ombre, elle aperçoit Didier, pousse un
cri, court, se précipite, et tombe haletante à ses genoux.*

Didier ! Didier ! Didier !

DIDIER, *comme éveillé en sursaut.*

Elle ici! Dieu!

D'un ton froid.

— C'est vous?

MARION

Qui veux-tu que ce soit? — Oh! laisse! à tes genoux!
Je me sens si bien là! — Tes mains, tes mains chéries,
1780 Donne-les-moi, tes mains! — Comme ils les ont meur-
[tries!
Des chaînes, n'est-ce pas? Des fers?... — Les malheu-
[reux!
Je suis ici, vois-tu? c'est que... — C'est bien affreux!

Elle pleure. On l'entend sangloter.

DIDIER

Qu'avez-vous à pleurer?

MARION

Non. Est-ce que je pleure?
Non, je ris.

Elle rit.

Nous allons nous enfuir tout à l'heure.
1785 Je ris, je suis contente, il vivra! c'est passé!

Elle retombe sur les genoux de Didier et pleure.

Oh! tout cela me tue, et j'ai le cœur brisé!

DIDIER

Madame...

MARION

*Elle se lève sans l'entendre et court chercher le paquet, qu'elle
apporte à Didier.*

Profitons de l'instant où nous sommes.
Mets ce déguisement. J'ai gagné ces deux hommes.
On peut sans être vu sortir de Beaugency.
1790 Nous prendrons une rue au bout de ce mur-ci.
Richelieu va venir voir comme on exécute
Ses ordres. Gardons-nous de perdre une minute.
Le canon tirera pour sa venue. Ainsi
Tout alors est perdu si nous sommes ici!

DIDIER

1795 C'est bien.

MARION

Vite. — Ah! mon Dieu! c'est bien lui! c'est
[lui-même!
Sauvé! Parle-moi donc. Mon Didier, je vous aime!

DIDIER

Vous dites une rue au détour de ce mur?

MARION

Oui, j'en viens, j'ai tout vu. C'est un chemin très sûr.
J'ai regardé fermer la dernière fenêtre.
1800 Nous y rencontrerons quelques femmes peut-être.
D'ailleurs, on vous prendra pour un passant. Voilà.
Quand nous serons bien loin, — mettez ces habits-là! —
Nous rirons de vous voir déguisé de la sorte.
Vite!

DIDIER, *repoussant les habits du pied.*

Rien ne presse.

MARION

Ah! la mort est à la porte!
1805 Fuyons! Didier! — C'est moi qui viens ici.

DIDIER

Pourquoi?

MARION

Pour vous sauver! Grand Dieu! quelle demande, à moi!
Pourquoi ce ton glacé?

DIDIER, *avec un sourire triste.*

Vous savez que nous sommes
Bien souvent insensés, nous autres pauvres hommes!

MARION

Viens! oh! viens! le temps presse, et les chevaux sont
[prêts.
1810 Tout ce que tu voudras, tu le diras après.
Mais partons!

DIDIER

Que fais là cet homme qui regarde?

MARION

C'est le geôlier. Il est gagné, comme la garde.
Doutez-vous de ces gens ? Vous avez l'air frappé...

DIDIER

Non, rien. — C'est que souvent l'on peut être trompé.

MARION

1815 Oh! viens! — Si tu savais, chaque instant qui s'écoule,
Je meurs, je crois entendre au loin marcher la foule.
Oh! hâtons-nous de fuir, je t'en prie à genoux!

DIDIER, *montrant Saverny endormi.*

Dites-moi, pour lequel de nous deux venez-vous ?

MARION, *un moment interdite.*

A part.

Gaspard est généreux, il ne m'a pas nommée.

Haut.

1820 Est-ce ainsi que Didier parle à sa bien-aimée ?
Mon Didier, qu'avez-vous contre moi ?

DIDIER

Je n'ai rien.
Voyons, levez la tête, et regardez-moi bien.

Marion, tremblante, fixe son regard sur le sien.

Oui, c'est bien ressemblant.

MARION

Mon Didier, je t'adore,

Mais viens donc!

DIDIER

Voulez-vous me regarder encore ?

Il la regarde fixement.

MARION, *terrifiée sous le regard de Didier.*

A part.

1825 Dieu! les baisers de l'autre! Est-ce qu'il les verrait ?

Haut.

— Ecoutez-moi, Didier, vous avez un secret.
Vous êtes mal pour moi. Vous avez quelque chose!
Il faut me dire tout. Vous savez, on suppose

Souvent le mal, et puis, plus tard, on est fâché
1830 Quand un malheur survient pour un secret caché!
Ah! j'avais autrefois ma part dans vos pensées!
Toutes ces choses-là sont-elles donc passées?
Ne m'aimez-vous donc plus? — Vous souvient-il de
                                                              [Blois?
De la petite chambre où j'étais autrefois?
1835 Comme nous nous aimions dans une paix profonde!
Que c'était un oubli de toute chose au monde?
Seulement, vous, parfois vous étiez inquiet.
Souvent j'ai dit : — Mon Dieu! si quelqu'un le voyait!
— C'était charmant! — Un jour a tout perdu. — Chère
                                                              [âme,
1840 Combien m'avez-vous dit de fois, en mots de flamme,
Que j'étais votre amour, que j'avais vos secrets,
Que je ferais de vous tout ce que je voudrais!
Quelles grâces jamais vous ai-je demandées?
Vous savez, bien souvent j'entre dans vos idées,
1845 Mais aujourd'hui cédez! — Il y va de vos jours!
Ah! vivez ou mourez, je vous suivrai toujours;
Toute chose avec vous, Didier, me sera douce,
La fuite ou l'échafaud!... — Eh bien, il me repousse!
Laissez-moi votre main, cela vous est égal,
1850 Mon front sur vos genoux ne vous fait pas de mal!
J'ai couru pour venir, je suis bien fatiguée.
— Ah! qu'est-ce qu'ils diraient, ceux qui m'ont vue si
                                                              [gaie,
Si contente autrefois, de me voir pleurer là!
— As-tu quelque grief sur moi? dis-moi cela!
1855 — Hélas! souffre à tes pieds la pauvre malheureuse!
C'est une chose, ami, vraiment bien douloureuse
Que je ne puisse pas obtenir un seul mot
De vous! — Enfin on dit ce qu'on a. — Non, plutôt
Poignardez-moi. — Voyons, mes larmes sont taries,
1860 Et je veux te sourire, et je veux que tu ries,
Et si tu ne ris pas, je ne t'aimerai plus!
— Je fis assez longtemps tout ce que tu voulus,
C'est ton tour. Dans les fers ton âme s'est aigrie.
Parle-moi, voyons, parle, appelle-moi : Marie!...

DIDIER

1865 Marie, ou Marion?

MARION, tombant épouvantée à terre.
Didier, soyez clément!

DIDIER, *d'une voix terrible.*

Madame, on n'entre pas ici facilement !
Les bastilles d'état sont nuit et jour gardées,
Les portes sont de fer, les murs ont vingt coudées.
Pour que devant vos pas la prison s'ouvre ainsi,
1870 A qui vous êtes-vous prostituée ici ?

MARION

Didier, qui vous a dit ?...

DIDIER

Personne. Je devine.

MARION

Didier ! J'en jure ici par la bonté divine,
C'était pour vous sauver, vous arracher d'ici,
Pour fléchir les bourreaux, pour vous sauver !

DIDIER

Merci !
Croisant les bras.

1875 Ah ! qu'on soit jusque-là sans pudeur et sans âme,
C'est véritablement une honte, madame !

*Il parcourt le préau à grands pas avec une explosion de cris
de rage.*

Où donc est le marchand d'opprobre et de mépris
Qui se fait acheter ma tête à de tels prix ?
Où donc est le geôlier ? le juge ? où donc est l'homme ?
1880 Que je le broie ici, que je l'écrase comme
Ceci !

*Il va pour briser le portrait entre ses mains, mais il s'arrête
et poursuit éperdu.*

Le juge ! — Allez ! messieurs, faites des lois
Et jugez ! Que m'importe, à moi, que le faux poids
Qui fait toujours pencher votre balance infâme
Soit la tête d'un homme ou l'honneur d'une femme !

A Marion.

1885 — Allez le retrouver !

MARION

Oh ! ne me traitez pas
Ainsi ! De vos mépris poussée à chaque pas

Je tremble; un mot de plus, Didier, je tombe morte!
Ah! si jamais amour fut vraie, ardente et forte,
Si jamais homme fut adoré parmi tous,
1890 Didier! Didier! c'est vous par moi!

DIDIER

Ha! taisez-vous.
J'aurais pu, — pour ma perte, — aussi, moi, naître
[femme.
J'aurais pu, — comme une autre, — être vile, être
[infâme,
Me donner pour de l'or, faire au premier venu
Pour y dormir une heure offre de mon sein nu [109]; —
1895 Mais s'il était venu vers moi, bonne et facile,
Un honnête homme, épris d'un honneur imbécile;
Si j'avais, d'aventure, en passant rencontré
Un cœur, d'illusions encor tout pénétré; —
Plutôt que de ne pas dire à cet homme honnête :
1900 « Je suis cela! » plutôt que de lui faire fête,
Plutôt que de ne pas moi-même l'avertir
Que mon œil chaste et pur ne faisait que mentir;
Plutôt qu'être à ce point perfide, ingrate et fausse,
J'eusse aimé mieux creuser de mes ongles ma fosse [110]!

MARION

1905 Oh!

DIDIER

Que vous ririez bien si vous pouviez vous voir
Comme vous fit mon cœur, cet étrange miroir!
Que vous avez bien fait de le briser, madame!
Vous étiez là, candide, et pure, et chaste!... O femme!
Que t'avait fait cet homme, au cœur profond et doux,
1910 Et qui t'a si longtemps aimée à deux genoux ?

LE GEÔLIER

L'heure passe.

MARION

Ah! le temps marche, et l'instant s'envole!
— Didier! je n'ai pas droit de dire une parole,
Je ne suis qu'une femme à qui l'on ne doit rien,
Vous m'avez réprouvée et maudite, et c'est bien,
1915 Et j'ai mérité plus que haine et que risée,
Et vous êtes trop bon, et mon âme brisée

Vous bénit ; mais voici l'heure affreuse. Ah ! fuyez !
Le bourreau se souvient de vous qui l'oubliez !
Mais j'ai disposé tout. Vous pouvez fuir... — Ecoute,
1920 Ne me refuse pas, — tu sais ce qu'il m'en coûte ! —
Frappe-moi, laisse-moi dans l'opprobre où je suis,
Repousse-moi du pied, marche sur moi, — mais fuis !

DIDIER

Fuir ! qui fuir ? Il n'est rien que j'aie à fuir au monde
Hors vous, — et je vous fuis, — et la tombe est profonde.

LE GEÔLIER

1925 L'heure passe.

MARION

Viens ! Fuis !

DIDIER

Je ne veux pas !

MARION

Pitié !...

DIDIER

Pour qui ?

MARION

Te voir saisi, grand Dieu ! te voir lié !
Te voir... — Non, d'y penser, j'en mourrais d'épouvante.
— Oh ! dis, viens, viens ! Veux-tu que je sois ta servante ?
Veux-tu me prendre, avec mes crimes expiés,
1930 Pour avoir quelque chose à fouler sous tes pieds ?
Celle que tu daignas nommer aux jours d'épreuve
Epouse...

DIDIER

Epouse !

On entend le canon dans l'éloignement.
Alors, voici qui vous fait veuve.

MARION

Didier !...

LE GEÔLIER

L'heure est passée.

Un roulement de tambours. — Entre le conseiller de la grand'chambre, accompagné de pénitents portant des torches, du bourreau, et suivi de soldats et de peuple.

MARION

Ah!...

SCÈNE VII

LES MÊMES, LE CONSEILLER, LE BOURREAU,
peuple, soldats.

LE CONSEILLER

Messieurs, je suis prêt.

MARION, *à Didier.*

Quand je te l'avais dit que le bourreau viendrait !

DIDIER, *au conseiller.*

1935 Nous sommes prêts aussi.

LE CONSEILLER

Quel est celui qu'on nomme

Marquis de Saverny ?
Didier lui montre du doigt Saverny endormi. Au bourreau.

Réveillez-le.

LE BOURREAU, *le secouant.*

Mais comme

Il dort ! — Hé ! monseigneur !

SAVERNY, *se frottant les yeux.*

Ah !... comment ont-ils pu

M'ôter mon bon sommeil ?

DIDIER

Il n'est qu'interrompu.

SAVERNY, *à demi éveillé,*
apercevant Marion et la saluant.

Tiens ! je rêvais de vous justement, belle dame.

LE CONSEILLER

1940 Avez-vous bien à Dieu recommandé votre âme ?

SAVERNY

Oui, monsieur.

LE CONSEILLER, *lui présentant un parchemin.*

Bien. — Veuillez me signer ce papier.

SAVERNY, *prenant le parchemin,*
et le parcourant des yeux.

C'est le procès-verbal. — Ce sera singulier,
Le récit de ma mort signé de mon paraphe !

Il signe, et parcourt de nouveau le papier. Au greffier.

Monsieur, vous avez fait trois fautes d'orthographe.

Il reprend la plume et les corrige. Au bourreau.

1945 Toi qui m'as éveillé, tu vas me rendormir.

LE CONSEILLER, *à Didier.*

Didier ?

Didier se présente. Il lui passe la plume.

Votre nom là.

MARION, *se cachant les yeux.*

Dieu ! cela fait frémir !

DIDIER, *signant.*

Jamais à rien signer je n'eus autant de joie !

Les gardes font la haie et les entourent tous deux.

SAVERNY, *à quelqu'un dans la foule.*

Monsieur, rangez-vous donc, pour que cet enfant voie.

DIDIER, *à Saverny.*

Mon frère ! c'est pour moi que vous **faites** ce pas,
1950 Embrassons-nous.

Il embrasse Saverny.

MARION, *courant à lui.*

Et moi! vous ne m'embrassez pas?
Didier! embrassez-moi!

DIDIER, *montrant Saverny.*

C'est mon ami, madame.

MARION, *joignant les mains.*

Oh! que vous m'accablez durement, faible femme
Qui, sans cesse aux genoux ou du juge, ou du roi,
Demande grâce à tous pour vous, à vous pour moi!

DIDIER

Il se précipite vers Marion, haletant et fondant en larmes.

1955 Eh bien non! Non, mon cœur se brise! C'est horrible!
Non, je l'ai trop aimée! Il est bien impossible
De la quitter ainsi! — Non! c'est trop malaisé
De garder un front dur quand le cœur est brisé!
Viens! oh! viens dans mes bras!

Il la serre convulsivement dans ses bras.

Je vais mourir. Je t'aime!
1960 Et te le dire ici, c'est le bonheur suprême!

MARION

Didier!...

Il l'embrasse de nouveau avec emportement.

DIDIER

Viens! pauvre femme! — Ah! dites-moi, vrai-
                                                    [ment,
Est-il un seul de vous qui dans un tel moment
Refusât d'embrasser la pauvre infortunée
Qui s'est à lui sans cesse et tout à fait donnée?
1965 J'avais tort! j'avais tort! — Messieurs, voulez-vous donc
Que je meure à ses yeux sans pitié, sans pardon?
— Oh! viens, que je te dise! — Entre toutes les femmes,
Et ceux qui sont ici m'approuvent dans leurs âmes,
Celle que j'aime, celle à qui reste ma foi,
1970 Celle que je vénère enfin, c'est encor toi! —
Car tu fus bonne, douce, aimante, dévouée! —
Ecoute-moi : — Ma vie est déjà dénouée.
Je vais mourir, la mort fait tout voir au vrai jour.
Va, si tu m'as trompé, c'est par excès d'amour!

1975 — Et ta chute d'ailleurs, l'as-tu pas expiée ?
— Ta mère en ton berceau t'a peut-être oubliée
Comme moi. — Pauvre enfant ! toute jeune, ils auront
Vendu ton innocence !... — Ah ! relève ton front !
— Ecoutez tous : — A l'heure où je suis, cette terre
1980 S'efface comme une ombre, et la bouche est sincère !
— Eh bien, en ce moment, — du haut de l'échafaud,
— Quand l'innocent y meurt, il n'est rien de plus haut ! —
Marie, ange du ciel que la terre a flétrie,
Mon amour, mon épouse, — écoute-moi, Marie, —
1985 Au nom du Dieu vers qui la mort va m'entraînant,
Je te pardonne !

MARION, étouffée de larmes.
O ciel !

DIDIER

A ton tour maintenant,
Il s'agenouille devant elle.

Pardonne-moi !

MARION

Didier !...

DIDIER, toujours à genoux.

Pardonne-moi, te dis-je !

C'est moi qui fus méchant. Dieu te frappe et t'afflige
Par moi. Tu daigneras encor pleurer ma mort.
1990 Avoir fait ton malheur, va, c'est un grand remord.
Ne me le laisse pas, pardonne-moi, Marie !

MARION

Ah !...

DIDIER

Dis un mot, tes mains sur mon front, je t'en prie.
Ou si ton cœur est plein, si tu ne peux parler,
Fais-moi signe... je meurs, il faut me consoler !
Marion lui impose les mains sur le front. Il se relève et
l'embrasse étroitement, avec un sourire de joie céleste.
1995 Adieu ! — Marchons, messieurs !

MARION

Elle se jette égarée entre lui et les soldats.
Non, c'est une folie !

Si l'on croit t'égorger aisément, on oublie

Que je suis là! — Messieurs, messieurs, épargnez-nous!
Voyons, comment faut-il qu'on vous parle ? à genoux ?
M'y voilà. Maintenant, si vous avez dans l'âme
2000 Quelque chose qui tremble à la voix d'une femme,
Si Dieu ne vous a pas maudits et frappés tous,
Ne me le tuez pas! —

Aux spectateurs.

Et vous, messieurs, et vous,
Lorsque vous rentrerez ce soir dans vos familles,
Vous ne manquerez pas de mères et de filles
2005 Qui vous diront : — Mon Dieu! c'est un bien grand
[forfait!
Vous pouviez l'empêcher, vous ne l'avez pas fait!
— Didier! on doit savoir qu'il faut que je vous suive.
Ils ne vous tueront pas s'ils veulent que je vive!

DIDIER

Non, laisse-moi mourir. Cela vaut mieux, vois-tu ?
2010 Ma blessure est profonde, amie! Elle aurait eu
Trop de peine à guérir. Il vaut mieux que je meure.
Seulement si jamais, — vois-tu comme je pleure! —
Un autre vient vers toi, plus heureux ou plus beau,
Songe à ton pauvre ami couché dans le tombeau!

MARION

2015 Non! tu vivras pour moi. Sont-ils donc inflexibles ?
Tu vivras!

DIDIER

Ne dis pas des choses impossibles.
A ma tombe plutôt accoutume tes yeux.
Embrasse-moi. Vois-tu, mort, tu m'aimeras mieux.
J'aurai dans ta mémoire une place sacrée.
2020 Mais vivre près de toi, vivre, l'âme ulcérée,
O ciel! moi qui n'aurais jamais aimé que toi,
Tous les jours, peux-tu bien y songer sans effroi ?
Je te ferais pleurer, j'aurais mille pensées
Que je ne dirais pas, sur les choses passées,
2025 J'aurais l'air d'épier, de douter, de souffrir,
Tu serais malheureuse! — Oh! laisse-moi mourir!

LE CONSEILLER, *à Marion.*

Il faut dans un moment que le cardinal passe.
Il sera temps encor de demander leur grâce.

MARION

Le cardinal ! c'est vrai. Le cardinal viendra.
2030 Il viendra. Vous verrez, messieurs, qu'il m'entendra.
Mon Didier, tu vas voir ce que je vais lui dire.
Ah ! comment peux-tu croire, enfin c'est un délire,
Que ce bon cardinal, un vieillard, un chrétien,
Ne te pardonne pas ? — Tu me pardonnes bien !

Neuf heures sonnent. — Didier fait signe à tous de se taire.
Marion écoute avec terreur. — Les neuf coups sonnés,
Didier s'appuie sur Saverny.

DIDIER, *au peuple.*

2035 Vous qui venez ici pour nous voir au passage,
Si l'on parle de nous, rendez-nous témoignage
Que tous deux sans pâlir nous avons écouté
Cette heure qui pour nous sonnait l'éternité !

Le canon éclate à la porte du donjon. Le voile noir qui
cachait la brèche du mur tombe. Paraît la litière gigan-
tesque du cardinal, portée par vingt-quatre gardes à pied
entourée par vingt autres gardes portant des hallebardes
et des torches. Elle est écarlate et armoriée aux armes de
la maison de Richelieu. Les rideaux de la litière sont
fermés. Elle traverse lentement le fond. Rumeur dans la
foule.

MARION, *se traînant sur les genoux*
jusqu'à la litière, et se tordant les bras.

Au nom de votre Christ, au nom de votre race,
2040 Grâce ! grâce pour eux, monseigneur !

UNE VOIX, *sortant de la litière.*

                                          Pas de grâce !

Marion tombe sur le pavé. — La litière passe, et le cortège
des deux condamnés se met en marche et sort à sa suite. —
La foule se précipite sur leurs pas à grand bruit.

MARION, *seule.*

Elle se relève à demi et se traîne sur les mains, en regardant
autour d'elle.

Qu'a-t-il dit ? — Où sont-ils ? — Didier ! Didier ! Plus
                                                          [rien.
Personne ici !... Ce peuple !... Etait-ce un rêve ? ou bien
Est-ce que je suis folle ?

Rentre le peuple en désordre. La litière reparaît au fond, par le côté où elle a disparu. — Marion se lève et pousse un cri terrible.

Il revient!

LES GARDES, *écartant le peuple.*

Place! place!

MARION, *debout, échevelée, et montrant la litière au peuple.*

Regardez tous! voilà l'homme rouge qui passe!

Elle tombe sur le pavé.

HERNANI [1]

INTRODUCTION

Le 9 mars 1821 Hugo emprunte à la Bibliothèque Royale quelques volumes du *Romancero general*, que, au même moment, son frère Abel édite et traduit; il lit aussi des œuvres de Lope de Vega. Le passé légendaire et littéraire de l'Espagne nourrit son imagination, déjà marquée par son séjour au-delà des Pyrénées. Vers 1827-1829 un projet, plus ou moins vague, prend forme. En témoigne une phrase, restée dans des notes diverses : « Duc de Hernani, Grand de première classe, marquis de Santalcan, etc. Nous étions ducs avant que vous ne fussiez rois. » Déjà l'opposition entre un grand d'Espagne et son souverain est fixée. La rédaction de *Marion de Lorme* à peine achevée, *Hernani* prend corps. Entre les deux drames la relation est d'ordre dynamique. A Marion s'oppose la pure doña Sol; à Didier l'obscur, Hernani, issu de la haute noblesse mais contraint à cacher ses origines. Louis XIII était faible; don Carlos sera présenté sinon comme un grand roi, du moins un grand empereur. La noblesse, sous Richelieu, était futile; la voici, sous don Carlos, incarnée dans don Ruy Gomez, avec toute sa grandeur. A la forme éclatée qui prévaut dans *Marion de Lorme* correspond la concentration de *Hernani;* aux multiples duels l'affrontement individuel.

Hugo rédige le premier acte en août 1829; deux jours avant de terminer, il consulte, le 27, le *Libro de Armas de los Mayores*, d'Ambrosio de Salazar, ainsi que des ouvrages sur la généalogie des grands d'Espagne, ce qui lui permettra d'insérer dans les noms de ses personnages, l'un ou l'autre emprunté au XVIIIe siècle. Le deuxième acte est terminé le 6 septembre, les suivants les 14 et 21. Le drame est achevé le 24. Le sous-titre a varié : *Tres para una, La jeunesse de Charles Quint*. Ce dernier titre retenu provisoirement est signalé dans les journaux en 1829; ils laissent entrevoir un projet plus vaste, une trilogie qui serait consacrée à la jeunesse, la maturité et la vieillesse de Charles Quint. Ceci était un écho de l'ancien projet, datant des années 1827-1829, où figurait un drame, *La Mort de Charles Quint*. Mais du panneau central de ce triptyque rien n'a paru. Le glissement du drame depuis la personne du roi à celle d'Hernani a sans doute modifié le plan initialement envisagé. Dans quelle mesure aussi la rédaction de *Marion de Lorme* n'a-t-elle pas fait se déplacer le centre de gravité du sujet d'abord imaginé ? L'acte IV d'*Hernani* pourrait être un reste du thème primitif.

La pièce a été acceptée par le redoutable comité de lecture du Théâtre-Français le 5 octobre 1829, non sans que Hugo ait vigoureusement défendu devant lui son texte contre des propositions d'amendement. L'un des censeurs, Briffaut, auteur raté, laisse passer dans la presse quelques échos des discussions et des réserves émises. La première représentation a lieu le 25 février 1830. Hugo a ménagé sa publicité et mobilisé ses amis. Pour lui comme pour eux, il y va non seulement du succès d'une œuvre, mais du triomphe d'un principe. « De mémoire de coureurs de spectacle, pièce n'a été attendue avec une plus vive impatience, un désir plus curieux, que cet *Hernani*, célèbre avant d'être né », écrit *Le Courrier des spectacles*, le 18 février. « Dès le matin, la presse était pleine de carillon; toutes les cloches périodiques avaient annoncé à toute volée la naissance d'*Hernani*. Les unes accusaient, les autres demandaient grâce, les troisièmes criaient anathème, quelques-unes tremblaient, et nulle part on n'apercevait dans ces préfaces de feuilleton la volonté d'être calme et impartial » (*Le Corsaire*, 26 février). Il y eut trente représentations en 1830. La censure avait interdit de faire figurer des églises dans la toile de fond du cinquième acte : Hugo le rappellera dans *William Shakespeare*.

Dans la salle les réactions ont été diverses et tumultueuses. Les amis de Hugo, romantiques, étaient tous là : Dumas, Nerval, Gautier, Nodier, Pétrus Borel, Balzac, Berlioz, le graveur Célestin Nanteuil, Vigny; ils avaient un mot de ralliement : « Hierro » (fer, en espagnol). En face, Delavigne, Scribe, Ingres, Lamartine, les uns plus acquis aux idées nouvelles que les autres; en outre, un public de diplomates, de députés et d'ambassadeurs. C'était un grand événement. Dès le premier vers, l'enjambement audacieux : « C'est bien à l'escalier /Dérobé » suscita des remous violents : la tradition de la prosodie française était violée. Les partisans de Hugo réagirent avec force aux huées de leurs adversaires. La bataille reprit à la deuxième représentation ; elle se prolongea à la suivante, plus agitée encore et fréquemment interrompue. Puis les romantiques reprirent le dessus, non sans une forte résistance. Dans la presse on lit l'étonnement, la curiosité, l'animosité, le désarroi devant un texte insolite et une nouvelle esthétique dramaturgique. Les critiques s'accordent sur la grandeur du rôle de doña Sol et sur la perfection du jeu de Mlle Mars. Mais certains journaux trouvent que les acteurs jouent « comme des épileptiques ». *Le Corsaire* va jusqu'à dire que « les acteurs étaient frappés de nullité » devant un langage qui les contraignait à bouleverser les traditions de leur jeu. La violation des unités classiques choque surtout les esprits habitués à de timides réformes. D'aucuns ne considèrent que le sujet, « une fable grossière, digne des siècles les plus barbares ; un tissu de crimes froidement déroulés, sans combinaison, sans art, sans moralité » (*La Gazette de France*, mars 1830). On épingle les inexactitudes historiques et la répétition lassante des mêmes ressorts dramatiques.

Presque tous les critiques cependant s'accordent sur la beauté du dernier acte : « Le dramatique y est poussé au plus haut degré, et le dénouement est pathétique. » C'est sur les caractères que l'opposition se marque le plus nettement ; on les compare avec ceux de Racine, qui, « avec son admirable habileté, sait fondre et nuancer les couleurs [...] tandis que chez M. Hugo, jetés, comme poussés au hasard, on les voit dès l'abord atteindre la dernière limite de leur passion, et étourdir, fatiguer l'esprit du choc continuel qui résulte de leurs rapports brusques et désordonnés. » (*La Revue française*, mars 1830.)

La parodie s'empara du sujet : Pierre Carmouche, Frédéric de Courcy et Charles Désiré Dupeuty, avec *N, I, Ni ou le Danger des Castilles* (Théâtre de la Porte-Saint-Martin, 12 mars 1830), Nicolas Brazier et Carmouche avec *Oh ! qu'nenni ou le mirliton fatal* (Théâtre de la Gaîté, 16 mars), Auguste Lauzanne avec *Harnali ou la contrainte par cor* (Théâtre du Vaudeville, 23 mars), qui sera repris en 1838, Alphonse Maneuvriez, avec *Hernani*, *bêtise romantique imité du Goth*, en cinq actes (Théâtre des Variétés, 23 mars), offrirent pendant quelques soirées un délassement facile à un public qui se contentait de peu. Un hommage vint de l'étranger. En 1844, Giuseppe Verdi composa un opéra, *Ernani*, d'après une traduction italienne faite par un amateur cultivé, Francesco Maria Piave. Avec beaucoup de doigté, le musicien mettait en évidence l'unité organique du drame, par l'usage de thèmes musicaux et instrumentaux. Hugo ayant interdit que son drame fût représenté dans une langue étrangère, les noms des personnages avaient été changés; l'opéra fut mis en scène en 1846 sous le titre *Il proscritto*.

Hernani avait été repris en 1838 — douze représentations, du 20 janvier au 23 février — après que Hugo eut gagné le procès qu'il avait intenté au directeur du Théâtre-Français : leur contrat de 1830 obligeait celui-ci à une représentation annuelle. Exilé sous le second Empire, le dramaturge n'avait rien à espérer du pouvoir. Néanmoins, une reprise eut lieu en 1867, à l'occasion de l'Exposition universelle. Ce fut un triomphe; pendant les soixante-dix soirées on acclama autant le héros du romantisme que le politique, exilé. En 1877 Sarah Bernhardt et Mounet-Sully assurèrent les rôles principaux au cours de cent douze représentations, qui procurèrent quelque 7 000 F de recette par soirée.

Le Cabinet de lecture avait publié, du 4 mars au 4 avril 1830, le texte en pré-originale. Mame et Delaunay-Vallée édita le volume, qui sortit de presse le 9 mars 1830, criblé de fautes typographiques. Les éditions suivantes parurent sous le nom de Barba; elles avaient été imprimées en fait par Mame qui, entre-temps, avait fait faillite. Un troisième sous-titre y apparaît : *Hernani ou l'honneur castillan*.

PRÉFACE

L'auteur de ce drame écrivait il y a peu de semaines [2] à propos d'un poète mort avant l'âge :

« ... Dans ce moment de mêlée et de tourmente littéraire, qui faut-il plaindre, ceux qui meurent ou ceux qui combattent ? Sans doute, il est triste de voir un poète de vingt ans qui s'en va, une lyre qui se brise, un avenir qui s'évanouit; mais n'est-ce pas quelque chose aussi que le repos ? N'est-il pas permis à ceux autour desquels s'amassent incessamment calomnies, injures, haines, jalousies, sourdes menées, basses trahisons; hommes loyaux auxquels on fait une guerre déloyale; hommes dévoués qui ne voudraient enfin que doter le pays d'une liberté de plus, celle de l'art, celle de l'intelligence; hommes laborieux qui poursuivent paisiblement leur œuvre de conscience, en proie d'un côté à de viles machinations de censure et de police, en butte de l'autre, trop souvent, à l'ingratitude des esprits mêmes pour lesquels ils travaillent; ne leur est-il pas permis de retourner quelquefois la tête avec envie vers ceux qui sont tombés derrière eux et qui dorment dans le tombeau ? *Invideo*, disait Luther dans le cimetière de Worms, *invideo, quia quiescunt* [3].

« Qu'importe toutefois ? Jeunes gens, ayons bon courage! Si rude qu'on nous veuille faire le présent, l'avenir sera beau. Le romantisme, tant de fois mal défini, n'est, à tout prendre, et c'est là sa définition réelle, si l'on ne l'envisage que sous son côté militant, que le *libéralisme* en littérature. Cette vérité est déjà comprise à peu près de tous les bons esprits, et le nombre en est grand; et bientôt, car l'œuvre est déjà bien avancée, le libéralisme littéraire ne sera pas moins populaire que le libéralisme politique. La liberté dans l'art, la liberté dans la société,

voilà le double but auquel doivent tendre d'un même
pas tous les esprits conséquents et logiques; voilà la double
bannière qui rallie, à bien peu d'intelligences près (lesquelles s'éclaireront), toute la jeunesse si forte et si
patiente d'aujourd'hui; puis, avec la jeunesse et à sa
tête l'élite de la génération qui nous a précédés, tous ces
sages vieillards qui, après le premier moment de défiance
et d'examen, ont reconnu que ce que font leurs fils est
une conséquence de ce qu'ils ont fait eux-mêmes, et
que la liberté littéraire est fille de la liberté politique. Ce
principe est celui du siècle, et prévaudra. Les *Ultras* de
tout genre, classiques ou monarchiques, auront beau se
prêter secours pour refaire l'ancien régime de toutes
pièces, société et littérature; chaque progrès du pays,
chaque développement des intelligences, chaque pas de
la liberté fera crouler tout ce qu'ils auront échafaudé. Et,
en définitive, leurs efforts de réaction auront été utiles.
En révolution, tout mouvement fait avancer. La vérité
et la liberté ont cela d'excellent que tout ce qu'on fait
pour elles et tout ce qu'on fait contre elles les sert également. Or, après tant de grandes choses que nos pères
ont faites, et que nous avons vues, nous voilà sortis de la
vieille forme sociale; comment ne sortirions-nous pas de
la vieille forme poétique? A peuple nouveau, art nouveau. Tout en admirant la littérature de Louis XIV si
bien adaptée à sa monarchie, elle saura bien avoir sa littérature propre et personnelle et nationale, cette France
actuelle, cette France du dix-neuvième siècle, à qui
Mirabeau a fait sa liberté et Napoléon sa puissance. »

   Qu'on pardonne à l'auteur de ce drame de se citer ici
lui-même; ses paroles ont si peu le don de se graver dans
les esprits, qu'il aurait souvent besoin de les rappeler.
D'ailleurs, aujourd'hui, il n'est peut-être point hors de
propos de remettre sous les yeux des lecteurs les deux
pages qu'on vient de transcrire. Ce n'est pas que ce drame
puisse en rien mériter le beau nom d'*art nouveau*, de
poésie nouvelle, loin de là; mais c'est que le principe de la
liberté en littérature vient de faire un pas; c'est qu'un
progrès vient de s'accomplir, non dans l'art, ce drame est
trop peu de chose, mais dans le public; c'est que, sous ce
rapport du moins, une partie des pronostics hasardés
plus haut viennent de se réaliser.

   Il y avait péril, en effet, à changer ainsi brusquement d'auditoire, à risquer sur le théâtre des tentatives confiées jusqu'ici seulement au papier *qui souffre tout;* le public des

livres est bien différent du public des spectacles, et l'on pouvait craindre de voir le second repousser ce que le premier avait accepté. Il n'en a rien été. Le principe de la liberté littéraire, déjà compris par le monde qui lit et qui médite, n'a pas été moins complètement adopté par cette immense foule, avide des pures émotions de l'art, qui inonde chaque soir les théâtres de Paris. Cette voix haute et puissante du peuple, qui ressemble à celle de Dieu, veut désormais que la poésie ait la même devise que la politique : TOLÉRANCE ET LIBERTÉ.

Maintenant vienne le poète ! il y a un public.

Et cette liberté, le public la veut telle qu'elle doit être, se conciliant avec l'ordre, dans l'état, avec l'art, dans la littérature. La liberté a une sagesse qui lui est propre, et sans laquelle elle n'est pas complète. Que les vieilles règles de d'Aubignac [4] meurent avec les vieilles coutumes de Cujas [5], cela est bien ; qu'à une littérature de cour succède une littérature de peuple, cela est mieux encore ; mais surtout qu'une raison intérieure se rencontre au fond de toutes ces nouveautés. Que le principe de liberté fasse son affaire, mais qu'il la fasse bien. Dans les lettres, comme dans la société, point d'étiquette, point d'anarchie : des lois. Ni talons rouges, ni bonnets rouges [6].

Voilà ce que veut le public, et il veut bien. Quant à nous, par déférence pour ce public qui a accueilli avec tant d'indulgence un essai qui en méritait si peu, nous lui donnons ce drame aujourd'hui tel qu'il a été représenté. Le jour viendra peut-être de le publier tel qu'il a été conçu par l'auteur[*], en indiquant et en discutant les modifications que la scène lui a fait subir. Ces détails de critique peuvent ne pas être sans intérêt ni sans enseignements, mais ils sembleraient minutieux aujourd'hui ; la liberté de l'art est admise, la question principale est résolue ; à quoi bon s'arrêter aux questions secondaires ? Nous y reviendrons du reste quelque jour, et nous parlerons aussi, bien en détail, en la ruinant par les raison-

---

[*] Ce jour, prédit par l'auteur, est venu. Nous donnons dans cette édition *Hernani* tout entier, tel que le poète l'avait écrit, avec les développements de passion, les détails de mœurs et les saillies de caractères que la représentation avait retranchés. Quant à la discussion critique que l'auteur indique, elle sortira d'elle-même, pour tous les lecteurs, de la comparaison qu'ils pourront faire entre l'*Hernani* tronqué du théâtre et l'*Hernani* de cette édition. Espérons tout des progrès que le public des théâtres fait chaque jour.

Mai 1836 *(Note de l'éditeur)*.

nements et par les faits, de cette censure dramatique qui est le seul obstacle à la liberté du théâtre, maintenant qu'il n'y en a plus dans le public. Nous essayerons, à nos risques et périls et par dévouement aux choses de l'art, de caractériser les mille abus de cette petite inquisition de l'esprit, qui a, comme l'autre saint-office, ses juges secrets, ses bourreaux masqués, ses tortures, ses mutilations et sa peine de mort. Nous déchirerons, s'il se peut, ces langes de police dont il est honteux que le théâtre soit encore emmailloté au dix-neuvième siècle.

Aujourd'hui il ne doit y avoir place que pour la reconnaissance et les remerciements. C'est au public que l'auteur de ce drame adresse les siens, et du fond du cœur. Cette œuvre, non de talent, mais de conscience et de liberté, a été généreusement protégée contre bien des inimitiés par le public, parce que le public est toujours, aussi lui, consciencieux et libre. Grâces lui soient donc rendues, ainsi qu'à cette jeunesse puissante qui a porté aide et faveur à l'ouvrage d'un jeune homme sincère et indépendant comme elle! C'est pour elle surtout qu'il travaille, parce que ce serait une gloire bien haute que l'applaudissement de cette élite de jeunes hommes, intelligente, logique, conséquente, vraiment libérale en littérature comme en politique, noble génération qui ne se refuse pas à ouvrir les deux yeux à la vérité et à recevoir la lumière des deux côtés.

Quant à son œuvre en elle-même, il n'en parlera pas. Il accepte les critiques qui en ont été faites, les plus sévères comme les plus bienveillantes, parce qu'on peut profiter à toutes. Il n'ose se flatter que tout le monde ait compris du premier coup ce drame, dont le *Romancero general* [7] est la véritable clef. Il prierait volontiers les personnes que cet ouvrage a pu choquer de relire *Le Cid*, *Don Sanche*, *Nicomède*, ou plutôt tout Corneille et tout Molière, ces grands et admirables poètes. Cette lecture, si pourtant elles veulent bien faire d'abord la part de l'immense infériorité de l'auteur d'*Hernani*, les rendra peut-être moins sévères pour certaines choses qui ont pu les blesser dans la forme ou dans le fond de ce drame. En somme, le moment n'est peut-être pas encore venu de le juger. *Hernani* n'est jusqu'ici que la première pierre d'un édifice qui existe tout construit dans la tête de son auteur, mais dont l'ensemble peut seul donner quelque valeur à ce drame. Peut-être ne trouvera-t-on pas mauvaise un jour la fantaisie qui lui a pris de mettre, comme l'architecte de Bourges, une porte presque moresque à sa cathédrale gothique.

En attendant, ce qu'il a fait est bien peu de chose, il le sait. Puissent le temps et la force ne pas lui manquer pour achever son œuvre! Elle ne vaudra qu'autant qu'elle sera terminée. Il n'est pas de ces poètes privilégiés qui peuvent mourir ou s'interrompre avant d'avoir fini, sans péril pour leur mémoire; il n'est pas de ceux qui restent grands, même sans avoir complété leur ouvrage, heureux hommes dont on peut dire ce que Virgile disait de Carthage ébauchée :

Pendent opera interrupta, minæque
Murorum ingentes [8] !

9 mars 1830.

PERSONNAGES

Distribution de 1830

HERNANI	M. FIRMIN
DON CARLOS.	M. MICHELOT
DON RUY GOMEZ DE SILVA . . .	M. JOANNY
DOÑA SOL DE SILVA	Mlle MARS
LE DUC DE BAVIÈRE.	M. SAINT-AULAIRE
LE DUC DE GOTHA	M. GEFFROI
LE DUC DE LUTZELBOURG	M. FAURE
DON SANCHO	M. MENJAUD
DON MATIAS.	M. BOUCHET
DON RICARDO	M. SAMSON
DON GARCI SUAREZ.	M. GEFFROY
DON FRANCISCO	M. CASENEUVE
DON JUAN DE HARO	M. GEFFROY
DON GIL TELLEZ GIRON	M. MONTIGNY
PREMIER CONJURÉ.	M. MENJAUD
UN MONTAGNARD	M. MONTIGNY
IAQUEZ	Mlle DESPREAUX
DOÑA JOSEFA DUARTE.	Mlle TOUSEZ
UNE DAME.	Mlle THENARD

CONJURÉS de la LIGUE SACRO-SAINTE, ALLEMANDS et ESPAGNOLS.

MONTAGNARDS, SEIGNEURS, SOLDATS, PAGES, PEUPLE, etc.

Espagne. — 1519.

ACTE PREMIER

LE ROI

SARAGOSSE

Une chambre à coucher. La nuit. Une lampe sur une table.

SCÈNE PREMIÈRE

DOÑA JOSEFA DUARTE, *vieille, en noir, avec le corps de sa jupe cousu de jais, à la mode d'Isabelle la Catholique* [9]; DON CARLOS.

DOÑA JOSEFA, *seule.*

Elle ferme les rideaux cramoisis de la fenêtre et met en ordre quelques fauteuils. On frappe à une petite porte dérobée à droite. Elle écoute. On frappe un second coup.
Serait-ce déjà lui ?

Un nouveau coup.

C'est bien à l'escalier

Dérobé.

Un quatrième coup.

Vite, ouvrons.

Elle ouvre la petite porte masquée. Entre don Carlos, le manteau sur le nez et le chapeau sur les yeux.
Bonjour, beau cavalier.

Elle l'introduit. Il écarte son manteau et laisse voir un riche costume de velours et de soie, à la mode castillane de 1519. Elle le regarde sous le nez et recule étonnée.
Quoi, seigneur Hernani, ce n'est pas vous ! — Main forte !
Au feu !

↘ Secours !

gouvernante ou suivante âgée

DON CARLOS, *lui saisissant le bras.*

Deux mots de plus, duègne, vous êtes morte !

Il la regarde fixement. Elle se tait, effrayée.

5 Suis-je chez doña Sol ? fiancée au vieux duc
De Pastraña [10], son oncle, un bon seigneur, caduc,
Vénérable et jaloux ? dites ? La belle adore
Un cavalier sans barbe et sans moustache encore,
Et reçoit tous les soirs, malgré les envieux,
10 Le jeune amant sans barbe à la barbe du vieux.
Suis-je bien informé ?

Elle se tait. Il la secoue par le bras.

Vous répondrez peut-être ?

DOÑA JOSEFA

Vous m'avez défendu de dire deux mots, maître.

DON CARLOS

Aussi n'en veux-je qu'un. — Oui, — non. — Ta dame
[est bien
Doña Sol de Silva ? parle.

DOÑA JOSEFA

Oui. — Pourquoi ?

DON CARLOS

Pour rien.
15 Le duc, son vieux futur, est absent à cette heure ?

DOÑA JOSEFA

Oui.

DON CARLOS

Sans doute elle attend son jeune ?

DOÑA JOSEFA

Oui.

DON CARLOS

Que je meure !

DOÑA JOSEFA

Oui.

DON CARLOS

Duègne, c'est ici qu'aura lieu l'entretien ?

DOÑA JOSEFA

Oui.

DON CARLOS

Cache-moi céans.

DOÑA JOSEFA

Vous !

DON CARLOS

Moi.

DOÑA JOSEFA

Pourquoi ?

DON CARLOS

Pour rien.

DOÑA JOSEFA

Moi, vous cacher !

DON CARLOS

Ici.

DOÑA JOSEFA

Jamais !

DON CARLOS, *tirant de sa ceinture un poignard et une bourse.*
— Daignez, madame,
20 Choisir de cette bourse ou bien de cette lame.

DOÑA JOSEFA, *prenant la bourse.*

Vous êtes donc le diable ?

DON CARLOS

Oui, duègne.

DOÑA JOSEFA, *ouvrant une armoire étroite dans le mur.*
Entrez ici.

DON CARLOS, *examinant l'armoire.*

Cette boîte !

DOÑA JOSEFA, *la refermant.*

Va-t'en, si tu n'en veux pas.

DON CARLOS, *rouvrant l'armoire.*

Si.

L'examinant encore.

Serait-ce l'écurie où tu mets d'aventure
Le manche du balai qui te sert de monture ?

Il s'y blottit avec peine.

25 Ouf !

DOÑA JOSEFA, *joignant les mains et scandalisée.*

Un homme ici !

DON CARLOS, *dans l'armoire restée ouverte.*

C'est une femme, est-ce pas ?
Qu'attendait ta maîtresse ?

DOÑA JOSEFA

O ciel ! j'entends le pas
De doña Sol. — Seigneur, fermez vite la porte.

Elle pousse la porte de l'armoire, qui se referme.

DON CARLOS, *à l'intérieur de l'armoire.*

Si vous dites un mot, duègne, vous êtes morte.

DOÑA JOSEFA, *seule.*

Qu'est cet homme ? Jésus mon Dieu ! Si j'appelais ?
30 Qui ? Hors madame et moi, tout dort dans le palais.
Bah ! l'autre va venir. La chose le regarde.
Il a sa bonne épée, et que le ciel nous garde
De l'enfer !

Pesant la bourse.

Après tout, ce n'est pas un voleur.

Entre doña Sol, en blanc. Doña Josefa cache la bourse.

SCÈNE II

DOÑA JOSEFA, DON CARLOS *caché;*
DOÑA SOL, *puis* HERNANI

DOÑA SOL

Josefa !

Doña Josefa

Madame ?

Doña Sol

Ah ! je crains quelque malheur.
35 Hernani devrait être ici.

> *Bruit de pas à la petite porte.*

Voici qu'il monte.
Ouvre avant qu'il ne frappe, et fais vite, et sois prompte.

*Josefa ouvre la petite porte. Entre Hernani, grand man-
teau. Grand chapeau. Dessous, un costume de montagnard d'Aragon, gris, avec une cuirasse de cuir, une épée,
un poignard, et un cor à la ceinture.*

Doña Sol, *courant à lui.*

Hernani !

Hernani

Doña Sol ! Ah ! c'est vous que je vois
Enfin ! et cette voix qui parle est votre voix !
Pourquoi le sort mit-il mes jours si loin des vôtres ?
40 J'ai tant besoin de vous pour oublier les autres [11] !

Doña Sol, *touchant ses vêtements.*

Jésus ! votre manteau ruisselle ! il pleut donc bien ?

Hernani

Je ne sais.

Doña Sol

Vous devez avoir froid !

Hernani

Ce n'est rien.

Doña Sol

Otez donc ce manteau.

Hernani

Doña Sol, mon amie,
Dites-moi, quand la nuit vous êtes endormie,
45 Calme, innocente et pure, et qu'un sommeil joyeux
Entr'ouvre votre bouche et du doigt clôt vos yeux,
Un ange vous dit-il combien vous êtes douce
Au malheureux que tout abandonne et repousse ?

DOÑA SOL

Vous avez bien tardé, seigneur! Mais dites-moi
50 Si vous avez froid.

HERNANI

Moi! je brûle près de toi!
Ah! quand l'amour jaloux bouillonne dans nos têtes,
Quand notre cœur se gonfle et s'emplit de tempêtes,
Qu'importe ce que peut un nuage des airs
Nous jeter en passant de tempête et d'éclairs!

DOÑA SOL, *lui défaisant son manteau.*

55 Allons! donnez la cape, — et l'épée avec elle.

HERNANI, *la main sur son épée.*

Non. C'est mon autre amie, innocente et fidèle.
— Doña Sol, le vieux duc, votre futur époux,
Votre oncle, est donc absent?

DOÑA SOL

Oui, cette heure est à nous.

HERNANI

Cette heure! et voilà tout. Pour nous, plus rien qu'une
[heure!
60 Après, qu'importe? il faut qu'on oublie ou qu'on meure.
Ange! une heure avec vous! une heure, en vérité,
A qui voudrait la vie, et puis l'éternité!

DOÑA SOL

Hernani!

HERNANI, *amèrement.*

Que je suis heureux que le duc sorte!
Comme un larron qui tremble et qui force une porte,
65 Vite, j'entre, et vous vois, et dérobe au vieillard
Une heure de vos chants et de votre regard;
Et je suis bien heureux, et sans doute on m'envie
De lui voler une heure, et lui me prend ma vie!

DOÑA SOL

Calmez-vous.

Remettant le manteau à la duègne.

Josefa, fais sécher le manteau.

*Josefa sort. Elle s'assied et fait signe à Hernani de venir
près d'elle.*

70 Venez là.

HERNANI, sans l'entendre.

Donc le duc est absent du château ?

DOÑA SOL, souriant.

Comme vous êtes grand !

HERNANI

Il est absent.

DOÑA SOL

Chère âme,

Ne pensons plus au duc.

HERNANI

Ah ! pensons-y, madame !

Ce vieillard ! il vous aime, il va vous épouser !
Quoi donc ! vous prit-il pas l'autre jour un baiser ?
75 N'y plus penser !

DOÑA SOL, riant.

C'est là ce qui vous désespère !
Un baiser d'oncle ! au front ! presque un baiser de père !

HERNANI

Non. Un baiser d'amant, de mari, de jaloux.
Ah ! vous serez à lui, madame ! Y pensez-vous ?
O l'insensé vieillard, qui, la tête inclinée,
80 Pour achever sa route et finir sa journée,
A besoin d'une femme, et va, spectre glacé,
Prendre une jeune fille ! ô vieillard insensé !
Pendant que d'une main il s'attache à la vôtre,
Ne voit-il pas la mort qui l'épouse de l'autre ?
85 Il vient dans nos amours se jeter sans frayeur !
Vieillard ! va-t'en donner mesure au fossoyeur !
— Qui fait ce mariage ? On vous force, j'espère !

DOÑA SOL

Le roi, dit-on, le veut.

HERNANI

Le roi! le roi! Mon père
Est mort sur l'échafaud, condamné par le sien.
90 Or, quoiqu'on ait vieilli depuis ce fait ancien,
Pour l'ombre du feu roi, pour son fils, pour sa veuve,
Pour tous les siens, ma haine est encor toute neuve!
Lui, mort, ne compte plus. Et, tout enfant, je fis
Le serment de venger mon père sur son fils.
95 Je te cherchais partout, Carlos, roi des Castilles!
Car la haine est vivace entre nos deux familles.
Les pères ont lutté sans pitié, sans remords,
Trente ans! Or, c'est en vain que les pères sont morts,
Leur haine vit. Pour eux la paix n'est point venue,
100 Car les fils sont debout, et le duel continue.
Ah! c'est donc toi qui veux cet exécrable hymen!
Tant mieux. Je te cherchais, tu viens dans mon chemin!

DOÑA SOL

Vous m'effrayez.

HERNANI

Chargé d'un mandat d'anathème,
Il faut que j'en arrive à m'effrayer moi-même!
105 Ecoutez. L'homme auquel, jeune, on vous destina,
Ruy de Sylva, votre oncle, est duc de Pastraña,
Richomme[12] d'Aragon, comte et grand de Castille.
A défaut de jeunesse, il peut, ô jeune fille,
Vous apporter tant d'or, de bijoux, de joyaux,
110 Que votre front reluise entre des fronts royaux,
Et pour le rang, l'orgueil, la gloire et la richesse,
Mainte reine peut-être envîra sa duchesse.
Voilà donc ce qu'il est. Moi, je suis pauvre, et n'eus,
Tout enfant, que les bois où je fuyais pieds nus.
115 Peut-être aurai-je aussi quelque blason illustre
Qu'une rouille de sang à cette heure délustre;
Peut-être ai-je des droits, dans l'ombre ensevelis,
Qu'un drap d'échafaud noir cache encor sous ses plis,
Et qui, si mon attente un jour n'est pas trompée,
120 Pourront de ce fourreau sortir avec l'épée.
En attendant, je n'ai reçu du ciel jaloux
Que l'air, le jour et l'eau, la dot qu'il donne à tous.
Or du duc ou de moi souffrez qu'on vous délivre.
Il faut choisir des deux, l'épouser, ou me suivre.

DOÑA SOL

125 Je vous suivrai.

HERNANI

Parmi mes rudes compagnons ?
Proscrits dont le bourreau sait d'avance les noms,
Gens dont jamais le fer ni le cœur ne s'émousse,
Ayant tous quelque sang à venger qui les pousse ?
Vous viendrez commander ma bande, comme on dit ?
130 Car, vous ne savez pas, moi, je suis un bandit !
Quand tout me poursuivait dans toutes les Espagnes,
Seule, dans ses forêts, dans ses hautes montagnes,
Dans ses rocs où l'on n'est que de l'aigle aperçu,
La vieille Catalogne en mère m'a reçu.
135 Parmi ses montagnards, libres, pauvres, et graves,
Je grandis, et demain trois mille de ses braves,
Si ma voix dans leurs monts fait résonner ce cor,
Viendront... Vous frissonnez. Réfléchissez encor.
Me suivre dans les bois, dans les monts, sur les grèves,
140 Chez des hommes pareils aux démons de vos rêves,
Soupçonner tout, les yeux, les voix, les pas, le bruit,
Dormir sur l'herbe, boire au torrent, et la nuit
Entendre, en allaitant quelque enfant qui s'éveille
Les balles des mousquets siffler à votre oreille,
145 Etre errante avec moi, proscrite, et, s'il le faut,
Me suivre où je suivrai mon père, — à l'échafaud.

DOÑA SOL

Je vous suivrai.

HERNANI

Le duc est riche, grand, prospère.
Le duc n'a pas de tache au vieux nom de son père.
Le duc peut tout. Le duc vous offre avec sa main
150 Trésors, titres, bonheur...

DOÑA SOL

Nous partirons demain.
Hernani, n'allez pas sur mon audace étrange
Me blâmer. Etes-vous mon démon ou mon ange ?
Je ne sais, mais je suis votre esclave. Ecoutez,
Allez où vous voudrez, j'irai. Restez, partez,
155 Je suis à vous. Pourquoi fais-je ainsi ? je l'ignore.
J'ai besoin de vous voir et de vous voir encore

Et de vous voir toujours. Quand le bruit de vos pas
S'efface, alors je crois que mon cœur ne bat pas,
Vous me manquez, je suis absente de moi-même;
160 Mais dès qu'enfin ce pas que j'attends et que j'aime
Vient frapper mon oreille, alors il me souvient
Que je vis, et je sens mon âme qui revient!

HERNANI, *la serrant dans ses bras.*

Ange!

DOÑA SOL

A minuit. Demain. Amenez votre escorte,
Sous ma fenêtre. Allez, je serai brave et forte.
165 Vous frapperez trois coups.

HERNANI

Savez-vous qui je suis,

Maintenant?

DOÑA SOL

Monseigneur, qu'importe! je vous suis.

HERNANI

Non, puisque vous voulez me suivre, faible femme,
Il faut que vous sachiez quel nom, quel rang, quelle
[âme,
Quel destin est caché dans le pâtre Hernani.
170 Vous vouliez d'un brigand, voulez-vous d'un banni?

DON CARLOS, *ouvrant avec fracas la porte de l'armoire.*

Quand aurez-vous fini de conter votre histoire?
Croyez-vous donc qu'on soit à l'aise en cette armoire?

*Hernani recule étonné. Doña Sol pousse un cri et se réfugie
dans ses bras, en fixant sur don Carlos des yeux effarés.*

HERNANI, *la main sur la garde de son épée.*

Quel est cet homme?

DOÑA SOL

O ciel! Au secours!

HERNANI

Taisez-vous,
Doña Sol! vous donnez l'éveil aux yeux jaloux.

175 Quand je suis près de vous, veuillez, quoi qu'il advienne,
Ne réclamer jamais d'autre aide que la mienne.

A don Carlos.

Que faisiez-vous là ?

DON CARLOS

Moi ? mais, à ce qu'il paraît,
Je ne chevauchais pas à travers la forêt.

HERNANI

Qui raille après l'affront s'expose à faire rire
180 Aussi son héritier.

DON CARLOS

Chacun son tour ! — Messire,
Parlons franc. Vous aimez madame et ses yeux noirs,
Vous y venez mirer les vôtres tous les soirs,
C'est fort bien. J'aime aussi madame, et veux connaître
Qui j'ai vu tant de fois entrer par la fenêtre,
185 Tandis que je restais à la porte.

HERNANI

En honneur.
Je vous ferai sortir par où j'entre, seigneur.

DON CARLOS

Nous verrons. J'offre donc mon amour à madame.
Partageons. Voulez-vous ? J'ai vu dans sa belle âme
Tant d'amour, de bonté, de tendres sentiments,
190 Que madame, à coup sûr, en a pour deux amants.
Or, ce soir, voulant mettre à fin mon entreprise,
Pris, je pense, pour vous, j'entre ici par surprise,
Je me cache, j'écoute, à ne vous celer rien ;
Mais j'entendais très mal et j'étouffais très bien.
195 Et puis je chiffonnais ma veste à la française.
Ma foi, je sors !

HERNANI

Ma dague aussi n'est pas à l'aise.

Et veut sortir.

DON CARLOS, *le saluant.*

Monsieur, c'est comme il vous plaira.

HERNANI, *tirant son épée.*

En garde!

> Don Carlos tire son épée.

DOÑA SOL, *se jetant entre eux.*

Hernani! ciel!

DON CARLOS

Calmez-vous, señora.

HERNANI, *à don Carlos.*

Dites-moi votre nom.

DON CARLOS

Hé! dites-moi le vôtre!

HERNANI

200 Je le garde, secret et fatal, pour un autre
Qui doit un jour sentir, sous mon genou vainqueur,
Mon nom à son oreille, et ma dague à son cœur!

DON CARLOS

Alors, quel est le nom de l'autre?

HERNANI

Que t'importe?

En garde! défends-toi!

Ils croisent leurs épées. Doña Sol tombe tremblante sur un fauteuil. On entend des coups à la porte.

DOÑA SOL, *se levant avec effroi.*

Ciel! on frappe à la porte!

Les champions [13] s'arrêtent. Entre Josefa par la petite porte et tout effarée.

HERNANI, *à Josefa.*

205 Qui frappe ainsi?

DOÑA JOSEFA, *à doña Sol.*

Madame! un coup inattendu!
C'est le duc qui revient!

DOÑA SOL, *joignant les mains.*

Le duc! tout est perdu!

Malheureuse!

Doña Josefa, *jetant les yeux autour d'elle.*

Jésus! l'inconnu! des épées!
On se battait. Voilà de belles équipées!

*Les deux combattants remettent leurs épées dans le fourreau.
Don Carlos s'enveloppe dans son manteau et rabat son
chapeau sur ses yeux.*

On frappe.

HERNANI

Que faire?

On frappe.

UNE VOIX, *au dehors.*

Doña Sol, ouvrez-moi!

Doña Josefa fait un pas vers la porte. Hernani l'arrête.

HERNANI

N'ouvrez pas.

Doña Josefa, *tirant son chapelet.*

210 Saint-Jacques monseigneur [14]! tirez-nous de ce pas!

On frappe de nouveau.

HERNANI, *montrant l'armoire à don Carlos.*

Cachons-nous.

DON CARLOS

Dans l'armoire?

HERNANI, *montrant la porte.*

Entrez-y. Je m'en charge.
Nous y tiendrons tous deux.

DON CARLOS

Grand merci, c'est trop large.

HERNANI, *montrant la petite porte.*

Fuyons par là.

DON CARLOS

Bonsoir. Pour moi, je reste ici.

HERNANI

Ah! tête et sang! monsieur, vous me paîrez ceci!

A doña Sol.

₂₁₅ Si je barricadais l'entrée ?

DON CARLOS, *à Josefa.*

Ouvrez la porte.

HERNANI

Que dit-il ?

DON CARLOS, *à Josefa interdite.*

Ouvrez donc, vous dis-je !

On frappe toujours. Doña Josefa va ouvrir en tremblant.

DOÑA SOL

Je suis morte !

SCÈNE III

LES MÊMES, DON RUY GOMEZ DE SILVA,
barbe et cheveux blancs; en noir. Valets avec des flambeaux.

DON RUY GOMEZ

Des hommes chez ma nièce à cette heure de nuit !
Venez tous ! cela vaut la lumière et le bruit.

A doña Sol

Par Saint-Jean d'Avila, je crois que, sur mon âme,
₂₂₀ Nous sommes trois chez vous ! C'est trop de deux,
[madame.

Aux deux jeunes gens.

Mes jeunes cavaliers, que faites-vous céans ? —
Quand nous avions le Cid et Bernard [15], ces géants
De l'Espagne et du monde allaient par les Castilles
Honorant les vieillards et protégeant les filles.
₂₂₅ C'étaient des hommes forts et qui trouvaient moins lourds
Leur fer et leur acier que vous votre velours.
Ces hommes-là portaient respect aux barbes grises,
Faisaient agenouiller leur amour aux églises,
Ne trahissaient personne, et donnaient pour raison
₂₃₀ Qu'ils avaient à garder l'honneur de leur maison.
S'ils voulaient une femme, ils la prenaient sans tache,
En plein jour, devant tous, et l'épée, ou la hache,

Ou la lance à la main. — Et quant à ces félons
Qui, le soir, et les yeux tournés vers leurs talons,
235 Ne fiant qu'à la nuit leurs manœuvres infâmes,
Par-derrière aux maris volent l'honneur des femmes,
J'affirme que le Cid, cet aïeul de nous tous,
Les eût tenus pour vils et fait mettre à genoux,
Et qu'il eût, dégradant leur noblesse usurpée,
240 Souffleté leur blason du plat de son épée!
Voilà ce que feraient, j'y songe avec ennui [16],
Les hommes d'autrefois aux hommes d'aujourd'hui.
— Qu'êtes-vous venus faire ici? C'est donc à dire
Que je ne suis qu'un vieux dont les jeunes vont rire?
245 On va rire de moi, soldat de Zamora [17]?
Et quand je passerai, tête blanche, on rira?
Ce n'est pas vous, du moins, qui rirez!

HERNANI

Duc...

DON RUY GOMEZ

Silence!

Quoi! vous avez l'épée, et la dague, et la lance,
La chasse, les festins, les meutes, les faucons,
250 Les chansons à chanter le soir sous les balcons,
Les plumes au chapeau, les casaques de soie,
Les bals, les carrousels, la jeunesse, la joie,
Enfants, l'ennui vous gagne! A tout prix, au hasard,
Il vous faut un hochet. Vous prenez un vieillard.
255 Ah! vous l'avez brisé, le hochet! mais Dieu fasse
Qu'il vous puisse en éclats rejaillir à la face!
Suivez-moi!

HERNANI

Seigneur duc...

DON RUY GOMEZ

Suivez-moi! suivez-moi!
Messieurs, avons-nous fait cela pour rire? Quoi!
Un trésor est chez moi. C'est l'honneur d'une fille,
260 D'une femme, l'honneur de toute une famille;
Cette fille, je l'aime, elle est ma nièce, et doit
Bientôt changer sa bague à l'anneau de mon doigt;
Je la crois chaste et pure, et sacrée à tout homme;
Or il faut que je sorte une heure, et moi qu'on nomme
265 Ruy Gomez de Silva, je ne puis l'essayer

Sans qu'un larron d'honneur [18] se glisse à mon foyer !
Arrière ! lavez donc vos mains, hommes sans âmes,
Car, rien qu'en y touchant, vous nous tachez nos femmes.
Non. C'est bien. Poursuivez. Ai-je autre chose encor ?

> *Il arrache son collier.*

270 Tenez, foulez aux pieds, foulez ma toison d'or [19] !

> *Il jette son chapeau.*

Arrachez mes cheveux, faites-en chose vile !
Et vous pourrez demain vous vanter par la ville
Que jamais débauchés, dans leurs jeux insolents,
N'ont sur plus noble front souillé cheveux plus blancs !

DOÑA SOL

275 Monseigneur...

DON RUY GOMEZ, *à ses valets.*

Ecuyers ! écuyers ! à mon aide !
Ma hache, mon poignard, ma dague de Tolède !

> *Aux deux jeunes gens.*

Et suivez-moi tous deux !

DON CARLOS, *faisant un pas.*

Duc, ce n'est pas d'abord
De cela qu'il s'agit. Il s'agit de la mort
De Maximilien, empereur d'Allemagne [20].

Il jette son manteau, et découvre son visage caché par son chapeau.

DON RUY GOMEZ

280 Raillez-vous ?... — Dieu ! le roi !

DOÑA SOL

Le roi !

HERNANI, *dont les yeux s'allument.*

Le roi d'Espagne !

DON CARLOS, *gravement.*

Oui, Carlos. — Seigneur duc, es-tu donc insensé ?
Mon aïeul l'empereur est mort. Je ne le sai
Que de ce soir. Je viens, tout en hâte, et moi-même,
Dire la chose, à toi, féal sujet que j'aime,
285 Te demander conseil, incognito, la nuit,
Et l'affaire est bien simple, et voilà bien du bruit !

*Don Ruy Gomez renvoie ses gens d'un signe. Il s'approche
de don Carlos que doña Sol examine avec crainte et surprise, et sur lequel Hernani, demeuré dans un coin, fixe
des yeux étincelants.*

DON RUY GOMEZ

Mais pourquoi tarder tant à m'ouvrir cette porte ?

DON CARLOS

Belle raison ! tu viens avec toute une escorte !
Quand un secret d'état m'amène en ton palais,
290 Duc, est-ce pour l'aller dire à tous tes valets ?

DON RUY GOMEZ

Altesse, pardonnez ! l'apparence...

DON CARLOS

                Bon père,
Je t'ai fait gouverneur du château de Figuère [21],
Mais qui dois-je à présent faire ton gouverneur ?

DON RUY GOMEZ

Pardonnez...

DON CARLOS

       Il suffit. N'en parlons plus, seigneur.
295 Donc l'empereur est mort.

DON RUY GOMEZ

              L'aïeul de votre altesse
Est mort ?

DON CARLOS

Duc, tu m'en vois pénétré de tristesse.

DON RUY GOMEZ

Qui lui succède ?

DON CARLOS

         Un duc de Saxe est sur les rangs.
François premier, de France, est un des concurrents [22].

DON RUY GOMEZ

Où vont se rassembler les électeurs d'empire ?

Don Carlos

300 Ils ont choisi, je crois, Aix-la-Chapelle, ou Spire,
Ou Francfort [23].

Don Ruy Gomez

                    Notre roi, dont Dieu garde les jours,
N'a-t-il pensé jamais à l'empire ?

Don Carlos

                    Toujours.

Don Ruy Gomez

C'est à vous qu'il revient.

Don Carlos

                    Je le sais.

Don Ruy Gomez

                                        Votre père
Fut archiduc d'Autriche, et l'empire, j'espère,
305 Aura ceci présent, que c'était votre aïeul,
Celui qui vient de choir de la pourpre au linceul.

Don Carlos

Et puis, on est bourgeois de Gand [24].

Don Ruy Gomez

                                        Dans mon jeune âge
Je le vis, votre aïeul. Hélas ! seul je surnage
D'un siècle tout entier. Tout est mort à présent.
310 C'était un empereur magnifique et puissant !

Don Carlos

Rome est pour moi.

Don Ruy Gomez

                    Vaillant, ferme, point tyrannique.
Cette tête allait bien au vieux corps germanique !

                    Il s'incline sur les mains du roi et les baise.

Que je vous plains ! Si jeune, en un tel deuil plongé !

DON CARLOS

Le pape veut ravoir la Sicile [25], que j'ai;
315 Un empereur ne peut posséder la Sicile,
Il me fait empereur; alors, en fils docile,
Je lui rends Naple. Ayons l'aigle, et puis nous verrons
Si je lui laisserai rogner les ailerons.

DON RUY GOMEZ

Qu'avec joie il verrait, ce vétéran du trône,
320 Votre front déjà large aller à sa couronne!
Ah! seigneur, avec vous nous le pleurerons bien,
Cet empereur très grand, très bon et très chrétien!

DON CARLOS

Le saint-père est adroit. — Qu'est-ce que la Sicile [26]?
C'est une île qui pend à mon royaume, une île,
325 Une pièce, un haillon, qui, tout déchiqueté,
Tient à peine à l'Espagne et qui traîne à côté.
— Que ferez-vous, mon fils, de cette île bossue
Au monde impérial au bout d'un fil cousue?
Votre empire est mal fait : vite, venez ici,
330 Des ciseaux! et coupons! — Très saint-père, merci!
Car de ces pièces-là, si j'ai bonne fortune,
Je compte au saint-empire en recoudre plus d'une,
Et, si quelques lambeaux m'en étaient arrachés,
Rapiécer mes états d'îles et de duchés!

DON RUY GOMEZ

335 Consolez-vous! il est un empire des justes
Où l'on revoit les morts plus saints et plus augustes!

DON CARLOS

Ce roi François premier, c'est un ambitieux!
Le vieil empereur meurt. Vite il fait les doux yeux
A l'empire! A-t-il pas sa France très chrétienne?
340 Ah! la part est pourtant belle, et vaut qu'on s'y tienne!
L'empereur mon aïeul disait au roi Louis :
— Si j'étais Dieu le Père, et si j'avais deux fils,
Je ferais l'aîné Dieu, le second roi de France. —

Au duc.

Crois-tu que François puisse avoir quelque espérance?

DON RUY GOMEZ

345 C'est un victorieux.

DON CARLOS
                    Il faudrait tout changer.
La bulle d'or [27] défend d'élire un étranger.

DON RUY GOMEZ
A ce compte, seigneur, vous êtes roi d'Espagne ?

DON CARLOS
Je suis bourgeois de Gand.

DON RUY GOMEZ
                              La dernière campagne
A fait monter bien haut le roi François premier.

DON CARLOS
350 L'aigle qui va peut-être éclore à mon cimier
Peut aussi déployer ses ailes.

DON RUY GOMEZ
                              Votre altesse
Sait-elle le latin ?

DON CARLOS
            Mal.

DON RUY GOMEZ
                        Tant pis. La noblesse
D'Allemagne aime fort qu'on lui parle latin.

DON CARLOS
Ils se contenteront d'un espagnol hautain ;
355 Car il importe peu, croyez-en le roi Charle,
Quand la voix parle haut, quelle langue elle parle.
— Je vais en Flandre. Il faut que ton roi, cher Silva,
Te revienne empereur. Le roi de France va
Tout remuer. Je veux le gagner de vitesse.
360 Je partirai sous peu.

DON RUY GOMEZ
                        Vous nous quittez, altesse,
Sans purger l'Aragon de ces nouveaux bandits
Qui partout dans nos monts lèvent leurs fronts hardis ?

DON CARLOS
J'ordonne au duc d'Arcos d'exterminer la bande.

Don Ruy Gomez

Donnez-vous aussi l'ordre au chef qui la commande
365 De se laisser faire ?

Don Carlos

Hé ! quel est ce chef ? son nom ?

Don Ruy Gomez

Je l'ignore. On le dit un rude compagnon.

Don Carlos

Bah ! je sais que pour l'heure il se cache en Galice,
Et j'en aurai raison avec quelque milice.

Don Ruy Gomez

De faux avis alors le disaient près d'ici.

Don Carlos

370 Faux avis ! — Cette nuit, tu me loges.

Don Ruy Gomez, *s'inclinant jusqu'à terre.*

Merci,

Altesse !

Il appelle ses valets.

Faites tous honneur au roi mon hôte.

*Les valets rentrent avec des flambeaux. Le duc les range sur
deux haies jusqu'à la porte du fond. Cependant doña Sol
s'approche lentement d'Hernani. Le roi les épie tous deux.*

Doña Sol, *bas à Hernani.*

Demain, sous ma fenêtre, à minuit, et sans faute.
Vous frapperez des mains trois fois.

Hernani, *bas.*

Demain.

Don Carlos, *à part.*

Demain !

Haut à doña Sol vers laquelle il fait un pas avec galanterie.
Souffrez que pour rentrer je vous offre la main.

Il la reconduit à la porte. Elle sort.

HERNANI, *la main dans sa poitrine*
sur la poignée de sa dague.

375 Mon bon poignard !

DON CARLOS, *revenant, à part.*

Notre homme a la mine attrapée.

Il prend à part Hernani.

Je vous ai fait l'honneur de toucher votre épée,
Monsieur. Vous me seriez suspect pour cent raisons.
Mais le roi don Carlos répugne aux trahisons.
Allez. Je daigne encor protéger votre fuite.

DON RUY GOMEZ, *revenant et montrant Hernani...*
380 Qu'est ce seigneur ?

DON CARLOS

Il part. C'est quelqu'un de ma suite.

Ils sortent avec les valets et les flambeaux, le duc précédant
le roi, une cire à la main.

SCÈNE IV

HERNANI, *seul.*

Oui, de ta suite, ô roi ! de ta suite ! — J'en suis.
Nuit et jour, en effet, pas à pas, je te suis.
Un poignard à la main, l'œil fixé sur ta trace,
Je vais. Ma race en moi poursuit en toi ta race !
385 Et puis, te voilà donc mon rival ! Un instant,
Entre aimer et haïr je suis resté flottant,
Mon cœur pour elle et toi n'était point assez large,
J'oubliais en l'aimant ta haine qui me charge ;
Mais puisque tu le veux, puisque c'est toi qui viens
390 Me faire souvenir, c'est bon, je me souviens !
Mon amour fait pencher la balance incertaine,
Et tombe tout entier du côté de ma haine.
Oui, je suis de ta suite, et c'est toi qui l'as dit !
Va, jamais courtisan de ton lever maudit,
395 Jamais seigneur baisant ton ombre, ou majordome
Ayant à te servir abjuré son cœur d'homme,
Jamais chiens de palais dressés à suivre un roi
Ne seront sur tes pas plus assidus que moi !

Ce qu'ils veulent de toi, tous ces grands de Castille,
400 C'est quelque titre creux, quelque hochet qui brille,
C'est quelque mouton d'or qu'on se va pendre au cou;
Moi, pour vouloir si peu je ne suis pas si fou!
Ce que je veux de toi, ce n'est point faveurs vaines,
C'est l'âme de ton corps, c'est le sang de tes veines,
405 C'est tout ce qu'un poignard, furieux et vainqueur,
En y fouillant longtemps peut prendre au fond d'un cœur.
Va devant! je te suis. Ma vengeance qui veille
Avec moi toujours marche et me parle à l'oreille.
Va! je suis là, j'épie et j'écoute, et sans bruit
410 Mon pas cherche ton pas et le presse et le suit!
Le jour tu ne pourras, ô roi, tourner la tête
Sans me voir immobile et sombre dans ta fête;
La nuit tu ne pourras tourner les yeux, ô roi,
Sans voir mes yeux ardents luire derrière toi!

Il sort par la petite porte.

ACTE DEUXIÈME

LE BANDIT

SARAGOSSE

Un patio du palais de Silva. A gauche, les grands murs
du palais, avec une fenêtre à balcon. Au-dessous de la
fenêtre, une petite porte. A droite et au fond, des maisons et des rues. — Il est nuit. On voit briller çà et là,
aux façades des édifices, quelques fenêtres encore éclairées.

SCÈNE PREMIÈRE

Don Carlos, don Sancho Sanchez de Zuniga, comte de
Monterey, don Matias Centurion, marquis d'Almuñan,
don Ricardo de Roxas, seigneur de Casapalma.

*Ils arrivent tous quatre, don Carlos en tête, chapeaux rabat-
tus, enveloppés de longs manteaux dont leurs épées sou-
lèvent le bord inférieur.*

DON CARLOS, *examinant le balcon.*

415 Voilà bien le balcon, la porte... Mon sang bout.

Montrant la fenêtre qui n'est pas éclairée.

Pas de lumière encor!

Il promène ses yeux sur les autres croisées éclairées.

Des lumières partout
Où je n'en voudrais pas, hors à cette fenêtre
Où j'en voudrais!

DON SANCHO

Seigneur, reparlons de ce traître.
Et vous l'avez laissé partir!

DON CARLOS

Comme tu dis.

DON MATIAS

420 Et peut-être c'était le major des bandits!

DON CARLOS

Qu'il en soit le major ou bien le capitaine,
Jamais roi couronné n'eut mine plus hautaine.

DON SANCHO

Son nom, seigneur?

DON CARLOS, *les yeux fixés sur la fenêtre.*

Muñoz... Fernan...

Avec le geste d'un homme qui se rappelle tout à coup.

Un nom en i.

DON SANCHO

Hernani, peut-être?

DON CARLOS

Oui.

DON SANCHO

C'est lui!

DON MATIAS

C'est Hernani?

425 Le chef!

Don Sancho, *au roi.*

De ses propos vous reste-t-il mémoire ?

Don Carlos, *qui ne quitte pas la fenêtre des yeux.*

Hé ! je n'entendais rien dans leur maudite armoire !

Don Sancho

Mais pourquoi le lâcher lorsque vous le tenez ?

Don Carlos se tourne gravement et le regarde en face.

Don Carlos

Comte de Monterey, vous me questionnez [28].

Les deux seigneurs reculent et se taisent.

Et d'ailleurs ce n'est point le souci qui m'arrête.
430 J'en veux à sa maîtresse et non point à sa tête.
J'en suis amoureux fou ! Les yeux noirs les plus beaux,
Mes amis ! deux miroirs ! deux rayons ! deux flambeaux !
Je n'ai bien entendu de toute leur histoire
Que ces trois mots : — Demain, venez à la nuit noire !
435 Mais c'est l'essentiel. Est-ce pas excellent ?
Pendant que ce bandit, à mine de galant,
S'attarde à quelque meurtre, à creuser quelque tombe,
Je viens tout doucement dénicher sa colombe.

Don Ricardo

Altesse, il eût fallu, pour compléter le tour,
440 Dénicher la colombe en tuant le vautour.

Don Carlos, *à don Ricardo.*

Comte ! un digne conseil ! vous avez la main prompte !

Don Ricardo, *s'inclinant profondément.*

Sous quel titre plaît-il au roi que je sois comte ?

Don Sancho, *vivement.*

C'est méprise !

Don Ricardo, *à don Sancho.*

Le roi m'a nommé comte.

Don Carlos

                                                    Assez !

Bien.

A Ricardo.

J'ai laissé tomber ce titre. Ramassez.

DON RICARDO, *s'inclinant à nouveau.*

445 Merci, seigneur !

DON SANCHO, *à don Matias.*

Beau comte ! un comte de surprise.

*Le roi se promène au fond, examinant avec impatience les
fenêtres éclairées. Les deux seigneurs causent sur le devant.*

DON MATIAS, *à don Sancho.*

Mais que fera le roi, la belle une fois prise ?

DON SANCHO, *regardant Ricardo de travers.*

Il la fera comtesse, et puis dame d'honneur.
Puis, qu'il en ait un fils, il sera roi.

DON MATIAS

Seigneur,
Allons donc ! un bâtard ! Comte, fût-on altesse,
450 On ne saurait tirer un roi d'une comtesse !

DON SANCHO

Il la fera marquise, alors, mon cher marquis.

DON MATIAS

On garde les bâtards pour les pays conquis.
On les fait vice-rois. C'est à cela qu'ils servent.

Don Carlos revient.

DON CARLOS, *regardant avec colère toutes les fenêtres
éclairées.*

Dirait-on pas des yeux jaloux qui nous observent ?
455 Enfin ! en voilà deux qui s'éteignent ! allons [29] !
Messieurs, que les instants de l'attente sont longs !
Qui fera marcher l'heure avec plus de vitesse ?

DON SANCHO

C'est ce que nous disons souvent chez votre altesse.

DON CARLOS

Cependant que chez vous mon peuple le redit.

La dernière fenêtre éclairée s'éteint.

460 — La dernière est éteinte !

Tourné vers le balcon de doña Sol toujours noir.

O vitrage maudit !
Quand t'éclaireras-tu ? — Cette nuit est bien sombre.
Doña Sol, viens briller comme un astre dans l'ombre !

A don Ricardo.

Quelle heure est-il ?

DON RICARDO

Minuit bientôt.

DON CARLOS

Il faut finir
Pourtant ! A tout moment l'autre peut survenir.

*La fenêtre de doña Sol s'éclaire. On voit son ombre se
dessiner sur les vitraux lumineux.*

465 Mes amis ! un flambeau ! son ombre à la fenêtre !
Jamais jour ne me fut plus charmant à voir naître.
Hâtons-nous ! faisons-lui le signal qu'elle attend.
Il faut frapper des mains trois fois. Dans un instant,
Mes amis, vous allez la voir ! — Mais notre nombre
470 Va l'effrayer peut-être... Allez tous trois dans l'ombre,
Là-bas, épier l'autre. Amis, partageons-nous
Les deux amants. Tenez, à moi la dame, à vous
Le brigand.

DON RICARDO

Grand merci !

DON CARLOS

S'il vient de l'embuscade
Sortez vite, et poussez au drôle une estocade [30],
475 Pendant qu'il reprendra ses esprits sur le grès,
J'emporterai la belle, et nous rirons après.
N'allez pas cependant le tuer ! c'est un brave
Après tout, et la mort d'un homme est chose grave.

*Les trois seigneurs s'inclinent et sortent. Don Carlos les laisse
s'éloigner, puis frappe des mains à deux reprises. A la
deuxième fois la fenêtre s'ouvre, et doña Sol paraît sur le
balcon.*

SCÈNE II

Don Carlos, doña Sol

Doña Sol, *au balcon.*

Est-ce vous, Hernani ?

Don Carlos, *à part.*

Diable! ne parlons pas!

Il frappe de nouveau des mains.

Doña Sol

480 Je descends.

Elle referme la fenêtre, dont la lumière disparaît. Un moment après, la petite porte s'ouvre, et doña Sol en sort, une lampe à la main, sa mante sur les épaules.

Doña Sol

Hernani!

Don Carlos rabat son chapeau sur son visage, et s'avance précipitamment vers elle.

Doña Sol, *laissant tomber sa lampe*

Dieu! ce n'est point son pas!

Elle veut rentrer. Don Carlos court à elle et la retient par le bras.

Don Carlos

Doña Sol!

Doña Sol

Ce n'est point sa voix! Ah! malheureuse!

Don Carlos

Eh! quelle voix veux-tu qui soit plus amoureuse ?
C'est toujours un amant, et c'est un amant roi!

Doña Sol

Le roi!

DON CARLOS

Souhaite, ordonne, un royaume est à toi !
485 Car celui dont tu veux briser la douce entrave,
C'est le roi ton seigneur, c'est Carlos ton esclave !

DOÑA SOL, *cherchant à se dégager de ses bras.*

Au secours, Hernani !

DON CARLOS

Le juste et digne effroi !
Ce n'est pas ton bandit qui te tient, c'est le roi !

DOÑA SOL

Non. Le bandit c'est vous ! N'avez-vous pas de honte ?
490 Ah ! pour vous à la face une rougeur me monte.
Sont-ce là les exploits dont le roi fera bruit ?
Venir ravir de force une femme la nuit !
Que mon bandit vaut mieux cent fois ! Roi, je proclame
Que, si l'homme naissait où le place son âme,
495 Si Dieu faisait le rang à la hauteur du cœur,
Certe, il serait le roi, prince, et vous le voleur !

DON CARLOS, *essayant de l'attirer.*

Madame...

DOÑA SOL

Oubliez-vous que mon père était comte ?

DON CARLOS

Je vous ferai duchesse.

DOÑA SOL, *le repoussant.*

Allez ! c'est une honte !

Elle recule de quelques pas.

Il ne peut être rien entre nous, don Carlos.
500 Mon vieux père a pour vous versé son sang à flots,
Moi je suis fille noble, et de ce sang jalouse,
Trop pour la concubine [31], et trop peu pour l'épouse !

DON CARLOS

Princesse !

DOÑA SOL

Roi Carlos, à des filles de rien
Portez votre amourette, ou je pourrais fort bien,

505 Si vous m'osez traiter d'une façon infâme,
Vous montrer que je suis dame, et que je suis femme!

DON CARLOS

Eh bien, partagez donc et mon trône et mon nom.
Venez. Vous serez reine, impératrice!...

DOÑA SOL

                                   Non.
C'est un leurre [32]. Et d'ailleurs, altesse, avec franchise,
510 S'agit-il pas de vous, s'il faut que je le dise.
J'aime mieux avec lui, mon Hernani, mon roi,
Vivre errante, en dehors du monde et de la loi,
Ayant faim, ayant soif, fuyant toute l'année,
Partageant jour à jour sa pauvre destinée,
515 Abandon, guerre, exil, deuil, misère et terreur,
Que d'être impératrice avec un empereur!

DON CARLOS

Que cet homme est heureux!

DOÑA SOL

                              Quoi! pauvre, proscrit
                              [même!...

DON CARLOS

Qu'il fait bien d'être pauvre et proscrit, puisqu'on l'aime!
Moi, je suis seul! Un ange accompagne ses pas!
520 — Donc vous me haïssez?

DOÑA SOL

                         Je ne vous aime pas [33].

DON CARLOS, *la saisissant avec violence.*

Eh bien, que vous m'aimiez ou non, cela n'importe!
Vous viendrez, et ma main plus que la vôtre est forte.
Vous viendrez, je vous veux! Pardieu, nous verrons bien
Si je suis roi d'Espagne et des Indes [34] pour rien!

DOÑA SOL, *se débattant.*

525 Seigneur! oh! par pitié! — Quoi! vous êtes altesse,
Vous êtes roi. Duchesse, ou marquise, ou comtesse,
Vous n'avez qu'à choisir. Les femmes de la cour
Ont toujours un amour tout prêt pour votre amour.

Mais mon proscrit, qu'a-t-il reçu du ciel avare ?
530 Ah ! vous avez Castille, Aragon, et Navarre,
Et Murcie, et León, dix royaumes encor,
Et les flamands, et l'Inde où les mines d'or !
Vous avez un empire auquel nul roi ne touche,
Si vaste, que jamais le soleil ne s'y couche [35] !
535 Et, quand vous avez tout, voudrez-vous, vous le roi,
Me prendre, pauvre fille, à lui qui n'a que moi ?

Elle se jette à ses genoux. Il cherche à l'entraîner.

DON CARLOS

Viens ! Je n'écoute rien. Viens ! Si tu m'accompagnes,
Je te donne, choisis, quatre de mes Espagnes,
Dis, lesquelles veux-tu ? Choisis !

Elle se débat dans ses bras.

DOÑA SOL

Pour mon honneur,
540 Je ne veux rien de vous que ce poignard, seigneur !

Elle lui arrache le poignard de sa ceinture. Il la lâche et recule.

Avancez maintenant ! faites un pas !

DON CARLOS

La belle !
Je ne m'étonne plus si l'on aime un rebelle.

Il veut faire un pas. Elle lève le poignard.

DOÑA SOL

Pour un pas, je vous tue, et me tue.

Il recule encore. Elle se détourne et crie avec force.

Hernani !
Hernani !

DON CARLOS

Taisez-vous !

DOÑA SOL, *le poignard levé.*

Un pas ! tout est fini.

DON CARLOS

545 Madame ! à cet excès ma douceur est réduite.
J'ai là pour vous forcer trois hommes de ma suite...

HERNANI, *surgissant tout à coup derrière lui.*

Vous en oubliez un!

Le roi se retourne, et voit Hernani immobile derrière lui dans
l'ombre, les bras croisés sous le long manteau qui l'enve-
loppe, et le large bord de son chapeau relevé. Doña Sol
pousse un cri, court à Hernani et l'entoure de ses bras.

SCÈNE III

DON CARLOS, DOÑA SOL, HERNANI

HERNANI, *immobile, les bras toujours croisés,*
et ses yeux étincelants fixés sur le roi.

Ah! le ciel m'est témoin
Que volontiers je l'eusse été chercher plus loin!

DOÑA SOL

Hernani, sauvez-moi de lui!

HERNANI

Soyez tranquille,

550 Mon amour!

DON CARLOS

Que font donc mes amis par la ville?
Avoir laissé passer ce chef de bohémiens!

Appelant.

Monterey!

HERNANI

Vos amis sont au pouvoir des miens.
Et ne réclamez pas leur épée impuissante,
Pour trois qui vous viendraient, il m'en viendrait soixante.
555 Soixante dont un seul vous vaut tous quatre. Ainsi
Vidons entre nous deux notre querelle ici.
Quoi! vous portiez la main sur cette jeune fille!
C'était d'un imprudent, seigneur roi de Castille,
Et d'un lâche!

DON CARLOS, *souriant avec dédain.*

Seigneur bandit, de vous à moi
560 Pas de reproche!

HERNANI

Il raille! Oh! je ne suis pas roi;
Mais quand un roi m'insulte et pour surcroît me raille,
Ma colère va haut et me monte à sa taille,
Et, prenez garde, on craint, quand on me fait affront,
Plus qu'un cimier de roi la rougeur de mon front!
565 Vous êtes insensé si quelque espoir vous leurre.

Il lui saisit le bras.

Savez-vous quelle main vous étreint à cette heure?
Ecoutez: votre père a fait mourir le mien,
Je vous hais. Vous avez pris mon titre et mon bien,
Je vous hais. Nous aimons tous deux la même femme,
570 Je vous hais, je vous hais, — oui, je te hais dans l'âme!

DON CARLOS

C'est bien.

HERNANI

Ce soir pourtant ma haine était bien loin.
Je n'avais qu'un désir, qu'une ardeur, qu'un besoin,
Doña Sol! — Plein d'amour, j'accourais... Sur mon âme!
Je vous trouve essayant sur elle un rapt infâme!
575 Quoi, vous que j'oubliais, sur ma route placé!
Seigneur, je vous le dis, vous êtes insensé!
Don Carlos, te voilà pris à ton propre piège.
Ni fuite, ni secours! je te tiens et t'assiège!
Seul, entouré partout d'ennemis acharnés,
580 Que vas-tu faire?

DON CARLOS, *fièrement.*

Allons! vous me questionnez!

HERNANI

Va, va, je ne veux pas qu'un bras obscur te frappe.
Il ne sied pas qu'ainsi ma vengeance m'échappe.
Tu ne seras touché par un autre que moi.
Défends-toi donc.

Il tire son épée.

DON CARLOS

Je suis votre seigneur le roi.
585 Frappez. Mais pas de duel.

HERNANI

Seigneur, qu'il te souvienne
Qu'hier encor ta dague a rencontré la mienne.

DON CARLOS

Je le pouvais hier. J'ignorais votre nom,
Vous ignoriez mon titre. Aujourd'hui, compagnon,
Vous savez qui je suis et je sais qui vous êtes.

HERNANI

590 Peut-être.

DON CARLOS

Pas de duel. Assassinez-moi : faites !

HERNANI

Crois-tu donc que les rois à moi me sont sacrés [36] ?
Çà, te défendras-tu ?

DON CARLOS

Vous m'assassinerez !

Hernani recule. Don Carlos fixe des yeux d'aigle sur lui.

Ah ! vous croyez, bandits, que vos brigades viles
Pourront impunément s'épandre dans les villes ?
595 Que teints de sang, chargés de meurtres, malheureux !
Vous pourrez après tout faire les généreux,
Et que nous daignerons, nous, victimes trompées,
Anoblir vos poignards du choc de nos épées !
Non, le crime vous tient. Partout vous le traînez.
600 Nous, des duels avec vous ! arrière ! assassinez.

*Hernani, sombre et pensif, tourmente quelques instants de la
    main la poignée de son épée, puis se retourne brusquement
    vers le roi, et brise la lame sur le pavé.*

HERNANI

Va-t'en donc !

Le roi se tourne à demi vers lui et le regarde avec dédain.

Nous aurons des rencontres meilleures.
Va-t'en.

DON CARLOS

C'est bien, monsieur. Je vais dans quelques
[heures

Rentrer, moi votre roi, dans le palais ducal.
Mon premier soin sera de mander le fiscal [37].
605 A-t-on fait mettre à prix votre tête [38] ?

HERNANI

Oui.

DON CARLOS

Mon maître,
Je vous tiens de ce jour sujet rebelle et traître.
Je vous en avertis, partout je vous poursuis.
Je vous fais mettre au ban du royaume.

HERNANI

J'y suis

Déjà.

DON CARLOS

Bien.

HERNANI

Mais la France est auprès de l'Espagne.
610 C'est un port [39].

DON CARLOS

Je vais être empereur d'Allemagne.
Je vous fais mettre au ban de l'empire.

HERNANI

A ton gré.
J'ai le reste du monde où je te braverai.
Il est plus d'un asile où ta puissance tombe.

DON CARLOS

Et quand j'aurai le monde ?

HERNANI

Alors, j'aurai la tombe.

DON CARLOS

615 Je saurai déjouer vos complots insolents.

HERNANI

La vengeance est boiteuse, elle vient à pas lents,
Mais elle vient.

DON CARLOS, *riant à demi, avec dédain.*

Toucher à la dame qu'adore

Ce bandit!

HERNANI, *dont les yeux se rallument.*

Songes-tu que je tiens encore ?
Ne me rappelle pas, futur césar romain,
620 Que je t'ai là, chétif et petit dans ma main,
Et que si je serrais cette main trop loyale
J'écraserais dans l'œuf ton aigle impériale!

DON CARLOS

Faites.

HERNANI

Va-t'en! Va-t'en!

Il ôte son manteau et le jette sur les épaules du roi.

Fuis, et prends ce manteau,
Car dans nos rangs pour toi je crains quelque couteau.

Le roi s'enveloppe du manteau.

625 Pars tranquille à présent! Ma vengeance altérée
Pour tout autre que moi fait la tête sacrée.

DON CARLOS

Monsieur, vous qui venez de me parler ainsi,
Ne demandez un jour ni grâce ni merci!

Il sort.

SCÈNE IV

HERNANI, DOÑA SOL

DOÑA SOL, *saisissant la main d'Hernani.*

Maintenant, fuyons vite.

HERNANI, *la repoussant avec une douceur grave.*

Il vous sied, mon amie,
630 D'être dans mon malheur toujours plus raffermie,
De n'y point renoncer, et de vouloir toujours
Jusqu'au fond, jusqu'au bout, accompagner mes jours.

C'est un noble dessein, digne d'un cœur fidèle !
Mais, tu le vois, mon Dieu, pour tant accepter d'elle,
635 Pour emporter joyeux dans mon antre avec moi
Ce trésor de beauté qui rend jaloux un roi,
Pour que ma doña Sol me suive et m'appartienne,
Pour lui prendre sa vie et la joindre à la mienne,
Pour l'entraîner sans honte encore et sans regrets,
640 Il n'est plus temps : je vois l'échafaud de trop près.

DOÑA SOL

Que dites-vous ?

HERNANI

Ce roi que je bravais en face
Va me punir d'avoir osé lui faire grâce.
Il fuit ; déjà peut-être il est dans son palais.
Il appelle ses gens, ses gardes, ses valets,
645 Ses seigneurs, ses bourreaux...

DOÑA SOL

Hernani ! Dieu ! Je
[tremble !
Eh bien, hâtons-nous donc alors ! fuyons ensemble !

HERNANI

Ensemble ! non, non. L'heure en est passée ! Hélas !
Doña Sol, à mes yeux quand tu te révélas,
Bonne, et daignant m'aimer d'un amour secourable,
650 J'ai bien pu vous offrir, moi, pauvre misérable,
Ma montagne, mon bois, mon torrent, — ta pitié
M'enhardissait, — mon pain de proscrit, la moitié
Du lit vert et touffu que la forêt me donne ;
Mais t'offrir la moitié de l'échafaud ! pardonne,
655 Doña Sol ! l'échafaud, c'est à moi seul !

DOÑA SOL

Pourtant
Vous me l'aviez promis !

HERNANI, tombant à ses genoux.

Ange ! ah ! dans cet instant
Où la mort vient peut-être, où s'approche dans l'ombre
Un sombre dénoûment pour un destin bien sombre,
Je le déclare ici, proscrit, traînant au flanc
660 Un souci profond, né dans un berceau sanglant,

Si noir que soit le deuil qui s'épand sur ma vie,
Je suis un homme heureux, et je veux qu'on m'envie,
Car vous m'avez aimé! car vous me l'avez dit!
Car vous avez tout bas béni mon front maudit!

DOÑA SOL, *penchée sur sa tête.*

665 Hernani!

HERNANI

Loué soit le sort doux et propice
Qui me mit cette fleur au bord du précipice!

Il se relève.

Et ce n'est pas pour vous que je parle en ce lieu,
Je parle pour le ciel qui m'écoute, et pour Dieu.

DOÑA SOL

Souffre que je te suive.

HERNANI

Ah! ce serait un crime
670 Que d'arracher la fleur en tombant dans l'abîme!
Va, j'en ai respiré le parfum! c'est assez!
Renoue à d'autres jours tes jours par moi froissés.
Epouse ce vieillard. C'est moi qui te délie.
Je rentre dans ma nuit. Toi, sois heureuse, oublie!

DOÑA SOL

675 Non, je te suis! je veux ma part de ton linceul!
Je m'attache à tes pas.

HERNANI, *la serrant dans ses bras.*

Oh! laisse-moi fuir seul.

Il la quitte avec un mouvement convulsif.

DOÑA SOL, *douloureusement et joignant les mains.*

Hernani! tu me fuis! Ainsi donc, insensée,
Avoir donné sa vie, et se voir repoussée,
Et n'avoir, après tant d'amour et tant d'ennui,
680 Pas même le bonheur de mourir près de lui!

HERNANI

Je suis banni! je suis proscrit! je suis funeste!

358

700 C'est la nO

HER
Viens danS
UN

DébouchE
Alerte, moI

Au secourS

705 Ton épée !

Où vas-tu ?

Dieu ! laissE

Me brisent.

DOÑA SOL

Ah! vous êtes ingrat!

HERNANI, *revenant sur ses pas.*

Eh bien, non! non, je reste.
Tu le veux, me voici. Viens, oh! viens dans mes bras!
Je reste, et resterai tant que tu le voudras.
685 Oublions-les! restons. —

Il l'assied sur un banc.

Sieds-toi sur cette pierre.

Il se place à ses pieds.

Des flammes de tes yeux inonde ma paupière,
Chante-moi quelque chant comme parfois le soir
Tu m'en chantais, avec des pleurs dans ton œil noir!
Soyons heureux! buvons, car la coupe est remplie,
690 Car cette heure est à nous, et le reste est folie.
Parle-moi, ravis-moi! N'est-ce pas qu'il est doux
D'aimer et de sentir qu'on vous aime à genoux?
D'être deux? d'être seuls? et que c'est douce chose
De se parler d'amour la nuit quand tout repose?
695 Oh! laisse-moi dormir et rêver sur ton sein,
Doña Sol! mon amour! ma beauté!

Bruit de cloches au loin.

DOÑA SOL, *se levant effarée.*

Le tocsin!
Entends-tu? le tocsin!

HERNANI, *toujours assis à ses genoux.*

Eh non! c'est notre noce
Qu'on sonne.

*Le bruit de cloches augmente. Cris confus, flambeaux et
lumières à toutes les fenêtres, sur tous les toits, dans toutes
les rues.*

DOÑA SOL

Lève-toi! fuis! Grand Dieu! Saragosse
S'allume!

HERNANI, *se soulevant à demi.*

Nous aurons une noce aux flambeaux!

DOÑA SOL

700 C'est la noce des morts! la noce des tombeaux!

Bruit d'épées. Cris.

HERNANI, *se recouchant sur le banc de pierre.*

Viens dans mes bras!

UN MONTAGNARD, *l'épée à la main, accourant.*

Seigneur, les sbires, les alcades,
Débouchent dans la place en longues cavalcades!
Alerte, monseigneur!

Hernani se lève.

DOÑA SOL, *pâle.*

Ah! tu l'avais bien dit!

LE MONTAGNARD

Au secours!

HERNANI, *au montagnard.*

Me voici. C'est bien.

CRIS CONFUS, *au-dehors.*

Mort au bandit!

HERNANI, *au montagnard.*

705 Ton épée!

A doña Sol.

Adieu donc!

DOÑA SOL

C'est moi qui fais ta perte!

Où vas-tu?

Lui montrant la petite porte.

Viens! Fuyons par cette porte ouverte.

HERNANI

Dieu! laisser mes amis! que dis-tu?

Tumulte et cris.

DOÑA SOL

Ces clameurs

Me brisent.

Retenant Hernani.

Souviens-toi que si tu meurs, je meurs!

HERNANI, *la tenant embrassée.*

Un baiser!

DOÑA SOL

Mon époux! mon Hernani! mon maître!

HERNANI, *la baisant au front.*

Hélas! c'est le premier.

DOÑA SOL

C'est le dernier peut-être.

Il part. Elle tombe sur le banc.

ACTE TROISIÈME

LE VIEILLARD

LE CHÂTEAU DE SILVA

DANS LES MONTAGNES D'ARAGON [40].

La galerie des portraits de la famille de Silva; grande salle, dont ces portraits, entourés de riches bordures et surmontés de couronnes ducales et d'écussons dorés, font la décoration. Au fond, une haute porte gothique. Entre chaque portrait une panoplie complète, toutes ces armures de siècles différents.

SCÈNE PREMIÈRE

DOÑA SOL, *blanche, et debout près d'une table;*
DON RUY GOMEZ DE SILVA, *assis*
dans son grand fauteuil ducal en bois de chêne.

DON RUY GOMEZ

Enfin! c'est aujourd'hui! dans une heure on sera
Ma duchesse! plus d'oncle! et l'on m'embrassera!

Mais m'as-tu pardonné ? J'avais tort, je l'avoue.
J'ai fait rougir ton front, j'ai fait pâlir ta joue.
715 J'ai soupçonné trop vite, et je n'aurais point dû
Te condamner ainsi sans avoir entendu.
Que l'apparence a tort ! Injustes que nous sommes !
Certes, ils étaient bien là, les deux beaux jeunes hommes !
C'est égal. Je devais n'en pas croire mes yeux.
720 Mais que veux-tu, ma pauvre enfant ? quand on est vieux !

DOÑA SOL, *immobile et grave.*

Vous reparlez toujours de cela. Qui vous blâme ?

DON RUY GOMEZ

Moi ! J'eus tort. Je devais savoir qu'avec ton âme
On n'a point de galants lorsqu'on est doña Sol,
Et qu'on a dans le cœur de bon sang espagnol.

DOÑA SOL

725 Certe, il est bon, et pur, monseigneur, et peut-être
On le verra bientôt.

DON RUY GOMEZ, *se levant et allant à elle.*

Ecoute, on n'est pas maître
De soi-même, amoureux comme je suis de toi,
Et vieux. On est jaloux, on est méchant, pourquoi ?
Parce que l'on est vieux. Parce que beauté, grâce,
730 Jeunesse, dans autrui, tout fait peur, tout menace.
Parce qu'on est jaloux des autres, et honteux
De soi. Dérision ! que cet amour boiteux,
Qui nous remet au cœur tant d'ivresse et de flamme,
Ait oublié le corps en rajeunissant l'âme !
735 — Quand passe un jeune pâtre — oui, c'en est là ! —
                                                                    [souvent,
Tandis que nous allons, lui chantant, moi rêvant,
Lui dans son pré vert, moi dans mes noires allées,
Souvent je dis tout bas : — O mes tours crénelées,
Mon vieux donjon ducal, que je vous donnerais,
740 Oh ! que je donnerais mes blés et mes forêts,
Et les vastes troupeaux qui tondent mes collines,
Mon vieux nom, mon vieux titre, et toutes mes ruines,
Et tous mes vieux aïeux qui bientôt m'attendront,
Pour sa chaumière neuve et pour son jeune front !
745 Car ses cheveux sont noirs, car son œil reluit comme
Le tien, tu peux le voir, et dire : Ce jeune homme !

Et puis, penser à moi qui suis vieux. Je le sais!
Pourtant j'ai nom Silva, mais ce n'est plus assez!
Oui, je me dis cela. Vois à quel point je t'aime!
750 Le tout, pour être jeune et beau, comme toi-même!
Mais à quoi vais-je ici rêver? Moi, jeune et beau!
Qui te dois de si loin devancer au tombeau!

DOÑA SOL

Qui sait?

DON RUY GOMEZ

Mais va, crois-moi, ces cavaliers frivoles
N'ont pas d'amour si grand qu'il ne s'use en paroles.
755 Qu'une fille aime et croie un de ces jouvenceaux,
Elle en meurt, il en rit. Tous ces jeunes oiseaux,
A l'aile vive et peinte, au langoureux ramage,
Ont un amour qui mue ainsi que leur plumage.
Les vieux, dont l'âge éteint la voix et les couleurs,
760 Ont l'aile plus fidèle, et, moins beaux, sont meilleurs.
Nous aimons bien. Nos pas sont lourds? nos yeux aridès?
Nos fronts ridés? Au cœur on n'a jamais de rides.
Hélas! quand un vieillard aime, il faut l'épargner.
Le cœur est toujours jeune, et peut toujours saigner.
765 Oh! mon amour n'est point comme un jouet de verre
Qui brille et tremble; oh! non, c'est un amour sévère,
Profond, solide, sûr, paternel, amical,
De boix de chêne, ainsi que mon fauteuil ducal!
Voilà comme je t'aime, et puis je t'aime encore
770 De cent autres façons, comme on aime l'aurore,
Comme on aime les fleurs, comme on aime les cieux!
De te voir tous les jours, toi, ton pas gracieux,
Ton front pur, le beau feu de ta fière prunelle,
Je ris, et j'ai dans l'âme une fête éternelle!

DOÑA SOL

775 Hélas!

DON RUY GOMEZ

Et puis, vois-tu? le monde trouve beau,
Lorsqu'un homme s'éteint, et lambeau par lambeau,
S'en va, lorsqu'il trébuche au marbre de la tombe,
Qu'une femme, ange pur, innocente colombe,
Veille sur lui, l'abrite, et daigne encor souffrir
780 L'inutile vieillard qui n'est bon qu'à mourir.
C'est une œuvre sacrée, et qu'à bon droit on loue,
Que ce suprême effort d'un cœur qui se dévoue,

Qui console un mourant jusqu'à la fin du jour,
Et, sans aimer peut-être, a des semblants d'amour!
785 Oh! tu seras pour moi cet ange au cœur de femme
Qui du pauvre vieillard réjouit encor l'âme,
Et de ses derniers ans lui porte la moitié,
Fille par le respect et sœur par la pitié.

DOÑA SOL

Loin de me précéder, vous pourrez bien me suivre,
790 Monseigneur; ce n'est pas une raison pour vivre
Que d'être jeune. Hélas! je vous le dis, souvent
Les vieillards sont tardifs, les jeunes vont devant,
Et leurs yeux brusquement referment leur paupière,
Comme un sépulcre ouvert dont retombe la pierre.

DON RUY GOMEZ

795 Oh! les sombres discours! Mais je vous gronderai,
Enfant! un pareil jour est joyeux et sacré.
Comment, à ce propos, quand l'heure nous appelle,
N'êtes-vous pas encor prête pour la chapelle?
Mais, vite! habillez-vous. Je compte les instants.
800 La parure de noce!

DOÑA SOL

Il sera toujours temps.

DON RUY GOMEZ

Non pas.

Entre un page.

Que veut Iaquez?

LE PAGE

Monseigneur, à la porte
Un homme, un pèlerin, un mendiant, n'importe,
Est là qui vous demande asile.

DON RUY GOMEZ

Quel qu'il soit,
Le bonheur entre avec l'étranger qu'on reçoit,
805 Qu'il vienne. — Du dehors a-t-on quelques nouvelles?
Que dit-on de ce chef de bandits infidèles
Qui remplit nos forêts de sa rébellion?

LE PAGE

C'en est fait d'Hernani, c'en est fait du lion
De la montagne.

DOÑA SOL, *à part.*

Dieu !

DON RUY GOMEZ

Quoi ?

LE PAGE

La bande est détruite.
810 Le roi, dit-on, s'est mis lui-même à leur poursuite.
La tête d'Hernani vaut mille écus du roi
Pour l'instant ; mais on dit qu'il est mort.

DOÑA SOL, *à part.*

Quoi ! sans moi,

Hernani !

DON RUY GOMEZ

Grâce au ciel ! il est mort, le rebelle !
On peut se réjouir maintenant, chère belle.
815 Allez donc vous parer, mon amour, mon orgueil !
Aujourd'hui, double fête !

DOÑA SOL, *à part.*

Oh ! des habits de deuil !

Elle sort.

DON RUY GOMEZ, *au page.*

Fais-lui vite porter l'écrin que je lui donne.

Il se rassied dans son fauteuil.

Je veux la voir parée ainsi qu'une madone,
Et, grâce à ses doux yeux, et grâce à mon écrin,
820 Belle à faire à genoux tomber un pèlerin.
A propos, et celui qui nous demande un gîte ?
Dis-lui d'entrer, fais-lui nos excuses, cours vite.

Le page salue et sort.

Laisser son hôte attendre ! ah ! c'est mal !
La porte du fond s'ouvre. Paraît Hernani déguisé en pèlerin.
Le duc se lève et va à sa rencontre.

SCÈNE II

Don Ruy Gomez, Hernani
Hernani s'arrête sur le seuil de la porte.

HERNANI

Monseigneur,

Paix et bonheur à vous!

Don Ruy Gomez, *le saluant de la main.*

A toi paix et bonheur,

825 Mon hôte!

Hernani entre. Le duc se rassied.

N'es-tu pas pèlerin?

Hernani, *s'inclinant.*

Oui.

Don Ruy Gomez

Sans doute

Tu viens d'Armillas [41]?

HERNANI

Non. J'ai pris une autre route;
On se battait par là.

Don Ruy Gomez

La troupe du banni,

N'est-ce pas?

HERNANI

Je ne sais.

Don Ruy Gomez

Le chef, le Hernani,
Que devient-il? sais-tu?

HERNANI

Seigneur, quel est cet homme?

Don Ruy Gomez

830 Tu ne le connais pas ? tant pis ! la grosse somme
Ne sera point pour toi. Vois-tu, ce Hernani,
C'est un rebelle au roi, trop longtemps impuni.
Si tu vas à Madrid, tu le pourras voir pendre.

Hernani

Je n'y vais pas.

Don Ruy Gomez

Sa tête est à qui veut la prendre.

Hernani, *à part.*

835 Qu'on y vienne !

Don Ruy Gomez

Où vas-tu, bon pèlerin ?

Hernani

Seigneur,
Je vais à Saragosse.

Don Ruy Gomez

Un vœu fait en l'honneur
D'un saint ? de Notre-Dame ?

Hernani

Oui, duc, de Notre-Dame.

Don Ruy Gomez

Del Pilar ?

Hernani

Del Pilar [42].

Don Ruy Gomez

Il faut n'avoir point d'âme
Pour ne point acquitter les vœux qu'on fait aux saints.
840 Mais, le tien accompli, n'as-tu d'autres desseins ?
Voir le Pilier, c'est là tout ce que tu désires ?

Hernani

Oui, je veux voir brûler les flambeaux et les cires,
Voir Notre-Dame, au fond du sombre corridor,
Luire en sa châsse ardente avec sa chape d'or ;
845 Et puis m'en retourner.

DON RUY GOMEZ

Fort bien. — Ton nom, mon frère ?
Je suis Ruy de Silva.

HERNANI, *hésitant.*

Mon nom ?...

DON RUY GOMEZ

Tu peux le taire
Si tu veux. Nul n'a droit de le savoir ici.
Viens-tu pas demander asile ?

HERNANI

Oui, duc.

DON RUY GOMEZ

Merci.
Sois le bienvenu. Reste, ami, ne te fais faute
850 De rien. Quant à ton nom, tu te nommes mon hôte.
Qui que tu sois, c'est bien ! et, sans être inquiet,
J'accueillerais Satan, si Dieu me l'envoyait.

*La porte du fond s'ouvre à deux battants. Entre doña Sol,
en parure de mariée castillane du temps. Derrière elle,
pages, valets, et deux femmes portant sur un coussin de
velours un coffret d'acier ciselé, qu'elles vont déposer sur
une table, et qui renferme un riche écrin, couronne de
duchesse, bracelets, colliers, perles et brillants pêle-mêle.
— Hernani, haletant et effaré, considère doña Sol avec
des yeux ardents, sans écouter le duc.*

SCÈNE III

LES MÊMES, DOÑA SOL, pages, valets, femmes.

DON RUY GOMEZ, *continuant.*

Voici ma Notre-Dame à moi. L'avoir priée
Te portera bonheur.

Il va présenter la main à doña Sol, toujours pâle et grave.

Ma belle mariée,
855 Venez. — Quoi ! pas d'anneau ! pas de couronne encor !

HERNANI, *d'une voix tonnante.*

Qui veut gagner ici mille carolus [43] d'or ?

Tous se retournent étonnés. Il déchire sa robe de pèlerin, la foule aux pieds, et en sort dans son costume de montagnard.

Je suis Hernani !

DOÑA SOL, *à part, avec joie.*

Ciel ! vivant !

HERNANI, *aux valets.*

Je suis cet homme

Qu'on cherche.

Au duc.

Vous vouliez savoir si je me nomme
Perez ou Diego ? — Non, je me nomme Hernani.
860 C'est un bien plus beau nom, c'est un nom de banni,
C'est un nom de proscrit ! Vous voyez cette tête ?
Elle vaut assez d'or pour payer votre fête !

Aux valets.

Je vous la donne à tous. Vous serez bien payés !
Prenez ! liez mes mains, liez mes pieds, liez !
865 Mais non, c'est inutile, une chaîne me lie
Que je ne romprai point !

DOÑA SOL, *à part.*

Malheureuse !

DON RUY GOMEZ

Folie !

Çà, mon hôte est un fou !

HERNANI

Votre hôte est un bandit.

DOÑA SOL

Oh ! ne l'écoutez pas !

HERNANI

J'ai dit ce que j'ai dit.

DON RUY GOMEZ

Mille carolus d'or ! monsieur, la somme est forte,
870 Et je ne suis pas sûr de tous mes gens.

HERNANI

                                        Qu'importe !
Tant mieux si dans le nombre il s'en trouve un qui veut.

Aux valets.

Livrez-moi ! vendez-moi !

DON RUY GOMEZ, *s'efforçant de le faire taire.*

                                        Taisez-vous donc ! on peut
Vous prendre au mot.

HERNANI

                                        Amis, l'occasion est belle !
Je vous dis que je suis Hernani, le rebelle,
875 Hernani !

DON RUY GOMEZ

Taisez-vous !

HERNANI

                    Hernani !

DOÑA SOL, *d'une voix éteinte, à son oreille.*

                                        Ho ! tais-toi !

HERNANI, *se détournant à demi vers doña Sol.*

On se marie ici ! Je veux en être, moi !
Mon épousée aussi m'attend.

Au duc.

                                        Elle est moins belle
Que la vôtre, seigneur, mais n'est pas moins fidèle.
C'est la mort !

Aux valets.

                    Nul de vous ne fait un pas encor ?

DOÑA SOL, *bas.*

880 Par pitié !

HERNANI, *aux valets.*

Hernani ! mille carolus d'or !

DON RUY GOMEZ

C'est le démon !

HERNANI, *à un jeune valet.*

Viens, toi! tu gagneras la somme.
Riche alors, de valet tu redeviendras homme.

Aux valets qui restent immobiles.

Vous aussi, vous tremblez! Ai-je assez de malheur!

DON RUY GOMEZ

Frère, à toucher ta tête, ils risqueraient la leur.
885 Fusses-tu Hernani, fusses-tu cent fois pire,
Pour ta vie au lieu d'or offrît-on un empire,
Mon hôte! je te dois protéger en ce lieu,
Même contre le roi, car je te tiens de Dieu!
S'il tombe un seul cheveu de ton front, que je meure!

A doña Sol.

890 Ma nièce, vous serez ma femme dans une heure;
Rentrez chez vous. Je vais faire armer le château,
J'en vais fermer la porte.

Il sort. Les valets le suivent.

HERNANI, *regardant avec désespoir*
sa ceinture dégarnie et désarmée.

Oh! pas même un couteau!

Doña Sol, après que le duc a disparu, fait quelques pas
comme pour suivre ses femmes, puis s'arrête, et, dès
qu'elles sont sorties, revient vers Hernani avec anxiété.

SCÈNE IV[44]

HERNANI, DOÑA SOL [45]

Hernani considère avec un regard froid et comme inattentif
l'écrin nuptial placé sur la table; puis il hoche la tête, et
ses yeux s'allument.

HERNANI

Je vous fais compliment! — Plus que je ne puis dire
La parure me charme, et m'enchante, et — j'admire!

Il s'approche de l'écrin.

895 La bague est de bon goût, — la couronne me plaît, —
Le collier est d'un beau travail, — le bracelet
Est rare, — mais cent fois, cent fois moins que la femme
Qui sous un front si pur cache ce cœur infâme !

Examinant à nouveau le coffret.

Et qu'avez-vous donné pour tout cela ? — Fort bien !
900 Un peu de votre amour ? mais, vraiment, c'est pour rien !
Grand Dieu ! trahir ainsi ! n'avoir pas honte, et vivre !

Examinant l'écrin.

Mais peut-être après tout c'est perle fausse, et cuivre
Au lieu d'or, verre et plomb, diamants déloyaux,
Faux saphirs, faux bijoux, faux brillants, faux joyaux !
905 Ah ! s'il en est ainsi, comme cette parure,
Ton cœur est faux, duchesse, et tu n'es que dorure !

Il revient au coffret.

— Mais non, non. Tout est vrai, tout est bon, tout est
[beau !
Il n'oserait tromper, lui qui touche au tombeau !
Rien n'y manque.

Il prend l'une après l'autre toutes les pièces de l'écrin.

Colliers, brillants, pendants d'oreille,
910 Couronne de duchesse, anneau d'or... — A merveille !
Grand merci de l'amour sûr, fidèle et profond !
Le précieux écrin !

Doña Sol

Elle va au coffret, y fouille, et en tire un poignard.

Vous n'allez pas au fond !

Hernani pousse un cri et tombe prosterné à ses pieds.

— C'est le poignard qu'avec l'aide de ma patronne
Je pris au roi Carlos, lorsqu'il m'offrit un trône,
915 Et que je refusai, pour vous qui m'outragez !

Hernani, *toujours à genoux.*

Oh ! laisse qu'à genoux dans tes yeux affligés
J'efface tous ces pleurs amers et pleins de charmes,
Et tu prendras après tout mon sang pour tes larmes !

Doña Sol, *attendrie.*

Hernani ! je vous aime et vous pardonne, et n'ai
920 Que de l'amour pour vous.

Hernani

Elle m'a pardonné
Et m'aime ! Qui pourra faire aussi que moi-même,
Après ce que j'ai dit, je me pardonne et m'aime ?
Oh ! je voudrais savoir, ange au ciel réservé,
Où vous avez marché, pour baiser le pavé !

Doña Sol

925 Ami !

Hernani

Non, je dois m'être odieux ! — Mais, écoute,
Dis-moi : Je t'aime ! Hélas ! rassure un cœur qui doute,
Dis-le-moi ! car souvent avec ce peu de mots
La bouche d'une femme a guéri bien des maux !

Doña Sol, *absorbée et sans l'entendre.*

Croire que mon amour eût si peu de mémoire !
930 Que jamais ils pourraient, tous ces hommes sans gloire,
Jusqu'à d'autres amours, plus nobles à leur gré,
Rapetisser un cœur où son nom est entré !

Hernani

Hélas ! j'ai blasphémé ! Si j'étais à ta place,
Doña Sol, j'en aurais assez, je serais lasse
935 De ce fou furieux, de ce sombre insensé
Qui ne sait caresser qu'après qu'il a blessé.
Je lui dirais : Va-t'en ! — Repousse-moi, repousse !
Et je te bénirai, car tu fus bonne et douce,
Car tu m'as supporté trop longtemps, car je suis
940 Mauvais, je noircirais tes jours avec mes nuits !
Car c'en est trop enfin, ton âme est belle et haute
Et pure, et si je suis méchant, est-ce ta faute ?
Epouse le vieux duc ! il est bon, noble, il a
Par sa mère Olmedo, par son père Alcala [46].
945 Encore un coup, sois riche avec lui, sois heureuse !
Moi, sais-tu ce que peut cette main généreuse
T'offrir de magnifique ? une dot de douleurs.
Tu pourras y choisir ou du sang ou des pleurs.
L'exil, les fers, la mort, l'effroi qui m'environne,
950 C'est là ton collier d'or, c'est ta belle couronne,
Et jamais à l'épouse un époux plein d'orgueil
N'offrit plus riche écrin de misère et de deuil !
Epouse le vieillard, te dis-je; il te mérite !
Eh ! qui jamais croira que ma tête proscrite

955 Aille avec ton front pur ? qui, nous voyant tous deux,
Toi, calme et belle, moi, violent, hasardeux,
Toi, paisible et croissant comme une fleur à l'ombre,
Moi, heurté dans l'orage à des écueils sans nombre,
Qui dira que nos sorts suivent la même loi ?
960 Non, Dieu qui fait tout bien ne te fit pas pour moi.
Je n'ai nul droit d'en haut sur toi, je me résigne.
J'ai ton cœur, c'est un vol ! je le rends au plus digne.
Jamais à nos amours le ciel n'a consenti.
Si j'ai dit que c'était ton destin, j'ai menti !
965 D'ailleurs, vengeance, amour, adieu ! mon jour s'achève,
Je m'en vais, inutile, avec mon double rêve,
Honteux de n'avoir pu ni punir ni charmer,
Qu'on m'ait fait pour haïr, moi qui n'ai su qu'aimer !
Pardonne-moi ! fuis-moi ! ce sont mes deux prières ;
970 Ne les rejette pas, car ce sont les dernières.
Tu vis et je suis mort. Je ne vois pas pourquoi
Tu te ferais murer dans ma tombe avec moi.

Doña Sol

Ingrat !

Hernani

Monts d'Aragon ! Galice ! Estramadoure !
— Oh ! je porte malheur à tout ce qui m'entoure ! —
975 J'ai pris vos meilleurs fils, pour mes droits, sans remords
Je les ai fait combattre, et voilà qu'ils sont morts !
C'étaient les plus vaillants de la vaillante Espagne.
Ils sont morts ! ils sont tous tombés dans la montagne,
Tous sur le dos couchés, en braves, devant Dieu,
980 Et, si leurs yeux s'ouvraient, ils verraient le ciel bleu !
Voilà ce que je fais de tout ce qui m'épouse !
Est-ce une destinée à te rendre jalouse ?
Doña Sol, prends le duc, prends l'enfer, prends le roi !
C'est bien. Tout ce qui n'est pas moi vaut mieux que moi !
985 Je n'ai plus un ami qui de moi se souvienne,
Tout me quitte, il est temps qu'à la fin ton tour vienne,
Car je dois être seul. Fuis ma contagion.
Ne te fais pas d'aimer une religion !
Oh ! par pitié pour toi, fuis ! — Tu me crois peut-être
990 Un homme comme sont tous les autres, un être
Intelligent, qui court droit au but qu'il rêva.
Détrompe-toi. Je suis une force qui va !
Agent aveugle et sourd de mystères funèbres !
Une âme de malheur faite avec des ténèbres !

995 Où vais-je ? je ne sais. Mais je me sens poussé
D'un souffle impétueux, d'un destin insensé.
Je descends, je descends, et jamais ne m'arrête.
Si parfois, haletant, j'ose tourner la tête,
Une voix me dit : Marche ! et l'abîme est profond,
1000 Et de flamme ou de sang je le vois rouge au fond !
Cependant, à l'entour de ma course farouche,
Tout se brise, tout meurt. Malheur à qui me touche !
Oh ! fuis ! détourne-toi de mon chemin fatal,
Hélas ! sans le vouloir, je te ferais du mal !

DOÑA SOL

1005 Grand Dieu !

HERNANI

                    C'est un démon redoutable, te dis-je,
Que le mien. Mon bonheur, voilà le seul prodige
Qui lui soit impossible. Et toi, c'est le bonheur !
Tu n'es donc pas pour moi, cherche un autre seigneur.
Va, si jamais le ciel à mon sort qu'il renie
1010 Souriait... n'y crois pas ! ce serait ironie !
Epouse le duc !

DOÑA SOL

                    Donc ce n'était pas assez !
Vous aviez déchiré mon cœur, vous le brisez !
Ah ! vous ne m'aimez plus !

HERNANI

                              Oh ! mon cœur et mon âme,
C'est toi ! l'ardent foyer d'où me vient toute flamme,
1015 C'est toi ! Ne m'en veux pas de fuir, être adoré !

DOÑA SOL

Je ne vous en veux pas. Seulement, j'en mourrai.

HERNANI

Mourir ! pour qui ? pour moi ? Se peut-il que tu meures
Pour si peu ?

DOÑA SOL, *laissant éclater ses larmes.*

        Voilà tout.

                        Elle tombe sur un fauteuil.

HERNANI, *s'asseyant près d'elle.*

Oh! tu pleures! tu pleures!
Et c'est encor ma faute! et qui me punira?
1020 Car tu pardonneras encor! Qui te dira
Ce que je souffre au moins, lorsqu'une larme noie
La flamme de tes yeux dont l'éclair est ma joie!
Oh! mes amis sont morts! Oh! je suis insensé!
Pardonne. Je voudrais aimer, je ne le sai!
1025 Hélas! j'aime pourtant d'une amour bien profonde! —
Ne pleure pas, mourons plutôt! — Que n'ai-je un monde?
Je te le donnerais! Je suis bien malheureux!

DOÑA SOL, *se jetant à son cou.*

Vous êtes mon lion superbe et généreux [47]!
Je vous aime.

HERNANI

Oh! l'amour serait un bien suprême
1030 Si l'on pouvait mourir de trop aimer!

DOÑA SOL

Je t'aime!
Monseigneur! je vous aime et je suis toute à vous.

HERNANI, *laissant tomber sa tête sur son épaule.*

Oh! qu'un coup de poignard de toi me serait doux!

DOÑA SOL, *suppliante.*

Quoi! ne craignez-vous pas que Dieu ne vous punisse
De parler de la sorte?

HERNANI, *toujours appuyé sur son sein.*

Eh bien! qu'il nous unisse!
1035 Tu le veux. Qu'il en soit ainsi! — J'ai résisté!
*Tous deux, dans les bras l'un de l'autre, se regardent avec
extase, sans voir, sans entendre, et comme absorbés dans
leur regard. — Entre don Ruy Gomez par la porte du
fond. Il regarde et s'arrête comme pétrifié sur le seuil.*

SCÈNE V

HERNANI, DOÑA SOL, DON RUY GOMEZ

DON RUY GOMEZ, *immobile et croisant les bras*
au seuil de la porte.

Voilà donc le paîment de l'hospitalité!

DOÑA SOL

Dieu! le duc!

Tous deux se détournent comme réveillés en sursaut.

DON RUY GOMEZ, *toujours immobile.*

C'est donc là mon salaire, mon hôte!
— Bon seigneur, va-t'en voir si la muraille est haute,
Si la porte est bien close et l'archer dans sa tour,
1040 De ton château pour nous fais et refais le tour,
Cherche en ton arsenal une armure à ta taille,
Ressaye à soixante ans ton harnois de bataille!
Voici la loyauté dont nous paîrons ta foi!
Tu fais cela pour nous, et nous ceci pour toi!
1045 Saints du ciel! — J'ai vécu plus de soixante années,
J'ai vu bien des bandits aux âmes effrénées,
J'ai souvent, en tirant ma dague du fourreau,
Fait lever sur mes pas des gibiers de bourreau,
J'ai vu des assassins, des monnoyeurs [48], des traîtres,
1050 De faux valets à table empoisonnant leurs maîtres,
J'en ai vu qui mouraient sans croix et sans pater,
J'ai vu Sforce, j'ai vu Borgia, je vois Luther [49],
Mais je n'ai jamais vu perversité si haute
Qui n'eût craint le tonnerre en trahissant son hôte!
1055 Ce n'est pas de mon temps. — Si noire trahison
Pétrifie un vieillard au seuil de sa maison,
Et fait que le vieux maître, en attendant qu'il tombe,
A l'air d'une statue, à mettre sur sa tombe!
Maures et castillans! quel est cet homme-ci?

Il lève les yeux et les promène sur les portraits qui entourent
la salle.

1060 O vous, tous les Silva qui m'écoutez ici,
Pardon si devant vous, pardon si ma colère
Dit l'hospitalité mauvaise conseillère!

HERNANI, *se levant.*

Duc...

DON RUY GOMEZ

Tais-toi ! —

Il fait lentement trois pas dans la salle et promène de nou-
veau ses regards sur les portraits des Silva.

Morts sacrés ! aïeux ! hommes de fer !
Qui voyez ce qui vient du ciel et de l'enfer,
1065 Dites-moi, messeigneurs, dites, quel est cet homme ?
Ce n'est pas Hernani, c'est Judas qu'on le nomme !
Oh ! tâchez de parler pour me dire son nom !

Croisant les bras.

Avez-vous de vos jours vu rien de pareil ? Non !

HERNANI

Seigneur duc...

DON RUY GOMEZ, *toujours aux portraits.*

Voyez-vous ? il veut parler, l'infâme !
1070 Mais, mieux encor que moi, vous lisez dans son âme.
Oh ! ne l'écoutez pas ! C'est un fourbe ! Il prévoit
Que mon bras va sans doute ensanglanter mon toit,
Que peut-être mon cœur couve dans ses tempêtes
Quelque vengeance, sœur du festin des sept têtes,
1075 Il vous dira qu'il est proscrit, il vous dira
Qu'on va dire Silva comme l'on dit Lara [50],
Et puis qu'il est mon hôte, et puis qu'il est votre hôte... —
Mes aïeux, mes seigneurs, voyez : est-ce ma faute ?
Jugez entre nous deux !

HERNANI

Ruy Gomez de Silva,
1080 Si jamais vers le ciel noble front s'éleva,
Si jamais cœur fut grand, si jamais âme haute,
C'est la vôtre, seigneur ! c'est la tienne, ô mon hôte !
Moi qui te parle ici, je suis coupable, et n'ai
Rien à dire, sinon que je suis bien damné.
1085 Oui, j'ai voulu te prendre et t'enlever ta femme,
Oui, j'ai voulu souiller ton lit, oui, c'est infâme !
J'ai du sang. Tu feras très bien de le verser,
D'essuyer ton épée, et de n'y plus penser !

DOÑA SOL

Seigneur, ce n'est pas lui! Ne frappez que moi-même!...

HERNANI

1090 Taisez-vous, doña Sol. Car cette heure est suprême!
Cette heure m'appartient. Je n'ai plus qu'elle. Ainsi
Laissez-moi m'expliquer avec le duc ici.
Duc! — crois aux derniers mots de ma bouche : j'en jure,
Je suis coupable, mais sois tranquille, — elle est pure!
1095 C'est là tout. Moi coupable, elle pure; ta foi
Pour elle; — un coup d'épée ou de poignard pour moi.
Voilà. — Puis fais jeter le cadavre à la porte
Et laver le plancher, si tu veux, il n'importe!

DOÑA SOL

Ah! moi seule ai tout fait. Car je l'aime.

*Don Ruy se détourne à ce mot en tressaillant, et fixe sur
doña Sol un regard terrible. Elle se jette à ses genoux.*

Oui, pardon!

1100 Je l'aime, monseigneur!

DON RUY GOMEZ

Vous l'aimez!

A Hernani.

Tremble donc!

Bruit de trompettes au-dehors. — Entre le page. Au page.

Qu'est ce bruit ?

LE PAGE

C'est le roi, monseigneur, en personne,
Avec un gros [51] d'archers et son héraut qui sonne.

DOÑA SOL

Dieu! le roi! Dernier coup!

LE PAGE, *au duc.*

Il demande pourquoi
La porte est close, et veut qu'on ouvre.

DON RUY GOMEZ

Ouvrez au roi.

Le page s'incline et sort.

DOÑA SOL

1105 Il est perdu !

*Don Ruy Gomez va à l'un des tableaux, qui est son propre
portrait et le dernier à gauche ; il presse un ressort, le
portrait s'ouvre comme une porte, et laisse voir une
cachette pratiquée dans le mur. Il se tourne vers Hernani.*

DON RUY GOMEZ

Monsieur, entrez ici.

HERNANI

Ma tête
Est à toi. Livre-la, seigneur. Je la tiens prête,
Je suis ton prisonnier.

*Il entre dans la cachette. Don Ruy presse de nouveau le
ressort, tout se referme, et le portrait revient à sa place.*

DOÑA SOL, *au duc.*

Seigneur, pitié pour lui !

LE PAGE, *entrant.*

Son altesse le roi !

*Doña Sol baisse précipitamment son voile. La porte s'ouvre
à deux battants. Entre don Carlos en habit de guerre,
suivi d'une foule de gentilshommes également armés, de
pertuisaniers, d'arquebusiers, d'arbalétriers.*

SCÈNE VI[52]

DON RUY GOMEZ, DOÑA SOL, *voilée ;* DON CARLOS ; suite.

*Don Carlos s'avance à pas lents, la main gauche sur le pom-
meau de son épée, la droite dans sa poitrine, et fixe sur le
vieux duc un œil de défiance et de colère. Le duc va au-
devant du roi et le salue profondément. — Silence. —
Attente et terreur alentour. Enfin, le roi, arrivé en face
du duc, lève brusquement la tête.*

DON CARLOS

D'où vient donc aujourd'hui,
Mon cousin, que ta porte est si bien verrouillée ?
1110 Par les saints ! je croyais ta dague plus rouillée !

Et je ne savais pas qu'elle eût hâte à ce point,
Quand nous te venons voir, de reluire à ton poing!

Don Ruy Gomez veut parler, le roi poursuit avec un geste
impérieux.

C'est s'y prendre un peu tard pour faire le jeune homme!
Avons-nous des turbans[53]? serait-ce qu'on me nomme
1115 Boabdil ou Mahom, et non Carlos, répond!
Pour nous baisser la herse et nous lever le pont?

DON RUY GOMEZ, *s'inclinant.*

Seigneur...

DON CARLOS, *à ses gentilshommes.*

Prenez les clefs! saisissez-vous des portes!

Deux officiers sortent. Plusieurs autres rangent les soldats
en triple haie dans la salle, du roi à la grande porte.
Don Carlos se retourne vers le duc.

Ah! vous réveillez donc les rébellions mortes!
Pardieu! si vous prenez de ces airs avec moi,
1120 Messieurs les ducs, le roi prendra des airs de roi!
Et j'irai par les monts, de mes mains aguerries,
Dans leurs nids crénelés tuer les seigneuries!

DON RUY GOMEZ, *se redressant.*

Altesse, les Silva sont loyaux...

DON CARLOS, *l'interrompant.*

Sans détours,
Réponds, duc! ou je fais raser tes onze tours!
1125 De l'incendie éteint il reste une étincelle,
Des bandits morts, il reste un chef. — Qui le recèle?
C'est toi! Ce Hernani, rebelle empoisonneur,
Ici, dans ton château, tu le caches!

DON RUY GOMEZ

Seigneur,
C'est vrai.

DON CARLOS

Fort bien. Je veux sa tête, — ou bien la tienne.
1130 Entends-tu, mon cousin?

DON RUY GOMEZ, *s'inclinant.*

                                        Mais qu'à cela ne tienne!
Vous serez satisfait.

Doña Sol cache sa tête dans ses mains et tombe sur le fau-
   teuil.

                        DON CARLOS, *radouci.*

                              Ah! tu t'amendes! — Va
Chercher mon prisonnier.

Le duc croise les bras, baisse la tête et reste quelques moments
   rêveur. Le roi et doña Sol l'observent en silence et agités
   d'émotions contraires. Enfin le duc relève son front, va au
   roi, lui prend la main, et le mène à pas lents devant le
   plus ancien des portraits, celui qui commence la galerie à
   droite du spectateur [54].

DON RUY GOMEZ, *montrant au roi le vieux portrait.*

                              Celui-ci, des Silva
C'est l'aîné, c'est l'aïeul, l'ancêtre, le grand homme!
Don Silvius, qui fut trois fois consul de Rome.

                        Passant au portrait suivant.

1135 Voici don Galceran de Silva, l'autre Cid [55]!
On lui garde à Toro, près de Valladolid,
Une châsse dorée où brûlent mille cierges.
Il affranchit León du tribut des cent vierges.

                              Passant à un autre.

— Don Blas, — qui, de lui-même et dans sa bonne foi,
1140 S'exila pour avoir mal conseillé le roi.

                                        A un autre.

— Christoval. — Au combat d'Escalona, don Sanche,
Le roi, fuyait à pied, et sur sa plume blanche
Tous les coups s'acharnaient; il cria : Christoval!
Christoval prit la plume et donna son cheval [56].

                                        A un autre.

1145 — Don Jorge, qui paya la rançon de Ramire,
Roi d'Aragon.

         DON CARLOS, *croisant les bras et le regardant*
                    de la tête aux pieds.

                        Pardieu! don Ruy, je vous admire!
Mon prisonnier!

DON RUY GOMEZ, *passant à un autre.*

Voici Ruy Gomez de Silva,
Grand-maître de Saint-Jacque et de Calatrava [57] !
Son armure géante irait mal à nos tailles.
1150 Il prit trois cents drapeaux, gagna trente batailles,
Conquit au roi Motril, Antequera, Suez,
Nijar, et mourut pauvre. — Altesse, saluez.

Il s'incline, se découvre, et passe à un autre. Le roi l'écoute
avec une impatience et une colère toujours croissantes.

Près de lui, Gil son fils, cher aux âmes loyales.
Sa main pour un serment valait les mains royales.

A un autre.

1155 — Don Gaspar, de Mendoce et de Silva l'honneur !
Toute noble maison tient à Silva, seigneur.
Sandoval tour à tour nous craint ou nous épouse.
Manrique nous envie et Lara nous jalouse.
Alencastre nous hait. Nous touchons à la fois
1160 Du pied à tous les ducs, du front à tous les rois !

DON CARLOS, *impatienté.*

Vous raillez-vous ?

DON RUY GOMEZ, *allant à d'autres portraits.*

Voilà don Vasquez, dit le Sage.
Don Jayme, dit le Fort. Un jour, sur son passage,
Il arrêta Zamet et cent maures tout seul.
— J'en passe, et des meilleurs.

Sur un geste de colère du roi, il passe un grand nombre de
tableaux, et vient tout de suite aux trois derniers portraits
à gauche du spectateur.

Voici mon noble aïeul.
1165 Il vécut soixante ans, gardant la foi jurée,
Même aux juifs.

A l'avant-dernier.

Ce vieillard, cette tête sacrée,
C'est mon père. Il fut grand, quoiqu'il vint le dernier.
Les maures de Grenade avaient fait prisonnier
Le comte Alvar Giron [58], son ami. Mais mon père
1170 Prit pour l'aller chercher six cents hommes de guerre,
Il fit tailler en pierre un comte Alvar Giron
Qu'à sa suite il traîna, jurant par son patron

De ne point reculer, que le comte de pierre
Ne tournât front lui-même et n'allât en arrière.
1175 Il combattit, puis vint au comte, et le sauva.

DON CARLOS

Mon prisonnier !

DON RUY GOMEZ

C'était un Gomez de Silva.
Voilà donc ce qu'on dit quand dans cette demeure
On voit tous ces héros...

DON CARLOS

Mon prisonnier sur l'heure !

DON RUY GOMEZ

*Il s'incline profondément devant le roi, lui prend la main et
le mène devant le dernier portrait, celui qui sert de porte
à la cachette où il a fait entrer Hernani. Doña Sol le suit
des yeux avec anxiété. — Attente et silence dans l'assistance.*

Ce portrait, c'est le mien. — Roi don Carlos, merci ! —
1180 Car vous voulez qu'on dise en le voyant ici :
« Ce dernier, digne fils d'une race si haute,
Fut un traître, et vendit la tête de son hôte ! »

*Joie de doña Sol. Mouvement de stupeur dans l'assemblée.
Le roi, déconcerté, s'éloigne avec colère, puis reste
quelques instants silencieux, les lèvres tremblantes et l'œil
enflammé.*

DON CARLOS

Duc, ton château me gêne et je le mettrai bas !

DON RUY GOMEZ

Car vous me la pâîriez, altesse, n'est-ce pas ?

DON CARLOS

1185 Duc, j'en ferai raser les tours pour tant d'audace,
Et je ferai semer du chanvre [59] sur la place !

DON RUY GOMEZ

Mieux voir croître du chanvre où ma tour s'éleva,
Qu'une tache ronger le vieux nom de Silva.

Aux portraits.

N'est-il pas vrai, vous tous ?

DON CARLOS

Duc! cette tête est nôtre,
1190 Et tu m'avais promis...

DON RUY GOMEZ

J'ai promis l'une ou l'autre.

Aux portraits.

N'est-il pas vrai, vous tous ?

Montrant sa tête.

Je donne celle-ci.

Au roi.

Prenez-la.

DON CARLOS

Duc, fort bien. Mais j'y perds, grand merci !
La tête qu'il me faut est jeune, il faut que morte
On la prenne aux cheveux. La tienne ? que m'importe !
1195 Le bourreau la prendrait par les cheveux en vain.
Tu n'en as pas assez pour lui remplir la main !

DON RUY GOMEZ

Altesse, pas d'affront ! ma tête encore est belle,
Et vaut bien, que je crois, la tête d'un rebelle.
La tête d'un Silva, vous êtes dégoûté !

DON CARLOS

1200 Livre-nous Hernani !

DON RUY GOMEZ

Seigneur, en vérité,

J'ai dit.

DON CARLOS, *à sa suite.*

Fouillez partout ! et qu'il ne soit point d'aile,
De cave ni de tour...

DON RUY GOMEZ

Mon donjon est fidèle
Comme moi. Seul il sait le secret avec moi.
Nous le garderons bien tous deux.

DON CARLOS

Je suis le roi !

DON RUY GOMEZ

1205 A moins de démolir le château pierre à pierre,
D'assassiner le maître, on n'aura rien.

DON CARLOS

Prière,
Menace, tout est vain! — Livre-moi le bandit,
Duc! ou tête et château, j'abattrai tout.

DON RUY GOMEZ

J'ai dit.

DON CARLOS

Hé bien donc! au lieu d'une alors j'aurai deux têtes.

Au duc d'Alcala.

1210 Jorge, arrêtez le duc!

DOÑA SOL, *arrachant son voile et se jetant entre le roi,*
le duc et les gardes.

Roi don Carlos, vous êtes
Un mauvais roi!

DON CARLOS

Grand Dieu! que vois-je? doña Sol!

DOÑA SOL

Altesse, tu n'as pas le cœur d'un Espagnol!

DON CARLOS, *troublé et chancelant.*

Madame, pour le roi vous êtes bien sévère.

Il s'approche de doña Sol. Bas.

C'est vous qui m'avez mis au cœur cette colère.
1215 Un homme devient ange ou monstre en vous touchant.
Ah! quand on est haï, que vite on est méchant!
Si vous aviez voulu, peut-être, ô jeune fille,
J'étais grand, j'eusse été le lion de Castille!
Vous m'en faites le tigre avec votre courroux.
1220 Le voilà qui rugit, madame! taisez-vous!

Doña Sol lui jette un regard. Il s'incline.

Pourtant j'obéirai.

Se tournant vers le duc.

Mon cousin, je t'estime.
Ton scrupule après tout peut sembler légitime.

Sois fidèle à ton hôte, infidèle à ton roi,
C'est bien. — Je te fais grâce et suis meilleur que toi.
1225 — J'emmène seulement ta nièce comme otage.

DON RUY GOMEZ

Seulement !

DOÑA SOL, *interdite et effrayée.*
Moi, seigneur !

DON CARLOS
Oui, vous !

DON RUY GOMEZ
Pas davantage !
O la grande clémence ! ô généreux vainqueur
Qui ménage la tête et torture le cœur !
Belle grâce !

DON CARLOS
Choisis. — Doña Sol, ou le traître.
1230 Il me faut l'un des deux.

DON RUY GOMEZ
Oh ! vous êtes le maître !

*Don Carlos s'approche de doña Sol pour l'emmener. Elle
se réfugie vers don Ruy Gomez.*

DOÑA SOL

Sauvez-moi, monseigneur !...

Elle s'arrête tout à coup. — A part.
Malheureuse, il le faut !
La tête de mon oncle ou l'autre !... Moi plutôt !

Au roi.
Je vous suis.

DON CARLOS, *à part.*
Par les saints ! l'idée est triomphante !
Il faudra bien enfin s'adoucir, mon infante !

*Doña Sol va d'un pas grave et assuré au coffret qui ren-
ferme l'écrin, l'ouvre et y prend le poignard qu'elle cache
dans son sein. Don Carlos vient à elle et lui présente la
main.*

DON CARLOS, *à doña Sol.*
1235 Qu'emportez-vous là ?

Doña Sol
Rien.

Don Carlos
                    Un joyau précieux ?

Doña Sol
Oui.

Don Carlos, *souriant.*
Voyons.

Doña Sol
          Vous verrez.

*Elle lui donne la main et se dispose à le suivre. Don Ruy
  Gomez, qui est resté immobile et profondément absorbé
  dans sa pensée, se retourne, et fait quelques pas en criant.*

Don Ruy Gomez
                    Doña Sol ! terre et cieux !
Doña Sol ! — Puisque l'homme ici n'a point d'entrailles,
A mon aide, croulez ! armures et murailles !

                                        Il court au roi.
Laisse-moi mon enfant ! je n'ai qu'elle, ô mon roi !

Don Carlos, *lâchant la main de doña Sol.*
1240 Alors, mon prisonnier !

*Le duc baisse la tête et semble en proie à une horrible
  hésitation ; puis il se relève, et regarde les portraits en
  joignant les mains vers eux.*

Don Ruy Gomez
                    Ayez pitié de moi,
Vous tous !

*Il fait un pas vers la cachette d'Hernani ; doña Sol le suit
  des yeux avec anxiété. Il se retourne vers les portraits.*
          Oh ! voilez-vous ! votre regard m'arrête.

*Il s'avance en chancelant jusqu'à son portrait, puis se
  retourne encore vers le roi.*
Tu le veux ?

Don Carlos
          Oui.

Le duc lève en tremblant la main vers le ressort.

DOÑA SOL

Dieu !

DON RUY GOMEZ, *repoussant la muraille du pied.*

Non !

Il se jette aux genoux du roi.

Par pitié, prends ma tête !

DON CARLOS

Ta nièce !

DON RUY GOMEZ, *se relevant.*

Prends-la donc ! et laisse-moi l'honneur !

DON CARLOS, *saisissant la main de doña Sol tremblante.*

Adieu, duc.

DON RUY GOMEZ

Au revoir. —

Il suit de l'œil le roi, qui se retire lentement avec doña Sol ; puis il met la main sur son poignard.

Dieu vous garde, seigneur !

Il revient sur le devant du théâtre haletant, immobile, sans plus rien voir ni entendre, l'œil fixe, les bras croisés sur sa poitrine, qui les soulève comme par des mouvements convulsifs. Cependant le roi sort avec doña Sol, et toute la suite des seigneurs sort après lui, deux à deux, gravement et chacun à son rang. Ils se parlent à voix basse entre eux.

DON RUY GOMEZ, *à part.*

1245 Roi ! pendant que tu sors joyeux de ma demeure,
Ma vieille loyauté sort de mon cœur qui pleure [60].

Il lève les yeux, les promène autour de lui, et voit qu'il est seul. Il court à la muraille, détache deux épées d'une panoplie, les mesures toutes deux, puis les dépose sur une table. Cela fait, il va au portrait, pousse le ressort, la porte cachée se rouvre.

SCÈNE VII

Don Ruy Gomez, Hernani

Don Ruy Gomez

Sors.

*Hernani paraît à la porte de la cachette. Don Ruy lui
montre les deux épées sur la table.*

      Choisis. — Don Carlos est hors de la maison.
Il s'agit maintenant de me rendre raison.
Choisis ! Et faisons vite. — Allons donc ! ta main tremble !

Hernani

1250 Un duel ! Nous ne pouvons, vieillard, combattre ensemble !

Don Ruy Gomez

Pourquoi donc ? As-tu peur ? N'es-tu point noble ?
                               [Enfer !
Noble ou non, pour croiser le fer avec le fer,
Tout homme qui m'outrage est assez gentilhomme !

Hernani

Vieillard...

Don Ruy Gomez

          Viens me tuer ou viens mourir, jeune homme !

Hernani

1255 Mourir, oui. — Vous m'avez sauvé, malgré mes vœux.
Donc ma vie est à vous. Reprenez-la.

Don Ruy Gomez

                            Tu veux ?
                                  Aux portraits.
Vous voyez qu'il le veut.
                                A Hernani.
                    C'est bon. Fais ta prière.

Hernani

Oh ! c'est à toi, seigneur, que je fais la dernière.

DON RUY GOMEZ

Parle à l'autre Seigneur!

HERNANI

Non, non, à toi! — Vieillard,
1260 Frappe-moi. Tout m'est bon, dague, épée ou poignard!
Mais fais-moi, par pitié, cette suprême joie!
Duc! avant de mourir permets que je la voie!

DON RUY GOMEZ

La voir!

HERNANI

Au moins permets que j'entende sa voix
Une dernière fois! rien qu'une seule fois!

DON RUY GOMEZ

1265 L'entendre!

HERNANI

Oh! je comprends, seigneur, ta jalousie.
Mais déjà par la mort ma jeunesse est saisie,
Pardonne-moi. Veux-tu, dis-moi, que, — sans la voir,
S'il le faut, — je l'entende? et je mourrai ce soir.
L'entendre seulement! contente mon envie!
1270 Mais, oh! qu'avec douceur j'exhalerais ma vie,
Si tu daignais vouloir qu'avant de fuir aux cieux
Mon âme allât revoir la sienne dans ses yeux!
— Je ne lui dirai rien, tu seras là, mon père!
Tu me prendras après!

DON RUY GOMEZ, *montrant la cachette*
encore ouverte.

Saints du ciel! ce repaire
1275 Est-il donc si profond, si sourd et si perdu,
Qu'il n'ait entendu rien?

HERNANI

Je n'ai rien entendu.

DON RUY GOMEZ

Il a fallu livrer doña Sol ou toi-même.

HERNANI

A qui, livrée?

DON RUY GOMEZ

Au roi!

HERNANI

Vieillard stupide! il l'aime!

DON RUY GOMEZ

Il l'aime!

HERNANI

Il nous l'enlève! il est notre rival!

DON RUY GOMEZ

1280 O malédiction! — Mes vassaux! à cheval,
A cheval! poursuivons le ravisseur

HERNANI

Ecoute.
La vengeance au pied sûr [61] fait moins de bruit en route.
Je t'appartiens. Tu peux me tuer. Mais veux-tu
M'employer à venger ta nièce et sa vertu?
1285 Ma part dans ta vengeance! oh! fais-moi cette grâce,
Et s'il faut embrasser tes pieds, je les embrasse!
Suivons le roi tous deux! Viens, je serai ton bras,
Je te vengerai, duc. — Après, tu me tueras!

DON RUY GOMEZ

Alors, comme aujourd'hui, te laisseras-tu faire?

HERNANI

1290 Oui, duc.

DON RUY GOMEZ

Qu'en jures-tu?

HERNANI

La tête de mon père!

DON RUY GOMEZ

Voudras-tu de toi-même un jour t'en souvenir?

HERNANI, *lui présentant le cor*
qu'il détache de sa ceinture.

Ecoute. Prends ce cor. — Quoi qu'il puisse advenir,
Quand tu voudras, seigneur, quel que soit le lieu, l'heure,
S'il te passe à l'esprit qu'il est temps que je meure,

1295 Viens, sonne de ce cor, et ne prends d'autres soins.
Tout sera fait !

> DON RUY GOMEZ, *lui tendant la main.*

Ta main.

> *Tous deux se serrent la main. — Aux portraits.*

Vous tous, soyez témoins !

ACTE QUATRIÈME

LE TOMBEAU

AIX-LA-CHAPELLE

Les caveaux qui renferment le tombeau de Charlemagne
à Aix-la-Chapelle. De grandes voûtes d'architecture
lombarde. Gros piliers bas, pleins-cintres, chapiteaux
d'oiseaux et de fleurs. — A droite, le tombeau de Charlemagne, avec une petite porte de bronze, basse et cintrée.
Une seule lampe suspendue à une clef de voûte en éclaire
l'inscription : CAROLO MAGNO. — Il est nuit. On ne voit
pas le fond du souterrain ; l'œil se perd dans les arcades,
les escaliers et les piliers qui s'entrecroisent dans l'ombre.

SCÈNE PREMIÈRE

DON CARLOS, DON RICARDO DE ROXAS, comte de Casapalma, *une lanterne à la main. Grands manteaux, chapeaux rabattus.*

> DON RICARDO, *son chapeau à la main.*

C'est ici.

> DON CARLOS

C'est ici que la ligue s'assemble !
Que je vais dans ma main les tenir tous ensemble !
Ah ! monsieur l'électeur de Trèves, c'est ici !
1300 Vous leur prêtez ce lieu ! Certe, il est bien choisi !

Un noir complot prospère à l'air des catacombes.
Il est bon d'aiguiser les stylets sur des tombes.
Pourtant c'est jouer gros. La tête est de l'enjeu,
Messieurs les assassins! et nous verrons. — Pardieu!
1305 Ils font bien de choisir pour une telle affaire
Un sépulcre, — ils auront moins de chemin à faire.

                                        A don Ricardo.

Ces caveaux sous le sol s'étendent-ils bien loin?

DON RICARDO

Jusques au château-fort.

DON CARLOS

                    C'est plus qu'il n'est besoin.

DON RICARDO

D'autres, de ce côté, vont jusqu'au monastère
1310 D'Altenheim...

DON CARLOS

                Où Rodolphe extermina Lothaire.
Bien. — Une fois encor, comte, redites-moi
Les noms et les griefs, où, comment, et pourquoi.

DON RICARDO

Gotha.

DON CARLOS

        Je sais pourquoi le brave duc conspire.
Il veut un Allemand d'Allemagne à l'Empire.

DON RICARDO

1315 Hohenbourg.

DON CARLOS

                Hohenbourg aimerait mieux, je croi,
L'enfer avec François que le ciel avec moi.

DON RICARDO

Don Gil Tellez Giron.

DON CARLOS

                Castille et Notre-Dame!
Il se révolte donc contre son roi, l'infâme!

DON RICARDO

On dit qu'il vous trouva chez madame Giron
1320 Un soir que vous veniez de le faire baron.
Il veut venger l'honneur de sa tendre compagne.

DON CARLOS

C'est donc qu'il se révolte alors contre l'Espagne.
— Qui nomme-t-on encore ?

DON RICARDO

On cite avec ceux-là
Le révérend Vasquez, évêque d'Avila.

DON CARLOS

1325 Est-ce aussi pour venger la vertu de sa femme ?

DON RICARDO

Puis Guzman de Lara, mécontent, qui réclame
Le collier de votre ordre.

DON CARLOS

Ah ! Guzman de Lara !
Si ce n'est qu'un collier qu'il lui faut, il l'aura.

DON RICARDO

Le duc de Lutzelbourg [62]. Quant aux plans qu'on lui
[prête...

DON CARLOS

1330 Le duc de Lutzelbourg est trop grand de la tête.

DON RICARDO

Juan de Haro, qui veut Astorga.

DON CARLOS

Ces Haro
Ont toujours fait doubler la solde du bourreau.

DON RICARDO

C'est tout.

DON CARLOS

Ce ne sont pas toutes mes têtes. Comte,
Cela ne fait que sept, et je n'ai pas mon compte.

DON RICARDO

1335 Ah! je ne nomme pas quelques bandits, gagés
Par Trève ou par la France...

DON CARLOS

                                    Hommes sans préjugés
Dont le poignard, toujours prêt à jouer son rôle,
Tourne aux plus gros écus, comme l'aiguille au pôle!

DON RICARDO

Pourtant j'ai distingué deux hardis compagnons,
1340 Tous deux nouveaux venus. Un jeune, un vieux.

DON CARLOS

                                                    Leurs
                                                    [noms ?
Don Ricardo lève les épaules en signe d'ignorance.
Leur âge ?

DON RICARDO

            Le plus jeune a vingt ans.

DON CARLOS

                                    C'est dommage.

DON RICARDO

Le vieux soixante, au moins.

DON CARLOS

                        L'un n'a pas encor l'âge,
Et l'autre ne l'a plus. Tant pis. J'en prendrai soin.
Le bourreau peut compter sur mon aide au besoin.
1345 Ah! loin que mon épée aux factions soit douce,
Je la lui prêterai si sa hache s'émousse,
Comte, et pour l'élargir, je coudrai, s'il le faut,
Ma pourpre impériale au drap de l'échafaud.
— Mais serai-je empereur seulement ?

DON RICARDO

                                    Le collège,
1350 A cette heure assemblé, délibère.

Don Carlos

                                        Que sais-je ?
Ils nommeront François premier, ou leur saxon,
Leur Frédéric-le-Sage ! — Ah ! Luther a raison,
Tout va mal ! — Beaux faiseurs de majestés sacrées !
N'acceptant pour raison que les raisons dorées !
1355 Un saxon hérétique ! un comte palatin
Imbécile ! un primat de Trèves libertin !
— Quant au roi de Bohême, il est pour moi. — Des
                                                       [princes
De Hesse, plus petits encor que leurs provinces !
De jeunes idiots ! des vieillards débauchés !
1360 Des couronnes, fort bien ! mais des têtes ? cherchez !
Des nains ! que je pourrais, concile ridicule,
Dans ma peau de lion emporter comme Hercule [63] !
Et qui, démaillotés du manteau violet,
Auraient la tête encor de moins que Triboulet !
1365 — Il me manque trois voix, Ricardo ! tout me manque !
Oh ! je donnerais Gand, Tolède et Salamanque,
Mon ami Ricardo, trois villes à leur choix,
Pour trois voix, s'ils voulaient ! Vois-tu, pour ces trois
                                                              [voix,
Oui, trois de mes cités de Castille ou de Flandre,
1370 Je les donnerais ! — sauf, plus tard, à les reprendre !

Don Ricardo salue profondément le roi, et met son chapeau
*   sur sa tête.*

— Vous vous couvrez ?

Don Ricardo

                        Seigneur, vous m'avez tutoyé,
                                        Saluant de nouveau.
Me voilà grand d'Espagne.

Don Carlos, *à part.*

                                        Ah ! tu me fais pitié,
Ambitieux de rien ! — Engeance intéressée !
Comme à travers la nôtre ils suivent leur pensée !
1375 Basse-cour où le roi, mendié sans pudeur,
A tous ces affamés émiette la grandeur [64] !
                                                       Rêvant.
Dieu seul et l'empereur sont grands ! — et le saint-père !
Le reste, rois et ducs ! qu'est cela ?

DON RICARDO

Moi, j'espère

Qu'ils prendront votre altesse.

DON CARLOS, *à part*.

Altesse! Altesse, moi!

1380 J'ai du malheur en tout. — S'il fallait rester roi!

DON RICARDO, *à part*.

Baste! empereur ou non, me voilà grand d'Espagne.

DON CARLOS

Sitôt qu'ils auront fait l'empereur d'Allemagne,
Quel signal à la ville annoncera son nom?

DON RICARDO

Si c'est le duc de Saxe, un seul coup de canon.
1385 Deux, si c'est le français. Trois, si c'est votre altesse.

DON CARLOS

Et cette doña Sol! Tout m'irrite et me blesse!
Comte, si je suis fait empereur, par hasard,
Cours la chercher. Peut-être on voudra d'un César!

DON RICARDO, *souriant*.

Votre altesse est bien bonne!

DON CARLOS, *l'interrompant avec hauteur*.

Ah! là-dessus, silence!
1390 Je n'ai point dit encor ce que je veux qu'on pense.
— Quand saura-t-on le nom de l'élu?

DON RICARDO

Mais, je crois,

Dans une heure au plus tard.

DON CARLOS

Oh! trois voix! rien que
[trois!
— Mais écrasons d'abord ce ramas qui conspire,
Et nous verrons après à qui sera l'empire [65].

Il compte sur ses doigts et frappe du pied.

1395 Toujours trois voix de moins! Ah! ce sont eux qui l'ont!
— Ce Corneille Agrippa [66], pourtant en sait bien long!

Dans l'océan céleste il a vu treize étoiles
Vers la mienne du Nord venir à pleines voiles.
J'aurai l'empire, allons ! — Mais d'autre part on dit
1400 Que l'abbé Jean Trithème [67] à François l'a prédit.
— J'aurais dû, pour mieux voir ma fortune éclaircie,
Avec quelque armement aider la prophétie !
Toutes prédictions du sorcier le plus fin
Viennent bien mieux à terme et font meilleure fin
1405 Quand une bonne armée, avec canons et piques,
Gens de pied, de cheval, fanfares et musiques,
Prête à montrer la route au sort qui veut broncher,
Leur sert de sage-femme et les fait accoucher.
Lequel vaut mieux, Corneille Agrippa ? Jean Trithème ?
1410 Celui dont une armée explique le système,
Qui met un fer de lance au bout de ce qu'il dit,
Et compte maint soudard, lansquenet ou bandit,
Dont l'estoc, refaisant la fortune imparfaite,
Taille l'événement au plaisir du prophète.
1415 — Pauvres fous ! qui, l'œil fier, le front haut, visent droit
A l'empire du monde et disent : J'ai mon droit !
Ils ont force canons, rangés en longues files,
Dont le souffle embrasé ferait fondre des villes,
Ils ont vaisseaux, soldats, chevaux, et vous croyez
1420 Qu'ils vont marcher au but sur les peuples broyés...
Baste ! au grand carrefour de la fortune humaine,
Qui mieux encor qu'au trône à l'abîme nous mène,
A peine ils font trois pas, qu'indécis, incertains,
Tâchant en vain de lire au livre des destins,
1425 Ils hésitent, peu sûrs d'eux-même, et dans le doute
Au nécroman du coin vont demander leur route !

A don Ricardo.

— Va-t'en. C'est l'heure où vont venir les conjurés.
Ah ! la clef du tombeau ?

DON RICARDO, *remettant une clef au roi.*

Seigneur, vous songerez
Au comte de Limbourg [68], gardien capitulaire,
1430 Qui me l'a confiée et fait tout pour vous plaire.

DON CARLOS, *le congédiant.*

Fais tout ce que j'ai dit ! tout !

DON RICARDO, *s'inclinant.*

J'y vais de ce pas,
Altesse !

Don Carlos

Il faut trois coups de canon, n'est-ce pas ?
Don Ricardo s'incline et sort. Don Carlos, resté seul, tombe
dans une profonde rêverie. Ses bras se croisent, sa tête
fléchit sur sa poitrine; puis il la relève et se tourne vers le
tombeau.

SCÈNE II

Don Carlos, *seul* [69]

Charlemagne, pardon ! ces voûtes solitaires
Ne devraient répéter que paroles austères.
1435 Tu t'indignes sans doute à ce bourdonnement
Que nos ambitions font sur ton monument.
— Charlemagne est ici ! Comment, sépulcre sombre,
Peux-tu sans éclater contenir si grande ombre ?
Es-tu bien là, géant d'un monde créateur,
1440 Et t'y peux-tu coucher de toute ta hauteur ?
— Ah ! c'est un beau spectacle à ravir la pensée
Que l'Europe ainsi faite et comme il l'a laissée !
Un édifice, avec deux hommes au sommet,
Deux chefs élus auxquels tout roi né se soumet.
1445 Presque tous les états, duchés, fiefs militaires,
Royaumes, marquisats, tous sont héréditaires;
Mais le peuple a parfois son pape ou son césar,
Tout marche, et le hasard corrige le hasard.
De là vient l'équilibre, et toujours l'ordre éclate.
1450 Electeurs de drap d'or, cardinaux d'écarlate,
Double sénat sacré dont la terre s'émeut,
Ne sont là qu'en parade, et Dieu veut ce qu'il veut.
Qu'une idée, au besoin des temps, un jour éclose,
Elle grandit, va, court, se mêle à toute chose,
1455 Se fait homme, saisit les cœurs, creuse un sillon;
Maint roi la foule aux pieds ou lui met un bâillon;
Mais qu'elle entre un matin à la diète, au conclave,
Et tous les rois soudain verront l'idée esclave,
Sur leurs têtes de rois que ses pieds courberont,
1460 Surgir, le globe en main ou la tiare au front.
Le pape et l'empereur sont tout. Rien n'est sur terre
Que pour eux et par eux. Un suprême mystère
Vit en eux, et le ciel, dont ils ont tous les droits,
Leur fait un grand festin des peuples et des rois,

1465 Et les tient sous sa nue, où son tonnerre gronde,
Seuls, assis à la table où Dieu leur sert de monde.
Tête à tête ils sont là, réglant et retranchant,
Arrangeant l'univers comme un faucheur son champ.
Tout se passe entre eux deux. Les rois sont à la porte,
1470 Respirant la vapeur des mets que l'on apporte,
Regardant à la vitre, attentifs, ennuyés,
Et se haussant, pour voir, sur la pointe des pieds.
Le monde au-dessous d'eux s'échelonne et se groupe.
Ils font et défont. L'un délie et l'autre coupe.
1475 L'un est la vérité, l'autre est la force. Ils ont
Leur raison en eux-même, et sont parce qu'ils sont.
Quand ils sortent, tous deux égaux, du sanctuaire,
L'un dans sa pourpre, et l'autre avec son blanc suaire,
L'univers ébloui contemple avec terreur
1480 Ces deux moitiés de Dieu, le pape et l'empereur.
— L'empereur ! l'empereur ! être empereur ! — O rage,
Ne pas l'être ! — et sentir son cœur plein de courage ! —
Qu'il fut heureux celui qui dort dans ce tombeau !
Qu'il fut grand ! De son temps, c'était encor plus beau.
1485 Le pape et l'empereur ! ce n'était plus deux hommes.
Pierre et César ! en eux accouplant les deux Romes,
Fécondant l'une et l'autre en un mystique hymen,
Redonnant une forme, une âme au genre humain,
Faisant refondre en bloc peuples et pêle-mêle
1490 Royaumes, pour en faire une Europe nouvelle,
Et tous deux remettant au moule de leur main
Le bronze qui restait du vieux monde romain !
Oh ! quel destin ! — Pourtant cette tombe est la sienne !
Tout est-il donc si peu que ce soit là qu'on vienne ?
1495 Quoi donc ! avoir été prince, empereur et roi !
Avoir été l'épée, avoir été la loi !
Géant, pour piédestal avoir eu l'Allemagne !
Quoi ! pour titre césar et pour nom Charlemagne !
Avoir été plus grand qu'Annibal, qu'Attila,
1500 Aussi grand que le monde !... — et que tout tienne là !
Ah ! briguez donc l'empire, et voyez la poussière
Que fait un empereur ! Couvrez la terre entière
De bruit et de tumulte ; élevez, bâtissez
Votre empire, et jamais ne dites : C'est assez !
1505 Taillez à larges pans un édifice immense !
Savez-vous ce qu'un jour il en reste ? ô démence !
Cette pierre ! Et du titre et du nom triomphants ?
Quelques lettres, à faire épeler des enfants !

Si haut que soit le but où votre orgueil aspire,
1510 Voilà le dernier terme!... — Oh! l'empire! l'empire!
Que m'importe! j'y touche, et le trouve à mon gré.
Quelque chose me dit : Tu l'auras! — Je l'aurai. —
Si je l'avais!... — O ciel! être ce qui commence!
Seul, debout, au plus haut de la spirale immense!
1515 D'une foule d'états l'un sur l'autre étagés
Etre la clef de voûte, et voir sous soi rangés
Les rois, et sur leur tête essuyer ses sandales;
Voir au-dessous des rois les maisons féodales,
Margraves, cardinaux, doges, ducs à fleurons;
1520 Puis évêques, abbés, chefs de clans, hauts barons;
Puis clercs et soldats; puis, loin du faîte où nous sommes,
Dans l'ombre, tout au fond de l'abîme, — les hommes.
— Les hommes! c'est-à-dire une foule, une mer,
Un grand bruit, pleurs et cris, parfois un rire amer,
1525 Plainte qui, rêveillant la terre qui s'effare,
A travers tant d'échos nous arrive fanfare!
Les hommes! — Des cités, des tours, un vaste essaim, —
De hauts clochers d'église à sonner le tocsin! —

                                                      Rêvant.

Base de nations portant sur leurs épaules
1530 La pyramide énorme appuyée aux deux pôles,
Flots vivants, qui toujours l'étreignant de leurs plis,
La balancent, branlante à leur vaste roulis,
Font tout changer de place et, sur ses hautes zones,
Comme des escabeaux font chanceler les trônes,
1535 Si bien que tous les rois, cessant leurs vains débats,
Lèvent les yeux au ciel... Rois! regardez en bas!
— Ah! le peuple! — océan! — onde sans cesse émue,
Où l'on ne jette rien sans que tout ne remue!
Vague qui broie un trône et qui berce un tombeau!
1540 Miroir où rarement un roi se voit en beau!
Ah! si l'on regardait parfois dans ce flot sombre,
On y verrait au fond des empires sans nombre,
Grands vaisseaux naufragés, que son flux et reflux
Roule, et qui le gênaient, et qu'il ne connaît plus!
1545 — Gouverner tout cela! — Monter, si l'on vous nomme,
A ce faîte! Y monter, sachant qu'on n'est qu'un homme!
Avoir l'abîme là!... — Pourvu qu'en ce moment
Il n'aille pas me prendre un éblouissement!
Oh! d'états et de rois mouvante pyramide,
1550 Ton faîte est bien étroit! Malheur au pied timide!
A qui me retiendrais-je ? — Oh! si j'allais faillir
En sentant sous mes pieds le monde tressaillir!

En sentant vivre, sourdre, et palpiter la terre !
— Puis, quand j'aurai ce globe entre mes mains qu'en
[faire ?
1555 Le pourrai-je porter seulement ? Qu'ai-je en moi ?
Etre empereur, mon Dieu ! j'avais trop d'être roi !
Certe, il n'est qu'un mortel de race peu commune
Dont puisse s'élargir l'âme avec la fortune.
Mais, moi ! qui me fera grand ? qui sera ma loi ?
1560 Qui me conseillera ?

Il tombe à deux genoux devant le tombeau.

Charlemagne ! c'est toi !
Ah ! puisque Dieu, pour qui tout obstacle s'efface,
Prend nos deux majestés et les met face à face,
Verse-moi dans le cœur, du fond de ce tombeau,
Quelque chose de grand, de sublime et de beau !
1565 Oh ! par tous ses côtés fais-moi voir toute chose,
Montre-moi que le monde est petit, car je n'ose
Y toucher. Montre-moi que sur cette Babel
Qui du pâtre à César va montant jusqu'au ciel,
Chacun en son degré se complaît et s'admire,
1570 Voit l'autre par-dessous et se retient d'en rire.
Apprends-moi tes secrets de vaincre et de régner,
Et dis-moi qu'il vaut mieux punir que pardonner !
— N'est-ce pas ? — S'il est vrai qu'en son lit solitaire
Parfois une grande ombre au bruit que fait la terre
1575 S'éveille, et que soudain son tombeau large et clair
S'entr'ouvre, et dans la nuit jette au monde un éclair,
Si cette chose est vraie, empereur d'Allemagne,
Oh ! dis-moi ce qu'on peut faire après Charlemagne !
Parle ! dût en parlant ton souffle souverain
1580 Me briser sur le front cette porte d'airain !
Ou plutôt, laisse-moi seul dans ton sanctuaire
Entrer, laisse-moi voir ta face mortuaire,
Ne me repousse pas d'un souffle d'aquilons,
Sur ton chevet de pierre accoude-toi. Parlons.
1585 Oui, dusses-tu me dire, avec ta voix fatale,
De ces choses qui font l'œil sombre et le front pâle !
Parle, et n'aveugle pas ton fils épouvanté,
Car ta tombe sans doute est pleine de clarté !
Ou, si tu ne dis rien, laisse en ta paix profonde
1590 Carlos étudier ta tête comme un monde ;
Laisse qu'il te mesure à loisir, ô géant,
Car rien n'est ici-bas si grand que ton néant !
Que la cendre, à défaut de l'ombre, me conseille !

Il approche la clef de la serrure.

Entrons.

Il recule.

   Dieu! s'il allait me parler à l'oreille!
1595 S'il était là, debout et marchant à pas lents!
Si j'allais ressortir avec des cheveux blancs!
Entrons toujours!

Bruit de pas.

   On vient. Qui donc ose à cette heure,
Hors moi, d'un pareil mort éveiller la demeure?
Qui donc?

Le bruit s'approche.

   Ah! j'oubliais! ce sont mes assassins.
1600 Entrons!

Il ouvre la porte du tombeau, qu'il referme sur lui. —
Entrent plusieurs hommes, marchant à pas sourds, cachés
sous leurs manteaux et leurs chapeaux.

SCÈNE III

LES CONJURÉS

Ils vont les uns aux autres, en se prenant la main et en
échangeant quelques paroles à voix basse.

PREMIER CONJURÉ, portant seul une torche allumée.

Ad augusta.

DEUXIÈME CONJURÉ

Per angusta[70].

PREMIER CONJURÉ

   Les saints

Nous protègent.

TROISIÈME CONJURÉ

   Les morts nous servent.

PREMIER CONJURÉ

     Dieu nous garde.

Bruit de pas dans l'ombre.

DEUXIÈME CONJURÉ

Qui vive ?

VOIX DANS L'OMBRE

Ad augusta.

DEUXIÈME CONJURÉ

Per angusta.

Entrent de nouveaux conjurés. — Bruit de pas.

PREMIER CONJURÉ, *au troisième.*

Regarde ;
Il vient encor quelqu'un.

TROISIÈME CONJURÉ

Qui vive ?

VOIX DANS L'OMBRE

Ad augusta.

TROISIÈME CONJURÉ

Per angusta.

Entrent de nouveaux conjurés, qui échangent des signes de mains avec tous les autres.

PREMIER CONJURÉ

C'est bien. Nous voilà tous. — Gotha,
1605 Fais le rapport. — Amis, l'ombre attend la lumière.

Tous les conjurés s'asseyent en demi-cercle sur des tombeaux. Le premier conjuré passe tour à tour devant tous, et chacun allume à sa torche une cire qu'il tient à la main. Puis le premier conjuré va s'asseoir en silence sur une tombe au centre du cercle et plus haute que les autres.

LE DUC DE GOTHA, *se levant.*

Amis, Charles d'Espagne, étranger par sa mère,
Prétend au saint-empire.

PREMIER CONJURÉ

Il aura le tombeau.

LE DUC DE GOTHA

Il jette sa torche à terre et l'écrase du pied.

Qu'il en soit de son front comme de ce flambeau !

TOUS

Que ce soit!

PREMIER CONJURÉ

Mort à lui!

LE DUC DE GOTHA

Qu'il meure!

TOUS

Qu'on l'immole!

DON JUAN DE HARO

1610 Son père est allemand.

LE DUC DE LUTZELBOURG

Sa mère est espagnole.

LE DUC DE GOTHA

Il n'est plus espagnol et n'est pas allemand.
Mort!

UN CONJURÉ

Si les électeurs allaient en ce moment
Le nommer empereur?

PREMIER CONJURÉ

Eux! lui! jamais!

DON GIL TELLEZ GIRON

Qu'importe!
Amis! frappons la tête et la couronne est morte!

PREMIER CONJURÉ

1615 S'il a le saint-empire, il devient, quel qu'il soit,
Très auguste, et Dieu seul peut le toucher du doigt!

LE DUC DE GOTHA

Le plus sûr, c'est qu'avant d'être auguste, il expire.

PREMIER CONJURÉ

On ne l'élira point!

TOUS

Il n'aura pas l'empire!

PREMIER CONJURÉ

Combien faut-il de bras pour le mettre au linceul ?

TOUS

1620 Un seul.

PREMIER CONJURÉ

Combien faut-il de coups au cœur ?

TOUS

Un seul.

PREMIER CONJURÉ

Qui frappera ?

TOUS

Nous tous.

PREMIER CONJURÉ

La victime est un traître,

Ils font un empereur; nous, faisons un grand-prêtre [71].
Tirons au sort.

*Tous les conjurés écrivent leurs noms sur leurs tablettes,
déchirent la feuille, la roulent, et vont l'un après l'autre
la jeter dans l'urne d'un tombeau. — Puis le premier
conjuré dit :*

Prions.

Tous s'agenouillent. Le premier conjuré se lève et dit :

Que l'élu croie en Dieu,

Frappe comme un Romain, meure comme un Hébreu !
1625 Il faut qu'il brave roue et tenailles mordantes,
Qu'il chante aux chevalets, rie aux lampes ardentes,
Enfin que pour tuer et mourir, résigné,
Il fasse tout !

Il tire un des parchemins de l'urne.

TOUS

Quel nom ?

PREMIER CONJURÉ, *à haute voix.*

Hernani.

HERNANI, *sortant de la foule des conjurés.*

J'ai gagné !

— Je te tiens, toi que j'ai si longtemps poursuivie,
1630 Vengeance !

DON RUY GOMEZ, *perçant la foule
et prenant Hernani à part.*

Oh! cède-moi ce coup!

HERNANI

Non, sur ma vie!

Oh! ne m'enviez pas ma fortune, seigneur!
C'est la première fois qu'il m'arrive bonheur.

DON RUY GOMEZ

Tu n'as rien. Eh bien, tout, fiefs, châteaux, vasselages,
Cent mille paysans dans mes trois cents villages,
1635 Pour ce coup à frapper, je te les donne, ami!

HERNANI

Non!

LE DUC DE GOTHA

Ton bras porterait un coup moins affermi,
Vieillard!

DON RUY GOMEZ

Arrière, vous! sinon le bras, j'ai l'âme.
Aux rouilles du fourreau ne jugez point la lame.

A Hernani.

Tu m'appartiens!

HERNANI

Ma vie à vous, la sienne à moi.

DON RUY GOMEZ, *tirant le cor de sa ceinture.*

1640 Eh bien, écoute, ami. Je te rends ce cor [72].

HERNANI, *ébranlé.*

Quoi!

La vie! — Eh! que m'importe! Ah! je tiens ma vengeance!
Avec Dieu dans ceci je suis d'intelligence.
J'ai mon père à venger... peut-être plus encor!
— Elle, me la rends-tu?

DON RUY GOMEZ

Jamais! Je rends ce cor.

HERNANI

1645 Non!

DON RUY GOMEZ

Réfléchis, enfant.

HERNANI

Duc, laisse-moi ma proie.

DON RUY GOMEZ

Eh bien! maudit sois-tu de m'ôter cette joie!

Il remet le cor à sa ceinture.

PREMIER CONJURÉ, *à Hernani.*

Frère! avant qu'on ait pu l'élire, il serait bien
D'attendre dès ce soir Carlos...

HERNANI

Ne craignez rien!
Je sais comment on pousse un homme dans la tombe.

PREMIER CONJURÉ

1650 Que toute trahison sur le traître retombe,
Et Dieu soit avec vous! — Nous, comtes et barons,
S'il périt sans tuer, continuons! Jurons
De frapper tour à tour et sans nous y soustraire
Carlos qui doit mourir.

TOUS, *tirant leurs épées.*

Jurons!

LE DUC DE GOTHA, *au premier conjuré.*

Sur quoi, mon frère?

DON RUY GOMEZ *retourne son épée,
la prend par la pointe et l'élève au-dessus de sa tête.*

1655 Jurons sur cette croix!

TOUS, *élevant leurs épées.*

Qu'il meure impénitent!

*On entend un coup de canon éloigné. Tous s'arrêtent en
silence. — La porte du tombeau s'entrouvre. Don Carlos
paraît sur le seuil. Pâle, il écoute. — Un second coup. —
Un troisième coup. — Il ouvre tout à fait la porte du
tombeau, mais sans faire un pas, debout et immobile sur
le seuil.*

SCÈNE IV

Les conjurés, don Carlos, *puis* don Ricardo, seigneurs,
gardes; le roi de Bohême; le duc de Bavière; *puis*
doña Sol

Don Carlos

Messieurs, allez plus loin! l'empereur vous entend.

*Tous les flambeaux s'éteignent à la fois. — Profond silence.
— Il fait un pas dans les ténèbres, si épaisses qu'on y distingue à peine les conjurés muets et immobiles.*

Silence et nuit! l'essaim en sort et s'y replonge.
Croyez-vous que ceci va passer comme un songe,
Et que je vous prendrai, n'ayant plus vos flambeaux,
1660 Pour des hommes de pierre, assis sur leurs tombeaux?
Vous parliez tout à l'heure assez haut, mes statues!
Allons! relevez donc vos têtes abattues,
Car voici Charles Quint! Frappez, faites un pas!
Voyons, oserez-vous? — Non, vous n'oserez pas.
1665 Vos torches flamboyaient sanglantes sous ces voûtes.
Mon souffle a donc suffi pour les éteindre toutes!
Mais voyez, et tournez vos yeux irrésolus,
Si j'en éteins beaucoup, j'en allume encor plus.

*Il frappe de la clef de fer sur la porte de bronze du tombeau.
A ce bruit, toutes les profondeurs du souterrain se rem-
plissent de soldats portant des torches et des pertuisanes.
A leur tête, le duc d'Alcala, le marquis d'Almuñan.*

Accourez, mes faucons! j'ai le nid, j'ai la proie!

Aux conjurés.

1670 J'illumine à mon tour. Le sépulcre flamboie,
Regardez!

Aux soldats.

          Venez tous, car le crime est flagrant.

Hernani, *regardant les soldats.*

A la bonne heure! — Seul, il me semblait trop grand.
C'est bien. J'ai cru d'abord que c'était Charlemagne.
Ce n'est que Charles Quint.

DON CARLOS, *au duc d'Alcala.*

Connétable d'Espagne!

Au marquis d'Almuñan.

1675 Amiral de Castille, ici! — Désarmez-les.

On entoure les conjurés et on les désarme.

DON RICARDO, *accourant et s'inclinant jusqu'à terre.*
Majesté!

DON CARLOS

Je te fais alcade du palais.

DON RICARDO, *s'inclinant de nouveau.*

Deux électeurs, au nom de la chambre dorée [73],
Viennent complimenter la majesté sacrée.

DON CARLOS

Qu'ils entrent.

Bas à Ricardo.

Doña Sol.

*Ricardo salue et sort. Entrent, avec flambeaux et fanfares,
le roi de Bohême et le duc de Bavière, tout en drap d'or,
couronnes en tête. — Nombreux cortège de seigneurs allemands, portant la bannière de l'empire, l'aigle à deux
têtes, avec l'écusson d'Espagne au milieu. — Les soldats
s'écartent, se rangent en haie, et font passage aux deux
électeurs, jusqu'à l'empereur, qu'ils saluent profondément,
et qui leur rend leur salut en soulevant son chapeau.*

LE DUC DE BAVIÈRE

Charles! roi des Romains,
1680 Majesté très sacrée, empereur! dans vos mains
Le monde est maintenant, car vous avez l'empire.
Il est à vous, ce trône où tout monarque aspire!
Frédéric, duc de Saxe, y fut d'abord élu,
Mais, vous jugeant plus digne, il n'en a pas voulu.
1685 Venez donc recevoir la couronne et le globe.
Le Saint-Empire, ô roi, vous revêt de la robe,
Il vous arme du glaive, et vous êtes très grand.

DON CARLOS

J'irai remercier le collège en rentrant.
Allez, messieurs. Merci, mon frère de Bohême,
1690 Mon cousin de Bavière. Allez. J'irai moi-même.

LE ROI DE BOHÊME

Charles, du nom d'amis nos aïeux se nommaient.
Mon père aimait ton père, et leurs pères s'aimaient.
Charles, si jeune en butte aux fortunes contraires,
Dis, veux-tu que je sois ton frère entre tes frères ?
1695 Je t'ai vu tout enfant, et ne puis oublier...

DON CARLOS, *l'interrompant.*

Roi de Bohême ! eh bien, vous êtes familier !

*Il lui présente sa main à baiser, ainsi qu'au duc de Bavière,
puis congédie les deux électeurs, qui le saluent profondément.*

Allez !

Sortent les deux électeurs avec leur cortège.

LA FOULE

Vivat !

DON CARLOS, *à part.*

J'y suis ! et tout m'a fait passage !
Empereur ! — Au refus de Frédéric-le-Sage !

Entre doña Sol, conduite par Ricardo.

DOÑA SOL

Des soldats ! l'empereur ! O ciel ! coup imprévu !
1700 Hernani !

HERNANI

Doña Sol !

DON RUY GOMEZ, *à côté d'Hernani, à part.*

Elle ne m'a point vu !

*Doña Sol court à Hernani. Il la fait reculer d'un regard de
défiance.*

HERNANI

Madame !...

DOÑA SOL, *tirant le poignard de son sein.*

J'ai toujours son poignard !

HERNANI, *lui tendant les bras.*

Mon amie !

DON CARLOS

Silence, tous !

Aux conjurés.

Votre âme est-elle raffermie ?
Il convient que je donne au monde une leçon.
Lara le Castillan et Gotha le Saxon,
1705 Vous tous ! que venait-on faire ici ? parlez.

HERNANI, *faisant un pas.*

Sire,
La chose est toute simple, et l'on peut vous la dire.
Nous gravions la sentence au mur de Balthazar [74].

Il tire un poignard et l'agite.

Nous rendions à César ce qu'on doit à César.

DON CARLOS

Bien !

A don Ruy Gomez.

Vous traître, Silva !

DON RUY GOMEZ

Lequel de nous deux, sire ?

HERNANI, *se retournant vers les conjurés.*

1710 Nos têtes et l'empire ! il a ce qu'il désire.

A l'empereur.

Le bleu manteau des rois pouvait gêner vos pas.
La pourpre vous va mieux. Le sang n'y paraît pas.

DON CARLOS, *à don Ruy Gomez.*

Mon cousin de Silva, c'est une félonie
A faire du blason rayer ta baronnie !
1715 C'est haute trahison, don Ruy, songes-y bien.

DON RUY GOMEZ

Les rois Rodrigue font les comtes Julien [75].

DON CARLOS, *au duc d'Alcala.*

Ne prenez que ce qui peut être duc ou comte.
Le reste !...

*Don Ruy Gomez, le duc de Lutzelbourg, le duc de Gotha,
don Juan de Haro, don Guzman de Lara, don Tellez*

Giron, le baron de Hohenbourg, se séparent du groupe des
conjurés, parmi lesquels est resté Hernani. — Le duc d'Al-
cala les entoure étroitement de gardes.

DOÑA SOL, *à part.*

Il est sauvé !

HERNANI, *sortant du groupe des conjurés.*

Je prétends qu'on me compte !

A don Carlos.

Puisqu'il s'agit de hache ici, que Hernani,
1720 Pâtre obscur, sous tes pieds passerait impuni,
Puisque son front n'est plus au niveau de ton glaive,
Puisqu'il faut être grand pour mourir, je me lève.
Dieu qui donne le sceptre et qui te le donna
M'a fait duc de Segorbe et duc de Cardona,
1725 Marquis de Monroy, comte Albatera, vicomte
De Gor, seigneur de lieux dont j'ignore le compte.
Je suis Jean d'Aragon [76], grand-maître d'Avis, né
Dans l'exil, fils proscrit d'un père assassiné
Par sentence du tien, roi Carlos de Castille !
1730 Le meurtre est entre nous affaire de famille.
Vous avez l'échafaud, nous avons le poignard.
Donc, le ciel m'a fait duc, et l'exil montagnard.
Mais puisque j'ai sans fruit aiguisé mon épée
Sur les monts et dans l'eau des torrents retrempée,

Il met son chapeau. Aux autres conjurés.

1735 Couvrons-nous, grands d'Espagne !

Tous les Espagnols se couvrent. A don Carlos.

Oui, nos têtes, ô roi,

Ont le droit de tomber couvertes devant toi !

Aux prisonniers.

— Silva, Haro, Lara, gens de titre et de race,
Place à Jean d'Aragon ! ducs et comtes, ma place !

Aux courtisans et aux gardes.

Je suis Jean d'Aragon, roi, bourreaux et valets !
1740 Et si vos échafauds sont petits, changez-les !

Il vient se joindre au groupe des seigneurs prisonniers.

DOÑA SOL

Ciel !

DON CARLOS

En effet, j'avais oublié cette histoire.

HERNANI

Celui dont le flanc saigne a meilleure mémoire.
L'affront, que l'offenseur oublie en insensé,
Vit, et toujours remue au cœur de l'offensé.

DON CARLOS

1745 Donc je suis, c'est un titre à n'en point vouloir d'autres,
Fils de pères qui font choir la tête des vôtres!

DOÑA SOL, *se jetant à genoux devant l'empereur.*

Sire, pardon! pitié! Sire, soyez clément!
Ou frappez-nous tous deux, car il est mon amant [77],
Mon époux! En lui seul je respire. Oh! je tremble.
1750 Sire, ayez la pitié de nous tuer ensemble!
Majesté! je me traîne à vos sacrés genoux!
Je l'aime! Il est à moi, comme l'empire à vous!
Oh! grâce!

Don Carlos la regarde immobile.

Quel penser sinistre vous absorbe?

DON CARLOS

Allons! relevez-vous, duchesse de Segorbe,
1755 Comtesse Albatera, marquise de Monroy...

A Hernani.

— Tes autres noms, don Juan?

HERNANI

Qui parle ainsi? le roi?

DON CARLOS

Non, l'empereur.

DOÑA SOL, *se relevant.*
Grand Dieu!

DON CARLOS, *la montrant à Hernani.*
Duc, voilà ton épouse.

HERNANI, *les yeux au ciel et doña Sol dans ses bras.*
Juste Dieu!

DON CARLOS, *à don Ruy Gomez.*

Mon cousin, ta noblesse est jalouse,
Je sais. Mais Aragon peut épouser Silva.

DON RUY GOMEZ, *sombre.*

1760 Ce n'est pas ma noblesse.

HERNANI, *regardant doña Sol avec amour
et la tenant embrassée.*

Oh! ma haine s'en va [78]!

Il jette son poignard.

DON RUY GOMEZ, *à part les regardant, tous deux.*

Eclaterai-je ? oh! non! Fol amour! douleur folle!
Tu leur ferais pitié, vieille tête espagnole!
Vieillard, brûle sans flamme, aime et souffre en secret,
Laisse ronger ton cœur. Pas un cri. — L'on rirait!

DOÑA SOL, *dans les bras d'Hernani.*

1765 O mon duc!

HERNANI

Je n'ai plus que de l'amour dans l'âme.

DOÑA SOL

O bonheur!

DON CARLOS, *à part, la main dans sa poitrine.*

Eteins-toi, cœur jeune et plein de flamme!
Laisse régner l'esprit, que longtemps tu troublas.
Tes amours désormais, tes maîtresses, hélas!
C'est l'Allemagne, c'est la Flandre, c'est l'Espagne.

L'œil fixé sur sa bannière.

1770 L'empereur est pareil à l'aigle, sa compagne.
A la place du cœur il n'a qu'un écusson.

HERNANI

Ah! vous êtes César!

DON CARLOS, *à Hernani* [79].

De ta noble maison,
Don Juan, ton cœur est digne.

Montrant doña Sol.

Il est digne aussi d'elle.

— A genoux, duc !

*Hernani s'agenouille. Don Carlos détache sa toison d'or
et la lui passe au cou.*

Reçois ce collier.

Don Carlos tire son épée et l'en frappe trois fois sur l'épaule.

Sois fidèle !

1775 Par saint Etienne [80], duc, je te fais chevalier.

Il le relève et l'embrasse.

Mais tu l'as, le plus doux et le plus beau collier,
Celui que je n'ai pas, qui manque au rang suprême,
Les deux bras d'une femme aimée et qui vous aime !
Ah ! tu vas être heureux ; moi, je suis empereur.

Aux conjurés.

1780 Je ne sais plus vos noms, messieurs. Haine et fureur,
Je veux tout oublier. Allez, je vous pardonne !
C'est la leçon qu'au monde il convient que je donne.
Ce n'est pas vainement qu'à Charles premier, roi,
L'empereur Charles Quint succède, et qu'une loi
1785 Change, aux yeux de l'Europe, orpheline éplorée,
L'altesse catholique en majesté sacrée.

Les conjurés tombent à genoux.

LES CONJURÉS

Gloire à Carlos !

DON RUY GOMEZ, *à don Carlos.*

Moi seul je reste condamné.

DON CARLOS

Et moi !

DON RUY GOMEZ, *à part.*

Mais, comme lui, je n'ai point pardonné !

HERNANI

Qui donc nous change tous ainsi ?

TOUS, *soldats, conjurés, seigneurs.*

Vive Allemagne !

1790 Honneur à Charles Quint !

Don Carlos, *se tournant vers le tombeau.*

Honneur à Charlemagne !
Laissez-nous seuls tous deux.

Tous sortent.

SCÈNE V

Don Carlos, *seul.*

Il s'incline devant le tombeau.

Es-tu content de moi ?
Ai-je bien dépouillé les misères du roi,
Charlemagne ? Empereur, suis-je bien un autre homme ?
Puis-je accoupler mon casque à la mitre de Rome ?
1795 Aux fortunes du monde ai-je droit de toucher ?
Ai-je un pied sûr et ferme, et qui puisse marcher
Dans ce sentier, semé des ruines vandales,
Que tu nous as battu de tes larges sandales ?
Ai-je bien à ta flamme allumé mon flambeau ?
1800 Ai-je compris la voix qui parle en ton tombeau ?
— Ah ! j'étais seul, perdu, seul devant un empire,
Tout un monde qui hurle, et menace, et conspire,
Le Danois [81] à punir, le Saint-Père à payer,
Venise, Soliman [82], Luther, François premier,
1805 Mille poignards jaloux luisant déjà dans l'ombre,
Des pièges, des écueils, des ennemis sans nombre,
Vingt peuples dont un seul ferait peur à vingt rois,
Tout pressé, tout pressant, tout à faire à la fois,
Je t'ai crié : — Par où faut-il que je commence ?
1810 Et tu m'as répondu : — Mon fils, par la clémence !

ACTE CINQUIÈME

LA NOCE

SARAGOSSE

Une terrasse du palais d'Aragon. Au fond, la rampe
d'un escalier qui s'enfonce dans le jardin. A droite et
à gauche, deux portes donnant sur une terrasse, que
ferme une balustrade surmontée de deux rangs d'arcades
moresques, au-dessus et au travers desquelles on voit les
jardins du palais, les jets d'eau dans l'ombre, les bos-
quets avec les lumières qui s'y promènent, et au fond
les faîtes gothiques et arabes du palais illuminé. Il est
nuit. On entend des fanfares éloignées. Des masques,
des dominos, épars, isolés, ou groupés, traversent çà et
là la terrasse. Sur le devant, un groupe de jeunes seigneurs, les masques à la main, riant et causant à grand
bruit.

SCÈNE PREMIÈRE

Don Sancho Sanchez de Zuniga, comte de Monterey,
don Matias Centurion, marquis d'Almuñan, don
Ricardo de Roxas, comte de Casapalma, don Francisco
de Sotomayor, comte de Velalcazar, don Garci Suarez
de Carbajal, comte de Peñalver [83].

Don Garci

Ma foi, vive la joie et vive l'épousée !

Don Matias, *regardant au balcon.*

Saragosse ce soir se met à la croisée.

Don Garci

Et fait bien ! on ne vit jamais noce aux flambeaux
Plus gaie, et nuit plus douce, et mariés plus beaux !

Don Matias

1815 Bon empereur !

DON SANCHO

Marquis, certain soir qu'à la brune
Nous allions avec lui tous deux cherchant fortune,
Qui nous eût dit qu'un jour tout finirait ainsi ?

DON RICARDO, *l'interrompant.*

J'en étais.

Aux autres.

Ecoutez l'histoire que voici :
Trois galants, un bandit que l'échafaud réclame,
1820 Puis un duc, puis un roi, d'un même cœur de femme
Font le siège à la fois. — L'assaut donné, qui l'a ?
C'est le bandit.

DON FRANCISCO

Mais rien que de simple en cela.
L'amour et la fortune, ailleurs comme en Espagne,
Sont jeux de dés pipés. C'est le voleur qui gagne !

DON RICARDO

1825 Moi, j'ai fait ma fortune à voir faire l'amour.
D'abord comte, puis grand, puis alcade de cour,
J'ai fort bien employé mon temps, sans qu'on s'en doute.

DON SANCHO

Le secret de monsieur, c'est d'être sur la route
Du roi...

DON RICARDO

Faisant valoir mes droits, mes actions.

DON GARCI

1830 Vous avez profité de ses distractions.

DON MATIAS

Que devient le vieux duc ? Fait-il clouer sa bière ?

DON SANCHO

Marquis, ne riez pas ! car c'est une âme fière.
Il aimait doña Sol, ce vieillard. Soixante ans
On fait ses cheveux gris, un jour les a faits blancs.

DON GARCI

1835 Il n'a pas reparu, dit-on, à Saragosse ?

DON SANCHO

Vouliez-vous pas qu'il mît son cercueil de la noce ?

DON FRANCISCO

Et que fait l'empereur ?

DON SANCHO

L'empereur aujourd'hui
Est triste. Le Luther lui donne de l'ennui.

DON RICARDO

Ce Luther, beau sujet de soucis et d'alarmes.
1840 Que j'en finirais vite avec quatre gens d'armes !

DON MATIAS

Le Soliman aussi lui fait ombre.

DON GARCI

Ah ! Luther,
Soliman, Neptunus, le diable et Jupiter,
Que me font ces gens-là ? Les femmes sont jolies,
La mascarade est rare, et j'ai dit cent folies !

DON SANCHO

1845 Voilà l'essentiel.

DON RICARDO

Garci n'a point tort. Moi,
Je ne suis plus le même un jour de fête, et croi
Qu'un masque que je mets me fait une autre tête,
En vérité !

DON SANCHO, *bas à Matias.*

Que n'est-ce alors tous les jours fête !

DON FRANCISCO, *montrant la porte à droite.*

Messeigneurs, n'est-ce pas la chambre des époux ?

DON GARCI, *avec un signe de tête.*

1850 Nous les verrons venir dans l'instant.

DON FRANCISCO

Croyez-vous ?

DON GARCI

Hé ! sans·doute !

DON FRANCISCO

Tant mieux. L'épousée est si belle !

DON RICARDO

Que l'empereur est bon ! — Hernani, ce rebelle
Avoir la toison d'or ! marié ! pardonné !
Loin de là, s'il m'eût cru, l'empereur eût donné
1855 Lit de pierre au galant, lit de plume à la dame.

DON SANCHO, *bas à don Matias.*

Que je le crèverais volontiers de ma lame !
Faux seigneur de clinquant recousu de gros fil !
Pourpoint de comte, empli de conseils d'alguazil [84] !

DON RICARDO, *s'approchant.*

Que dites-vous là ?

DON MATIAS, *bas à don Sancho.*

Comte, ici pas de querelle !

A don Ricardo.

1860 Il me chante un sonnet de Pétrarque [85] à sa belle.

DON GARCI

Avez-vous remarqué, messieurs, parmi les fleurs,
Les femmes, les habits de toutes les couleurs,
Ce spectre, qui, debout contre une balustrade,
De son domino noir tachait la mascarade ?

DON RICARDO

1865 Oui, pardieu !

DON GARCI

Qu'est-ce donc ?

DON RICARDO

Mais, sa taille, son air...
C'est don Prancasio, général de la mer.

DON FRANCISCO

Non.

DON GARCI

Il n'a pas quitté son masque.

DON FRANCISCO

> Il n'avait garde.
C'est le duc de Soma qui veut qu'on le regarde.
Rien de plus.

DON RICARDO

Non. Le duc m'a parlé.

DON GARCI

> Qu'est-ce alors
1870 Que ce masque ? — Tenez, le voilà.

*Entre un domino noir qui traverse lentement la terrasse au
fond. Tous se retournent et le suivent des yeux, sans qu'il
paraisse y prendre garde.*

DON SANCHO

> Si les morts
Marchent, voici leur pas.

DON GARCI, *courant au domino noir.*

> Beau masque !...

Le domino noir se retourne et s'arrête. Garci recule.

> Sur mon âme,
Messeigneurs, dans ses yeux j'ai vu luire une flamme !

DON SANCHO

Si c'est le diable, il trouve à qui parler.

> *Il va au domino noir, toujours immobile.*

> Mauvais !
Nous viens-tu de l'enfer ?

LE MASQUE

> Je n'en viens pas, j'y vais.

*Il reprend sa marche et disparaît par la rampe de l'escalier.
Tous le suivent des yeux avec une sorte d'effroi.*

DON MATIAS

1875 La voix est sépulcrale autant qu'on le peut dire.

DON GARCI

Baste ! ce qui fait peur ailleurs, au bal fait rire.

DON SANCHO

Quelque mauvais plaisant!

DON GARCI

Ou si c'est Lucifer
Qui vient nous voir danser, en attendant l'enfer,
Dansons!

DON SANCHO

C'est à coup sûr quelque bouffonnerie.

DON MATIAS

1880 Nous le saurons demain.

DON SANCHO, *à don Matias.*

Regardez, je vous prie.

Que devient-il ?

DON MATIAS, *à la balustrade de la terrasse.*

Il a descendu l'escalier.

Plus rien.

DON SANCHO

C'est un plaisant drôle!

Rêvant.

C'est singulier.

DON GARCI, *à une dame qui passe.*

Marquise, dansons-nous celle-ci ?

Il la salue et lui présente la main.

LA DAME

Mon cher comte,
Vous savez, avec vous, que mon mari les compte.

DON GARCI

1885 Raison de plus. Cela l'amuse apparemment.
C'est son plaisir. Il compte, et nous dansons.

La dame lui donne la main, et ils sortent.

DON SANCHO, *pensif.*

Vraiment,

C'est singulier!

DON MATIAS
Voici les mariés. Silence !

*Entrent Hernani et doña Sol se donnant la main. Doña Sol
en magnifique habit de mariée ; Hernani tout en velours
noir, avec la toison d'or au cou. Derrière eux, foule de
masques, de dames et de seigneurs qui leur font cortège.
Deux hallebardiers en riche livrée les suivent, et quatre
pages les précèdent. Tout le monde se range et s'incline
sur leur passage. Fanfare.*

SCÈNE II

LES MÊMES, HERNANI, DOÑA SOL, suite.

HERNANI, *saluant.*
Chers amis !

DON RICARDO, *allant à lui et s'inclinant.*
Ton bonheur fait le nôtre, excellence !

DON FRANCISCO, *contemplant doña Sol.*
Saint-Jacques monseigneur ! c'est Vénus qu'il conduit !

DON MATIAS
1890 D'honneur, on est heureux un pareil jour la nuit !

DON FRANCISCO, *montrant à don Matias
la chambre nuptiale.*
Qu'il va se passer là de gracieuses choses !
Etre fée, et tout voir, feux éteints, portes closes,
Serait-ce pas charmant ?

DON SANCHO, *à don Matias.*
Il est tard. Partons-nous ?

*Tous vont saluer les mariés et sortent, les uns par la porte,
les autres par l'escalier du fond.*

HERNANI, *les reconduisant.*
Dieu vous garde !

Don Sancho, *resté le dernier, lui serre la main.*

Soyez heureux !

Il sort. Hernani et doña Sol restent seuls. Bruit de pas et de voix qui s'éloignent, puis cessent tout à fait. Pendant tout le commencement de la scène qui suit, les fanfares et les lumières éloignées s'éteignent par degrés. La nuit et le silence reviennent peu à peu.

SCÈNE III

HERNANI, DOÑA SOL

DOÑA SOL

Ils s'en vont tous,

1895 Enfin !

HERNANI, *cherchant à l'attirer dans ses bras.*

Cher amour !

DOÑA SOL, *rougissant et reculant.*

C'est... qu'il est tard, ce me semble.

HERNANI

Ange ! il est toujours tard pour être seuls ensemble.

DOÑA SOL

Ce bruit me fatiguait. N'est-ce pas, cher seigneur,
Que toute cette joie étourdit le bonheur ?

HERNANI

Tu dis vrai. Le bonheur, amie, est chose grave.
1900 Il veut des cœurs de bronze et lentement s'y grave.
Le plaisir l'effarouche en lui jetant des fleurs.
Son sourire est moins près du rire que des pleurs.

DOÑA SOL

Dans vos yeux, ce sourire est le jour.
Hernani cherche à l'entraîner vers la porte. Elle rougit.

Tout à l'heure.

HERNANI

Oh ! je suis ton esclave ! Oui, demeure, demeure !
1905 Fais ce que tu voudras. Je ne demande rien.
Tu sais ce que tu fais ! ce que tu fais est bien !
Je rirai si tu veux, je chanterai. Mon âme
Brûle... Eh ! dis au volcan qu'il étouffe sa flamme,
Le volcan fermera ses gouffres entrouverts,
1910 Et n'aura sur ses flancs que fleurs et gazons verts.
Car le géant est pris, le Vésuve est esclave !
Et que t'importe, à toi, son cœur rongé de lave ?
Tu veux des fleurs ? c'est bien ! Il faut que de son mieux
Le volcan tout brûlé s'épanouisse aux yeux !

DOÑA SOL

1915 Oh ! que vous êtes bon pour une pauvre femme,
Hernani de mon cœur !

HERNANI

Quel est ce nom, madame ?
Ah ! ne me nomme plus de ce nom, par pitié !
Tu me fais souvenir que j'ai tout oublié !
Je sais qu'il existait autrefois, dans un rêve,
1920 Un Hernani, dont l'œil avait l'éclair du glaive,
Un homme de la nuit et des monts, un proscrit
Sur qui le mot *vengeance* était partout écrit,
Un malheureux traînant après lui l'anathème !
Mais je ne connais pas ce Hernani. — Moi, j'aime
1925 Les prés, les fleurs, les bois, le chant du rossignol.
Je suis Jean d'Aragon, mari de doña Sol !
Je suis heureux !

DOÑA SOL

Je suis heureuse !

HERNANI

Que m'importe
Les haillons qu'en entrant j'ai laissés à la porte !
Voici que je reviens à mon palais en deuil.
1930 Un ange du Seigneur m'attendait sur le seuil.
J'entre, et remets debout les colonnes brisées,
Je rallume le feu, je rouvre les croisées,
Je fais arracher l'herbe au pavé de la cour,
Je ne suis plus que joie, enchantement, amour.
1935 Qu'on me rende mes tours, mes donjons, mes bastilles,
Mon panache, mon siège au conseil des Castilles,

Vienne ma doña Sol rouge et le front baissé,
Qu'on nous laisse tous deux, et le reste est passé !
Je n'ai rien vu, rien dit, rien fait. Je recommence,
1940 J'efface tout, j'oublie ! Ou sagesse ou démence,
Je vous ai, je vous aime, et vous êtes mon bien !

DOÑA SOL, *examinant sa toison d'or.*

Que sur ce velours noir ce collier d'or fait bien !

HERNANI

Vous vîtes avant moi le roi mis de la sorte.

DOÑA SOL

Je n'ai pas remarqué. Tout autre, que m'importe !
1945 Puis, est-ce le velours ou le satin encor ?
Non, mon duc, c'est ton cou qui sied au collier d'or.
Vous êtes noble et fier, monseigneur.

Il veut l'entraîner.

Tout à l'heure !
Un moment ! — Vois-tu bien, c'est la joie ! et je pleure !
Viens voir la belle nuit.

Elle va à la balustrade.

Mon duc, rien qu'un moment !
1950 Le temps de respirer et de voir seulement.
Tout s'est éteint, flambeaux et musique de fête.
Rien que la nuit et nous. Félicité parfaite !
Dis, ne le crois-tu pas ? sur nous, tout en dormant,
La nature à demi veille amoureusement.
1955 Pas un nuage au ciel. Tout, comme nous, repose.
Viens, respire avec moi l'air embaumé de rose !
Regarde. Plus de feux, plus de bruit. Tout se tait.
La lune tout à l'heure à l'horizon montait ;
Tandis que tu parlais, sa lumière qui tremble
1960 Et ta voix, toutes deux m'allaient au cœur ensemble,
Je me sentais joyeuse et calme, ô mon amant,
Et j'aurais bien voulu mourir en ce moment !

HERNANI

Ah ! qui n'oublierait tout à cette voix céleste !
Ta parole est un chant où rien d'humain ne reste.
1965 Et comme un voyageur, sur un fleuve emporté,
Qui glisse sur les eaux par un beau soir d'été,
Et voit fuir sous ses yeux mille plaines fleuries,
Ma pensée entraînée erre en tes rêveries !

DOÑA SOL

Ce silence est trop noir, ce calme est trop profond.
1970 Dis, ne voudrais-tu pas voir une étoile au fond ?
Ou qu'une voix des nuits, tendre et délicieuse,
S'élevant tout à coup, chantât ?...

HERNANI, *souriant.*

Capricieuse !
Tout à l'heure on fuyait la lumière et les chants !

DOÑA SOL

Le bal ! — Mais un oiseau qui chanterait aux champs !
1975 Un rossignol perdu dans l'ombre et dans la mousse,
Ou quelque flûte au loin !... Car la musique est douce,
Fait l'âme harmonieuse, et, comme un divin chœur,
Eveille mille voix qui chantent dans le cœur !
Ah ! ce serait charmant !

On entend le bruit lointain d'un cor dans l'ombre.

Dieu ! je suis exaucée !

HERNANI, *tressaillant, à part.*

1980 Ah ! malheureuse !

DOÑA SOL

Un ange a compris ma pensée, —
Ton bon ange sans doute ?

HERNANI, *amèrement.*

Oui, mon bon ange [86] !

Le cor recommence. — A part.

Encor !

DOÑA SOL, *souriant.*

Don Juan, je reconnais le son de votre cor !

HERNANI

N'est-ce pas ?

DOÑA SOL

Seriez-vous dans cette sérénade
De moitié ?

HERNANI

De moitié, tu l'as dit.

DOÑA SOL

Bal maussade!
1985 Oh! que j'aime bien mieux le cor au fond des bois [87]!
Et puis, c'est votre cor, c'est comme votre voix.

Le cor recommence.

HERNANI, *à part.*

Ah! le tigre est en bas qui hurle, et veut sa proie.

DOÑA SOL

Don Juan, cette harmonie emplit le cœur de joie.

HERNANI, *se levant terrible.*

Nommez-moi Hernani! nommez-moi Hernani!
1990 Avec ce nom fatal je n'en ai pas fini!

DOÑA SOL, *tremblante.*

Qu'avez-vous?

HERNANI
Le vieillard!

DOÑA SOL

Dieu! quels regards funèbres!
Qu'avez-vous?

HERNANI
Le vieillard, qui rit dans les ténèbres!
— Ne le voyez-vous pas?

DOÑA SOL
Où vous égarez-vous?
Qu'est-ce que ce vieillard?

HERNANI
Le vieillard!

DOÑA SOL, *tombant à genoux.*

A genoux
1995 Je t'en supplie, oh! dis, quel secret te déchire?
Qu'as-tu?

HERNANI
Je l'ai juré!

DOÑA SOL

Juré ?

*Elle suit tous ses mouvements avec anxiété. Il s'arrête tout à
coup et passe la main sur son front.*

HERNANI, *à part.*

Qu'allais-je dire ?

Epargnons-la.

Haut.

Moi, rien. De quoi t'ai-je parlé ?

DOÑA SOL

Vous avez dit...

HERNANI

Non. Non. J'avais l'esprit troublé...
Je souffre un peu, vois-tu. N'en prends pas d'épouvante.

DOÑA SOL

2000 Te faut-il quelque chose ? ordonne à ta servante.

Le cor recommence.

HERNANI, *à part.*

Il le veut ! il le veut ! Il a mon serment !

Cherchant à sa ceinture sans épée et sans poignard.

— Rien !

Ce devrait être fait ! — Ah !... [88]

DOÑA SOL

Tu souffres donc bien ?

HERNANI

Une blessure ancienne, et qui semblait fermée,
Se rouvre...

A part.

Eloignons-la.

Haut.

Doña Sol, bien-aimée,
2005 Ecoute. — Ce coffret qu'en des jours — moins heureux —
Je portais avec moi...

DOÑA SOL

Je sais ce que tu veux.
Eh bien, qu'en veux-tu faire ?

HERNANI

Un flacon qu'il renferme
Contient un élixir, qui pourra mettre un terme
Au mal que je ressens. — Va!

DOÑA SOL

J'y vais, mon seigneur.
Elle sort par la porte de la chambre nuptiale.

SCÈNE IV

HERNANI, *seul.*

2010 Voilà donc ce qu'il vient faire de mon bonheur!
Voici le doigt fatal qui luit sur la muraille[89]!
Oh! que la destinée amèrement me raille!

*Il tombe dans une profonde et convulsive rêverie, puis se
détourne brusquement.*

Hé bien?... — Mais tout se tait. Je n'entends rien venir.
Si je m'étais trompé!...

*Le masque en domino noir paraît au haut de la rampe.
Hernani s'arrête pétrifié.*

SCÈNE V

HERNANI, LE MASQUE

LE MASQUE

« Quoi qu'il puisse advenir,
2015 « Quand tu voudras, vieillard, quel que soit le lieu,
[l'heure,
« S'il te passe à l'esprit qu'il est temps que je meure,
« Viens, sonne de ce cor, et ne prends d'autres soins.
« Tout sera fait. » — Ce pacte eut les morts pour témoins.
Eh bien, tout est-il fait?

HERNANI, *à voix basse.*

C'est lui !

LE MASQUE

Dans ta demeure
2020 Je viens, et je te dis qu'il est temps. C'est mon heure.
Je te trouve en retard.

HERNANI

Bien. Quel est ton plaisir [90] ?
Que feras-tu de moi ? Parle.

LE MASQUE

Tu peux choisir
Du fer ou du poison. Ce qu'il faut, je l'apporte.
Nous partirons tous deux.

HERNANI

Soit.

LE MASQUE

Prions-nous ?

HERNANI

Qu'importe !

LE MASQUE

2025 Que prends-tu ?

HERNANI

Le poison.

LE MASQUE

Bien ! — Donne-moi ta main.
Il présente une fiole à Hernani, qui la reçoit en pâlissant.
Bois, — pour que je finisse.

Hernani approche la fiole de ses lèvres, puis recule.

HERNANI

Oh ! par pitié, demain ! —
Oh ! s'il te reste un cœur, duc, ou du moins une âme,
Si tu n'es pas un spectre échappé de la flamme,
Un mort damné, fantôme ou démon désormais,
2030 Si Dieu n'a point encor mis sur ton front : jamais !

Si tu sais ce que c'est que ce bonheur suprême
D'aimer, d'avoir vingt ans, d'épouser quand on aime,
Si jamais femme aimée a tremblé dans tes bras,
Attends jusqu'à demain! Demain tu reviendras!

LE MASQUE

2035 Simple qui parle ainsi! Demain! demain! — Tu railles!
Ta cloche a ce matin sonné tes funérailles!
Et que ferais-je, moi, cette nuit? J'en mourrais.
Et qui viendrait te prendre et t'emporter après?
Seul descendre au tombeau! Jeune homme, il faut me
[suivre.

HERNANI

2040 Eh bien, non! et de toi, démon, je me délivre!
Je n'obéirai pas.

LE MASQUE

        Je m'en doutais. Fort bien.
Sur quoi donc m'as-tu fait ce serment? — Ah! sur rien!
Peu de chose, après tout! La tête de ton père!
Cela peut s'oublier. La jeunesse est légère.

HERNANI

2045 Mon père! Mon père!... — Ah! j'en perdrai la raison!

LE MASQUE

Non, ce n'est qu'un parjure et qu'une trahison.

HERNANI

Duc!

LE MASQUE

        Puisque les aînés des maisons espagnoles
Se font jeu maintenant de fausser leurs paroles,
Adieu!

                    Il fait un pas pour sortir.

HERNANI

    Ne t'en va pas.

LE MASQUE

        Alors...

HERNANI

Vieillard cruel !

Il prend la fiole.

2050 Revenir sur mes pas à la porte du ciel !

Rentre doña Sol, sans voir le masque, qui est debout, au fond.

SCÈNE VI

LES MÊMES, DOÑA SOL

DOÑA SOL

Je n'ai pu le trouver, ce coffret.

HERNANI, *à part.*

Dieu ! c'est elle !

Dans quel moment !

DOÑA SOL

Qu'a-t-il ? je l'effraie, il chancelle

A ma voix ! — Que tiens-tu dans ta main ? quel soupçon !
Que tiens-tu dans ta main ? réponds.

*Le domino s'est approché et se démasque. Elle pousse un cri,
et reconnaît don Ruy.*

C'est du poison !

HERNANI

2055 Grand Dieu !

DOÑA SOL, *à Hernani.*

Que t'ai-je fait ? quel horrible mystère !
Vous me trompiez, don Juan !

HERNANI

Ah ! j'ai dû te le taire !
J'ai promis de mourir au duc qui me sauva.
Aragon doit payer cette dette à Silva.

DOÑA SOL

Vous n'êtes pas à lui, mais à moi. Que m'importe
2060 Tous vos autres serments !

A don Ruy Gomez.

Duc, l'amour me rend forte.
Contre vous, contre tous, duc, je le défendrai.

DON RUY GOMEZ, *immobile.*

Défends-le si tu peux contre un serment juré.

DOÑA SOL

Quel serment ?

HERNANI

J'ai juré.

DOÑA SOL

Non, non rien ne te lie !
Cela ne se peut pas ! Crime ! attentat ! folie !

DON RUY GOMEZ

2065 Allons duc !

Hernani fait un geste pour obéir. Doña Sol cherche à l'en-traîner.

HERNANI

Laissez-moi, doña Sol. Il le faut.
Le duc a ma parole, et mon père est là-haut !

DOÑA SOL, *à don Ruy Gomez.*

Il vaudrait mieux pour vous aller aux tigres même
Arracher leurs petits qu'à moi celui que j'aime !
Savez-vous ce que c'est que doña Sol ? Longtemps,
2070 J'ai fait la fille douce, innocente, et timide,
Mais voyez-vous cet œil de pleurs de rage humide ?

Elle tire un poignard de son sein.

Voyez-vous ce poignard ? — Ah ! vieillard insensé,
Craignez-vous pas le fer quand l'œil a menacé ?
2075 Prenez garde, don Ruy ! — Je suis de la famille,
Mon oncle ! — Ecoutez-moi. Fussé-je votre fille,
Malheur si vous portez la main sur mon époux !

Elle jette le poignard, et tombe à genoux devant le duc.

Ah ! je tombe à vos pieds ! Ayez pitié de nous !
Grâce ! Hélas ! monseigneur, je ne suis qu'une femme,
2080 Je suis faible, ma force avorte dans mon âme,
Je me brise aisément. Je tombe à vos genoux !
Ah ! je vous en supplie, ayez pitié de nous !

Don Ruy Gomez

Doña Sol!

Doña Sol

Pardonnez! Nous autres Espagnoles,
Notre douleur s'emporte à de vives paroles,
2085 Vous le savez. Hélas! vous n'étiez pas méchant!
Pitié! vous me tuez, mon oncle, en le touchant!
Pitié! je l'aime tant!

Don Ruy Gomez

Vous l'aimez trop!

Hernani

Tu pleures!

Doña Sol

Non, non, je ne veux pas, mon amour, que tu meures!
Non! je ne le veux pas.

A don Ruy.

Faites grâce aujourd'hui!
2090 Je vous aimerai bien aussi, vous.

Don Ruy Gomez

Après lui!
De ces restes d'amour, d'amitié, — moins encore,
Croyez-vous apaiser la soif qui me dévore?

Montrant Hernani.

Il est seul! il est tout! Mais moi, belle pitié!
Qu'est-ce que je peux faire avec votre amitié?
2095 O rage! il aurait, lui, le cœur, l'amour, le trône,
Et d'un regard de vous il me ferait l'aumône!
Et s'il fallait un mot à mes vœux insensés,
C'est lui qui vous dirait: — Dis cela, c'est assez! —
En maudissant tout bas le mendiant avide
2100 Auquel il faut jeter le fond du verre vide!
Honte! dérision! Non. Il faut en finir.
Bois.

Hernani

Il a ma parole et je dois la tenir.

Don Ruy Gomez

Allons!

*Hernani approche la fiole de ses lèvres. Doña Sol se jette
sur son bras.*

DOÑA SOL

Oh! pas encor! Daignez tous deux m'entendre!

DON RUY GOMEZ

Le sépulcre est ouvert, et je ne puis attendre.

DOÑA SOL

2105 Un instant! — Monseigneur! — Mon don Juan! — Ah!
                                              [tous deux
Vous êtes bien cruels! Qu'est-ce que je veux d'eux?
Un instant! voilà tout, tout ce que je réclame! —
Enfin on laisse dire à cette pauvre femme
Ce qu'elle a dans le cœur!... — Oh! laissez-moi parler!

DON RUY GOMEZ, *à Hernani.*

2110 J'ai hâte.

DOÑA SOL

Messeigneurs, vous me faites trembler!
Que vous-ai je donc fait?

HERNANI

Ah! son cri me déchire.

DOÑA SOL, *lui retenant toujours le bras.*

Vous voyez bien que j'ai mille choses à dire!

DON RUY GOMEZ, *à Hernani.*

Il faut mourir.

DOÑA SOL, *toujours pendue au bras d'Hernani.*

Don Juan, lorsque j'aurai parlé,
Tout ce que tu voudras, tu le feras.

Elle lui arrache la fiole.

Je l'ai!

Elle élève la fiole aux yeux d'Hernani et du vieillard étonné.

DON RUY GOMEZ

2115 Puisque je n'ai céans affaire qu'à deux femmes,
Don Juan, il faut qu'ailleurs j'aille chercher des âmes.

Tu fais de beaux serments par le sang dont tu sors,
Et je vais à ton père en parler chez les morts!
— Adieu!

Il fait quelques pas pour sortir. Hernani le retient.

HERNANI

Duc, arrêtez!

A doña Sol.

Hélas! je t'en conjure,
2120 Veux-tu me voir faussaire, et félon, et parjure?
Veux-tu que partout j'aille avec la trahison
Ecrite sur le front? Par pitié, ce poison,
Rends-le moi! Par l'amour, par notre âme immortelle!...

DOÑA SOL, *sombre.*

Tu veux?

Elle boit.

Tiens maintenant.

DON RUY GOMEZ, *à part.*

Ah! c'était donc pour elle!

DOÑA SOL, *rendant à Hernani la fiole à demi vidée.*
2125 Prends, te dis-je.

HERNANI, *à don Ruy.*
Vois-tu, misérable vieillard!

DOÑA SOL

Ne te plains pas de moi, je t'ai gardé ta part.

HERNANI, *prenant la fiole.*
Dieu!

DOÑA SOL

Tu ne m'aurais pas ainsi laissé la mienne,
Toi! Tu n'as pas le cœur d'une épouse chrétienne.
Tu ne sais pas aimer comme aime une Silva.
2130 Mais j'ai bu la première et suis tranquille. — Va!
Bois si tu veux!

HERNANI

Hélas! qu'as-tu fait, malheureuse?

DOÑA SOL

C'est toi qui l'as voulu.

HERNANI

C'est une mort affreuse!

DOÑA SOL

Non. Pourquoi donc?

HERNANI

Ce philtre au sépulcre conduit.

DOÑA SOL

Devions-nous pas dormir ensemble cette nuit?
2135 Qu'importe dans quel lit?

HERNANI

Mon père, tu te venges

Sur moi qui t'oubliais!

Il porte la fiole à sa bouche.

DOÑA SOL, se jetant sur lui.

Ciel! des douleurs étranges!...
Ah! jette loin de toi ce philtre! — Ma raison
S'égare. Arrête! Hélas! mon don Juan, ce poison
Est vivant! ce poison dans le cœur fait éclore
2140 Une hydre à mille dents qui ronge et qui dévore!
Oh! je ne savais pas qu'on souffrît à ce point!
Qu'est-ce donc que cela? c'est du feu! Ne bois point!
Oh! tu souffrirais trop!

HERNANI, à don Ruy.

Oh! ton âme est cruelle!
Pouvais-tu pas choisir d'autre poison pour elle?

Il boit et jette la fiole.

DOÑA SOL

2145 Que fais-tu?

HERNANI

Qu'as-tu fait?

DOÑA SOL

Viens, ô mon jeune amant,

Dans mes bras.

Ils s'asseyent l'un près de l'autre.

Est-ce pas qu'on souffre horriblement [91]?

HERNANI

Non.

DOÑA SOL

Voilà notre nuit de noces commencée !
Je suis bien pâle, dis, pour une fiancée ?

HERNANI

Ah !

DON RUY GOMEZ

La fatalité s'accomplit.

HERNANI

Désespoir !
2150 O tourment ! doña Sol souffrir, et moi le voir !

DOÑA SOL

Calme-toi. Je suis mieux. — Vers des clartés nouvelles
Nous allons tout à l'heure ensemble ouvrir nos ailes.
Partons d'un vol égal vers un monde meilleur.
Un baiser seulement, un baiser !

Ils s'embrassent.

DON RUY GOMEZ

O douleur !

HERNANI, *d'une voix affaiblie.*

2155 Oh ! béni soit le ciel qui m'a fait une vie
D'abîmes entourée et de spectres suivie,
Mais qui permet que, las d'un si rude chemin,
Je puisse m'endormir ma bouche sur ta main !

DON RUY GOMEZ

Qu'ils sont heureux !

HERNANI, *d'une voix de plus en plus faible.*

Viens, viens... doña Sol... tout est
[sombre...
2160 Souffres-tu ?

DOÑA SOL, *d'une voix également éteinte.*

Rien, plus rien.

HERNANI

Vois-tu des feux dans
[l'ombre ?

DOÑA SOL

Pas encor.

HERNANI, *avec un soupir.*

Voici...

Il tombe.

DON RUY GOMEZ, *soulevant sa tête qui retombe.*

Mort !

DOÑA SOL, *échevelée, et se dressant à demi sur son séant.*

Mort ! non pas ! nous dormons.
Il dort. C'est mon époux, vois-tu. Nous nous aimons.
Nous sommes couchés là. C'est notre nuit de noce.

D'une voix qui s'éteint.

Ne le réveillez pas, seigneur duc de Mendoce.
2165 Il est las.

Elle retourne la figure d'Hernani.

Mon amour, tiens-toi vers moi tourné...
Plus près... plus près encor...

Elle retombe.

DON RUY GOMEZ

Morte ! — Oh ! je suis
[damné.
Il se tue.

LE   ROI S'AMUSE [1]

INTRODUCTION

Une image lointaine constitue un premier noyau autour duquel s'agglutineront des thèmes : celles d'un surveillant du Collège des Nobles, un bossu surnommé Corcovita par les camarades de Hugo. Ce souvenir n'aurait qu'une valeur biographique si ne s'étaient greffés sur lui, au fil du temps, la hantise de la difformité, le sens de l'étrange, qui s'incarneront dans bien des personnages de roman et de théâtre et qui prennent leur sens dès la préface de *Cromwell*. La naissance de son fils Charles éveille en Hugo, en 1826, le sentiment de la paternité. Les brimades de la censure, à propos d'*Inez de Castro*, puis de *Marion de Lorme*, font se cristalliser une image de l'autorité légale oppressive, qu'il bat de plus en plus en brèche : Hernani devant don Carlos, Didier et Saverny face à Richelieu, autant de formes d'affrontement. L'image du roi se modèle. De Louis XIII à François Ier un lien existe, négatif : le premier titre du nouveau drame, *Le roi s'ennuie*, montrait leur parenté, ironiquement. Louis XIII délègue ses pouvoirs, François Ier les oublie, il trace dans sa vie de combattant, d'homme politique, de prince lettré une large parenthèse où Hugo inscrit ses plaisirs. Louis XIII appartenait à une période où les institutions se fixent, où la littérature est codifiée; son ancêtre vit dans le faste et la liberté d'une Renaissance en plein essor, où les femmes se voient accorder dans la vie mondaine un rôle important. Hugo n'a pas pu ne pas percevoir ces parallélismes et ces oppositions. Sa création obéit à un mouvement bipolaire.

Dès que le projet prend corps, des lectures anciennes et récentes lui apportent des données concrètes. Le nom de Triboulet apparaissait déjà dans l'article que Hugo avait consacré à Scott en juin 1823. La *Biographie uni-*

verselle de Michaud contient une phrase qui a dû frapper
le dramaturge : le roi « avait toujours aimé les plaisirs
furtifs, et les avait recherchés quelquefois aux dépens de la
dignité de son rang ». Peut-être a-t-il lu le livre de Varil-
las, paru en 1685, *Histoire de François Iᵉʳ*. Le 3 juillet 1832
Hugo restitue à la Bibliothèque Royale les *Œuvres* de
Brantôme (La Haye, 1740, 15 volumes) et ses *Mémoires*
(Leyde, 1661, 5 volumes). Un ami, Lacroix, qui signe
« le bibliophile Jacob », avait publié récemment un roman
historique, *Les deux foux. Histoire du temps de François Iᵉʳ. 1524*, chez Renduel en 1830. Ce livre fournit à
Hugo une image générale du roi et de la vie de la cour;
et l'on peut présumer que l'érudition de Lacroix lui a
été utile en maintes occasions. Est-ce à lui qu'il doit de
connaître le *Nouveau dictionnaire satirique et burlesque*
qu'Antoine Caillot a publié récemment (Paris, Dauvin,
1826) ? Hugo y recourt. A-t-il consulté aussi une édition
des œuvres de Clément Marot ? Celles du XVIIIᵉ siècle
contiennent des textes de Jean Marot, entre autres la
relation du siège de Peschière.

Le manuscrit est commencé le 3 juin 1832; l'acte I
est achevé deux jours plus tard — pendant les fusillades
d'une émeute, note Hugo sur son feuillet; l'acte III
le 13, l'acte IV le 18 et le cinquième le 21. Trois semaines
auront suffi au dramaturge pour mettre dans une forme
définitive son œuvre. Les variantes sont presque absentes.
Il n'a donc pas hésité ni tâtonné. Le sujet qu'il s'était
assigné a pris directement sa forme.

La première représentation a lieu au Théâtre-Français
le 22 novembre. Ont été utilisés des décors déjà existants,
sauf une toile de fond que peint Cicéri. Le lendemain, le
directeur de la salle reçoit un avis du ministre : la pièce est
interdite. Hugo porte l'affaire devant le tribunal de commerce — le ministère des Travaux publics était chargé
de la police des théâtres; il avait renoncé à censurer
l'œuvre; la décision est prise en faveur du gouvernement. Immédiatement après la représentation — le lendemain ? — Hugo avait apporté à son manuscrit une
série de retouches qui modifiaient surtout les reparties
des courtisans relatives à Triboulet, l'image qui était
donnée de François Iᵉʳ, notamment à l'auberge de Saltabadil, et quelques expressions triviales. Le 24, la pièce
est néanmoins interdite. C'était l'affrontement, le premier, entre un auteur consacré et le nouveau pouvoir
légal issu de la Révolution de 1830.

La réaction du public, lors de l'unique représentation, avait été mêlée; les deux premiers actes ont été applaudis « avec transport »; dès le troisième, « une opposition assez vive s'est déclarée, et elle n'a point cessé jusqu'à la chute du rideau », écrit *Le Courrier des Théâtres* (vol. IV, 1832). Il est certain que la bataille romantique se répétait et que les amis de Hugo se heurtaient à des adversaires. A en croire la *Revue des Deux Mondes*, « après quatre heures de combat, la victoire parut se ranger sous les drapeaux du poète. M. Victor Hugo resta maître du champ de bataille ». Les acteurs (Perrier était François Ier; Ligier, Triboulet; Joanny, M. de Saint-Vallier; Beauvalet, Saltabadil; Samson, Clément Marot; Geffroy, M. de Pienne; Mlle Anaïs tenait le rôle de Blanche), d'excellents acteurs, avaient dû perdre une partie de leurs moyens devant ce tohu-bohu. Enfin, à un bon nombre de spectateurs la pièce sembla immorale, à la fois pour la conduite du roi, pour l'épisode précis de la séduction de Blanche et pour le rendez-vous du roi avec Maguelonne, ce « dégoûtant tableau ».

Le drame fut édité par Renduel le 3 décembre. Le discours prononcé par Hugo devant le tribunal fut distribué gratuitement aux acheteurs des deux premières éditions et inséré dans le volume à partir de la troisième, qui, comme la deuxième, est identique à l'originale. Hugo inclut son drame dans l'édition Hetzel de 1866. Une reprise avait été prévue en 1842 à la Comédie-Française (Buloz conseilla à Hugo de changer le titre de la pièce), puis en 1849, au Théâtre de la Porte-Saint-Martin. La première reprise eut lieu le 27 novembre 1882; ce fut un échec. A en croire Sarcey, l'interprétation était « exécrable », bien que les rôles principaux fussent tenus par Mounet-Sully (François Ier), Got (Triboulet) et Mme Bartet (Blanche), des acteurs de premier ordre. Les journaux ont loué la manière dont était rendu l'orage à l'acte V. Hugo avait eu un concurrent, Verdi, dont l'opéra *Rigoletto* avait été créé à Venise en 1851, à Paris en italien (1857), puis en français (1863). La musique d'opéra facilitait l'acceptation du même sujet, situé dans une ville italienne, et le nom de Verdi occultait celui de Hugo.

PRÉFACE

L'apparition de ce drame au théâtre a donné lieu à un acte ministériel inouï.

Le lendemain de la première représentation, l'auteur reçut de M. Jouslin de Lassalle, directeur de la scène au Théâtre-Français, le billet suivant, dont il conserve précieusement l'original :

« Il est dix heures et demie, et je reçois à l'instant « l'*ordre* de suspendre les représentations du *Roi s'amuse*. « C'est M. Taylor qui me communique cet ordre de la « part du ministre.

« Ce 23 novembre. »

Le premier mouvement de l'auteur fut de douter. L'acte était arbitraire au point d'être incroyable.

En effet, ce qu'on a appelé la *Charte-Vérité* dit : « Les Français ont *le droit de publier...* » Remarquez que le texte ne dit pas seulement *le droit d'imprimer*, mais largement et grandement *le droit de publier*. Or, le théâtre n'est qu'un moyen de publication comme la presse, comme la gravure, comme la lithographie. La liberté du théâtre est donc implicitement écrite dans la Charte [2], avec toutes les autres libertés de la pensée. La loi fondamentale ajoute : « *La censure ne pourra jamais être rétablie.* » Or, le texte ne dit pas *la censure des journaux, la censure des livres*, il dit *la censure*, la censure en général, toute censure, celle du théâtre comme celle des écrits. Le théâtre ne saurait donc désormais être légalement censuré.

Ailleurs la Charte dit : *La confiscation est abolie.* Or, la suppression d'une pièce de théâtre après la représentation n'est pas seulement un acte monstrueux de censure et d'arbitraire, c'est une véritable confiscation; c'est une propriété violemment dérobée au théâtre et à l'auteur.

Enfin, pour que tout soit net et clair, pour que les quatre ou cinq grands principes sociaux que la révolution française a coulés en bronze restent intacts sur leurs piédestaux de granit, pour qu'on ne puisse attaquer sournoisement le droit commun des Français avec ces quarante mille vieilles armes ébréchées que la rouille et la désuétude dévorent dans l'arsenal de nos lois, la Charte, dans un dernier article, abolit expressément tout ce qui, dans les lois antérieures, serait contraire à son texte et à son esprit.

Ceci est formel. La suppression ministérielle d'une pièce de théâtre attente à la liberté par la censure, à la propriété par la confiscation. Tout notre droit public se révolte contre une pareille voie de fait.

L'auteur, ne pouvant croire à tant d'insolence et de folie, courut au théâtre. Là le fait lui fut confirmé de toutes parts. Le ministre avait, en effet, de son autorité privée, de son droit divin de ministre, intimé l'*ordre* en question. Le ministre n'avait pas de raison à donner. Le ministre lui avait pris sa pièce, lui avait pris son droit, lui avait pris sa chose. Il ne restait plus qu'à le mettre, lui poète, à la Bastille.

Nous le répétons, dans le temps où nous vivons, lorsqu'un pareil acte vient vous barrer le passage et vous prendre brusquement au collet, la première impression est un profond étonnement. Mille questions se pressent dans votre esprit. — Où est la loi ? Où est le droit ? Est-ce que cela peut se passer ainsi ? Est-ce qu'il y a eu en effet quelque chose qu'on a appelé la révolution de juillet ? Il est évident que nous ne sommes plus à Paris ? Dans quel pachalik vivons-nous ?

La Comédie-Française, stupéfaite et consternée, voulut essayer encore quelques démarches auprès du ministre pour obtenir la révocation de cette étrange décision. Mais elle perdit sa peine. Le divan, je me trompe, le conseil des ministres s'était assemblé dans la journée. Le 23, ce n'était qu'un ordre du ministre; le 24, ce fut un ordre du ministère. Le 23, la pièce n'était que *suspendue;* le 24, elle fut définitivement *défendue*. Il fut même enjoint au théâtre de rayer de son affiche ces quatre mots redoutables : *Le Roi s'amuse*. Il lui fut enjoint en outre, à ce malheureux Théâtre-Français, de ne pas se plaindre et de ne souffler mot. Peut-être serait-il beau, loyal et noble de résister à un despotisme si asiatique. Mais les théâtres n'osent pas. La crainte du retrait de leurs privilèges les fait serfs et sujets, taillables et corvéables à merci, eunuques et muets.

L'auteur demeura et dut demeurer étranger à ces démarches du théâtre. Il ne dépend, lui poète, d'aucun ministre. Ces prières et ces sollicitations que son intérêt mesquinement consulté lui conseillait peut-être, son devoir de libre écrivain les lui défendait. Demander grâce au pouvoir, c'est le reconnaître. La liberté et la propriété ne sont pas choses d'antichambre. Un droit ne se traite pas comme une faveur. Pour une faveur, réclamez devant le ministre. Pour un droit, réclamez devant le pays.

C'est donc au pays qu'il s'adresse. Il a deux voies pour obtenir justice, l'opinion publique et les tribunaux. Il les choisit toutes deux.

Devant l'opinion publique le procès est déjà jugé et gagné. Et ici l'auteur doit remercier hautement toutes les personnes graves et indépendantes de la littérature et des arts qui lui ont donné dans cette occasion tant de preuves de sympathie et de cordialité. Il comptait d'avance sur leur appui. Il sait que, lorsqu'il s'agit de lutter pour la liberté de l'intelligence et de la pensée, il n'ira pas seul au combat.

Et, disons-le ici en passant, le pouvoir, par un assez lâche calcul, s'était flatté d'avoir pour auxiliaires, dans cette occasion, jusque dans les rangs de l'opposition, les passions littéraires soulevées depuis si longtemps autour de l'auteur. Il avait cru les haines littéraires plus tenaces encore que les haines politiques, se fondant sur ce que les premières ont leurs racines dans les amours-propres, et les secondes seulement dans les intérêts. Le pouvoir s'est trompé. Son acte brutal a révolté les hommes honnêtes dans tous les camps. L'auteur a vu se rallier à lui, pour faire face à l'arbitraire et à l'injustice, ceux-là mêmes qui l'attaquaient le plus violemment la veille. Si par hasard quelques haines invétérées ont persisté, elles regrettent maintenant le secours momentané qu'elles ont apporté au pouvoir. Tout ce qu'il y a d'honorable et de loyal parmi les ennemis de l'auteur est venu lui tendre la main, quitte à recommencer le combat littéraire aussitôt que le combat politique sera fini. En France, quiconque est persécuté n'a plus d'ennemis que le persécuteur.

Si maintenant, après avoir établi que l'acte ministériel est odieux, inqualifiable, impossible en droit, nous vou-

lons bien descendre pour un moment à le discuter comme
fait matériel et à chercher de quels éléments ce fait semble
devoir être composé, la première question qui se présente
est celle-ci, et il n'est personne qui ne se la soit faite : —
Quel peut être le motif d'une pareille mesure ?

Il faut bien le dire, parce que cela est, et que, si l'avenir
s'occupe un jour de nos petits hommes et de nos petites
choses, cela ne sera pas le détail le moins curieux de ce
curieux événement, il paraît que nos faiseurs de censure
se prétendent scandalisés dans leur morale par *Le Roi
s'amuse;* cette pièce a révolté la pudeur des gendarmes ;
la brigade Léotaud y était et l'a trouvée obscène ; le
bureau des mœurs s'est voilé la face ; M. Vidocq [3] a rougi.
Enfin le mot d'ordre que la censure a donné à la police, et
que l'on balbutie depuis quelques jours autour de nous,
le voici tout net : *C'est que la pièce est immorale.* — Holà !
mes maîtres ! silence sur ce point.

Expliquons-nous pourtant, non pas avec la police à
laquelle, moi, honnête homme, je défends de parler de
ces matières, mais avec le petit nombre de personnes
respectables et consciencieuses qui, sur des ouï-dire ou
après avoir mal entrevu la représentation, se sont laissé
entraîner à partager cette opinion pour laquelle peut-être
le nom seul du poète inculpé aurait dû être une suffisante
réfutation. Le drame est imprimé aujourd'hui. Si vous
n'étiez pas à la représentation, lisez. Si vous y étiez, lisez
encore. Souvenez-vous que cette représentation a été
moins une représentation qu'une bataille, une espèce de
bataille de Montlhéry [4] (qu'on nous passe cette comparaison un peu ambitieuse) où les Parisiens et les Bourgui-
gnons ont prétendu chacun de leur côté avoir *empoché la
victoire,* comme dit Mathieu.

La pièce est immorale ? Croyez-vous ? Est-ce par le
fond ? Voici le fond. Triboulet est difforme, Triboulet est
malade, Triboulet est bouffon de cour ; triple misère qui
le rend méchant. Triboulet hait le roi parce qu'il est le roi,
les seigneurs parce qu'ils sont les seigneurs, les hommes
parce qu'ils n'ont pas tous une bosse sur le dos. Son seul
passe-temps est d'entre-heurter sans relâche les seigneurs
contre le roi, brisant le plus faible au plus fort. Il déprave
le roi, il le corrompt, il l'abrutit ; il le pousse à la tyrannie,
à l'ignorance, au vice ; il le lâche à travers toutes les
familles des gentilshommes, lui montrant sans cesse du
doigt la femme à séduire, la sœur à enlever, la fille à
déshonorer. Le roi dans les mains de Triboulet n'est

qu'un pantin tout-puissant qui brise toutes les existences au milieu desquelles le bouffon le fait jouer. Un jour, au milieu d'une fête, au moment même où Triboulet pousse le roi à enlever la femme de M. de Cossé, M. de Saint-Vallier pénètre jusqu'au roi et lui reproche hautement le déshonneur de Diane de Poitiers. Ce père auquel le roi a pris sa fille, Triboulet le raille et l'insulte. Le père lève le bras et maudit Triboulet. De ceci découle toute la pièce. Le sujet véritable du drame, c'est *la malédiction de M. de Saint-Vallier*. Ecoutez. Vous êtes au second acte. Cette malédiction, sur qui est-elle tombée ? Sur Triboulet fou du roi ? Non. Sur Triboulet qui est homme, qui est père, qui a un cœur, qui a une fille. Triboulet a une fille, tout est là. Triboulet n'a que sa fille au monde; il la cache à tous les yeux, dans un quartier désert, dans une maison solitaire. Plus il fait circuler dans la ville la contagion de la débauche et du vice, plus il tient sa fille isolée et murée. Il élève son enfant dans l'innocence, dans la foi et dans la pudeur. Sa plus grande crainte est qu'elle ne tombe dans le mal, car il sait, lui méchant, tout ce qu'on y souffre. Eh bien! la malédiction du vieillard atteindra Triboulet dans la seule chose qu'il aime au monde, dans sa fille. Ce même roi que Triboulet pousse au rapt ravira sa fille à Triboulet. Le bouffon sera frappé par la providence exactement de la même manière que M. de Saint-Vallier. Et puis, une fois sa fille séduite et perdue, il tendra un piège au roi pour le venger, c'est sa fille qui y tombera. Ainsi Triboulet a deux élèves, le roi et sa fille, le roi qu'il dresse au vice, sa fille qu'il fait croître pour la vertu. L'un perdra l'autre. Il veut enlever pour le roi madame de Cossé, c'est sa fille qu'il enlève. Il veut assassiner le roi pour venger sa fille, c'est sa fille qu'il assassine. Le châtiment ne s'arrête pas à moitié chemin; la malédiction du père de Diane s'accomplit sur le père de Blanche.

Sans doute ce n'est pas à nous de décider si c'est là une idée dramatique, mais à coup sûr c'est là une idée morale.

Au fond de l'un des autres ouvrages de l'auteur, il y a la fatalité. Au fond de celui-ci il y a la providence.

Nous le redisons expressément, ce n'est pas avec la police que nous discutons ici, nous ne lui faisons pas tant d'honneur, c'est avec la partie du public à laquelle cette discussion peut sembler nécessaire. Poursuivons.

Si l'ouvrage est moral par l'invention, est-ce qu'il serait immoral par l'exécution ? La question ainsi posée nous paraît se détruire d'elle-même, mais voyons. Probablement rien d'immoral au premier ni au second acte. Est-ce la situation du troisième qui vous choque ? Lisez ce troisième acte, et dites-nous, en toute probité, si l'impression qui en résulte, n'est pas profondément chaste, vertueuse et honnête ?

Est-ce le quatrième acte ? Mais depuis quand n'est-il plus permis à un roi de courtiser sur la scène une servante d'auberge ? Cela n'est même nouveau ni dans l'histoire ni au théâtre. Il y a mieux. L'histoire nous permettait de vous montrer François Ier ivre dans les bouges de la rue du Pélican [5]. Mener un roi dans un mauvais lieu, cela ne serait pas même nouveau non plus. Le théâtre grec, qui est le théâtre classique, l'a fait; Shakespeare, qui est le théâtre romantique, l'a fait; eh bien! l'auteur de ce drame ne l'a pas fait. Il sait tout ce qu'on a écrit de la maison de Saltabadil. Mais pourquoi lui faire dire ce qu'il n'a pas dit ? pourquoi lui faire franchir de force une limite qui est tout en pareil cas et qu'il n'a pas franchie ? Cette bohémienne Maguelonne, tant calomniée, n'est, assurément, pas plus effrontée que toutes les Lisettes et toutes les Martons [6] du vieux théâtre. La cabane de Saltabadil est une hôtellerie, une taverne, le cabaret de *La Pomme de Pin*, une auberge suspecte, un coupe-gorge, soit, mais non un lupanar. C'est un lieu sinistre, terrible, horrible, effroyable, si vous voulez, ce n'est pas un lieu obscène.

Restent donc les détails du style. Lisez. L'auteur accepte pour juges de la sévérité austère de son style les personnes mêmes qui s'affarouchent de la nourrice de Juliette et du père d'Ophélia, de Beaumarchais et de Regnard, de *L'École des Femmes* et d'*Amphitryon*, de Dandin et de Sganarelle, et de la grande scène du *Tartuffe*, du *Tartuffe* accusé aussi d'immoralité dans son temps! Seulement, là où il fallait être franc, il a cru devoir l'être, à ses risques et périls, mais toujours avec gravité et mesure. Il veut l'art chaste, et non l'art prude.

La voilà pourtant cette pièce contre laquelle le ministère cherche à soulever tant de préventions! Cette immoralité, cette obscénité, la voilà mise à nu. Quelle pitié! Le pouvoir avait ses raisons cachées, et nous les indiquerons tout à l'heure, pour ameuter contre *Le Roi s'amuse* le plus de préjugés possible. Il aurait bien voulu que le public en vînt à étouffer cette pièce sans l'entendre pour un tort imaginaire, comme Othello étouffe Desdémona. *Honest Iago* [7]!

Mais comme il se trouve qu'Othello n'a pas étouffé Desdémona, c'est Iago qui se démasque et qui s'en charge. Le lendemain de la représentation, la pièce est défendue *par ordre.*

Certes, si nous daignions descendre encore un instant à accepter pour une minute cette fiction ridicule que dans cette occasion c'est le soin de la morale publique qui émeut nos maîtres, et que, scandalisés de l'état de licence où certains théâtres sont tombés depuis deux ans, ils ont voulu à la fin, poussés à bout, faire, à travers toutes les lois et tous les droits, un exemple sur un ouvrage et sur un écrivain, certes, le choix de l'ouvrage serait singulier, il faut en convenir, mais le choix de l'écrivain ne le serait pas moins. Et en effet, quel est l'homme auquel ce pouvoir myope s'attaque si étrangement ? C'est un écrivain ainsi placé que, si son talent peut être contesté de tous, son caractère ne l'est de personne. C'est un honnête homme avéré, prouvé et constaté, chose rare et vénérable en ce temps-ci. C'est un poète que cette même licence des théâtres révolterait et indignerait tout le premier; qui, il y a dix-huit mois, sur le bruit que l'inquisition des théâtres allait être illégalement rétablie, est allé de sa personne, en compagnie de plusieurs autres auteurs dramatiques, avertir le ministre qu'il eût à se garder d'une pareille mesure, et qui, là, a réclamé hautement une loi répressive des excès du théâtre, tout en protestant contre la censure avec des paroles sévères que le ministre, à coup sûr, n'a pas oubliées. C'est un artiste dévoué à l'art, qui n'a jamais cherché le succès par de pauvres moyens, qui s'est habitué toute sa vie à regarder le public fixement et en face. C'est un homme sincère et modéré, qui a déjà livré plus d'un combat pour toute liberté et contre tout arbitraire; qui, en 1829, dans la dernière année de la restauration, a repoussé tout ce que le gouvernement d'alors lui offrait pour le dédommager de l'interdit lancé sur *Marion de Lorme*, et qui, un an plus tard, en 1830, la révolution de juillet étant faite, a refusé, malgré tous les conseils de son intérêt matériel, de laisser représenter cette même *Marion de Lorme* tant qu'elle pourrait être une occasion d'attaque et d'insulte contre le roi tombé qui l'avait proscrite; conduite bien simple sans doute, que tout homme d'honneur eût tenue à sa place, mais qui aurait peut-être dû le rendre inviolable désormais à toute censure, et à propos de laquelle il écrivait ceci en août 1831 : « Les succès de scandale cherché et d'allusions

« politiques ne lui sourient guère, il l'avoue. Ces succès
« valent peu et durent peu. Et puis, c'est précisément
« quand il n'y a plus de censure qu'il faut que les auteurs
« se censurent eux-mêmes, honnêtement, consciencieu-
« sement, sévèrement. C'est ainsi qu'ils placeront haut
« la dignité de l'art. Quand on a toute liberté, il sied de
« garder toute mesure. »

Jugez maintenant. Vous avez d'un côté l'homme et son
œuvre ; de l'autre, le ministère et ses actes.

A présent que la prétendue immoralité de ce drame est
réduite à néant, à présent que tout l'échafaudage des
mauvaises et honteuses raisons est là, gisant sous nos
pieds, il serait temps de signaler le véritable motif de la
mesure, le motif d'antichambre, le motif de cour, le motif
secret, le motif qu'on ne dit pas, le motif qu'on n'ose
s'avouer à soi-même, le motif qu'on avait si bien caché
sous un prétexte. Ce motif a déjà transpiré dans le public,
et le public a deviné juste. Nous n'en dirons pas davantage. Il est peut-être utile à notre cause que ce soit nous
qui offrions à nos adversaires l'exemple de la courtoisie
et de la modération. Il est bon que la leçon de dignité et
de sagesse soit donnée par le particulier au gouvernement,
par celui qui est persécuté à celui qui persécute. D'ailleurs, nous ne sommes pas de ceux qui pensent guérir
leur blessure en empoisonnant la plaie d'autrui. Il n'est
que trop vrai qu'il y a au troisième acte de cette pièce un
vers où la sagacité maladroite de quelques familiers du
palais a découvert une allusion (je vous demande un peu,
moi, une allusion!) à laquelle ni le public ni l'auteur
n'avaient songé jusque-là, mais qui, une fois dénoncée
de cette façon, devient la plus cruelle et la plus sanglante
des injures [8]. Il n'est que trop vrai que ce vers a suffi pour
que l'affiche déconcertée du Théâtre-Français reçût
l'ordre de ne plus offrir une seule fois à la curiosité du
public la petite phrase séditieuse : *Le Roi s'amuse*. Ce
vers, qui est un fer rouge, nous ne le citerons pas ici ;
nous ne le signalerons même ailleurs qu'à la dernière
extrémité, et si l'on est assez imprudent pour y acculer
notre défense. Nous ne ferons pas revivre de vieux scan-
dales historiques. Nous épargnerons autant que possible
à une personne haut placée les conséquences de cette
étourderie de courtisans. On peut faire, même à un roi,
une guerre généreuse. Nous entendons la faire ainsi.
Seulement que les puissants méditent sur l'inconvénient
d'avoir pour ami l'ours qui ne sait écraser qu'avec le pavé

de la censure les allusions imperceptibles qui viennent se poser sur leur visage.

Nous ne savons même pas si nous n'aurons pas dans la lutte quelque indulgence pour le ministère lui-même. Tout ceci, à vrai dire, nous inspire une grande pitié. Le gouvernement de juillet est tout nouveau-né, il n'a que trente-trois mois, il est encore au berceau, il a de petites fureurs d'enfant. Mérite-t-il en effet qu'on dépense contre lui beaucoup de colère virile ? Quand il sera grand, nous verrons.

Cependant, à n'envisager la question pour un instant que sous le point de vue privé, la confiscation censoriale dont il s'agit cause encore plus de dommage peut-être à l'auteur de ce drame qu'à tout autre. En effet, depuis quatorze ans qu'il écrit, il n'est pas un de ses ouvrages qui n'ait eu l'honneur malheureux d'être choisi pour champ de bataille à son apparition, et qui n'ait disparu d'abord pendant un temps plus ou moins long sous la poussière, la fumée et le bruit. Aussi, quand il donne une pièce au théâtre, ce qui lui importe avant tout, ne pouvant espérer un auditoire calme dès la première soirée, c'est la série des représentations. S'il arrive que le premier jour sa voix soit couverte par le tumulte, que sa pensée ne soit pas comprise, les jours suivants peuvent corriger le premier jour. *Hernani* a été joué dans un orage, mais *Hernani* a eu cinquante-trois représentations. *Marion de Lorme* a été jouée dans un orage, mais *Marion de Lorme* a eu soixante et une représentations. *Le Roi s'amuse* a été joué dans un orage. Grâce à une violence ministérielle, *Le Roi s'amuse* n'aura eu qu'une représentation. Assurément le tort fait à l'auteur est grand. Qui lui rendra intacte et au point où elle en était cette troisième expérience si importante pour lui ? Qui lui dira de quoi eût était suivie cette première représentation ? Qui lui rendra le public du lendemain, ce public ordinairement impartial, ce public sans amis et sans ennemis, ce public qui enseigne le poète et que le poète enseigne ?

Le moment de transition politique où nous sommes est curieux. C'est un de ces instants de fatigue générale où tous les actes despotiques sont possibles dans la société même la plus infiltrée d'idées d'émancipation et de liberté. La France a marché vite en juillet 1830; elle a fait trois bonnes journées; elle a fait trois grandes étapes dans le champ de la civilisation et du progrès. Maintenant beaucoup sont harassés, beaucoup sont essoufflés,

beaucoup demandent à faire halte. On veut retenir les
esprits généreux qui ne se lassent pas et qui vont toujours.
On veut attendre les tardifs qui sont restés en arrière et
leur donner le temps de rejoindre. De là une crainte sin-
gulière de tout ce qui marche, de tout ce qui remue, de
tout ce qui parle, de tout ce qui pense. Situation bizarre,
facile à comprendre, difficile à définir. Ce sont toutes les
existences qui ont peur de toutes les idées. C'est la ligue
des intérêts froissés du mouvement des théories. C'est le
commerce qui s'effarouche des systèmes; c'est le marchand qui veut vendre; c'est la rue qui effraie le comptoir;
c'est la boutique armée qui se défend.

À notre avis, le gouvernement abuse de cette disposition au repos et de cette crainte des révolutions nouvelles.
Il en est venu à tyranniser petitement. Il a tort pour lui
et pour nous. S'il croit qu'il y a maintenant indifférence
dans les esprits pour les idées de liberté, il se trompe; il
n'y a que lassitude. Il lui sera demandé sévèrement compte
un jour de tous les actes illégaux que nous voyons s'ac-
cumuler depuis quelque temps. Que de chemin il nous
a fait faire! Il y a deux ans on pouvait craindre pour
l'ordre, on en est maintenant à trembler pour la liberté.
Des questions de libre pensée, d'intelligence et d'art
sont tranchées impérialement par les visirs du roi des
barricades. Il est profondément triste de voir comment
se termine la révolution de juillet, *mulier formosa
superne*[9].

Sans doute, si l'on ne considère que le peu d'impor-
tance de l'ouvrage et de l'auteur dont il est ici question, la
mesure ministérielle qui les frappe n'est pas grand-chose.
Ce n'est qu'un méchant petit coup d'État littéraire, qui
n'a d'autre mérite que de ne pas trop dépareiller la collection d'actes arbitraires à laquelle il fait suite. Mais si
l'on s'élève plus haut, on verra qu'il ne s'agit pas seulement dans cette affaire d'un drame et d'un poète, mais,
nous l'avons dit en commençant, que la liberté et la propriété sont toutes deux, sont tout entières engagées dans
la question. Ce sont là de hauts et sérieux intérêts; et,
quoique l'auteur soit obligé d'entamer cette importante
affaire par un simple procès commercial au Théâtre-
Français, ne pouvant attaquer directement le ministère
barricadé derrière les fins de non-recevoir du conseil
d'État, il espère que sa cause sera aux yeux de tous une
grande cause, le jour où il se présentera à la barre du
tribunal consulaire, avec la liberté à sa droite et la pro-

priété à sa gauche. Il parlera lui-même, au besoin, pour l'indépendance de son art. Il plaidera son droit fermement, avec gravité et simplicité, sans haine des personnes et sans crainte aussi. Il compte sur le concours de tous, sur l'appui franc et cordial de la presse, sur la justice de l'opinion, sur l'équité des tribunaux. Il réussira, il n'en doute pas. L'état de siège sera levé dans la cité littéraire comme dans la cité politique.

Quand cela sera fait, quand il aura rapporté chez lui, intacte, inviolable et sacrée, sa liberté de poète et de citoyen, il se remettra paisiblement à l'œuvre de sa vie dont on l'arrache violemment et qu'il eût voulu ne jamais quitter un instant. Il a sa besogne à faire, il le sait, et rien ne l'en distraira. Pour le moment un rôle politique lui vient; il ne l'a pas cherché, il l'accepte. Vraiment, le pouvoir qui s'attaque à nous n'aura pas gagné grand-chose à ce que nous, hommes d'art, nous quittions notre tâche consciencieuse, tranquille, sincère, profonde, notre tâche sainte, notre tâche du passé et de l'avenir, pour aller nous mêler, indignés, offensés et sévères, à cet auditoire irrévérent et railleur qui, depuis quinze ans, regarde passer, avec des huées et des sifflets, quelques pauvres diables de gâcheurs politiques, lesquels s'imaginent qu'ils bâtissent un édifice social parce qu'ils vont tous les jours à grand-peine, suant et soufflant, brouetter des tas de projets de loi des Tuileries au palais Bourbon et du palais Bourbon au Luxembourg!

30 novembre 1832.

Distribution de 1832

FRANÇOIS PREMIER	M. PERRIER
TRIBOULET	M. LIGIER
BLANCHE	Mlle ANAÏS
M. DE SAINT-VALLIER.	M. JOANNY
SALTABADIL	M. BEAUVALET
MAGUELONNE	Mlle DUPONT
CLÉMENT MAROT	M. SAMSON
M. DE PIENNE	M. GEFFROY
M. DE GORDES.	M. MARIUS
M. DE PARDAILLAN	Mlle EULALIE DUPUIS
M. DE BRION	M. ALBERT
M. DE MONTCHENU.	M. MONLAUR
M. DE MONTMORENCY	M. ARSÈNE
M. DE COSSÉ	M. DUPARAY
M. DE LA TOUR-LANDRY . . .	M. BOUCHET
MADAME DE COSSÉ	Mlle MORALÈS
DAME BÉRARDE	Mme TOUSEZ
UN GENTILHOMME DE LA REINE .	M. REGNIER
UN VALET DU ROI.	M. FAURE
UN MÉDECIN	M. DUMILATRE

SEIGNEURS, PAGES, GENS DU PEUPLE

Paris, 152.

ACTE PREMIER

M. DE SAINT-VALLIER

Une fête de nuit au Louvre. Salles magnifiques pleines d'hommes et de femmes en parure. Flambeaux, musique, danses, éclats de rire. — Des valets portent des plats d'or et des vaisselles d'émail; des groupes de seigneurs et de dames passent et repassent. — La fête tire à sa fin; l'aube blanchit les vitraux. Une certaine liberté règne; la fête a un peu le caractère d'une orgie. — Dans l'architecture, dans les ameublements, dans les vêtements, le goût de la renaissance.

SCÈNE PREMIÈRE

LE ROI, *comme l'a peint Titien* [10];
M. DE LA TOUR-LANDRY [11]

LE ROI

Comte, je veux mener à fin cette aventure.
Une femme bourgeoise, et de naissance obscure,
Sans doute, mais charmante!

M. DE LA TOUR-LANDRY

                    Et vous la rencontrez
Le dimanche à l'église?

LE ROI

                    A Saint-Germain-des-Prés.
5 J'y vais chaque dimanche.

M. DE LA TOUR-LANDRY
                              Et voilà tout à l'heure
Deux mois que cela dure ?

LE ROI
                    Oui.

M. DE LA TOUR-LANDRY
                                   La belle demeure ?...

LE ROI
Au-cul-de-sac Bussy.

M. DE LA TOUR-LANDRY
                         Près de l'hôtel Cossé ?

LE ROI, *avec un signe affirmatif.*
Dans l'endroit où l'on trouve un grand mur.

M. DE LA TOUR-LANDRY

                                             Ah ! je sai.
Et vous la suivez, sire ?

LE ROI
                        Une farouche vieille
10 Qui lui garde les yeux, et la bouche, et l'oreille,
Est toujours là.

M. DE LA TOUR-LANDRY
                    Vraiment ?

LE ROI
                           Et le plus curieux,
C'est que le soir un homme, à l'air mystérieux,
Très bien enveloppé, pour se glisser dans l'ombre,
D'une cape fort noire et de la nuit fort sombre,
15 Entre dans la maison.

M. DE LA TOUR-LANDRY
                       Hé ! faites de même !

LE ROI
                                         Hein ?
La maison est fermée et murée au prochain !

M. DE LA TOUR-LANDRY

Par votre majesté quand la dame est suivie,
Vous a-t-elle parfois donné signe de vie ?

LE ROI

Mais, à certains regards, je crois, sans trop d'erreur,
20 Qu'elle n'a pas pour moi d'insurmontable horreur.

M. DE LA TOUR-LANDRY

Sait-elle que le roi l'aime ?

LE ROI, *avec un signe négatif.*

Je me déguise
D'une livrée en laine et d'une robe grise.

M. DE LA TOUR-LANDRY, *riant.*

Je vois que vous aimez d'un amour épuré
Quelque auguste Toinon, maîtresse d'un curé !

Entrent plusieurs seigneurs et Triboulet.

LE ROI, *à M. de la Tour-Landry.*

25 Chut ! on vient. — En amour il faut savoir se taire
Quand on veut réussir.

Se tournant vers Triboulet [12], *qui s'est approché pendant ces
dernières paroles et les a entendues.*

N'est-ce pas ?

TRIBOULET

Le mystère
Est la seule enveloppe où la fragilité
D'une intrigue d'amour puisse être en sûreté.

SCÈNE II

LE ROI, TRIBOULET, M. DE GORDES [13], plusieurs seigneurs.

*Les seigneurs, superbement vêtus. Triboulet, dans son
costume de fou, comme l'a peint Boniface. Le roi regarde
passer un groupe de femmes.*

M. DE LA TOUR-LANDRY

Madame de Vendosme est divine!

M. DE GORDES

Mesdames
30 D'Albe [14] et de Montchevreuil [15] sont de fort belles
[femmes.

LE ROI

Madame de Cossé [16] les passe toutes trois.

M. DE GORDES

Madame de Cossé! Sire, baissez la voix.

Lui montrant M. de Cossé qui passe au fond du théâtre.
— M. de Cossé, court et ventru, « un des quatre plus gros
gentilshommes de France », dit Brantôme.

Le mari vous entend.

LE ROI

Hé! mon cher Simiane,
Qu'importe!

M. DE GORDES

Il l'ira dire à madame Diane.

LE ROI

35 Qu'importe!
Il va au fond du théâtre parler à d'autres femmes qui passent.

TRIBOULET, *à M. de Gordes.*

Il va fâcher Diane de Poitiers [17].
Il ne lui parle pas depuis huit jours entiers.

M. DE GORDES

S'il l'allait renvoyer à son mari?

TRIBOULET

J'espère
Que non.

M. DE GORDES

Elle a payé la grâce de son père.
Partant, quitte.

TRIBOULET

A propos du sieur de Saint-Vallier,
40 Quelle idée avait-il, ce vieillard singulier,
De mettre dans un lit nuptial sa Diane,
Sa fille, une beauté choisie et diaphane,
Un ange que du ciel la terre avait reçu,
Tout pêle-mêle avec un sénéchal bossu!

M. DE GORDES

45 C'est un vieux fou. — J'étais sur son échafaud même
Quand il reçut sa grâce. — Un vieillard grave et blême.
— J'étais plus près de lui que je ne suis de toi.
— Il ne dit rien, sinon : Que Dieu garde le roi!
Il est fou maintenant tout à fait.

LE ROI, *passant avec madame de Cossé.*

Inhumaine!

50 Vous partez!

MADAME DE COSSÉ, *soupirant.*

Pour Soissons, où mon mari m'emmène.

LE ROI

N'est-ce pas une honte, alors que tout Paris,
Et les plus grands seigneurs, et les plus beaux esprits,
Fixent sur vous des yeux pleins d'amoureuse envie,
A l'instant le plus beau d'une si belle vie,
55 Quand tous faiseurs de duels et de sonnets [18], pour vous,
Gardent leurs plus beaux vers et leurs plus fameux coups,
A l'heure où vos beaux yeux, semant partout les flammes,
Font sur tous leurs amants veiller toutes les femmes,
Que vous, qui d'un tel lustre éblouissez la cour
60 Que, ce soleil parti, l'on doute s'il fait jour,
Vous alliez, méprisant duc, empereur, roi, prince,
Briller, astre bourgeois, dans un ciel de province!

MADAME DE COSSÉ

Calmez-vous!

LE ROI

Non, non, rien. Caprice original
Que d'éteindre le lustre au beau milieu du bal!

Entre M. de Cossé.

MADAME DE COSSÉ

65 Voici mon jaloux, sire !

Elle quitte vivement le roi.

LE ROI

Ah ! le diable ait son âme !

A Triboulet.

Je n'en ai pas moins fait un quatrain à sa femme.
Marot t'a-t-il montré ces derniers vers de moi ?

TRIBOULET

Je ne lis pas de vers de vous. — Des vers de roi
Sont toujours très mauvais.

LE ROI

Drôle !

TRIBOULET, *sans s'émouvoir.*

Que la canaille
70 Fasse rimer amour et jour vaille que vaille.
Mais près de la beauté gardez vos lots divers,
Sire, faites l'amour, Marot [19] fera les vers.
Roi qui rime déroge.

LE ROI, *avec enthousiasme.*

Ah ! rimer pour les belles,
Cela hausse le cœur. — Je veux mettre des ailes
75 A mon donjon royal.

TRIBOULET

C'est en faire un moulin.

LE ROI

Si je ne voyais là madame de Coislin [20],
Je te ferais fouetter.

*Il court à Mme de Coislin et paraît lui adresser quelques
galanteries.*

TRIBOULET, *à part.*

Suis le vent qui t'emporte
Aussi vers celle-là !

M. DE GORDES, *s'approchant de Triboulet et lui faisant remarquer ce qui se passe au fond de la salle.*

Voici par l'autre porte
Madame de Cossé. Je te gage ma foi
80 Qu'elle laisse tomber son gant pour que le roi
Le ramasse.

TRIBOULET

Observons.

Mme de Cossé, qui voit avec dépit les attentions du roi pour Mme de Coislin, laisse en effet tomber son bouquet. Le roi quitte Mme de Coislin et ramasse le bouquet de Mme de Cossé, avec qui il entame une conversation qui paraît fort tendre.

M. DE GORDES, *à Triboulet.*

L'ai-je dit ?

TRIBOULET

Admirable !

M. DE GORDES

Voilà le roi repris.

TRIBOULET

Une femme est un diable [21]
Très perfectionné.

Le roi serre la taille de Mme de Cossé, et lui baise la main. Elle rit et babille gaiement. Tout à coup M. de Cossé entre par la porte du fond. M. de Gordes le fait remarquer à Triboulet. — M. de Cossé s'arrête, l'œil fixé sur le groupe du roi et de sa femme.

M. DE GORDES, *à Triboulet.*

Le mari !

MADAME DE COSSÉ, *apercevant son mari, au roi, qui la tient presque embrassée.*

Quittons-nous !

Elle glisse des mains du roi et s'enfuit.

TRIBOULET

Que vient-il faire ici, ce gros ventru jaloux ?
Le roi s'approche du buffet au fond et se fait verser à boire.

M. DE COSSÉ, *s'avançant sur le devant tout rêveur.*

A part.

85 Que se disaient-ils ?

Il s'approche avec vivacité de M. de la Tour-Landry, qui lui fait signe qu'il a quelque chose à lui dire.

Quoi ?

M. DE LA TOUR-LANDRY, *mystérieusement.*

Votre femme est bien belle!

M. de Cossé se rebiffe, et va à M. de Gordes, qui paraît avoir quelque chose à lui confier.

M. DE GORDES, *bas.*

Qu'est-ce donc qui vous trotte ainsi par la cervelle ?
Pourquoi regardez-vous si souvent de côté ?

M. de Cossé le quitte avec humeur et se trouve face à face avec Triboulet, qui l'attire d'un air discret dans un coin pendant que MM. de Gordes et de la Tour-Landry rient à gorge déployée.

TRIBOULET, *bas à M. de Cossé.*

Monsieur, vous avez l'air tout encharibotté [22] !

Il éclate de rire, et tourne le dos à M. de Cossé, qui sort furieux.

LE ROI, *revenant.*

Oh! que je suis heureux! Près de moi, non, Hercules
90 Et Jupiter ne sont que des fats ridicules!
L'Olympe est un taudis! Ces femmes, c'est charmant!
Je suis heureux! Et toi ?

TRIBOULET

Considérablement.
Je ris tout bas du bal, des jeux, des amourettes.
Moi je critique, et vous, vous jouissez. Vous êtes
95 Heureux comme un roi, sire, et moi, comme un bossu.

LE ROI

Jour de joie où ma mère en riant m'a conçu!

Regardant M. de Cossé, qui sort.

Ce monsieur de Cossé seul dérange la fête.
Comment te semble-t-il ?

TRIBOULET

Outrageusement bête.

LE ROI

Ah! n'importe! excepté ce jaloux, tout me plaît.
100 Tout pouvoir, tout vouloir, tout avoir! Triboulet!
Quel plaisir d'être au monde, et qu'il fait bon de vivre!
Quel bonheur!

TRIBOULET

Je crois bien, sire, vous êtes ivre!

LE ROI

Mais là-bas j'aperçois... Les beaux yeux! les beaux bras!

TRIBOULET

Madame de Cossé?

LE ROI

Viens, tu nous garderas!

Il chante.

Vivent les gais dimanches
Du peuple de Paris!
Quand les femmes sont blanches...

TRIBOULET, *chantant.*

Quand les hommes sont gris!
Ils sortent. Entrent plusieurs gentilshommes.

SCÈNE III

M. DE GORDES, M. DE PARDAILLAN [23], *jeune page blond;*
M. DE VIC, *maître* CLÉMENT MAROT, *en habit de valet de*
chambre du roi; puis M. DE PIENNE, *un ou deux autres*
gentilshommes. De temps en temps M. DE COSSÉ, *qui se*
promène d'un air rêveur et très sérieux.

CLÉMENT MAROT, *saluant M. de Gordes.*
105 Que savez-vous ce soir?

M. DE GORDES

Rien, que la fête est belle,
Et que le roi s'amuse.

MAROT

Ah! c'est une nouvelle!
Le roi s'amuse? Ah! diable!

M. DE COSSÉ, *qui passe derrière eux.*

Et c'est très malheureux!
Car un roi qui s'amuse est un roi dangereux.

Il passe outre.

M. DE GORDES

Ce pauvre gros Cossé me met la mort dans l'âme.

MAROT, *bas.*

110 Il paraît que le roi serre de près sa femme?
*M. de Gordes lui fait un signe affirmatif. Entre M. de
Pienne.*

M. DE GORDES

Hé, voilà ce cher duc!

Ils se saluent.

M. DE PIENNE, *d'un air mystérieux.*

Mes amis! du nouveau!
Une chose à brouiller le plus sage cerveau!
Une chose admirable! une chose risible!
Une chose amoureuse! une chose impossible!

M. DE GORDES

115 Quoi donc?

M. DE PIENNE

Il les ramasse en groupe autour de lui.
Chut!
A Marot, qui est allé causer avec d'autres dans un coin.
Venez ça, maître Clément Marot!

MAROT, *approchant.*

Que me veut monseigneur?

M. DE PIENNE

Vous êtes un grand sot.

MAROT

Je ne me croyais grand en aucune manière.

M. DE PIENNE

J'ai lu dans votre écrit du siège de Peschière [24]
Ces vers sur Triboulet : « Fou de tête écorné,
120 Aussi sage à trente ans que le jour qu'il est né. — »
Vous êtes un grand sot.

MAROT

Que Cupido [25] me damne

Si je vous comprends !

M. DE PIENNE

Soit.

A M. de Gordes.

Monsieur de Simiane,

A M. de Pardaillan.

Monsieur de Pardaillan,

*M. de Gordes, M. de Pardaillan, Marot, et M. de Cossé,
qui est venu se joindre au groupe, font cercle autour du duc.*

Devinez, s'il vous plaît ?

Une chose inouïe arrive à Triboulet.

M. DE PARDAILLAN

125 Il est devenu droit ?

M. DE COSSÉ

On l'a fait connétable ?

MAROT

On l'a servi tout cuit par hasard sur la table [27] ?

M. DE PIENNE

Non. C'est plus drôle. Il a... — Devinez ce qu'il a. —
C'est incroyable !

M. DE GORDES

Un duel avec Gargantua ?

M. DE PIENNE

Point.

M. DE PARDAILLAN

Un singe plus laid que lui ?

M. DE PIENNE

Non pas.

MAROT

Sa poche

130 Pleine d'écus ?

M. DE COSSÉ

L'emploi du chien du tournebroche [28] ?

MAROT

Un rendez-vous avec la vierge au paradis ?

M. DE GORDES

Une âme, par hasard ?

M. DE PIENNE

Je vous le donne en dix !
Triboulet le bouffon, Triboulet le difforme,
Cherchez bien ce qu'il a... — quelque chose d'énorme !

MAROT

135 Sa bosse ?

M. DE PIENNE

Non, il a... — Je vous le donne en cent !
— Une maîtresse !

Tous éclatent de rire.

MAROT

Ah ! ah ! le duc est fort plaisant.

M. DE PARDAILLAN

Le bon comte !

M. DE PIENNE

Messieurs, j'en jure sur mon âme,
Et je vous ferai voir la porte de la dame.
Il y va tous les soirs, vêtu d'un manteau brun,
140 L'air sombre et furieux, comme un poëte à jeun.

Je lui veux faire un tour. Rôdant, à la nuit close,
Près de l'hôtel Cossé, j'ai découvert la chose.
Gardez-moi le secret.

MAROT

Quel sujet de rondeau [29] !
Quoi ! Triboulet la nuit se change en Cupido !

M. DE PARDAILLAN, *riant.*

145 Une femme à messer Triboulet !

M. DE GORDES, *riant.*

Une selle

Sur un cheval de bois !

MAROT, *riant.*

Je crois que la donzelle,
Si quelque autre Bedfort débarquait à Calais [30],
Aurait tout ce qu'il faut pour chasser les Anglais !

*Tous rient. Survient M. de Vic. M. de Pienne met son doigt
sur sa bouche.*

M. DE PIENNE

Chut !

M. DE PARDAILLAN, *à M. de Pienne.*

D'où vient que le roi sort aussi vers la brune,
150 Tous les jours, et tout seul, comme cherchant fortune ?

M. DE PIENNE

Vic nous dira cela.

M. DE VIC

Ce que je sais d'abord,
C'est que sa majesté paraît s'amuser fort.

M. DE COSSÉ, *avec un soupir.*

Ah ! ne m'en parlez pas !

M. DE VIC

Mais que je me soucie
De quel côté le vent pousse sa fantaisie,
155 Pourquoi le soir il sort, dans sa cape d'hiver,
Méconnaissable en tout de vêtements et d'air,
Si de quelque fenêtre il se fait une porte,
N'étant pas marié, mes amis, que m'importe !

M. DE COSSÉ, *hochant la tête.*

Un roi, — les vieux seigneurs, messieurs, savent cela, —
160 Prend toujours chez quelqu'un tout le plaisir qu'il a.
Gare à quiconque a sœur, femme ou fille à séduire!
Un puissant en gaîté ne peut songer qu'à nuire.
Il est bien des sujets de craindre là dedans.
D'une bouche qui rit on voit toutes les dents.

M. DE VIC, *bas aux autres.*

165 Comme il a peur du roi!

M. DE PARDAILLAN

                        Sa femme fort charmante
En a moins peur que lui.

MAROT

                        C'est ce qui l'épouvante.

M. DE GORDES

Cossé, vous avez tort. Il est très important
De maintenir le roi gai, prodigue et content.

M. DE PIENNE, *à M. de Gordes.*

Je suis de ton avis, comte. Un roi qui s'ennuie,
170 C'est une fille en noir, c'est un été de pluie.

M. DE PARDAILLAN

C'est un amour sans duel.

M. DE VIC

                        C'est un flacon plein d'eau.

MAROT, *bas.*

Le roi revient avec Triboulet-Cupido.
*Entrent le roi et Triboulet. Les courtisans s'écartent avec
    respect.*

SCÈNE IV

LES MÊMES, LE ROI, TRIBOULET

TRIBOULET, *entrant, et comme poursuivant une
conversation commencée.*

Des savants à la cour ! monstruosité rare !

LE ROI

Fais entendre raison à ma sœur de Navarre [31].
175 Elle veut m'entourer de savants.

TRIBOULET

            Entre nous,
Convenez de ceci, que j'ai bu moins que vous.
Donc, sire, j'ai sur vous, pour bien juger les choses,
Dans tous leurs résultats et dans toutes leurs causes,
Un avantage immense, et même deux, je crois,
180 C'est de n'être pas gris, et de n'être pas roi.
— Plutôt que des savants, ayez ici la peste,
La fièvre, et cætera !

LE ROI

            L'avis est un peu leste.
Ma sœur veut m'entourer de savants !

TRIBOULET

                   C'est bien mal
De la part d'une sœur. — Il n'est pas d'animal,
185 Pas de corbeau goulu, pas de loup, pas de chouette,
Pas d'oison, pas de bœuf, pas même de poète,
Pas de mahométan, pas de théologien,
Pas d'échevin flamand, par d'ours et pas de chien,
Plus laid, plus chevelu, plus repoussant de formes,
190 Plus caparaçonné d'absurdités énormes,
Plus hérissé, plus sale et plus gonflé de vent,
Que cet âne bâté qu'on appelle un savant !
— Manquez-vous de plaisirs, de pouvoirs, de conquêtes,
Et de femmes en fleur pour parfumer vos fêtes ?

LE ROI

195 Haï!... ma sœur Marguerite un soir m'a dit très bas
Que les femmes toujours ne me suffiraient pas,
Et quand je m'ennuierai...

TRIBOULET

Médecine inouïe!
Conseiller les savants à quelqu'un qui s'ennuie!
Madame Marguerite est, vous en conviendrez,
200 Toujours pour les partis les plus désespérés.

LE ROI

Eh bien! pas de savants, mais cinq ou six poètes...

TRIBOULET

Sire! j'aurais plus peur, étant ce que vous êtes,
D'un poète, toujours de rime barbouillé,
Que Belzébuth n'a peur d'un goupillon mouillé.

LE ROI

205 Cinq ou six...

TRIBOULET

Cinq ou six! c'est toute une écurie!
C'est une académie, une ménagerie!

Montrant Marot.

N'avons-nous pas assez de Marot que voici,
Sans nous empoisonner de poètes ainsi!

MAROT

Grand merci!

A part.

Le bouffon eût mieux fait de se taire!

TRIBOULET

210 Les femmes, sire! ah! Dieu! c'est le ciel, c'est la terre!
C'est tout! Mais vous avez les femmes! vous avez
Les femmes! laissez-moi tranquille! vous rêvez,
De vouloir des savants!

LE ROI

Moi, foi de gentilhomme!
Je m'en soucie autant qu'un poisson d'une pomme.

Eclats de rire dans un groupe au fond. — A Triboulet.
215 Tiens, voilà des muguets qui se raillent de toi.

              Triboulet va les écouter et revient.

TRIBOULET

Non, c'est d'un autre fou.

LE ROI

        Bah! de qui donc?

TRIBOULET

                        Du roi.

LE ROI

Vrai! Que chantent-ils?

TRIBOULET

                Sire, ils vous disent avare,
Et qu'argent et faveurs s'en vont dans la Navarre [32].
Qu'on ne fait rien pour eux.

LE ROI

                 Oui, je les vois d'ici
220 Tous les trois, — Montchenu, Brion, Montmorency [33].

TRIBOULET

Juste.

LE ROI

        Ces courtisans! engeance détestable!
J'ai fait l'un amiral, le second connétable,
Et l'autre, Montchenu, maître de mon hôtel.
Ils ne sont pas contents! as-tu vu rien de tel?

TRIBOULET

225 Mais vous pouvez encor, c'est justice à leur rendre,
Les faire quelque chose.

LE ROI

        Et quoi?

TRIBOULET

              Faites-les pendre.

M. DE PIENNE, *riant, aux trois seigneurs*
qui sont toujours au fond.

Messieurs, entendez-vous ce que dit Triboulet ?

M. DE BRION
Il jette sur le fou un regard de colère.

Oui, certe !

M. DE MONTMORENCY
Il le paiera !

M. DE MONTCHENU
Misérable valet !

TRIBOULET, *au roi.*

Mais, sire, vous devez avoir parfois dans l'âme
230 Un vide... — Autour de vous n'avoir pas une femme
Dont l'œil vous dise non, dont le cœur dise oui !

LE ROI
Qu'en sais-tu ?

TRIBOULET
N'être aimé que d'un cœur ébloui,
Ce n'est pas être aimé.

LE ROI
Sais-tu si pour moi-même
Il n'est pas dans ce monde une femme qui m'aime ?

TRIBOULET
235 Sans vous connaître ?

LE ROI
Eh ! oui.

A part.
Sans compromettre ici
Ma petite beauté du cul-de-sac Bussy.

TRIBOULET
Une bourgeoise donc ?

LE ROI
Pourquoi non ?

TRIBOULET, *vivement.*

Prenez garde.

Une bourgeoise! ô ciel! votre amour se hasarde.
Les bourgeois sont parfois de farouches romains [34].
240 Quand on touche à leur bien, la marque en reste aux
[mains.
Tenez, contentons-nous, fous et rois que nous sommes,
Des femmes et des sœurs de vos bons gentilshommes.

LE ROI

Oui, je m'arrangerais de la femme à Cossé.

TRIBOULET

Prenez-la.

LE ROI, *riant.*

C'est facile à dire et malaisé
245 A faire.

TRIBOULET

Enlevons-la cette nuit.

LE ROI, *montrant M. de Cossé.*

Et le comte ?

TRIBOULET

Et la Bastille ?

LE ROI

Oh! non.

TRIBOULET

Pour régler votre compte,
Faites-le duc.

LE ROI

Il est jaloux comme un bourgeois.
Il refusera tout et criera sur les toits.

TRIBOULET, *rêveur.*

Cet homme est fort gênant, qu'on le paie ou l'exile...

*Depuis quelques instants, M. de Cossé s'est rapproché par
derrière du roi et du fou, et il écoute leur conversation.
Triboulet se frappe le front avec joie.*

250 Mais il est un moyen, commode, très facile,
Simple, auquel je devrais avoir déjà pensé.

> *M. de Cossé se rapproche encore et écoute.*

— Faites couper la tête à monsieur de Cossé.

> *M. de Cossé recule, tout effaré.*

— ... On suppose un complot avec l'Espagne ou Rome...

> M. DE COSSÉ, *éclatant.*

Oh! le petit satan!

> LE ROI, *riant, et frappant sur l'épaule de M. de Cossé.*
> *A Triboulet.*

Là, foi de gentilhomme,
255 Y penses-tu? couper la tête que voilà!
Regarde cette tête ami! vois-tu cela?
S'il en sort une idée, elle est toute cornue.

> TRIBOULET

Comme le moule auquel elle était contenue.

> M. DE COSSÉ

Couper ma tête!

> TRIBOULET

Eh bien?

> LE ROI, *à Triboulet.*

Tu le pousses à bout.

> TRIBOULET

260 Que diable! on n'est pas roi pour se gêner en tout,
Pour ne point se passer la moindre fantaisie.

> M. DE COSSÉ

Me couper la tête! ah! j'en ai l'âme saisie!

> TRIBOULET

Mais c'est tout simple. — Où donc est la nécessité
De ne pas vous couper la tête?

> M. DE COSSÉ

En vérité!

265 Je te châtierai, drôle!

TRIBOULET

Oh! je ne vous crains guère!
Entouré de puissants auxquels je fais la guerre,
Je ne crains rien, monsieur, car je n'ai sur le cou
Autre chose à risquer que la tête d'un fou.
Je ne crains rien, sinon que ma bosse me rentre
270 Au corps, et comme à vous me tombe dans le ventre,
— Ce qui m'enlaidirait.

M. DE COSSÉ, *la main sur son épée.*

Maraud!

LE ROI

Comte, arrêtez. —

Viens, fou!

Il s'éloigne avec Triboulet en riant.

M. DE GORDES

Le roi se tient de rire les côtés!

M. DE PARDAILLAN

Comme à la moindre chose il rit, il s'abandonne!

MAROT

C'est curieux, un roi qui s'amuse en personne!

*Une fois le fou et le roi éloignés, les courtisans se rapprochent,
et suivent Triboulet d'un regard de haine.*

M. DE BRION

275 Vengeons-nous du bouffon!

TOUS

Hun!

MAROT

Il est cuirassé.
Par où le prendre? où donc le frapper?

M. DE PIENNE

Je le sais.
Nous avons contre lui chacun quelque rancune,
Nous pouvons nous venger.

Tous se rapprochent avec curiosité de M. de Pienne.

                              Trouvez-vous à la brune,
Ce soir, tous bien armés, au cul-de-sac Bussy, —
280 Près de l'hôtel Cossé. — Plus un mot de ceci.

                         MAROT

Je devine.

                    M. DE PIENNE

          C'est dit ?

                         TOUS

          C'est dit.

                    M. DE PIENNE

                         Silence! il rentre.
          Rentrent Triboulet, et le roi entouré de femmes.

          TRIBOULET, *seul dans son coin, à part.*

A qui jouer un tour maintenant ? — Au roi ?... —
                                             [Diantre!

          UN VALET, *entrant, bas à Triboulet.*

Monsieur de Saint-Vallier, un vieillard tout en noir,
Demande à voir le roi.

          TRIBOULET, *se frottant les mains.*

                    Mortdieu! laissez-nous voir
285 Monsieur de Saint-Vallier.
                                   Le valet sort.
                         C'est charmant! comment
                                             [diable!
Mais cela va nous faire un esclandre effroyable!
          Bruit, tumulte au fond, à la grande porte.

          UNE VOIX, *au dehors.*

Je veux parler au roi!

          LE ROI, *s'interrompant de sa causerie.*

                    Non!... Qui donc est entré ?

          LA MÊME VOIX

Parler au roi.

LE ROI, *vivement.*

Non, non!

Un vieillard, vêtu de deuil, perce la foule et vient se placer devant le roi, qu'il regarde fixement. Tous les courtisans s'écartent avec étonnement.

SCÈNE V

LES MÊMES, M. DE SAINT-VALLIER, *grand deuil, barbe et cheveux blancs.*

M. DE SAINT-VALLIER, *au roi.*

Si! je vous parlerai!

LE ROI

Monsieur de Saint-Vallier!

M. DE SAINT-VALLIER, *immobile au seuil.*

C'est ainsi qu'on me nomme.

Le roi fait un pas vers lui avec colère. Triboulet l'arrête.

TRIBOULET

290 Oh! sire! laissez-moi haranguer le bonhomme.

A M. de Saint-Vallier, avec une attitude théâtrale.

Monseigneur! vous aviez conspiré contre nous,
Nous vous avons fait grâce, en roi clément et doux.
C'est au mieux. Quelle rage à présent vient vous prendre
D'avoir des petits-fils de monsieur votre gendre?
295 Votre gendre est affreux, mal bâti, mal tourné,
Marqué d'une verrue au beau milieu du né,
Borgne, disent les uns, velu, chétif et blême,
Ventru comme monsieur,

Il montre M. de Cossé, qui se cabre.

Bossu comme moi-même.

Qui verrait votre fille à son côté, rirait.
300 Si le roi n'y mettait bon ordre, il vous ferait
Des petits-fils tortus, des petits-fils horribles,
Roux, brèche-dents, manqués, effroyables, risibles,
Ventrus comme monsieur,

Montrant encore M. de Cossé, qu'il salue et qui s'indigne.

                         Et bossus comme moi !
Votre gendre est trop laid ! — Laissez faire le roi,
305 Et vous aurez un jour des petits-fils ingambes
Pour vous tirer la barbe et vous grimper aux jambes.

*Les courtisans applaudissent Triboulet avec des huées et des
     éclats de rire.*

        M. DE SAINT-VALLIER, *sans regarder le bouffon.*

Une insulte de plus ! — Vous, sire, écoutez-moi,
Comme vous le devez, puisque vous êtes roi !
Vous m'avez fait un jour mener pieds nus en Grève ;
310 Là, vous m'avez fait grâce, ainsi que dans un rêve,
Et je vous ai béni, ne sachant en effet
Ce qu'un roi cache au fond d'une grâce qu'il fait.
Or, vous aviez caché ma honte dans la mienne. —
Oui, sire, sans respect pour une race ancienne,
315 Pour le sang de Poitiers, noble depuis mille ans,
Tandis que, revenant de la Grève à pas lents,
Je priais dans mon cœur le dieu de la victoire
Qu'il vous donnât mes jours de vie en jours de gloire,
Vous, François de Valois, le soir du même jour,
320 Sans crainte, sans pitié, sans pudeur, sans amour,
Dans votre lit, tombeau de la vertu des femmes,
Vous avez froidement, sous vos baisers infâmes,
Terni, flétri, souillé, déshonoré, brisé
Diane de Poitiers, comtesse de Brézé !
325 Quoi ! lorsque j'attendais l'arrêt qui me condamne,
Tu courais donc au Louvre, ô ma chaste Diane !
Et lui, ce roi sacré chevalier par Bayard [35],
Jeune homme auquel il faut des plaisirs de vieillard,
Pour quelques jours de plus dont Dieu seul sait le compte,
330 Ton père sous ses pieds, te marchandait ta honte,
Et cet affreux tréteau, chose horrible à penser !
Qu'un matin le bourreau vint en Grève dresser,
Avant la fin du jour devait être, ô misère !
Ou le lit de la fille, ou l'échafaud du père !

335 O Dieu! qui nous jugez! qu'avez-vous dit là-haut,
  Quand vos regards ont vu, sur ce même échafaud,
  Se vautrer, triste et louche, et sanglante, et souillée,
  La luxure royale en clémence habillée ?
  Sire! en faisant cela, vous avez mal agi.
340 Que du sang d'un vieillard le pavé fût rougi,
  C'était bien. Ce vieillard, peut-être respectable,
  Le méritait, étant de ceux du connétable.
  Mais que pour le vieillard vous ayez pris l'enfant,
  Que vous ayez broyé sous un pied triomphant
345 La pauvre femme en pleurs, à s'effrayer trop prompte,
  C'est une chose impie, et dont vous rendrez compte!
  Vous avez dépassé votre droit d'un grand pas.
  Le père était à vous, mais la fille, non pas.
  Ah! vous m'avez fait grâce! — Ah! vous nommez la chose
350 Une grâce! et je suis un ingrat, je suppose!
  — Sire, au lieu d'abuser ma fille, bien plutôt
  Que n'êtes-vous venu vous-même en mon cachot,
  Je vous aurais crié : — Faites-moi mourir, grâce!
  Oh! grâce pour ma fille, et grâce pour ma race!
355 Oh! faites-moi mourir! la tombe, et non l'affront!
  Pas de tête plutôt qu'une souillure au front!
  Oh! mon seigneur le roi, puisqu'ainsi l'on vous nomme,
  Croyez-vous qu'un chrétien, un comte, un gentilhomme,
  Soit moins décapité, répondez, mon seigneur,
360 Quand au lieu de la tête il lui manque l'honneur ?
  — J'aurais dit cela, sire, et le soir, dans l'église,
  Dans mon cercueil sanglant baisant ma barbe grise,
  Ma Diane au cœur pur, ma fille au front sacré,
  Honorée, eût prié pour son père honoré!
365 — Sire, je ne viens pas redemander ma fille.
  Quand on n'a plus d'honneur, on n'a plus de famille.
  Qu'elle vous aime ou non d'un amour insensé,
  Je n'ai rien à reprendre où la honte a passé.
  Gardez-la. — Seulement je me suis mis en tête
370 De venir vous troubler ainsi dans chaque fête,
  Et jusqu'à ce qu'un père, un frère, ou quelque époux,
  — La chose arrivera, — nous ait vengés de vous,
  Pâle, à tous vos banquets, je reviendrai vous dire :
  — Vous avez mal agi, vous avez mal fait, sire! —
375 Et vous m'écouterez, et votre front terni
  Ne se relèvera que quand j'aurai fini.
  Vous voudrez, pour forcer ma vengeance à se taire,
  Me rendre au bourreau. Non. Vous ne l'oserez faire,
  De peur que ce ne soit mon spectre qui demain

Montrant sa tête.

380 Revienne vous parler, — cette tête à la main !

LE ROI, *comme suffoqué de colère.*

On s'oublie à ce point d'audace et de délire !... —

A M. de Pienne.

Duc ! arrêtez monsieur !

*M. de Pienne fait un signe, et deux hallebardiers se placent
de chaque côté de M. de Saint-Vallier.*

TRIBOULET, *riant.*

Le bonhomme est fou, sire !

M. DE SAINT-VALLIER, *levant le bras.*

Soyez maudits tous deux ! —

Au roi.

Sire, ce n'est pas bien.
Sur le lion mourant vous lâchez votre chien !

A Triboulet.

385 Qui que tu sois, valet à langue de vipère,
Qui fais risée ainsi de la douleur d'un père,
Sois maudit ! —

Au roi.

J'avais droit d'être par vous traité
Comme une majesté par une majesté.
Vous êtes roi, moi père, et l'âge vaut le trône.
390 Nous avons tous les deux au front une couronne
Où nul ne doit lever de regards insolents,
Vous, de fleurs-de-lys d'or, et moi, de cheveux blancs.
Roi, quand un sacrilège ose insulter la vôtre,
C'est vous qui la vengez ; — c'est Dieu qui venge l'autre !

ACTE DEUXIÈME

SALTABADIL [37]

Le recoin le plus désert du cul-de-sac Bussy. A droite, une petite maison de discrète apparence, avec une petite cour entourée d'un mur qui occupe une partie du théâtre. Dans cette cour, quelques arbres, un banc de pierre. Dans le mur, une porte qui donne sur la rue. Sur le mur, une terrasse étroite couverte d'un toit supporté par des arcades dans le goût de la renaissance. — La porte du premier étage de la maison donne sur cette terrasse, qui communique avec la cour par un degré. — A gauche, les murs très hauts des jardins de l'hôtel de Cossé. — Au fond, des maisons éloignées; le clocher de Saint-Séverin.

SCÈNE PREMIÈRE

TRIBOULET, SALTABADIL. — *Pendant une partie de la scène,* M. DE PIENNE *et* M. DE GORDES, *au fond.*

Triboulet, enveloppé d'un manteau et sans aucun de ses attributs de bouffon, paraît dans la rue, et se dirige vers la porte pratiquée dans le mur. Un homme vêtu de noir, et également couvert d'une cape, dont le bas est relevé par une épée, le suit.

TRIBOULET, *rêveur.*

395 Ce vieillard m'a maudit!

L'HOMME, *le saluant.*

Monsieur...

TRIBOULET, *se détournant avec humeur.*

Ah!...

Cherchant dans sa poche.

Je n'ai rien.

L'HOMME

Je ne demande rien, monsieur ! fi donc !

TRIBOULET, *lui faisant signe de le laisser tranquille*
et de s'éloigner.

C'est bien !

Entrent M. de Pienne et M. de Gordes, qui s'arrêtent en
observation au fond.

L'HOMME, *le saluant.*

Monsieur me juge mal. Je suis homme d'épée.

TRIBOULET, *reculant, à part.*

Est-ce un voleur ?

L'HOMME, *s'approchant d'un air doucereux.*

Monsieur a la mine occupée.

Je vous vois tous les soirs de ce côté rôder.

400 — Vous avez l'air d'avoir une femme à garder !

TRIBOULET, *à part.*

Diable !

Haut.

Je ne dis pas mes affaires aux autres.

Il veut passer outre. L'homme le retient.

L'HOMME

Mais c'est pour votre bien qu'on se mêle des vôtres.

Si vous me connaissiez, vous me traiteriez mieux.

S'approchant.

Peut-être à votre femme un fat fait les doux yeux,

405 Et vous êtes jaloux ?...

TRIBOULET, *impatienté.*

Que voulez-vous, en somme ?

L'HOMME, *avec un sourire aimable, bas et vite.*

Pour quelque paraguante [38] on vous tuera votre homme.

TRIBOULET, *respirant.*

Ah ! c'est fort bien !

L'HOMME

Monsieur, vous voyez que je suis
Un honnête homme.

TRIBOULET

Peste !

L'HOMME

Et que si je vous suis,
C'est pour de bons desseins.

TRIBOULET

Oui, certe, un homme utile !

L'HOMME, *modestement*.

410 Le gardien de l'honneur des dames de la ville.

TRIBOULET

Et combien prenez-vous pour tuer un galant ?

L'HOMME

C'est selon le galant qu'on tue, — et le talent
Qu'on a.

TRIBOULET

Pour dépêcher un grand seigneur ?

L'HOMME

Ah ! diantre !
On court plus d'un péril de coups d'épée au ventre.
415 Ces gens-là sont armés. On y risque sa chair.
Le grand seigneur est cher.

TRIBOULET

Le grand seigneur est cher !
Est-ce que les bourgeois, par hasard, se permettent
De se faire tuer entre eux ?

L'HOMME, *souriant*.

Mais ils s'y mettent !
— C'est un luxe pourtant. — Luxe, vous comprenez,
420 Qui reste en général parmi les gens bien nés.
Il est quelques faquins qui, pour de grosses sommes,
Tiennent à se donner des airs de gentilshommes,

Et me font travailler. — Mais ils me font pitié.
— On me donne moitié d'avance, et la moitié
425 Après.

TRIBOULET, hochant la tête.

Oui, vous risquez le gibet, le supplice...

L'HOMME, souriant.

Non, non, nous redevons un droit à la police.

TRIBOULET

Tant pour un homme ?

L'HOMME, avec un signe affirmatif.

A moins... que vous dirai-je,
[moi ?
Qu'on n'ait tué, mon Dieu !... qu'on n'ait tué... le roi !

TRIBOULET

Et comment t'y prends-tu ?

L'HOMME

Monsieur, je tue en ville
430 Ou chez moi, comme on veut [39].

TRIBOULET

Ta manière est civile.

L'HOMME

J'ai, pour aller en ville, un estoc bien pointu.
J'attends l'homme le soir...

TRIBOULET

Chez toi, comment fais-tu ?

L'HOMME

J'ai ma sœur Maguelonne [40], une fort belle fille
Qui danse dans la rue et qu'on trouve gentille.
435 Elle attire chez nous le galant une nuit [41]...

TRIBOULET

Je comprends.

L`'HOMME`

Vous voyez, cela se fait sans bruit,
C'est décent. — Donnez-moi, monsieur, votre pratique.
Vous en serez content. Je ne tiens pas boutique,
Je ne fais pas d'éclat. Surtout, je ne suis point
440 De ces gens à poignard, serrés dans leur pourpoint,
Qui vont se mettre dix pour la moindre équipée,
Bandits dont le courage est court comme l'épée.

Il tire de dessous sa cape une épée démesurément longue.

Voici mon instrument.

Triboulet recule d'effroi.

Pour vous servir.

TRIBOULET, *considérant l'épée avec surprise.*

Vraiment !
Merci, je n'ai besoin de rien, pour le moment.

L`'HOMME`, *remettant l'épée au fourreau.*

445 Tant pis. — Quand vous voudrez me voir, je me promène
Tous les jours à midi devant l'hôtel du Maine.
Mon nom, Saltabadil.

TRIBOULET
Bohême ?

L`'HOMME`, *saluant.*

Et bourguignon.

M. DE GORDES, *écrivant sur ses tablettes, au fond.*

Bas, à M. de Pienne.

Un homme précieux, et dont je prends le nom.

L`'HOMME`, *à Triboulet.*

Monsieur, ne pensez pas mal de moi, je vous prie.

TRIBOULET
450 Non. Que diable ! il faut bien avoir une industrie [42] !

L`'HOMME`

A moins de mendier, et d'être un fainéant,
Un gueux. — J'ai quatre enfants...

TRIBOULET
                                        Qu'il serait malséant
De ne pas élever...
                                            Le congédiant.
— Le ciel vous tienne en joie !

M. DE PIENNE, *à M. de Gordes,*
au fond, montrant Triboulet.

Il fait grand jour encor. Je crains qu'il ne nous voie.
                                        Tous deux sortent.

TRIBOULET, *à l'homme.*

455 Bonsoir !

L'HOMME, *le saluant.*

Adiusias. Tout votre serviteur.
                                            Il sort.

TRIBOULET, *le regardant s'éloigner.*

Nous sommes tous les deux à la même hauteur.
Une langue acérée, une lame pointue.
Je suis l'homme qui rit, il est l'homme qui tue.

SCÈNE II

L'homme disparu, Triboulet ouvre doucement la petite porte
pratiquée dans le mur de la cour. Il regarde au-dehors avec
précaution, puis il tire la clef de la serrure et referme soi-
gneusement la porte en dedans. Il fait quelques pas dans la
cour d'un air soucieux et préoccupé.

TRIBOULET, *seul.*

Ce vieillard m'a maudit !... — Pendant qu'il me parlait,
460 Pendant qu'il me criait : — Oh ! sois maudit, valet !
Je raillais sa douleur ! — Oh ! oui, j'étais infâme,
Je riais, mais j'avais l'épouvante dans l'âme.

Il va s'asseoir sur le petit banc près de la table de pierre.

Maudit !
                    Profondément rêveur et la main sur son front.

            Ah ! la nature et les hommes m'ont fait
Bien méchant, bien cruel et bien lâche en effet !

465 O rage! être bouffon! ô rage! être difforme!
Toujours cette pensée! et, qu'on veille ou qu'on dorme,
Quand du monde en rêvant vous avez fait le tour,
Retomber sur ceci : Je suis bouffon de cour!
Ne vouloir, ne pouvoir, ne devoir et ne faire
470 Que rire! — Quel excès d'opprobre et de misère!
Quoi! ce qu'ont les soldats, ramassés en troupeau
Autour de ce haillon qu'ils appellent drapeau,
Ce qui reste, après tout, au mendiant d'Espagne,
A l'esclave en Tunis, au forçat dans son bagne,
475 A tout homme ici-bas qui respire et se meut,
Le droit de ne pas rire et de pleurer, s'il veut,
Je ne l'ai pas! — O Dieu! triste et l'humeur mauvaise,
Pris dans un corps mal fait où je suis mal à l'aise,
Tout rempli de dégoût de ma difformité,
480 Jaloux de toute force et de toute beauté,
Entouré de splendeurs qui me rendent plus sombre,
Parfois, farouche et seul, si je cherche un peu l'ombre,
Si je veux recueillir et calmer un moment
Mon âme qui sanglote et pleure amèrement,
485 Mon maître tout à coup survient, mon joyeux maître,
Qui, tout-puissant, aimé des femmes, content d'être,
A force de bonheur oubliant le tombeau,
Grand, jeune, et bien portant, et roi de France, et beau,
Me pousse avec le pied dans l'ombre où je soupire,
490 Et me dit en bâillant : Bouffon! fais-moi donc rire!
— O pauvre fou de cour! — C'est un homme, après tout.
— Eh bien! la passion qui dans son âme bout,
La rancune, l'orgueil, la colère hautaine,
L'envie et la fureur dont sa poitrine est pleine,
495 Le calcul éternel de quelque affreux dessein,
Tous ces noirs sentiments qui lui rongent le sein,
Sur un signe du maître, en lui-même il les broie,
Et, pour quiconque en veut, il en fait de la joie!
— Abjection! — S'il marche, ou se lève, ou s'assied,
500 Toujours il sent le fil qui lui tire le pied.
— Mépris de toute part! — Tout homme l'humilie.
Ou bien, c'est une reine, une femme, jolie,
Demi-nue et charmante, et dont il voudrait bien,
Qui le laisse jouer sur son lit, comme un chien!
505 Aussi, mes beaux seigneurs, mes railleurs gentilshommes,
Hun! comme il vous hait bien! quels ennemis nous
                                    [sommes!
Comme il vous fait parfois payer cher vos dédains!
Comme il sait leur trouver des contre-coups soudains!

Il est le noir démon qui conseille le maître.
510 Vos fortunes, messieurs, n'ont plus le temps de naître,
Et, sitôt qu'il a pu dans ses ongles saisir
Quelque belle existence, il l'effeuille à plaisir !
— Vous l'avez fait méchant ! — O douleur ! est-ce vivre ?
Mêler du fiel au vin dont un autre s'enivre,
515 Si quelque bon instinct germe en soi, l'effacer,
Etourdir de grelots l'esprit qui veut penser,
Traverser, chaque jour, comme un mauvais génie,
Des fêtes, qui pour vous ne sont qu'une ironie,
Démolir le bonheur des heureux, par ennui,
520 N'avoir d'ambition qu'aux ruines d'autrui,
Et contre tous, partout où le hasard vous pose,
Porter toujours en soi, mêler à toute chose,
Et garder, et cacher sous un rire moqueur
Un fond de vieille haine extravasée au cœur !
525 Oh ! je suis malheureux ! —

> *Se levant du banc de pierre où il est assis.*

Mais ici, que m'importe ?
Suis-je pas un autre homme en passant cette porte ?
Oublions un instant le monde dont je sors.
Ici, je ne dois rien apporter du dehors.

> *Retombant dans sa rêverie.*

— Ce vieillard m'a maudit ! — Pourquoi cette pensée
530 Revient-elle toujours lorsque je l'ai chassée ?
Pourvu qu'il n'aille rien m'arriver ?

> *Haussant les épaules.*

Suis-je fou ?

*Il va à la porte de la maison et frappe. Elle s'ouvre. Une
jeune fille vêtue de blanc en sort, et se jette joyeusement dans
ses bras.*

SCÈNE III

TRIBOULET, BLANCHE, *ensuite* DAME BÉRARDE

TRIBOULET

Ma fille !

> *Il la serre sur sa poitrine avec transport.*

Oh ! mets tes bras à l'entour de mon cou.

— Sur mon cœur ! — Près de toi, tout rit, rien ne me pèse,
Enfant ! je suis heureux, et je respire à l'aise !

> *Il la regarde d'un œil enivré.*

535 — Plus belle tous les jours ! — Tu ne manques de rien,
Dis ? — Es-tu bien ici ? — Blanche, embrasse-moi bien !

BLANCHE, *dans ses bras.*

Comme vous êtes bon, mon père !

TRIBOULET, *s'asseyant.*

Non, je t'aime,
Voilà tout. N'es-tu pas ma vie et mon sang même ?
Si je ne t'avais point, qu'est-ce que je ferais,
540 Mon Dieu !

BLANCHE, *lui posant la main sur le front.*

Vous soupirez. Quelques chagrins secrets,
N'est-ce pas ? Dites-les à votre pauvre fille.
Hélas ! je ne sais pas, moi, quelle est ma famille.

TRIBOULET

Enfant, tu n'en as pas !

BLANCHE

J'ignore votre nom.

TRIBOULET

Que t'importe mon nom ?

BLANCHE

Nos voisins de Chinon,
545 De la petite ville où je fus élevée,
Me croyaient orpheline avant votre arrivée.

TRIBOULET

J'aurais dû t'y laisser. C'eût été plus prudent.
Mais je ne pouvais plus vivre ainsi cependant.
J'avais besoin de toi, besoin d'un cœur qui m'aime.

> *Il la serre de nouveau dans ses bras.*

BLANCHE

550 Si vous ne voulez pas me parler de vous-même...

TRIBOULET

Ne sors jamais !

BLANCHE

Je suis ici depuis deux mois,
Je suis allée en tout à l'église huit fois.

TRIBOULET

Bien.

BLANCHE

Mon bon père, au moins parlez-moi de ma mère !

TRIBOULET

Ah ! ne réveille pas une pensée amère,
555 Ne me rappelle pas qu'autrefois j'ai trouvé
— Et, si tu n'étais là, je dirais : j'ai rêvé, —
Une femme, contraire à la plupart des femmes,
Qui, dans ce monde où rien n'appareille [43] les âmes,
Me voyant seul, infirme, et pauvre, et détesté,
560 M'aima pour ma misère et ma difformité.
Elle est morte, emportant dans la tombe avec elle
L'angélique secret de son amour fidèle,
De son amour, passé sur moi comme un éclair,
Rayon du paradis tombé dans mon enfer !
565 Que la terre, toujours à nous recevoir prête,
Soit légère à ce sein qui reposa ma tête !
— Toi, seule, m'es restée ! —

Levant les yeux au ciel.

Eh bien ! mon Dieu, merci !

Il pleure et cache son front dans ses mains.

BLANCHE

Que vous devez souffrir ! Vous voir pleurer ainsi,
Non, je ne le veux pas, non, cela me déchire !

TRIBOULET, *amèrement.*

570 Et que dirais-tu donc si tu me voyais rire !

BLANCHE

Mon père, qu'avez-vous ? Dites-moi votre nom.
Oh ! versez dans mon sein toutes vos peines !

TRIBOULET

Non.

A quoi bon me nommer ? Je suis ton père. — Ecoute,
Hors d'ici, vois-tu bien, peut-être on me redoute,
575 Qui sait ? l'un me méprise et l'autre me maudit.
Mon nom, qu'en ferais-tu quand je te l'aurais dit ?
Je veux ici du moins, je veux, en ta présence,
Dans ce seul coin du monde où tout soit innocence,
N'être pour toi qu'un père, un père vénéré,
580 Quelque chose de saint, d'auguste et de sacré !

BLANCHE

Mon père !

TRIBOULET, *la serrant avec emportement dans ses bras.*

Est-il ailleurs un cœur qui me réponde ?
Oh ! je t'aime pour tout ce que je hais au monde !
— Assieds-toi près de moi. Viens, parlons de cela.
Dis, aimes-tu ton père ? Et, puisque nous voilà
585 Ensemble, et que ta main entre mes mains repose,
Qu'est-ce donc qui nous force à parler d'autre chose ?
Ma fille, ô seul bonheur que le ciel m'ait permis,
D'autres ont des parents, des frères, des amis,
Une femme, un mari, des vassaux, un cortège
590 D'aïeux et d'alliés, plusieurs enfants, que sais-je ?
Moi, je n'ai que toi seule ! Un autre est riche. Eh bien,
Toi seule es mon trésor et toi seule es mon bien !
Un autre croit en Dieu. Je ne crois qu'en ton âme !
D'autres ont la jeunesse et l'amour d'une femme,
595 Ils ont l'orgueil, l'éclat, la grâce et la santé,
Ils sont beaux ; moi, vois-tu, je n'ai que ta beauté !
Chère enfant ! — Ma cité, mon pays, ma famille,
Mon épouse, ma mère, et ma sœur, et ma fille,
Mon bonheur, ma richesse, et mon culte, et ma loi,
600 Mon univers, c'est toi, toujours toi, rien que toi !
De tout autre côté ma pauvre âme est froissée.
— Oh ! si je te perdais !... Non, c'est une pensée
Que je ne pourrais pas supporter un moment !
— Souris-moi donc un peu. — Ton sourire est charmant.
605 Oui, c'est toute ta mère ! — Elle était aussi belle.
Te te passes souvent la main au front comme elle,
Comme pour l'essuyer, car il faut au cœur pur
Un front tout innocence et des cieux tout azur.
Tu rayonnes pour moi d'une angélique flamme,
610 A travers ton beau corps mon âme voit ton âme,

Même les yeux fermés, c'est égal, je te vois.
Le jour me vient de toi. Je me voudrais parfois
Aveugle, et l'œil voilé d'obscurité profonde,
Afin de n'avoir pas d'autre soleil au monde!

BLANCHE

615 Oh! que je voudrais bien vous rendre heureux!

TRIBOULET

Qui?
[Moi?

Je suis heureux ici! quand je vous aperçoi,
Ma fille, c'est assez pour que mon cœur se fonde.

Il lui passe la main dans les cheveux en souriant.

Oh! les beaux cheveux noirs! Enfant, vous étiez blonde,
Qui le croirait?

BLANCHE, *prenant un air caressant.*

Un jour, avant le couvre-feu,
620 Je voudrais bien sortir et voir Paris un peu.

TRIBOULET, *impétueusement.*

Jamais! jamais! — Ma fille, avec dame Bérarde
Tu n'es jamais sortie, au moins?

BLANCHE, *tremblante.*

Non.

TRIBOULET

Prends-y garde!

BLANCHE

Je ne vais qu'à l'église.

TRIBOULET, *à part.*

O ciel! on la verrait,
On la suivrait, peut-être on me l'enlèverait!
625 La fille d'un bouffon, cela se déshonore,
Et l'on ne fait qu'en rire! oh! —

Haut.

Je t'en prie encore,
Reste ici renfermée! — Enfant, si tu savais

Comme l'air de Paris aux femmes est mauvais !
Comme les débauchés vont courant par la ville !
630 Oh ! les seigneurs surtout !

> *Levant les yeux au ciel.*

O Dieu ! dans cet asile,
Fais croître sous tes yeux, préserve des douleurs
Et du vent orageux qui flétrit d'autres fleurs,
Garde de toute haleine impure, même en rêve,
Pour qu'un malheureux père, à ses heures de trêve,
635 En puisse respirer le parfum abrité,
Cette rose de grâce et de virginité !

> *Il cache sa tête dans ses mains et pleure.*

BLANCHE

Je ne parlerai plus de sortir, mais par grâce
Ne pleurez pas ainsi !

TRIBOULET

Non, cela me délasse.
J'ai tant ri l'autre nuit !

> *Se levant.*

Mais c'est trop m'oublier.
640 Blanche, il est temps d'aller reprendre mon collier.
Adieu.

> *Le jour baisse.*

BLANCHE, *l'embrassant.*

Reviendrez-vous bientôt, dites ?

TRIBOULET

Peut-être.
Vois-tu, ma pauvre enfant, je ne suis pas mon maître.

> *Appelant.*

Dame Bérarde !

> *Une vieille duègne paraît à la porte de la maison.*

DAME BÉRARDE

Quoi, monsieur ?

TRIBOULET

Lorsque je vien,
Personne ne me voit entrer ?

DAME BÉRARDE

Je le crois bien,

645 C'est si désert !

Il est presque nuit. De l'autre côté du mur, dans la rue, paraît
le roi, déguisé sous des vêtements simples et de couleur
sombre. Il examine la hauteur du mur et la porte qui est
fermée, avec des signes d'impatience et de dépit.

TRIBOULET, tenant Blanche embrassée.

Adieu, ma fille bien-aimée !

A dame Bérarde.

La porte sur le quai, vous la tenez fermée ?

Dame Bérarde fait un signe affirmatif.

Je sais une maison, derrière Saint-Germain,
Plus retirée encor. Je la verrai demain.

BLANCHE

Mon père, celle-ci me plaît pour la terrasse
650 D'où l'on voit des jardins.

TRIBOULET

N'y monte pas, de grâce !

Ecoutant.

Marche-t-on pas dehors ?

Il va à la porte de la cour, l'ouvre et regarde avec inquiétude
dans la rue. Le roi se cache dans un enfoncement près de la
porte, que Triboulet laisse entrouverte.

BLANCHE, montrant la terrasse.

Quoi ! ne puis-je le soir

Aller respirer là ?

TRIBOULET, revenant.

Prends garde ! on peut t'y voir.

Pendant qu'il a le dos tourné, le roi se glisse dans la cour par
la porte entrebâillée, et se cache derrière un gros arbre.
A dame Bérarde.

Vous, ne mettez jamais de lampe à la fenêtre.

DAME BÉRARDE, *joignant les mains.*

Et comment voulez-vous qu'un homme ici pénètre ?

*Elle se retourne et aperçoit le roi derrière l'arbre. Elle
s'interrompt, ébahie. Au moment où elle ouvre la bouche
pour crier, le roi lui jette dans la gorgerette* [44] *une bourse
qu'elle prend, qu'elle pèse dans sa main, et qui la fait taire.*

BLANCHE, *à Triboulet, qui est allé visiter la terrasse
avec une lanterne.*

655 Quelles précautions ! Mon père, dites-moi,
Mais que craignez-vous donc ?

TRIBOULET

Rien pour moi. Tout
[pour toi !

Il la serre encore une fois dans ses bras.

Blanche ! ma fille, adieu !

*Un rayon de la lanterne que tient dame Bérarde éclaire
Triboulet et Blanche.*

LE ROI, *à part, derrière l'arbre.*

Triboulet !

Il rit.

Comment diable !
La fille à Triboulet ! l'histoire est impayable !

TRIBOULET

Au moment de sortir, il revient sur ses pas.

J'y pense, quand tu vas à l'église prier,
660 Personne ne vous suit ?

Blanche baisse les yeux avec embarras.

DAME BÉRARDE

Jamais !

TRIBOULET

Il faut crier
Si l'on vous suivait.

DAME BÉRARDE

Ah ! j'appellerais main-forte !

TRIBOULET

Et puis, n'ouvrez jamais si l'on frappe à la porte.

DAME BÉRARDE, *comme enchérissant sur les précautions*
de Triboulet.

Quand ce serait le roi !

TRIBOULET

Surtout si c'est le roi !

Il embrasse encore une fois sa fille, et sort en refermant la
porte avec soin.

SCÈNE IV

BLANCHE, DAME BÉRARDE, LE ROI

Pendant la première partie de la scène, le roi reste caché
derrière l'arbre.

BLANCHE, *pensive, écoutant les pas de son père*
qui s'éloigne.

J'ai du remords pourtant !

DAME BÉRARDE

Du remords ! et pourquoi ?

BLANCHE

665 Comme à la moindre chose il s'effraie et s'alarme !
En partant, dans ses yeux j'ai vu luire une larme.
Pauvre père ! si bon ! j'aurais dû l'avertir
Que le dimanche, à l'heure où nous pouvons sortir,
Un jeune homme nous suit. — Tu sais, ce beau jeune
                                                    [homme ?

DAME BÉRARDE

670 Pourquoi donc lui conter cela, madame ? En somme,
Votre père est un peu sauvage et singulier.
Vous haïssez donc bien ce jeune cavalier ?

BLANCHE

Moi le haïr ! oh ! non ! — Hélas ! bien au contraire,
Depuis que je l'ai vu, rien ne peut m'en distraire,
675 Du jour où son regard à mon regard parla,
Le reste n'est plus rien, je le vois toujours là,

Je suis à lui! vois-tu, je m'en fait une idée... —
Il me semble plus grand que tous d'une coudée!
Comme il est brave et doux! comme il est noble et fier,
680 Bérarde! et qu'à cheval il doit avoir bel air!

DAME BÉRARDE

C'est vrai qu'il est charmant!

Elle passe près du roi, qui lui donne une poignée de pièces
d'or, qu'elle empoche.

BLANCHE

Un tel homme doit être...

DAME BÉRARDE, *tendant la main au roi, qui lui donne*
toujours de l'argent.

Accompli.

BLANCHE

Dans ses yeux on voit son cœur paraître,
Un grand cœur!

DAME BÉRARDE

Certe, un cœur immense!

A chaque mot que dit dame Bérarde, elle tend la main au
roi, qui la lui remplit de pièces d'or.

BLANCHE

Valeureux.

DAME BÉRARDE, *continuant son manège.*

Formidable!

BLANCHE

Et pourtant... bon!

DAME BÉRARDE, *tendant la main.*

Tendre!

BLANCHE

Généreux.

DAME BÉRARDE, *tendant la main.*

685 Magnifique!

BLANCHE, *avec un profond soupir.*

Il me plaît!

DAME BÉRARDE, *tendant toujours la main à chaque mot*
qu'elle dit.

Sa taille est sans pareille !
Ses yeux ! — son front ! — son nez ! —

LE ROI, *à part.*

O Dieu ! voilà la
[vieille
Qui m'admire en détail ! je suis dévalisé !

BLANCHE

Je t'aime d'en parler aussi bien.

DAME BÉRARDE

Je le sai.

LE ROI, *à part.*

De l'huile sur le feu !

DAME BÉRARDE

Bon, tendre, un cœur immense,
690 Valeureux, généreux...

LE ROI, *vidant ses poches.*

Diable ! elle recommence !

DAME BÉRARDE, *continuant.*

C'est un très grand seigneur, il a l'air élégant,
Et quelque chose en or de brodé sur son gant.
Elle tend la main. Le roi lui fait signe qu'il n'a plus rien.

BLANCHE

Non. Je ne voudrais pas qu'il fût seigneur ni prince.
Mais un pauvre écolier qui vient de sa province,
695 Cela doit mieux aimer !

DAME BÉRARDE

C'est possible, après tout,
Si vous le préférez ainsi.

A part.

Drôle de goût !
Cerveau de jeune fille où tout se contrarie !
Essayant encore de tendre la main au roi.

Ce beau jeune homme-là vous aime à la furie...

> *Le roi ne donne pas. A part.*

Je crois notre homme à sec. — Plus un sou, plus un mot.

BLANCHE, *toujours sans voir le roi.*

700 Le dimanche jamais ne revient assez tôt.
Quand je ne le vois pas, ma tristesse est bien grande.
Oh! j'ai cru l'autre jour, au moment de l'offrande,
Qu'il allait me parler, et le cœur m'a battu!
J'y songe nuit et jour! De son côté, vois-tu,
705 L'amour qu'il a pour moi l'absorbe. Je suis sûre
Que toujours dans son âme il porte ma figure.
C'est un homme ainsi fait, oh! cela se voit bien!
D'autres femmes que moi ne le touchent en rien.
Il n'est pour lui ni jeu, ni passe-temps, ni fête.
710 Il ne pense qu'à moi.

> ### DAME BÉRARDE, *faisant un dernier effort*
> *et tendant la main au roi.*
>
> J'en jurerais ma tête!

> ### LE ROI, *ôtant son anneau qu'il lui donne.*

Ma bague pour la tête!

BLANCHE

> Ah! je voudrais souvent,
En y songeant le jour, la nuit en y rêvant,
L'avoir là, — devant moi,

Le roi sort de sa cachette et va se mettre à genoux près d'elle.
Elle a le visage tourné du côté opposé.

> Pour lui dire à lui-même :
Sois heureux! sois content! oh! oui, je t'ai...

Elle se retourne, voit le roi à ses genoux, et s'arrête pétrifiée.

LE ROI, *lui tendant les bras.*

> Je t'aime!
715 Achève! achève! — Oh! dis : Je t'aime! Ne crains rien.
Dans une telle bouche un tel mot va si bien!

BLANCHE, *effarée, cherche des yeux*
dame Bérarde qui a disparu.

Bérarde! — Plus personne, ô Dieu! qui me réponde!
Personne!

LE ROI, *toujours à genoux.*

Deux amants heureux, c'est tout un monde!

BLANCHE, *tremblante.*

Monsieur, d'où venez-vous?

LE ROI

De l'enfer ou du ciel,
720 Qu'importe! que je sois Satan ou Gabriel,
Je t'aime!

BLANCHE

O ciel! ô ciel! ayez pitié... — J'espère
Qu'on ne vous a point vu. Sortez! — Dieu! si mon père...

LE ROI

Sortir, quand palpitante en mes bras je te tiens,
Lorsque je t'appartiens! lorsque tu m'appartiens!
725 — Tu m'aimes! tu l'as dit!

BLANCHE, *confuse.*

Il m'écoutait!

LE ROI

Sans doute.
Quel concert plus divin veux-tu donc que j'écoute?

BLANCHE, *suppliante.*

Ah! vous m'avez parlé. Maintenant, par pitié,
Sors!

LE ROI

Sortir, quand mon sort à ton sort est lié,
Quand notre double étoile au même horizon brille,
730 Quand je viens éveiller ton cœur de jeune fille,
Quand le ciel m'a choisi pour ouvrir à l'amour
Ton âme vierge encore et ta paupière au jour!
Viens, regarde, oh! l'amour, c'est le soleil de l'âme!
Te sens-tu réchauffée à cette douce flamme?
735 Le sceptre que la mort vous donne et vous reprend,
La gloire qu'on ramasse à la guerre en courant,
Se faire un nom fameux, avoir de grands domaines,
Etre empereur ou roi, ce sont choses humaines;
Il n'est sur cette terre, où tout passe à son tour,
740 Qu'une chose qui soit divine, et c'est l'amour!

Blanche, c'est le bonheur que ton amant t'apporte,
Le bonheur, qui, timide, attendait à ta porte !
La vie est une fleur, l'amour en est le miel.
C'est la colombe unie à l'aigle dans le ciel,
745 C'est la grâce tremblante à la force appuyée,
C'est ta main dans ma main doucement oubliée...
— Aimons-nous ! aimons-nous !

Il cherche à l'embrasser. Elle se débat.

BLANCHE

Non ! laissez !

Il la serre dans ses bras, et lui prend un baiser.

DAME BÉRARDE, *au fond, sur la terrasse. A part.*

Il va bien !

LE ROI, *à part.*

Elle est prise !

Haut.

Dis-moi que tu m'aimes !

DAME BÉRARDE, *au fond, à part.*

Vaurien !

LE ROI

Blanche ! redis-le-moi !

BLANCHE, *baissant les yeux.*

Vous m'avez entendue.
750 Vous le savez.

LE ROI, *l'embrassant de nouveau avec transport.*

Je suis heureux !

BLANCHE

Je suis perdue !

LE ROI

Non. Heureuse avec moi !

BLANCHE, *s'arrachant de ses bras.*

Vous m'êtes étranger.
Dites-moi votre nom.

DAME BÉRARDE, *au fond, à part.*

Il est temps d'y songer!

BLANCHE

Vous n'êtes pas au moins seigneur ni gentilhomme!
Mon père les craint tant!

LE ROI

Mon Dieu non! Je me nomme...

A part.

755 — Voyons?...

Il cherche.

Gaucher Mahiet. — Je suis un écolier...
Très pauvre...

DAME BÉRARDE, *occupée en ce moment même
à compter l'argent qu'il lui a donné.*

Est-il menteur!

*Entrent dans la rue M. de Pienne et M. de Pardaillan,
enveloppés de manteaux, une lanterne sourde à la main.*

M. DE PIENNE, *bas, à M. de Pardaillan.*

C'est ici, chevalier!

DAME BÉRARDE, *bas, et descendant précipitamment
la terrasse.*

J'entends quelqu'un dehors.

BLANCHE, *effrayée.*

C'est mon père peut-être!

DAME BÉRARDE, *au roi.*

Partez, monsieur!

LE ROI

Que n'ai-je entre mes mains le traître
Qui me dérange ainsi!

BLANCHE, *à dame Bérarde.*

Fais-le vite passer
760 Par la porte du quai.

LE ROI, *à Blanche.*

Quoi! déjà te laisser!
M'aimeras-tu demain?

BLANCHE

Et vous?

LE ROI

Ma vie entière!

BLANCHE

Ah! vous me tromperez, car je trompe mon père!

LE ROI

Jamais! — Un seul baiser, Blanche, sur tes beaux yeux.

DAME BÉRARDE, *à part.*

Mais c'est un embrasseur tout à fait furieux [45]!

BLANCHE, *faisant quelque résistance.*

765 Non, non!

*Le roi l'embrasse, et rentre avec dame Bérarde dans la
maison. Blanche reste quelque temps les yeux fixés sur
la porte par où il est sorti, puis elle rentre elle-même. Pendant ce temps-là, la rue se peuple de gentilshommes armés,
couverts de manteaux et masqués. M. de Gordes,
MM. de Cossé, de Montchenu, de Brion et de Montmorency, Clément Marot, rejoignent successivement M. de
Pienne et M. de Pardaillan. La nuit est très noire. La
lanterne sourde de ces messieurs est bouchée. Ils se font
entre eux des signes de reconnaissance, et se montrent la
maison de Blanche. Un valet les suit portant une échelle.*

SCÈNE V

LES GENTILSHOMMES, *puis* TRIBOULET, *puis* BLANCHE

*Blanche reparaît par la porte du premier étage sur la ter-
rasse. Elle tient à la main un flambeau qui éclaire son
visage.*

BLANCHE, *sur la terrasse.*

Gaucher Mahiet! nom de celui que j'aime,
Grave-toi dans mon cœur!

M. DE PIENNE, *aux gentilshommes.*

Messieurs, c'est elle-même!

M. DE PARDAILLAN

Voyons.

M. DE GORDES, *dédaigneusement.*

Quelque beauté bourgeoise!

A M. de Pienne.

Je te plains

Si tu fais ton régal des femmes de vilains!

*En ce moment Blanche se retourne, de façon que les gen-
tilshommes peuvent la voir.*

M. DE PIENNE, *à M. de Gordes.*

Comment la trouves-tu ?

MAROT

La vilaine est jolie!

M. DE GORDES

770 C'est une fée! un ange! une grâce accomplie!

M. DE PARDAILLAN

Quoi! c'est là la maîtresse à messer [46] Triboulet.
Le sournois!

M. DE GORDES

Le faquin!

MAROT

La plus belle au plus laid.
C'est juste. — Jupiter aime à croiser les races.

*Blanche rentre chez elle. On ne voit plus qu'une lumière à
une fenêtre.*

M. DE PIENNE

Messieurs, ne perdons pas notre temps en grimaces.
775 Nous avons résolu de punir Triboulet.
Or, nous sommes ici, tous, à l'heure qu'il est,

Avec notre rancune, et, de plus, une échelle,
Escaladons le mur et volons-lui sa belle,
Portons la dame au Louvre, et que sa majesté
780 A son lever demain trouve cette beauté.

M. DE COSSÉ

Le roi mettra la main dessus, que je suppose.

MAROT

Le diable à sa façon débrouillera la chose!

M. DE PIENNE

Bien dit. A l'œuvre!

M. DE GORDES
                    Au fait, c'est un morceau de roi.
                                        Entre Triboulet.

TRIBOULET, *rêveur, au fond.*

Je reviens... à quoi bon? Ah! je ne sais pourquoi!

M. DE COSSÉ, *aux gentilshommes.*

785 Çà, trouvez-vous si bien, messieurs, que, brune et blonde,
Notre roi prenne ainsi la femme à tout le monde?
Je voudrais bien savoir ce que le roi dirait
Si quelqu'un usurpait la reine?

TRIBOULET, *avançant de quelques pas.*

                                Oh! mon secret!
— Ce vieillard m'a maudit! — Quelque chose me trouble!
*La nuit est si épaisse qu'il ne voit pas M. de Gordes près
    de lui et qu'il le heurte en passant.*
790 Qui va là?

M. DE GORDES, *revenant, effaré.*
                Bas aux gentilshommes.

Triboulet, messieurs!

M. DE COSSÉ, *bas.*

                                Victoire double!
Tuons le traître!

M. DE PIENNE
                Oh non!

M. DE COSSÉ
Il est dans notre main.

M. DE PIENNE
Et nous ne l'aurions plus pour en rire demain ?

M. DE GORDES
Oui, si nous le tuons, le tour n'est plus si drôle.

M. DE COSSÉ
Mais il va nous gêner.

MAROT
Laissez-moi la parole.
795 Je vais arranger tout.

TRIBOULET, *qui est resté dans son coin aux aguets
et l'oreille tendue.*
On s'est parlé tout bas.

MAROT, *approchant.*
Triboulet !

TRIBOULET, *d'une voix terrible.*
Qui va là ?

MAROT
Là ! ne nous mange pas.
C'est moi.

TRIBOULET
Qui, toi ?

MAROT
Marot.

TRIBOULET
Ah ! la nuit est si noire !

MAROT
Oui, le diable s'est fait du ciel une écritoire [47].

TRIBOULET
Dans quel but ?...

MAROT

Nous venons, ne l'as-tu pas pensé ?
800 Enlever pour le roi madame de Cossé.

TRIBOULET, respirant.

Ah !... — Très bien !

M. DE COSSÉ, à part.

Je voudrais lui rompre quelque
[membre !

TRIBOULET, à Marot.

Mais comment ferez-vous pour entrer dans sa chambre ?

MAROT, bas à M. de Cossé.

Donnez-moi votre clé.

M. de Cossé lui passe sa clé, qu'il transmet à Triboulet.

Tiens touche cette clé.
Y sens-tu le blason de Cossé ciselé ?

TRIBOULET, palpant la clé.

805 Les trois feuilles de scie [48], oui.

A part.

Mon Dieu, suis-je bête !

Montrant le mur à gauche.

Voilà l'hôtel Cossé. Que diable avais-je en tête ?

A Marot en lui rendant la clé.

Vous enlevez sa femme au gros Cossé ? j'en suis !

MAROT

Nous sommes tous masqués.

TRIBOULET

Eh bien, un masque !

Marot lui met un masque, et ajoute au masque un bandeau,
qu'il lui attache sur les yeux et sur les oreilles.

Et puis ?

MAROT

Tu nous tiendras l'échelle.

Les gentilshommes appliquent l'échelle au mur de la terrasse.
Marot y conduit Triboulet, auquel il la fait tenir.

TRIBOULET, *les mains sur l'échelle.*

Hum ! êtes-vous en nombre ?
810 Je n'y vois plus du tout.

MAROT

C'est que la nuit est sombre.

Aux autres en riant.

Vous pouvez crier haut et marcher d'un pas lourd.
Le bandeau que voilà le rend aveugle et sourd.

Les gentilshommes montent l'échelle, enfoncent la porte du premier étage sur la terrasse, et pénètrent dans la maison. Un moment après, l'un d'eux reparaît dans la cour, dont il ouvre la porte en dedans ; puis le groupe tout entier arrive à son tour dans la cour et franchit la porte, emportant Blanche, demi-nue et bâillonnée, qui se débat.

BLANCHE, *échevelée, dans l'éloignement.*

Mon père, à mon secours ! ô mon père !

VOIX DES GENTILSHOMMES, *dans l'éloignement.*

Victoire !

Ils disparaissent avec Blanche.

TRIBOULET, *resté seul au bas de l'échelle.*

Çà, me font-ils ici faire mon purgatoire ?
815 Ont-ils bientôt fini ? quelle dérision !

Il lâche l'échelle, porte la main à son masque et rencontre le bandeau.

J'ai les yeux bandés !

Il arrache son bandeau et son masque. A la lumière de la lanterne sourde qui a été oubliée à terre, il y voit quelque chose de blanc, il le ramasse, et reconnaît le voile de sa fille. Il se retourne, l'échelle est appliquée au mur de sa terrasse, la porte de sa maison est ouverte, il y entre comme un furieux, et reparaît un moment après traînant dame Bérarde bâillonnée et demi-vêtue. Il la regarde avec stupeur, puis il s'arrache les cheveux en poussant quelques cris inarticulés. Enfin la voix lui revient.

Oh ! la malédiction !

Il tombe évanoui.

ACTE TROISIÈME

LE ROI

L'antichambre du roi, au Louvre. Dorures, ciselures,
meubles, tapisseries, dans le goût de la renaissance. —
Sur le devant, une table, un fauteuil, un pliant. — Au
fond, une grande porte dorée. — A gauche, la porte de
la chambre à coucher du roi, revêtue d'une portière en
tapisserie. A droite, un dressoir chargé de vaisselles d'or
et d'émaux. — La porte du fond s'ouvre sur un mail.

SCÈNE PREMIÈRE

LES GENTILSHOMMES

M. DE GORDES

Maintenant, arrangeons la fin de l'aventure.

M. DE PARDAILLAN

Il faut que Triboulet s'intrigue, se torture,
Et ne devine pas que sa belle est ici !

M. DE COSSÉ

820 Qu'il cherche sa maîtresse, oui, c'est fort bien ! mais si
Les portiers cette nuit nous ont vu l'introduire ?

M. DE MONTCHENU

Tous les huissiers du Louvre ont ordre de lui dire
Qu'ils n'ont point vu de femme entrer céans la nuit.

M. DE PARDAILLAN

De plus un mien laquais, drôle aux ruses instruit,
825 Pour lui donner le change, est allé sur sa porte
Dire aux gens du bouffon que, d'une ou d'autre sorte,
Il avait vu traîner à l'hôtel d'Hautefort
Une femme, à minuit, qui se débattait fort.

M. DE COSSÉ, *riant.*

Bon, l'hôtel d'Hautefort le jette loin du Louvre!

M. DE GORDES

830 Serrons bien sur ses yeux le bandeau qui les couvre.

MAROT

J'ai ce matin au drôle envoyé ce billet :

           Il tire un papier et lit.

« Je viens de t'enlever ta belle, ô Triboulet!
« Je l'emmène, s'il faut t'en donner des nouvelles,
« Hors de France avec moi. »

              Tous rient.

M. DE GORDES, *à Marot.*

Signé ?...

MAROT

« Jean de Nivelles [49]! »

       Les éclats de rire redoublent.

M. DE PARDAILLAN

835 Oh! comme il va chercher!

M. DE COSSÉ

         Je jouis de le voir.

M. DE GORDES

Qu'il va, le malheureux, avec son désespoir,
Ses poings crispés, ses dents de colère serrées,
Nous payer en un jour de dettes arriérées!

*La porte latérale s'ouvre. Entre le roi, vêtu d'un magnifique
négligé du matin. Il est accompagné de M. de Pienne.
Tous les courtisans se rangent et se découvrent. Le roi et
M. de Pienne rient aux éclats.*

LE ROI, *désignant la porte du fond.*

Elle est là ?

M. DE PIENNE

La maîtresse à Triboulet!

LE ROI

Vraiment!
840 Dieu! souffler sa maîtresse à mon fou! c'est charmant!

M. DE PIENNE

Sa maîtresse, ou sa femme!

LE ROI, *à part.*

Une femme! une fille!
Je ne le savais pas si père de famille!

M. DE PIENNE

Le roi la veut-il voir?

LE ROI

Pardieu!

*M. de Pienne sort, et revient un moment après soutenant
Blanche, voilée et toute chancelante. Le roi s'assied non-
chalamment dans son fauteuil.*

M. DE PIENNE, *à Blanche.*

Ma belle, entrez.
Vous tremblerez après tant que vous le voudrez.
845 Vous êtes près du roi.

BLANCHE, *toujours voilée.*

C'est le roi! ce jeune homme!...
*Elle court se jeter aux pieds du roi. A la voix de Blanche, le
roi tressaille et fait signe à tous de sortir.*

SCÈNE II

LE ROI, BLANCHE
Le roi, resté seul avec Blanche, soulève le voile qui la cache.

LE ROI

Blanche!

BLANCHE
Gaucher Mahiet! ciel!

LE ROI, *éclatant de rire.*

                         Foi de gentilhomme,
Méprise ou fait exprès, je suis ravi du tour.
Vive Dieu ! ma beauté, ma Blanche, mon amour,
Viens dans mes bras !

BLANCHE, *reculant.*

                  Le roi ! le roi ! Laissez-moi, sire ! —
850 Mon Dieu ! je ne sais plus comment parler, ni dire... —
Monsieur Gaucher Mahiet... — Non, vous êtes le roi. —

                      Retombant à genoux.

Oh ! qui que vous soyez, ayez pitié de moi !

LE ROI

Avoir pitié de toi, Blanche ! moi qui t'adore !
Ce que Gaucher disait, François le dit encore.
855 Tu m'aimes, et je t'aime, et nous sommes heureux !
Être roi ne saurait gâter un amoureux.
Enfant ! tu me croyais bourgeois, clerc, moins peut-être.
Parce que le hasard m'a fait un peu mieux naître,
Parce que je suis roi, ce n'est pas un motif
860 De me prendre en horreur subitement tout vif !
Je n'ai pas le bonheur d'être un manant, qu'importe !

BLANCHE, *à part.*

Comme il rit ! O mon Dieu ! je voudrais être morte !

LE ROI, *souriant et riant plus encore.*

Oh ! les fêtes, les jeux, les danses, les tournois,
Les doux propos d'amour le soir au fond des bois,
865 Cent plaisirs que la nuit couvrira de son aile,
Voilà ton avenir, auquel le mien se mêle !
Oh ! soyons deux amants, deux heureux, deux époux !
Il faut un jour vieillir, et la vie, entre nous,
Cette étoffe où, malgré les ans qui la morcellent,
870 Quelques instants d'amour par places étincellent,
N'est qu'un triste haillon sans ces paillettes-là !

                                En riant.

Blanche, j'ai réfléchi souvent à tout cela,
Et voici la sagesse : honorons Dieu le père,
Aimons, et jouissons, et faisons bonne chère !

BLANCHE, *atterrée et reculant.*

875 O mes illusions ! qu'il est peu ressemblant !

LE ROI

Quoi! me croyais-tu donc un amoureux tremblant,
Un cuistre, un de ces fous lugubres et sans flammes
Qui pensent qu'il suffit, pour que toutes les femmes
Et tous les cœurs charmés se rendent devant eux,
880 De pousser des soupirs avec un air piteux!

BLANCHE, *le repoussant.*

Laissez-moi! — Malheureuse!

LE ROI

                              Oh! sais-tu qui nous
                              [sommes ?
La France, un peuple entier, quinze millions d'hommes,
Richesses, honneurs, plaisirs, pouvoir sans frein ni loi,
Tout est pour moi, tout est à moi, je suis le roi!
885 Eh bien! du souverain tu seras souveraine.
Blanche! je suis le roi, toi, tu seras la reine!

BLANCHE

La reine! et votre femme ?

LE ROI, *riant.*

                              Innocence! ô vertu!
Ah! ma femme n'est pas ma maîtresse, vois-tu ?

BLANCHE

Votre maîtresse! oh! non! quelle honte!

LE ROI

                                        La fière!

BLANCHE

890 Je ne suis pas à vous, non, je suis à mon père!

LE ROI

Ton père! mon bouffon, mon fou! mon Triboulet!
Ton père! il est à moi! j'en fais ce qui me plaît!
Il veut ce que je veux!

BLANCHE, *pleurant amèrement et la tête dans ses mains.*

                        O Dieu! mon pauvre père!
Quoi! tout est donc à vous!

        Elle sanglote. Il se jette à ses pieds pour la consoler.

LE ROI, *avec un accent attendri.*

Blanche! oh! tu m'es bien
[chère!
895 Blanche, ne pleure plus. Viens sur mon cœur!

BLANCHE, *résistant.*

Jamais!

LE ROI, *tendrement.*

Tu ne m'as pas encor redit que tu m'aimais.

BLANCHE

Oh! c'est fini!

LE ROI

Je t'ai, sans le vouloir, blessée.
Ne sanglote donc pas comme une délaissée.
Oh! plutôt que de faire ainsi pleurer tes yeux,
900 J'aimerais mieux mourir, Blanche! j'aimerais mieux
Passer dans mon royaume et dans ma seigneurie
Pour un roi sans courage et sans chevalerie!
Un roi qui fait pleurer une femme! ô mon Dieu!
Lâcheté!

BLANCHE, *égarée et sanglotant.*

N'est-ce pas, tout ceci n'est qu'un jeu?
905 Si vous êtes le roi, j'ai mon père. Il me pleure.
Faites-moi ramener près de lui. Je demeure
Devant l'hôtel Cossé. Mais vous le savez bien.
Oh! qui donc êtes-vous? je n'y comprends plus rien.
Comme ils m'ont emportée avec des cris de fête!
910 Tout ceci comme un rêve est brouillé dans ma tête.

Pleurant.

Je ne sais même plus, vous que j'ai cru si doux,
Si je vous aime encor!

Reculant avec un sursaut de terreur.

Vous roi! — J'ai peur de vous!

LE ROI, *cherchant à la prendre dans ses bras.*

Je vous fais peur, méchante!

BLANCHE, *le repoussant.*

Oh! laissez-moi!

LE ROI, *la serrant de plus près.*

Qu'entends-je!

Un baiser de pardon!

BLANCHE, *se débattant.*

Non!

LE ROI, *riant, à part.*

Quelle fille étrange!

BLANCHE, *s'échappant de ses bras.*

915 Laissez-moi! — Cette porte!

*Elle aperçoit la porte de la chambre du roi ouverte, s'y pré-
cipite, et la referme violemment sur elle.*

LE ROI, *prenant une petite clef d'or à sa ceinture.*

Oh! j'ai la clef sur moi.

*Il ouvre la porte, la pousse vivement, entre, et la referme
sur lui.*

MAROT, *en observation à la porte du fond
depuis quelques instants. Il rit.*

Elle se réfugie en la chambre du roi!
O la pauvre petite!

Appelant M. de Gordes.

Hé, comte!

SCÈNE III

MAROT, *puis* LES GENTILSHOMMES, *ensuite* TRIBOULET.
M. DE GORDES, *à Marot.*

Est-ce qu'on rentre?

MAROT

Le lion a traîné la brebis dans son antre.

M. DE PARDAILLAN, *sautant de joie.*

Oh! pauvre Triboulet!

M. DE PIENNE, *qui est resté à la porte,*
et qui a les yeux fixés vers le dehors.

Chut! le voici!

M. DE GORDES, *bas aux seigneurs.*

Tout doux!
920 Çà, n'ayons l'air de rien, et tenons-nous bien tous.

MAROT

Messieurs, je suis le seul qu'il puisse reconnaître.
Il n'a parlé qu'à moi.

M. DE PIENNE

Ne faisons rien paraître.

Entre Triboulet. Rien ne paraît changé en lui. Il a le costume
et l'air indifférent du bouffon. Seulement il est très pâle.

M. DE PIENNE, *ayant l'air de poursuivre une conversation*
commencée et faisant des yeux aux plus jeunes gentilshommes,
qui compriment des rires étouffés en voyant Triboulet.

Oui, messieurs, c'est alors, — Hé! bonjour, Triboulet! —
Qu'on fit cette chanson en forme de couplet :

Il chante.

> *Quand Bourbon vit Marseille* [50],
> *Il a dit à ses gens :*
> *Vrai Dieu! quel capitaine*
> *Trouverons-nous dedans?*

TRIBOULET, *continuant la chanson.*

> *Au mont de la Coulombe*
> *Le passage est étroit,*
> *Montèrent tous ensemble,*
> *En soufflant à leurs doigts.*

Rires et applaudissements ironiques.

TOUS

925 Parfait!

TRIBOULET, *qui s'est avancé lentement*
jusque sur le devant. A part.

Où peut-elle être ?

Il se remet à fredonner.

Montèrent tous ensemble
En soufflant à leurs doigts.

M. DE GORDES, *applaudissant.*

Ah! Triboulet, bravo!

TRIBOULET, *examinant tous ces visages*
qui rient autour de lui. — A part.

Ils ont tous fait le coup, c'est sûr!

M. DE COSSÉ, *frappant sur l'épaule de Triboulet*
avec un gros rire.

Quoi de nouveau,

Bouffon?

TRIBOULET, *aux autres, montrant M. de Cossé.*

Ce gentilhomme est lugubre à voir rire.

Contrefaisant M. de Cossé.

— Quoi de nouveau, bouffon?

M. DE COSSÉ, *riant toujours.*

Oui, que viens-tu nous
[dire?

TRIBOULET, *le regardant de la tête aux pieds.*

Que si vous vous mettez à faire le charmant,
930 Vous aller devenir encor plus assommant!

Pendant toute la première partie de la scène, Triboulet a
l'air de chercher, d'examiner, de fureter. Le plus souvent
son regard seul indique cette préoccupation. Quelquefois,
quand il croit qu'on n'a pas l'œil sur lui, il déplace un
meuble, il tourne le bouton d'une porte pour voir si elle
est fermée. Du reste, il cause avec tous, comme à son
habitude, d'une manière railleuse, insouciante et dégagée.
Les gentilshommes, de leur côté, ricanent entre eux et se
font des signes, tout en parlant de choses et d'autres.

Où l'ont-ils cachée? — Oh! — Si je la leur demande,
Ils se riront de moi!

Accostant Marot d'un air riant.

Marot, ma joie est grande
Que tu ne te sois pas cette nuit enrhumé.

MAROT, *jouant la surprise.*

Cette nuit ?

TRIBOULET, *clignant de l'œil d'un air d'intelligence.*
Un bon tour, et dont je suis charmé !

MAROT

935 Quel tour ?

TRIBOULET, *hochant la tête.*
Oui !

MAROT, *d'un air candide.*
Je me suis, pour toutes aventures,
Le couvre-feu sonnant, mis sous mes couvertures,
Et le soleil brillait quand je me suis levé.

TRIBOULET

Ah ! tu n'es pas sorti cette nuit ? J'ai rêvé !
Il aperçoit un mouchoir sur la table et se jette dessus.

M. DE PARDAILLAN, *bas à M. de Pienne.*
Tiens, duc, de mon mouchoir il regarde la lettre.

TRIBOULET, *laissant tomber le mouchoir, à part.*
940 Non, ce n'est pas le sien.

M. DE PIENNE, *à quelques jeunes gens qui rient au fond.*
Messieurs !...

TRIBOULET, *à part.*
Où peut-elle être ?

M. DE PIENNE, *à M. de Gordes.*
Qu'avez-vous donc à rire ainsi ?

M. DE GORDES, *montrant Marot.*
Pardieu, c'est lui
Qui nous fait rire !

TRIBOULET, *à part.*
Ils sont bien joyeux aujourd'hui !

M. DE GORDES, *à Marot, en riant.*
Ne me regarde pas de cet air malhonnête,
Ou je vais te jeter Triboulet à la tête.

TRIBOULET, *à M. de Pienne.*
945 Le roi n'est pas encore éveillé ?

M. DE PIENNE
Non, vraiment !

TRIBOULET
Se fait-il quelque bruit dans son appartement ?
Il veut approcher de la porte. M. de Pardaillan le retient.

M. DE PARDAILLAN
Ne va pas réveiller sa majesté !

M. DE GORDES, *à M. de Pardaillan.*
Vicomte,
Ce faquin de Marot nous fait un plaisant conte.
Les trois Guy, revenus, ma foi, l'on ne sait d'où,
950 Ont trouvé l'autre nuit — qu'en dit ce maître fou ? —
Leurs femmes, toutes trois, avec d'autres...

MAROT
Cachées.

TRIBOULET
Les morales du temps se font si relâchées !

M. DE COSSÉ
Les femmes, c'est si traître !

TRIBOULET, *à M. de Cossé.*
Oh ! prenez garde !

M. DE COSSÉ
Quoi ?

TRIBOULET
Prenez garde, monsieur de Cossé !

M. DE COSSÉ
Quoi ?

TRIBOULET

Je voi

955 Quelque chose d'affreux qui vous pend à l'oreille.

M. DE COSSÉ

Quoi donc ?

TRIBOULET, *lui riant au nez.*

Une aventure absolument pareille !
M. DE COSSÉ, *le menaçant avec colère.*

Hun !

TRIBOULET

Messieurs, l'animal est, vraiment, curieux.
Voilà le cri qu'il fait quand il est furieux.

Contrefaisant M. de Cossé.

— Hun !

Tous rient. Entre un gentilhomme à la livrée de la reine.

M. DE PIENNE

Qu'est-ce, Vaudragon ?

LE GENTILHOMME

La reine ma maîtresse

960 Demande à voir le roi pour affaire qui presse.

M. de Pienne lui fait signe que la chose est impossible, le gentilhomme insiste.

Madame de Brézé n'est pas chez lui pourtant.

M. DE PIENNE

Le roi n'est pas levé.

LE GENTILHOMME

Comment, duc ! dans l'instant

Il était avec vous.

M. DE PIENNE, dont l'humeur redouble, et qui fait au gentilhomme des signes que celui-ci ne comprend pas, et que Triboulet observe avec une attention profonde.

Le roi chasse !

LE GENTILHOMME
                              Sans pages
Et sans piqueurs alors, car tous ses équipages
965 Sont là.

                    M. DE PIENNE, *à part.*

    Diable !

Parlant au gentilhomme entre deux yeux et avec colère.
                    On vous dit, comprenez-vous ceci ?
Que le roi ne peut voir personne !

            TRIBOULET, *éclatant et d'une voix de tonnerre.*
                                    Elle est ici !
Elle est avec le roi !
                    Etonnement dans les gentilshommes.

                    M. DE GORDES
                    Qu'a-t-il donc ? il délire !

Elle !

                        TRIBOULET
        Oh ! vous savez bien messieurs, qui je veux dire !
Ce n'est pas une affaire à me dire : Va-t'en !
970 — La femme qu'à vous tous, Cossé, Pienne et Satan,
Brion, Montmorency,... la femme désolée
Que vous avez hier dans ma maison volée,
— Monsieur de Pardaillan, vous en étiez aussi ! —
Oh ! je la reprendrai, messieurs ! — Elle est ici !

                    M. DE PIENNE, *riant.*
975 Triboulet a perdu sa maîtresse ! Gentille
Ou laide, qu'il la cherche ailleurs.

                    TRIBOULET, *effrayant.*
                              Je veux ma fille !

                        TOUS
Sa fille !
                              Mouvement de surprise.

                    TRIBOULET, *croisant les bras.*
        C'est ma fille ! — Oui, riez maintenant !
Ah ! vous restez muets, vous trouvez surprenant

Que ce bouffon soit père et qu'il ait une fille !
980 Les loups et les seigneurs n'ont-ils pas leur famille ?
Ne puis-je avoir aussi la mienne ? Allons ! assez !

D'une voix terrible.

Que si vous plaisantiez, c'est charmant, finissez !
Ma fille, je la veux, voyez-vous ! — Oui, l'on cause,
On chuchote, on se parle en riant de la chose.
985 Moi, je n'ai pas besoin de votre air triomphant.
Messeigneurs, je vous dis qu'il me faut mon enfant !

Il se jette sur la porte du roi.

Elle est là !

Tous les gentilshommes se placent devant la porte, et l'em-
pêchent.

MAROT

Sa folie en furie est tournée.

TRIBOULET, *reculant avec désespoir.*

Courtisans ! courtisans ! démons ! race damnée !
C'est donc vrai qu'ils m'ont pris ma fille, ces bandits !
990 — Une femme à leurs yeux, ce n'est rien, je vous dis !
Quand le roi, par bonheur, est un roi de débauches,
Les femmes des seigneurs, lorsqu'ils ne sont pas gauches,
Les servent fort. — L'honneur d'une vierge, pour eux,
C'est un luxe inutile, un trésor onéreux.
995 Une femme est un champ qui rapporte, une ferme
Dont le royal loyer se paie à chaque terme.
Ce sont mille faveurs pleuvant on ne sait d'où,
C'est un gouvernement, un collier sur le cou,
Un tas d'accroissements que sans cesse on augmente !

Les regardant tous en face.

1000 — En est-il parmi vous un seul qui me démente ?
N'est-ce pas que c'est vrai, messeigneurs ? — En effet

Il va de l'un à l'autre.

Vous lui vendriez tous, si ce n'est déjà fait,
Pour un nom, pour un titre, ou toute autre chimère,

A M. de Brion.

Toi, ta femme, Brion !

A M. de Gordes.

Toi, ta sœur !

Au jeune page Pardaillan.

Toi, ta mère !

UN PAGE *se verse un verre de vin au buffet,
et se met à boire en fredonnant.*

> *Quand Bourbon vit Marseille,
> Il a dit à ses gens :
> Vrai Dieu ! quel capitaine...*

TRIBOULET, *se retournant.*

1005 Je ne sais à quoi tient, vicomte d'Aubusson
Que je te brise aux dents ton verre et ta chanson !

A tous.

Qui le croirait ? des ducs et pairs, des grands d'Espagne,
O honte ! un Vermandois qui vient de Charlemagne,
Un Brion, dont l'aïeul était duc de Milan,
1010 Un Gordes-Simiane, un Pienne, un Pardaillan,
— Vous, un Montmorency ! — les plus grands noms qu'on
[nomme,
Avoir été voler sa fille à ce pauvre homme !
— Non, il n'appartient point à ces grandes maisons
D'avoir des cœurs si bas sous d'aussi fiers blasons !
1015 Non, vous n'en êtes pas ! — Au milieu des huées,
Vos mères aux laquais se sont prostituées !
Vous êtes tous bâtards !

M. DE GORDES

Ah çà, drôle !

TRIBOULET

Combien
Le roi vous donne-t-il pour lui vendre mon bien ?
Il a payé le coup, dites ! —

S'arrachant les cheveux.

Moi qui n'ai qu'elle !
1020 — Si je voulais, — sans doute, — elle est jeune, elle est
[belle, —
Certe, il me la paierait !

Les regardant tous.

Est-ce que votre roi
S'imagine qu'il peut quelque chose pour moi ?
Peut-il couvrir mon nom d'un nom comme les vôtres ?
Peut-il me faire beau, bien fait, pareil aux autres ?
1025 — Enfer ! il m'a tout pris ! — Oh ! que ce tour charmant
Est vil, atroce, horrible, et s'est fait lâchement !
Scélérats ! assassins ! vous êtes des infâmes,
Des voleurs, des bandits, des tourmenteurs de femmes !

Messeigneurs, il me faut ma fille! il me la faut
1030 A la fin! allez-vous me la rendre bientôt?
    — Oh! voyez! — cette main, — main qui n'a rien
                                  [d'illustre,
Main d'un homme du peuple, et d'un serf, et d'un rustre,
Cette main qui paraît désarmée aux rieurs,
Et qui n'a pas d'épée, a des ongles, messieurs!
1035 — Voici longtemps déjà que j'attends, il me semble!
Rendez-la-moi! — La porte! ouvrez-la!

Il se jette de nouveau en furieux sur la porte, que défendent
tous les gentilshommes. Il lutte contre eux quelque temps,
et revient enfin tomber sur le devant, brisé, épuisé, hale-
tant, à genoux.

                                      Tous ensemble

Contre moi! dix contre un!

                      Fondant en larmes et en sanglots.

                          Eh bien! je pleure, oui!

                                      A Marot.

Marot, tu t'es de moi bien assez réjoui.
Si tu gardes une âme, une tête inspirée,
1040 Un cœur d'homme du peuple, encor, sous ta livrée,
Où me l'ont-ils cachée, et qu'en ont-ils fait, dis?
Elle est là, n'est-ce pas? Oh! parmi ces maudits,
Faisons cause commune en frères que nous sommes.
Toi seul as de l'esprit dans tous ces gentilshommes.
1045 Marot! mon bon Marot! — Tu te tais!

                         Se traînant vers les seigneurs.

                                  Oh! voyez!
Je demande pardon, messeigneurs, sous vos pieds!
Je suis malade... Ayez pitié, je vous en prie!
    — J'aurais un autre jour mieux pris l'espièglerie.
Mais, voyez-vous, souvent j'ai, quand je fais un pas,
1050 Bien des maux dans le corps dont je ne parle pas.
On a comme cela ses mauvaises journées
Quand on est contrefait. — Depuis bien des années,
Je suis votre bouffon! je demande merci!
Grâce! ne brisez pas votre hochet ainsi!
1055 — Ce pauvre Triboulet qui vous a tant fait rire!
Vraiment, je ne sais plus maintenant que vous dire.
Rendez-moi mon enfant, messeigneurs, rendez-moi
Ma fille, qu'on me cache en la chambre du roi!
Mon unique trésor! — Mes bons seigneurs par grâce!
1060 Qu'est-ce que vous voulez à présent que je fasse

Sans ma fille! — Mon sort est déjà si mauvais!
C'était la seule chose au monde que j'avais!

Tous gardent le silence. Il se relève désespéré.

Ah Dieu! vous ne savez que rire ou que vous taire!
C'est donc un grand plaisir de voir un pauvre père
1065 Se meurtrir la poitrine, et s'arracher du front
Des cheveux, que deux nuits pareilles blanchiront!

*La porte de la chambre du roi s'ouvre brusquement. Blanche
en sort, éperdue, égarée, en désordre ; elle vient tomber
dans les bras de son père avec un cri terrible.*

BLANCHE

Mon père! — Ah!

TRIBOULET, *la serrant dans ses bras.*

Mon enfant! Ah! c'est elle! ah! ma fille!
Ah! messieurs!

Suffoqué de sanglots et riant au travers.

Voyez-vous, c'est toute ma famille,
Mon ange! — Elle de moins, quel deuil dans ma maison!
1070 — Messeigneurs, n'est-ce pas que j'avais bien raison,
Qu'on ne peut m'en vouloir des sanglots que je pousse,
Et qu'une telle enfant, si charmante et si douce,
Qu'à la voir seulement on deviendrait meilleur,
Cela ne se perd pas sans des cris de douleur ?

A Blanche.

1075 — Ne crains plus rien. — C'était une plaisanterie,
C'était pour rire. — Ils t'ont fait bien peur, je parie.
Mais ils sont bons. — Ils ont vu comme je t'aimais.
Blanche, ils nous laisseront tranquilles, désormais.

Aux seigneurs.

— N'est-ce pas ?

A Blanche en la serrant dans ses bras.

— Quel bonheur de te revoir encore!
1080 J'ai tant de joie au cœur que maintenant j'ignore
Si ce n'est pas heureux — je ris, moi qui pleurais! —
De te perdre un moment pour te ravoir après!

La regardant avec inquiétude.

— Mais pourquoi pleurer, toi ?

> BLANCHE, *voilant dans ses mains*
> *son visage couvert de larmes et de rougeur.*

>   Malheureux que nous
>   [sommes!
> La honte...

> —TRIBOULET, *tressaillant.*

>   Que dis-tu ?

> BLANCHE, *cachant sa tête dans la poitrine de son père.*

>   Pas devant tous ces hommes !
> 1085 Rougir devant vous seul !

> TRIBOULET, *se tournant avec un tremblement de rage*
> *vers la porte du roi.*

>   Oh ! l'infâme ! — Elle aussi !

> BLANCHE, *sanglotant et tombant à ses pieds.*
> Rester seule avec vous !

> TRIBOULET, *faisant trois pas,*
> *et balayant du geste tous les seigneurs interdits.*

>   Allez-vous-en d'ici !
> Et si le roi François par malheur se hasarde
> A passer près d'ici,

>   *A M. de Vermandois.*

>   Vous êtes de sa garde,
> Dites-lui de ne pas entrer, — que je suis là !

> M. DE PIENNE
> 1090 On n'a jamais rien vu de fou comme cela.

> M. DE GORDES, *lui faisant signe de se retirer.*
> Aux fous comme aux enfants on cède quelque chose.
> Veillons pourtant, de peur d'accident.

>   *Ils sortent.*

> TRIBOULET, *s'asseyant sur le fauteuil du roi*
> *et relevant sa fille. D'une voix sinistre et tranquille.*

>   Allons, cause,
> Dis-moi tout. —
> *Il se retourne, et, apercevant M. de Cossé, qui est resté, il*
> *se lève à demi en lui montrant la porte.*

>   M'avez-vous entendu, monseigneur ?

> M. DE COSSÉ, *tout en se retirant*
> *comme subjugué par l'ascendant du bouffon.*

Ces fous, cela se croit tout permis, en honneur!

Il sort.

SCÈNE IV

BLANCHE, TRIBOULET

> TRIBOULET, *grave.*

1095 Parle à présent.

> BLANCHE, *les yeux baissés, interrompue de sanglots.*

> Mon père, il faut que je vous conte
Qu'il s'est hier glissé dans la maison... —

> *Pleurant et les mains sur ses yeux.*

> J'ai honte!

*Triboulet la serre dans ses bras et lui essuie le front avec
tendresse.*

Depuis longtemps, — j'aurais dû vous parler plus tôt, —
Il me suivait. —

> *S'interrompant encore.*

> Il faut reprendre de plus haut.
— Il ne me parlait pas. — Il faut que je vous dise
1100 Que ce jeune homme allait le dimanche à l'église...

> TRIBOULET

Oui! le roi!

> BLANCHE, *continuant.*

> Que toujours, pour être vu, je crois,
Il remuait ma chaise en passant près de moi.

> *D'une voix de plus en plus faible.*

Hier, dans la maison il a su s'introduire... —

> TRIBOULET

Que je t'épargne au moins l'angoisse de tout dire.
1105 Je devine le reste! —

Il se lève.

O douleur! il a pris,
Pour en marquer ton front, l'opprobre et le mépris!
Son haleine a souillé l'air pur qui t'environne!
Il a brutalement effeuillé ta couronne!
Blanche! ô mon seul asile en l'état où je suis!
1110 Jour qui me réveillais au sortir de leurs nuits!
Ame par qui mon âme à la vertu remonte!
Voile de dignité déployé sur ma honte!
Seul abri du maudit à qui tout dit adieu!
Ange oublié chez moi par la pitié de Dieu! —
1115 Ciel! perdue, enfouie, en cette boue immonde,
La seule chose sainte où je crusse en ce monde! —
Que vais-je devenir après ce coup fatal,
Moi qui, dans cette cour prostituée au mal,
Hors de moi comme en moi, ne voyais sur la terre
1120 Que vice, effronterie, impudeur, adultère,
Infamie et débauche, et n'avais sous les cieux
Que ta virginité pour reposer mes yeux! —
Je m'étais résigné, j'acceptais ma misère.
Les pleurs, l'abjection profonde et nécessaire,
1125 L'orgueil qui toujours saigne au fond du cœur brisé,
Le rire du mépris sur mes maux aiguisé,
Oui, toutes ces douleurs où la honte se mêle,
J'en voulais bien pour moi, mon Dieu, mais non pour elle!
Plus j'étais tombé bas, plus je la voulais haut.
1130 Il faut bien un autel auprès d'un échafaud.
L'autel est renversé! — Cache ton front! — Oui, pleure,
Chère enfant! je t'ai trop fait parler tout à l'heure,
N'est-ce pas? pleure bien. — Une part des douleurs,
A ton âge, parfois s'écoule avec les pleurs. —
1135 Verse tout, si tu peux, dans le cœur de ton père!

Rêvant.

Blanche, quand j'aurai fait ce qui me reste à faire,
Nous quitterons Paris. — Si j'échappe pourtant!

Rêvant toujours.

Quoi! suffit-t-il d'un jour pour que tout change tant!

Se relevant avec fureur.

O malédiction! qui donc m'aurait pu dire
1140 Que cette cour infâme, effrénée, en délire,
Qui va, qui court, broyant et la femme et l'enfant,
Echappée à travers tout ce que Dieu défend,
N'effaçant un forfait que par un plus étrange,
Eparpillant au loin du sang et de la fange,

1145 Irait, jusque dans l'ombre où tu fuyais leurs yeux,
Eclabousser ce front chaste et religieux!

Se tournant vers la chambre du roi.

O roi François premier! puisse Dieu qui m'écoute
Te faire trébucher bientôt dans cette route!
Puisse s'ouvrir demain le sépulcre où tu cours!

BLANCHE, *levant les yeux au ciel. A part.*

1150 O Dieu! n'écoutez pas, car je l'aime toujours!

*Bruit de pas au fond. Dans la galerie extérieure paraît un
cortège de soldats et de gentilshommes. A leur tête,
M. de Pienne.*

M. DE PIENNE, *appelant.*

Monsieur de Montchenu, faites ouvrir la grille
Au sieur de Saint-Vallier qu'on mène à la Bastille.

*Le groupe de soldats défile deux à deux au fond. Au moment
où M. de Saint-Vallier, qu'ils entourent, passe devant la
porte, il s'y arrête, et se tourne vers la chambre du roi.*

M. DE SAINT-VALLIER, *d'une voix haute.*

Puisque, par votre roi d'outrages abreuvé,
Ma malédiction n'a pas encor trouvé
1155 Ici-bas ni là-haut de voix qui me réponde,
Pas une foudre au ciel, pas un bras d'homme au monde,
Je n'espère plus rien. Ce roi prospérera.

TRIBOULET, *relevant la tête et le regardant en face.*

Comte! vous vous trompez. — Quelqu'un vous vengera!

ACTE QUATRIÈME

BLANCHE [51]

La grève [52] déserte voisine de la Tournelle (ancienne porte
de Paris). — A droite, une masure misérablement meu-
blée de grosses poteries et d'escabeaux de chêne, avec un
premier étage en grenier où l'on distingue un grabat
par la fenêtre. La devanture de cette masure tournée
vers le spectateur est tellement à jour, qu'on en voit

tout l'intérieur. Il y a une table, une cheminée, et au
fond un roide escalier qui mène au grenier. Celle des
faces de cette masure qui est à la gauche de l'acteur est
percée d'une porte qui s'ouvre en dedans. Le mur est
mal joint, troué de crevasses et de fentes, et il est facile
de voir au travers ce qui se passe dans la maison. Il y a un
judas grillé à la porte, qui est recouverte au-dehors d'un
auvent et surmontée d'une enseigne d'auberge. — Le
reste du théâtre représente la grève. A gauche, il y a
un vieux parapet en ruine, au bas duquel coule la Seine,
et dans lequel est scellé le support de la cloche du bac. —
Au fond, au-delà de la rivière, le vieux Paris.

SCÈNE PREMIÈRE

TRIBOULET, BLANCHE, *en dehors*, SALTABADIL, *dans la*
maison. Pendant toute cette scène, Triboulet doit avoir l'air
inquiet et préoccupé d'un homme qui craint d'être dérangé,
vu et surpris. Il doit regarder souvent autour de lui, et sur-
tout du côté de la masure. Saltabadil, assis dans l'auberge,
près d'une table, s'occupe à fourbir son ceinturon, sans rien
entendre de ce qui se passe à côté.

TRIBOULET

Et tu l'aimes!

BLANCHE

Toujours.

TRIBOULET

Je t'ai pourtant laissé
1160 Tout le temps de guérir cet amour insensé

BLANCHE

Je l'aime.

TRIBOULET

O pauvre cœur de femme! — Mais explique
Tes raisons de l'aimer.

BLANCHE

Je ne sais.

TRIBOULET

C'est unique!

C'est étrange!

BLANCHE

Oh! non pas. C'est bien cela qui fait
Justement que je l'aime. On rencontre en effet
1165 Des hommes quelquefois qui vous sauvent la vie,
Des maris qui vous font riche et digne d'envie. —
Les aime-t-on toujours? — Lui ne m'a fait je crois,
Que du mal, et je l'aime, et j'ignore pourquoi.
Tenez, c'est à ce point qu'il n'est rien que j'oublie,
1170 Et que, s'il le fallait, — voyez quelle folie! —
Lui qui m'est si fatal, vous qui m'êtes si doux,
Mon père, je mourrais pour lui comme pour vous!

TRIBOULET

Je te pardonne, enfant!

BLANCHE

Mais, écoutez, il m'aime.

TRIBOULET

Non! — Folle!

BLANCHE

Il me l'a dit! il me l'a juré même!
1175 Et puis il dit si bien, et d'un air si vainqueur,
De ces choses d'amour qui vous prennent au cœur!
Et puis il a des yeux si doux pour une femme!
C'est un roi brave, illustre et beau!

TRIBOULET, *éclatant.*

C'est un infâme!
Il ne sera pas dit, le lâche suborneur,
1180 Qu'il m'ait impunément arraché mon bonheur!

BLANCHE

Vous aviez pardonné, mon père...

TRIBOULET

Au sacrilège!
Il me fallait le temps de construire le piège.
Voilà.

BLANCHE

Depuis un mois, — je vous parle en tremblant, —
Vous avez l'air d'aimer le roi.

TRIBOULET

Je fais semblant.

Avec fureur.

1185 — Je te vengerai, Blanche!

BLANCHE, *joignant les mains.*

Epargnez-moi, mon père!

TRIBOULET

Te viendrait-il du moins au cœur quelque colère,
S'il te trompait ?

BLANCHE

Lui, non. Je ne crois pas cela.

TRIBOULET

Et si tu le voyais de ces yeux que voilà ?
Dis, s'il ne t'aimait plus, tu l'aimerais encore ?

BLANCHE

1190 Je ne sais pas. — Il m'aime, il me dit qu'il m'adore.
Il me l'a dit hier!

TRIBOULET, *amèrement.*

A quelle heure ?

BLANCHE

Hier soir.

TRIBOULET

Eh bien! regarde donc, et vois si tu peux voir!

*Il désigne à Blanche une des crevasses du mur de la maison.
Elle regarde.*

BLANCHE, *bas.*

Je ne vois rien qu'un homme.

TRIBOULET, *baissant aussi la voix.*

Attends un peu.

Le roi vêtu en simple officier, paraît dans la salle basse de
l'hôtellerie. Il entre par une petite porte qui communique
avec quelque chambre voisine.

BLANCHE, *tressaillant.*

Mon père !

Pendant toute la scène qui suit, elle demeure collée à la cre-
vasse du mur, regardant, écoutant tout ce qui se passe dans
l'intérieur de la salle, inattentive à tout le reste, agitée par
moments d'un tremblement convulsif.

SCÈNE II

LES MÊMES, LE ROI, *puis* MAGUELONNE
Le roi frappe sur l'épaule de Saltabadil, qui se retourne,
dérangé brusquement dans son opération.

LE ROI

Deux choses, sur-le-champ.

SALTABADIL

Quoi ?

LE ROI

Ta sœur, et mon
[verre.

TRIBOULET, *dehors.*

1195 Voilà ses mœurs. Ce roi par la grâce de Dieu
Se risque souvent seul dans plus d'un méchant lieu,
Et le vin qui le mieux le grise et le gouverne
Est celui que lui verse une Hébé de taverne.

LE ROI, *dans le cabaret, chantant.*

Souvent femme varie [53],
Bien fol est qui s'y fie.
Une femme souvent
N'est qu'une plume au vent !

Saltabadil est allé silencieusement chercher dans la pièce
voisine une bouteille et un verre, qu'il apporte sur la table.
Puis il frappe deux coups au plafond avec le pommeau de
sa longue épée. A ce signal, une belle jeune fille, vêtue en
bohémienne, leste et riante, descend l'escalier en sautant.
Dès qu'elle entre, le roi cherche à l'embrasser, mais elle
lui échappe.

LE ROI, *à Saltabadil, qui s'est remis gravement*
à frotter son baudrier.

L'ami, ton ceinturon deviendrait bien plus clair
1200 Si tu l'allais un peu nettoyer en plein air.

SALTABATIL

Je comprends.

Il se lève, salue gauchement le roi, ouvre la porte du dehors, et
sort en la refermant après lui. Une fois hors de la maison, il
aperçoit Triboulet vers qui il se dirige d'un air de mystère.
Pendant les quelques paroles qu'ils échangent, la jeune
fille fait des agaceries au roi, et Blanche observe avec
terreur. — Bas à Triboulet, désignant du doigt la maison.

Voulez-vous qu'il vive ou bien qu'il
[meure ?

Votre homme est dans nos mains. — Là.

TRIBOULET

Reviens tout à
[l'heure.

Il lui fait signe de s'éloigner. Saltabadil disparaît à pas lents
derrière le vieux parapet. Pendant ce temps-là, le roi
lutine la jeune bohémienne, qui le repousse en riant.

MAGUELONNE, *que le roi veut embrasser.*

Nenni !

LE ROI

Bon. Dans l'instant, pour te serrer de près,

Tu m'as très fort battu. Nenni, c'est un progrès.
1205 Nenni, c'est un grand pas. — Toujours elle recule !
— Causons. —

La bohémienne se rapproche

Voilà huit jours, — c'est à l'hôtel
[d'Hercule [54],

— Qui m'avait mené là ? mons Triboulet, je crois, —
Que j'ai vu tes beaux yeux pour la première fois.

Or, depuis ces huit jours, belle enfant, je t'adore,
1210 Je n'aime que toi seule !

MAGUELONNE, *riant.*

Et vingt autres encore !
Monsieur, vous m'avez l'air d'un libertin parfait !

LE ROI, *riant aussi.*

Oui, j'ai fait le malheur de plus d'une, en effet.
C'est vrai, je suis un monstre.

MAGUELONNE

Oh ! le fat !

LE ROI

Je t'assure.
1215 Çà, tu m'as ce matin mené dans ta masure,
Méchante hôtellerie [55] où l'on dîne fort mal
Avec du vin que fait ton frère, un animal
Fort laid, et qui doit être un drôle bien farouche
D'oser montrer son mufle à côté de ta bouche.
C'est égal. Je prétends y passer cette nuit.

MAGUELONNE, *à part.*

1220 Bon. Cela va tout seul !

Au roi, qui veut encore l'embrasser.

Laissez-moi !

LE ROI

Que de bruit !

MAGUELONNE

Soyez sage !

LE ROI

Voici la sagesse, ma chère.
— Aimons, et jouissons, et faisons bonne chère. —
Je pense là-dessus comme feu Salomon [56].

MAGUELONNE

Tu vas au cabaret plus souvent qu'au sermon.

LE ROI, *lui tendant les bras.*

1225 Maguelonne !

MAGUELONNE, *lui échappant.*

Demain!

LE ROI

Je renverse la table
Si tu redis ce mot sauvage et détestable.
Jamais une beauté ne doit dire demain.

MAGUELONNE, *s'apprivoisant tout d'un coup*
et venant s'asseoir gaîment à table auprès du roi.

Eh bien, faisons la paix.

LE ROI, *lui prenant la main.*

Mon Dieu, la belle main!
Et qu'on recevrait mieux, sans être un bon apôtre,
1230 Soufflets de celle-là que caresses d'une autre!

MAGUELONNE, *charmée.*

Vous vous moquez!

LE ROI

Jamais!

MAGUELONNE

Je suis laide.

LE ROI

Oh! non pas!
Rends donc plus de justice à tes divins appas!
Je brûle! Ignores-tu, reine des inhumaines,
Comme l'amour nous tient, nous autres capitaines,
1235 Et que, quand la beauté nous accepte pour siens,
Nous sommes braise et feu jusque chez les Russiens!

MAGUELONNE, *éclatant de rire.*

Vous avez lu cela quelque part dans un livre.

LE ROI, *à part.*

C'est possible.

Haut.

Un baiser!

MAGUELONNE

Allons, vous êtes ivre!

LE ROI, *souriant.*

D'amour!

MAGUELONNE

Vous vous raillez, avec votre air mignon,
1240 Monsieur l'insouciant de belle humeur!

LE ROI

Oh! non.
Le roi l'embrasse.

MAGUELONNE

C'est assez!

LE ROI

Çà, je veux t'épouser.

MAGUELONNE, *riant.*

Ta parole?

LE ROI

Quelle fille d'amour délicieuse et folle!

Il la prend sur ses genoux et se met à lui parler tout bas. Elle rit et minaude. Blanche n'en peut supporter davantage. Elle se retourne, pâle et tremblante, vers Triboulet immobile.

TRIBOULET, *après l'avoir regardée un instant en silence.*
Eh bien! que penses-tu de la vengeance, enfant?

BLANCHE, *pouvant à peine parler. Très bas.*
O trahison! — L'ingrat! — Grand Dieu! mon cœur se
[fend!
1245 Oh! comme il me trompait! — Mais c'est qu'il n'a point
[d'âme!
Mais c'est abominable, il dit à cette femme
Des choses qu'il m'avait déjà dites à moi!

Cachant sa tête dans la poitrine de son père.
— Et cette femme, est-elle effrontée! — oh!...

TRIBOULET, *sombre, à voix basse.*

Tais-toi.
Pas de pleurs. Laisse-moi te venger!

BLANCHE, *brisée.*

Hélas! — Faites

1250 Tout ce que vous voudrez.

TRIBOULET, *avec un hurlement de joie.*

Merci!

BLANCHE

Grand Dieu! vous êtes

Effrayant. Quel dessein avez-vous?

TRIBOULET, *impétueusement.*

Tout est prêt.

Ne me le reprends pas. Cela m'étoufferait!
Ecoute. Va chez moi. Prends-y des habits d'homme.
Un cheval. De l'argent. N'importe quelle somme.
1255 Et pars, sans t'arrêter un instant en chemin,
Pour Evreux, où j'irai te joindre après-demain.
— Tu sais, ce coffre auprès du portrait de ta mère?
L'habit est là. — Je l'ai d'avance exprès fait faire. —
Le cheval est sellé. — Que tout soit fait ainsi.
1260 Va. — Surtout garde-toi de revenir ici,
Car il va s'y passer une chose terrible.
Va.

BLANCHE, *glacée de crainte.*

Venez avec moi, mon bon père!

TRIBOULET

Impossible.

Il l'embrasse, et lui fait signe de s'en aller.

BLANCHE

Ah! je tremble!

TRIBOULET

A bientôt!

Il l'embrasse encore. Blanche se retire en chancelant.

Fais ce que je te dis.

*Pendant toute cette scène et la suivante, le roi et Mague-
lonne, toujours seuls dans la salle basse, continuent de se
faire des agaceries et de se parler à voix basse en riant.
— Une fois Blanche éloignée, Triboulet va au parapet, et
fait un signe. Saltabadil reparaît. Le jour baisse.*

SCÈNE III

TRIBOULET, SALTABADIL *dehors.*
— MAGUELONNE, LE ROI, *dans la maison.*

TRIBOULET, *comptant des écus d'or devant Saltabadil.*
Tu m'en demandes vingt. En voici d'abord dix.

S'arrêtant au moment de les lui donner.
1265 Il passe ici la nuit, pour sûr ?

SALTABADIL, *qui a été examiner l'horizon*
avant de répondre.
Le temps se couvre.

TRIBOULET, *à part.*
Au fait, il ne va pas toujours coucher au Louvre.

SALTABADIL
Soyez tranquille. Avant une heure il va pleuvoir.
La tempête et ma sœur le retiendront ce soir.

TRIBOULET
A minuit, je reviens.

SALTABADIL
N'en prenez pas la peine.
1270 Je puis jeter tout seul un cadavre à la Seine.

TRIBOULET
Non. Je veux l'y jeter moi-même.

SALTABADIL
A votre gré.
Tout cousu dans un sac, je vous le livrerai.

TRIBOULET, *lui donnant l'argent.*
Bien. — A minuit ! — J'aurai le reste de la somme.

SALTABADIL
Tout sera fait. — Comment nommez-vous ce jeune
[homme ?

TRIBOULET

1275 Son nom ? Veux-tu savoir le mien également ?
Il s'appelle le crime, et moi le châtiment !

Il sort.

SCÈNE IV

LES MÊMES, *moins* TRIBOULET

SALTABADIL, *resté seul, examine l'horizon qui se charge de
nuages. La nuit est presque tombée. Quelques éclairs.*

L'orage vient. La ville en est presque couverte.
Tant mieux. Tantôt la grève en sera plus déserte.

Réfléchissant.

Autant qu'on peut juger de tout ceci, ma foi,
1280 Tous ces gens-là m'ont l'air d'avoir on ne sait quoi.
Je ne devine rien de plus, l'aze me quille [57] !

*Il examine le ciel en hochant la tête. Pendant ce temps-là,
le roi badine avec Maguelonne.*

LE ROI, *essayant de lui prendre la taille.*

Maguelonne !

MAGUELONNE, *lui échappant.*

Attendez !

LE ROI

Oh ! la méchante fille !

MAGUELONNE, *chantant.*

*Bourgeon qui pousse en avril
Met peu de vin au baril.*

LE ROI

Quelle épaule ! quel bras ! ma charmante ennemie [58],
Qu'il est blanc ! — Jupiter ! la belle anatomie !
1285 Pourquoi faut-il que Dieu qui fit ces beaux bras nus
Ait mis le cœur d'un Turc dans ce corps de Vénus ?

MAGUELONNE

Lairelanlaire !

Repoussant encore le roi.

Point. Mon frère vient.

Entre Saltabadil, qui referme la porte sur lui.

LE ROI

Qu'importe !

On entend un tonnerre éloigné.

MAGUELONNE

Il tonne.

SALTABADIL

Il va pleuvoir d'une admirable sorte.

LE ROI, *frappant sur l'épaule de Saltabadil.*

Bon. Qu'il pleuve. — Il me plaît cette nuit de choisir
1290 Ta chambre pour logis.

MAGUELONNE, *ironiquement.*

C'est votre bon plaisir [59],
Prend-il des airs de roi ! — Monsieur, votre famille
S'alarmera.

Saltabadil la tire par le bras et lui fait des signes.

LE ROI

Je n'ai ni grand-mère, ni fille,
Et je ne tiens à rien.

SALTABADIL, *à part.*

Tant mieux !

*La pluie commence à tomber à larges gouttes. Il est nuit
noire.*

LE ROI, *à Saltabadil.*

Tu coucheras,
Mon cher, à l'écurie, au diable, où tu voudras.

SALTABADIL, *saluant.*

1295 Merci.

MAGUELONNE, *au roi, très bas et très vivement,*
tout en allumant une lampe.

Va-t'en !

LE ROI, *éclatant de rire et tout haut.*

Il pleut ! Veux-tu que je sorte
D'un temps à ne pas mettre un poëte à la porte ?

Il va regarder à la fenêtre.

SALTABADIL, *bas à Maguelonne, lui montrant l'or*
qu'il a dans la main.

Laisse-le donc rester ! — Dix écus d'or ! et puis
Dix autres à minuit !

Gracieusement au roi.

Trop heureux si je puis
Offrir pour cette nuit à monseigneur ma chambre !

LE ROI, *riant.*

1300 On y grille en juillet, en revanche en décembre
On y gèle, est-ce pas ?

SALTABADIL

Monsieur la veut-il voir ?

LE ROI

Voyons.

Saltabadil prend la lampe. Le roi va dire deux mots en riant
à l'oreille de Maguelonne. Puis tous deux montent l'échelle
qui mène à l'étage supérieur, Saltabadil précédant le roi.

MAGUELONNE, *restée seule.*

Pauvre jeune homme !

Allant à une fenêtre.

O mon Dieu ! qu'il fait
[noir !

On voit par la lucarne d'en haut Saltabadil et le roi dans le
grenier.

SALTABADIL, *au roi.*

Voici le lit, monsieur, la chaise, et puis la table.

LE ROI

Combien de pieds en tout ?

Il regarde alternativement le lit, la table et la chaise.

Trois, six, neuf, — admirable !

1305 Tes meubles étaient donc à Marignan [60], mon cher,
Qu'ils sont tous éclopés ?

S'approchant de la lucarne, dont les carreaux sont cassés.

Et l'on dort en plein air.

Ni vitres, ni volets. Impossible qu'on traite
Le vent qui veut entrer de façon plus honnête !

A Saltabadil, qui vient d'allumer une veilleuse sur la table.

Bonsoir.

SALTABADIL

Que Dieu vous garde !

*Il sort, pousse la porte, et on l'entend redescendre lourdement
l'escalier.*

LE ROI, *seul, débouclant son baudrier.*

Ah ! je suis las, mortdieu !

1310 — Donc, en attendant mieux, je vais dormir un peu.

*Il pose sur la chaise son chapeau et son épée, défait ses bottes,
et s'étend sur le lit.*

Que cette Maguelonne est fraîche, vive, alerte !

Se redressant.

J'espère bien qu'il a laissé la porte ouverte.
— Oui, c'est bien !

*Il se recouche, et un moment on le voit profondément endormi
sur le grabat. Cependant Maguelonne et Saltabadil sont
tous deux dans la salle inférieure. L'orage a éclaté depuis
quelques instants. Il couvre tout de pluie et d'éclairs. A
chaque instant des coups de tonnerre. Maguelonne est
assise près de la table, quelque couture à la main. Son
frère achève de vider, d'un air réfléchi, la bouteille qu'a
laissée le roi. Tous deux gardent quelque temps le silence,
comme préoccupés d'une idée grave.*

MAGUELONNE, *en soupirant.*

Ce jeune homme est charmant !

SALTABADIL

Je crois
bien !

Il met vingt écus d'or dans ma poche.

MAGUELONNE

Combien ?

SALTABADIL

1315 Vingt écus.

MAGUELONNE

Il valait plus que cela.

SALTABADIL

Poupée !
Va voir là-haut s'il dort. N'a-t-il pas une épée ?
Descends-la.

*Maguelonne obéit. L'orage est dans toute sa violence. On
voit paraître, au fond, Blanche, vêtue d'habits d'homme,
habit de cheval, des bottes et des éperons. En noir. Elle
s'avance lentement vers la masure, tandis que Saltabadil
boit, et que Maguelonne, dans le grenier, considère avec sa
lampe le roi endormi.*

MAGUELONNE, *les larmes aux yeux.*

Quel dommage !

Elle prend l'épée.

Il dort. Pauvre garçon !

Elle redescend et rapporte l'épée à son frère.

SCÈNE V

LE ROI, *endormi dans le grenier,*
SALTABADIL *et* MAGUELONNE, *dans la salle basse,*

BLANCHE, *dehors.*

BLANCHE, *venant à pas lents dans l'ombre,*
à la lueur des éclairs. Il tonne à chaque instant.

Une chose terrible ! — Ah ! je perds la raison.
— Il doit passer la nuit dans cette maison même.
1320 — Oh ! je sens que je touche à quelque instant suprême ! —

Mon père, pardonnez. Vous n'êtes plus ici.
Je vous désobéis d'y revenir ainsi.
Mais je n'y puis tenir. —

S'approchant de la maison.

Qu'est-ce donc qu'on va faire ?
Comment cela va-t-il finir ? — Moi qui naguère,
1325 Ignorant l'avenir, le monde et les douleurs,
Pauvre fille, vivais cachée avec des fleurs,
Me voir soudain jetée en des choses si sombres ! —
Ma vertu, mon bonheur, hélas ! tout est décombres !
Tout est deuil ! — Dans les cœurs où ses flammes ont lui
1330 L'amour ne laisse donc que ruine après lui ?
De tout cet incendie il reste un peu de cendres !
Il ne m'aime donc plus ! —

Elle pleure amèrement. Relevant la tête.

Il me semblait entendre,
Tout à l'heure, à travers ma pensée, un grand bruit.
Sur ma tête. Il tonnait, je crois. — L'affreuse nuit !
1335 Il n'est rien qu'une femme au désespoir ne fasse.
Moi qui craignais mon ombre !

Apercevant la lumière de la maison.

Oh ! qu'est-ce qui se passe ?

Elle avance, puis recule.

Tandis que je suis là, Dieu ! j'ai le cœur saisi.
Pourvu qu'on n'aille pas tuer quelqu'un ici !

*Maguelonne et Saltabadil se remettent à causer dans la salle
voisine.*

SALTABADIL

Quel temps !

MAGUELONNE

Pluie et tonnerre.

SALTABADIL

Oui, l'on fait à cette heure
1340 Mauvais ménage au ciel [61]. L'un gronde et l'autre pleure.

BLANCHE

Si mon père savait à présent où je suis !

MAGUELONNE

Mon frère !

BLANCHE, *tressaillant.*

On a parlé je crois.

Elle se dirige en tremblant vers la maison, et applique à la fente du mur ses yeux et ses oreilles.

MAGUELONNE

Mon frère!

SALTABADIL

Et puis?

MAGUELONNE

Sais-tu, mon frère, à quoi je pense?

SALTABADIL

Non.

MAGUELONNE

Devine.

SALTABADIL

Au diable!

MAGUELONNE

Ce jeune homme est de fort bonne mine.
1345 Grand, fier comme Apollo [62], beau, galant par-dessus.
Il m'aime fort. Il dort comme un enfant Jésus.
Ne le tuons pas.

BLANCHE, *qui entend et voit tout, terrifiée.*

Ciel!

SALTABADIL, *tirant d'un coffre un vieux sac de toile et un pavé, et présentant le sac à Maguelonne d'un air impassible.*

Recouds-moi tout de suite

Ce vieux sac.

MAGUELONNE

Pourquoi donc?

SALTABADIL

Pour y mettre au plus vite,
Quand j'aurai dépêché là-haut ton Apollo,
1350 Son cadavre et ce grès, et tout jeter à l'eau.

MAGUELONNE

Mais...

SALTABADIL

Ne te mêle pas de cela, Maguelonne.

MAGUELONNE

Si...

SALTABADIL

Si l'on t'écoutait, on ne tuerait personne.
Raccommode le sac.

BLANCHE

Quel est ce couple-ci ?
N'est-ce pas dans l'enfer que je regarde ainsi ?

MAGUELONNE, *se mettant à raccommoder le sac.*
1355 J'obéis. — Mais causons.

SALTABADIL

Soit.

MAGUELONNE

Tu n'as pas de haine
Contre ce cavalier ?

SALTABADIL

Moi ! C'est un capitaine !
J'aime les gens d'épée, en étant moi-même un.

MAGUELONNE

Tuer un beau garçon qui n'est pas du commun,
Pour un méchant bossu fait comme une S !

SALTABADIL

En somme
1360 J'ai reçu d'un bossu pour tuer un bel homme,
Cela m'est fort égal, dix écus tout d'abord.
J'en aurai dix de plus en livrant l'homme mort.
Livrons. C'est clair.

MAGUELONNE

Tu peux tuer le petit homme
Quand il va repasser avec toute la somme.
1365 Cela revient au même.

BLANCHE

O mon père !

MAGUELONNE

Est-ce dit ?

SALTABADIL, *regardant Maguelonne en face.*

Hein ! pour qui me prends-tu, ma sœur ? suis-je un
                                                    [bandit ?
Suis-je un voleur ? Tuer un client qui me paie !

MAGUELONNE, *lui montrant un fagot.*

Eh bien ! mets dans le sac ce fagot de futaie.
Dans l'ombre, il le prendra pour son homme [63].

SALTABADIL

                                              C'est fort.
1370 Comment veux-tu qu'on prenne un fagot pour un mort ?
C'est immobile, sec, tout d'une pièce, roide,
Cela n'est pas vivant.

BLANCHE

                        Que cette pluie est froide !

MAGUELONNE

Grâce pour lui.

SALTABADIL

Chansons !

MAGUELONNE

                    Mon bon frère !

SALTABADIL

                                      Plus bas !

Il faut qu'il meure ! Allons, tais-toi.

MAGUELONNE, *irritée.*

                                          Je ne veux pas !

1375 Je l'éveille et le fais évader.

BLANCHE

                                    Bonne fille !

SALTABADIL

Et les dix écus d'or ?

MAGUELONNE

C'est vrai.

SALTABADIL

Là, sois gentille,
Laisse-moi faire, enfant !

MAGUELONNE

Non. Je veux le sauver !

Maguelonne se place d'un air déterminé devant l'escalier,
pour barrer le passage à son frère. Saltabadil, vaincu par
sa résistance, revient sur le devant, et paraît chercher dans
son esprit un moyen de tout concilier.

SALTABADIL

Voyons. — L'autre à minuit viendra me retrouver.
Si d'ici là quelqu'un, un voyageur, n'importe,
1380 Vient nous demander gîte et frappe à notre porte,
Je le prends, je le tue, et puis, au lieu du tien,
Je le mets dans le sac. L'autre n'y verra rien.
Il jouira toujours autant dans la nuit close
Pourvu qu'il jette à l'eau quelqu'un ou quelque chose.
1385 C'est tout ce que je puis faire pour toi.

MAGUELONNE

Merci.
Mais qui diable veux-tu qui passe par ici ?

SALTABADIL

Seul moyen de sauver ton homme.

MAGUELONNE

A pareille heure ?

BLANCHE

O Dieu ! vous me tentez, vous voulez que je meure !
Faut-il que pour l'ingrat je franchisse ce pas ?
1390 Oh ! non, je suis trop jeune ! — Oh ! ne me poussez pas,
Mon Dieu !

Il tonne.

MAGUELONNE

S'il vient quelqu'un dans une nuit pareille,
Je m'engage à porter la mer dans ma corbeille.

SALTABADIL

Si personne ne vient, ton beau jeune homme est mort.

BLANCHE, *frissonnant.*

Horreur! — Si j'appelais le guet?... Mais non, tout dort.
1395 D'ailleurs, cet homme-là dénoncerait mon père.
Je ne veux pas mourir pourtant. J'ai mieux à faire,
J'ai mon père à soigner, à consoler. Et puis
Mourir avant seize ans, c'est affreux! Je ne puis!
O Dieu! sentir le fer entrer dans ma poitrine!
1400 Ha!

Une horloge frappe un coup.

SALTABADIL

Ma sœur, l'heure sonne à l'horloge voisine.

Deux autres coups.

C'est onze heures trois quarts. Personne avant minuit
Ne viendra. Tu n'entends au-dehors aucun bruit?
Il faut pourtant finir. Je n'ai plus qu'un quart d'heure.

Il met le pied sur l'escalier. Maguelonne le retient en sanglo-
tant.

MAGUELONNE

Mon frère, encore un peu!

BLANCHE

Quoi! cette femme pleure!
1405 Et moi, je reste là, qui peux le secourir!
Puisqu'il ne m'aime plus, je n'ai plus qu'à mourir.
Eh bien! mourons pour lui. —

Hésitant encore.

C'est égal, c'est horrible!

SALTABADIL, *à Maguelonne.*

Non, je ne puis attendre enfin. C'est impossible.

BLANCHE

Encor si l'on savait comme ils vous frapperont.
1410 Si l'on ne souffrait pas! Mais on vous frappe au front,
Au visage... Oh! mon Dieu!

SALTABADIL, *essayant toujours de se dégager*
de Maguelonne, qui l'arrête.

Que veux-tu que je fasse?
Crois-tu pas que quelqu'un viendra prendre sa place?

BLANCHE, *grelottant sous la pluie.*

Je suis glacée!

> *Se dirigeant vers la porte.*

Allons!

> *S'arrêtant.*

Mourir ayant si froid!

Elle se traîne en chancelant jusqu'à la porte, et y frappe un faible coup.

MAGUELONNE

On frappe!

SALTABADIL

C'est le vent qui fait craquer le toit.

> *Blanche frappe de nouveau.*

MAGUELONNE

1415 On frappe!

> *Elle court ouvrir la lucarne et regarde au-dehors.*

SALTABADIL

C'est étrange!

MAGUELONNE, *à Blanche.*

Holà, qu'est-ce ?

> *A Saltabadil.*
> Un jeune
> [homme.

BLANCHE

Asile pour la nuit!

SALTABADIL

Il va faire un fier somme!

MAGUELONNE

Oui, la nuit sera longue.

BLANCHE

Ouvrez!

SALTABADIL

Attends ! — Mortdieu !
Donne-moi mon couteau que je l'aiguise un peu.
Elle lui donne son couteau, qu'il aiguise au fer d'une faulx.

BLANCHE

Ciel ! j'entends le couteau qu'ils aiguisent ensemble !

MAGUELONNE

1420 Pauvre jeune homme, il frappe à son tombeau.

BLANCHE

Je tremble !
Quoi ! je vais donc mourir !
Tombant à genoux.
O Dieu, vers qui je vais,
Je pardonne à tous ceux qui m'ont été mauvais,
— Mon père, et vous, mon Dieu ! pardonnez-leur de
[même,
Au roi François premier, que je plains et que j'aime,
1425 A tous, même au démon, même à ce réprouvé,
Qui m'attend là dans l'ombre, avec un fer levé !
J'offre pour un ingrat ma vie en sacrifice.
S'il en est plus heureux, oh ! qu'il m'oublie ! — et puisse,
Dans sa prospérité que rien ne doit tarir,
1430 Vivre longtemps celui pour qui je vais mourir !
Se levant.
— L'homme doit être prêt !
Elle va frapper de nouveau à la porte.

MAGUELONNE, *à Saltabadil.*

Hé ! dépêche, il se lasse.

SALTABADIL, *essayant sa lame sur la table.*

Bon. — Derrière la porte attends que je me place.

BLANCHE

J'entends tout ce qu'il dit ! Oh !
*Saltabadil se place derrière la porte de manière qu'en s'ou-
vrant en dedans elle le cache à la personne qui entre sans
le cacher au spectateur.*

MAGUELONNE, *à Saltabadil.*
J'attends le signal.

SALTABADIL, *derrière la porte, le couteau à la main.*
Ouvre.

MAGUELONNE, *ouvrant à Blanche.*
Entrez.

BLANCHE, *à part.*
Ciel! il va me faire bien du mal!

Elle recule.

MAGUELONNE
1435 Eh bien! qu'attendez-vous?

BLANCHE, *avec horreur, à part.*
La sœur aide le frère.
— O Dieu! pardonnez-leur! — Pardonnez-moi, mon
[père!
*Elle entre. Au moment où elle paraît sur le seuil de la
cabane, on voit Saltabadil lever son poignard. La toile
tombe.*

ACTE CINQUIÈME

TRIBOULET

Même décoration; seulement, quand la toile se lève, la
maison de Saltabadil est complètement fermée aux
regards, la devanture est garnie de ses volets. On n'y
voit aucune lumière. Tout est ténèbres.

SCÈNE PREMIÈRE

TRIBOULET, *seul.*
*Il s'avance lentement du fond, enveloppé d'un manteau.
L'orage a diminué de violence. La pluie a cessé. Il n'y
a plus que quelques éclairs et par moments un tonnerre
lointain. Triboulet est plongé dans une profonde rêverie,
avec une joie sombre dans les yeux.*

Je vais donc me venger ! — Enfin ! la chose est faite. —
Voici bientôt un mois que j'attends, que je guette,
Resté bouffon, cachant mon trouble intérieur,
1440 Pleurant des pleurs de sang sous mon masque rieur.

Examinant une porte basse dans la devanture de la maison.

Cette porte... — Oh ! tenir et toucher sa vengeance !
C'est bien par là qu'ils vont me l'apporter, je pense.
Il n'est pas l'heure encor. Je reviens cependant.
Oui, je regarderai la porte en attendant.
1445 Oui, c'est toujours cela. —

Il tonne.

Quel temps ! nuit de mystère !
Une tempête au ciel ! un meurtre sur la terre !
Que je suis grand ici ! ma colère de feu
Va de pair cette nuit avec celle de Dieu.
Quel roi je tue ! — Un roi dont vingt autres dépendent,
1450 Des mains de qui la paix ou la guerre s'épandent !
Il porte maintenant le poids du monde entier.
Quand il n'y sera plus, comme tout va plier !
Quand j'aurai retiré ce pivot, la secousse
Sera forte et terrible, et ma main qui la pousse
1455 Ebranlera longtemps toute l'Europe en pleurs,
Contrainte de chercher son équilibre ailleurs ! —
Songer que si demain Dieu disait à la terre :
— O terre, quel volcan vient d'ouvrir son cratère ?
Qui donc émeut ainsi le chrétien, l'ottoman,
1460 Clément-Sept, Doria [64], Charles Quint, Soliman ?
Quel César, quel Jésus, quel guerrier, quel apôtre,
Jette les nations ainsi l'une sur l'autre ?
Quel bras te fait trembler, terre, comme il lui plaît ?
La terre avec terreur répondrait : Triboulet ! —
1465 Oh ! jouis, vil bouffon, dans ta fierté profonde.
La vengeance d'un fou fait osciller le monde !

Au milieu des derniers bruits de l'orage, on entend sonner
minuit à une horloge éloignée. Triboulet écoute.

Minuit !

Il court à la maison, et frappe à la porte basse.

VOIX DE L'INTÉRIEUR

Qui va là ?

TRIBOULET

Moi.

LA VOIX
Bon.

Le panneau inférieur de la porte s'ouvre seul.

TRIBOULET, *courbé et haletant.*
Vite!

LA VOIX
N'entrez pas.

*Saltabadil sort en rampant par le panneau inférieur de la
porte. Il tire par cette ouverture assez étroite quelque
chose de pesant, une espèce de paquet de forme oblongue,
qu'on distingue avec peine dans l'obscurité. Il n'a pas de
lumière à la main, il n'y en a pas dans la maison.*

SCÈNE II

TRIBOULET, SALTABADIL

SALTABADIL
Ouf! c'est lourd. Aidez-moi, monsieur, pour quelques pas.

*Triboulet, agité d'une joie convulsive, l'aide à apporter sur
le devant un long sac de couleur brune, qui paraît contenir
un cadavre.*

Votre homme est dans ce sac.

TRIBOULET
Voyons-le! Quelle joie!
1470 Un flambeau!

SALTABADIL
Pardieu non!

TRIBOULET
Que crains-tu qui nous voie?

SALTABADIL
Les archers de l'écuelle [65] et les guetteurs de nuit.
Diable! pas de flambeau! c'est bien assez du bruit! —
L'argent!

TRIBOULET, *lui remettant une bourse.*

Tiens !

Examinant le sac étendu à terre pendant que l'autre compte.

Il est donc des bonheurs dans la haine !

SALTABADIL

Vous aiderai-je un peu pour le jeter en Seine ?

TRIBOULET

1475 J'y suffirai tout seul.

SALTABADIL, *insistant.*

A nous deux, c'est plus court.

TRIBOULET

Un ennemi qu'on porte en terre n'est pas lourd.

SALTABADIL

Vous voulez dire en Seine ? Hé bien, maître, à votre aise !

Allant à un point du parapet.

Ne le jetez pas là. Cette place est mauvaise.

Lui montrant une brèche dans le parapet.

Ici, c'est très profond. — Faites vite. — Bonsoir.

Il rentre et referme la maison sur lui.

SCÈNE III

TRIBOULET, *seul, l'œil fixé sur le sac.*

1480 Il est là ! — Mort ! — Pourtant je voudrais bien le voir.

Tâtant le sac.

C'est égal, c'est bien lui. — Je le sens sous ce voile.
Voici ses éperons qui traversent la toile. —
C'est bien lui !

Se redressant et mettant le pied sur le sac.

                    Maintenant, monde, regarde-moi.
Ceci, c'est un bouffon, et ceci, c'est un roi ! —
1485 Et quel roi ! le premier de tous ! le roi suprême !
Le voilà sous mes pieds, je le tiens. C'est lui-même.
La Seine pour sépulcre, et ce sac pour linceul.
Qui donc a fait cela ?

                                        Croisant les bras.

                    Hé bien ! oui c'est moi seul. —
Non, je ne reviens pas d'avoir eu la victoire,
1490 Et les peuples demain refuseront d'y croire.
Que dira long avenir ? quel long étonnement
Parmi les nations d'un tel événement !
Sort, qui nous mets ici, comme tu nous en ôtes !
Une des majestés humaines les plus hautes,
1495 Quoi, François de Valois, ce prince au cœur de feu,
Rival de Charles Quint, un roi de France, un dieu,
— A l'éternité près, — un gagneur de batailles
Dont le pas ébranlait les bases des murailles,

                              Il tonne de temps en temps.

L'homme de Marignan, lui qui, toute une nuit,
1500 Poussa des bataillons l'un sur l'autre à grand bruit,
Et qui quand le jour vint, les mains de sang trempées,
N'avait plus qu'un tronçon de trois grandes épées,
Ce roi ! de l'univers par sa gloire étoilé,
Dieu ! comme il se sera brusquement en allé !
1505 Emporté tout à coup, dans toute sa puissance,
Avec son nom, son bruit, et sa cour qui l'encense,
Emporté, comme on fait d'un enfant mal venu,
Une nuit qu'il tonnait, par quelqu'un d'inconnu !
Quoi ! cette cour, ce siècle et ce règne, fumée !
1510 Ce roi qui se levait dans une aube enflammée,
Eteint, évanoui, dissipé dans les airs !
Apparu, disparu, — comme un de ces éclairs !
Et peut-être demain des crieurs inutiles,
Montrant des tonnes d'or, s'en iront par les villes,
1515 Et crieront au passant, de surprise éperdu
— A qui retrouvera François premier perdu !
— C'est merveilleux !

                                        Après un silence.

                    Ma fille, ô ma pauvre affligée,
Le voilà donc puni, te voilà donc vengée !
Oh ! que j'avais besoin de son sang ! Un peu d'or,
1520 Et je l'ai !

                    Se penchant avec rage sur le cadavre.

Scélérat ! peux-tu m'entendre encor ?
Ma fille, qui vaut plus que ne vaut ta couronne,
Ma fille, qui n'avait fait de mal à personne,
Tu me l'as enviée et prise ! tu me l'as
Rendue avec la honte, — et le malheur, hélas !
1525 Eh bien ! dis, m'entends-tu ? maintenant, c'est étrange,
Oui, c'est moi qui suis là qui ris et qui me venge !
Parce que je feignais d'avoir tout oublié,
Tu t'étais endormi ! — Tu croyais donc, pitié !
La colère d'un père aisément édentée ! —
1530 Oh ! non, dans cette lutte entre nous suscitée,
Lutte du faible au fort, le faible est le vainqueur.
Lui qui léchait tes pieds, il te ronge le cœur !
Je te tiens.

Se penchant de plus en plus sur le sac.

M'entends-tu ? c'est moi, roi gentilhomme,
Moi, ce fou, ce bouffon, moi, cette moitié d'homme,
1535 Cet animal douteux à qui tu disais : Chien ! —

Il frappe le cadavre.

C'est que, quand la vengeance est en nous, vois-tu bien,
Dans le cœur le plus mort il n'est plus rien qui dorme,
Le plus chétif grandit, le plus vil se transforme,
L'esclave tire alors sa haine du fourreau,
1540 Et le chat devient tigre, et le bouffon bourreau !

Se relevant à demi.

Oh ! que je voudrais bien qu'il pût m'entendre encore,
Sans pouvoir remuer ! —

Se penchant de nouveau.

M'entends-tu ? je t'abhorre !
Va voir au fond du fleuve, où tes jours sont finis,
Si quelque courant d'eau remonte à Saint-Denis !

Se relevant.

1545 A l'eau François premier !

*Il prend le sac par un bout et le traîne au bord de l'eau. Au
moment où il le dépose sur le parapet, la porte basse de la
maison s'entrouvre avec précaution. Maguelonne en
sort, regarde autour d'elle avec inquiétude, fait le geste
de quelqu'un qui ne voit rien, rentre, et reparaît un instant
après avec le roi, auquel elle explique par signes qu'il n'y
a plus personne là, et qu'il peut s'en aller. Elle rentre en
refermant la porte, et le roi traverse la grève dans la
direction que lui a indiquée Maguelonne. C'est le moment
où Triboulet se dispose à pousser le sac dans la Seine.*

TRIBOULET, *la main sur le sac.*

Allons!

LE ROI, *chantant au fond.*

Souvent femme varie!
Bien fol est qui s'y fie!

TRIBOULET, *tressaillant.*

Quelle voix! quoi?
Illusions des nuits, vous jouez-vous de moi?

Il se retourne et prête l'oreille, effaré. Le roi a disparu. Mais
on l'entend chanter dans l'éloignement.

VOIX DU ROI

Souvent femme varie!
Bien fol est qui s'y fie!

TRIBOULET

O malédiction! ce n'est pas lui que j'ai!
Ils le font évader, quelqu'un l'a protégé,
On m'a trompé! —

Courant à la maison, dont la fenêtre supérieure est seule
ouverte.

Bandit!

La mesurant des yeux comme pour l'escalader.

C'est trop haut, la fenêtre!

Revenant au sac avec fureur.

1550 Mais qui donc m'a-t-il mis à sa place, le traître!
Quel innocent? — Je tremble...

Touchant le sac.

Oui, c'est un corps
[humain.

Il déchire le sac du haut en bas avec son poignard, et y
regarde avec anxiété.

Je n'y vois pas! — La nuit!

Se retournant, égaré.

Quoi! rien dans le chemin!
Rien dans cette maison! pas un flambeau qui brille!

S'accoudant avec désespoir sur le corps.

Attendons un éclair.

*Il reste quelques instants l'œil fixé sur le sac entrouvert, dont
il a tiré Blanche à demi.*

SCÈNE IV

TRIBOULET, BLANCHE

TRIBOULET

Un éclair passe, il se lève, et recule avec un cri frénétique.

           — Ma fille! Ah! Dieu! ma fille!
1555 Ma fille! Terre et cieux! c'est ma fille, à présent!

                    Tâtant sa main.

Dieu! ma main est mouillée! — A qui donc est ce sang?
— Ma fille! — Oh! je m'y perds! c'est un prodige
                           [horrible!
C'est une vision! Oh! non, c'est impossible,
Elle est partie, elle est en route pour Evreux!

       Tombant à genoux près du corps, les yeux au ciel.

1560 O mon Dieu! n'est-ce pas que c'est un rêve affreux,
Que vous avez gardé ma fille sous votre aile,
Et que ce n'est pas elle, ô mon Dieu?

     *Un second éclair passe et jette une vive lumière sur le visage
     pâle et les yeux fermés de Blanche.*
                         Si! c'est elle!

C'est bien elle!
            Se jetant sur le corps avec des sanglots.

        Ma fille! enfant! réponds-moi, dis,
Ils t'ont assassinée! oh! réponds! oh! bandits!
1565 Personne ici, grand Dieu! que l'horrible famille!
Parle-moi! parle-moi! ma fille! ô ciel! ma fille!

      *BLANCHE, comme ranimée aux cris de son père,
      entrouvrant la paupière, et d'une voix éteinte.*

Qui m'appelle?

TRIBOULET, *éperdu.*

Elle parle ! elle remue un peu !
Son cœur bat ! son œil s'ouvre ! elle est vivante, ô Dieu !

BLANCHE

*Elle se relève à demi. Elle est en chemise, tout ensanglantée,
les cheveux épars. La bas du corps, qui est resté vêtu, est
caché dans un sac.*

Où suis-je ?

TRIBOULET, *la soulevant dans ses bras.*

Mon enfant, mon seul bien sur la terre,
1570 Reconnais-tu ma voix ? m'entends-tu ? dis ?

BLANCHE

Mon père !...

TRIBOULET

Blanche ! que t'a-t-on fait ? Quel mystère infernal ? —
Je crains en te touchant de te faire du mal.
Je n'y vois pas. Ma fille, as-tu quelque blessure ?
Conduis ma main !

BLANCHE, *d'une voix entrecoupée.*

Le fer a touché, — j'en suis sûre, —
1575 — Le cœur, — je l'ai senti... —

TRIBOULET

Ce coup, qui l'a frappé ?

BLANCHE

Ah ! tout est de ma faute, — et je vous ai trompé.
Je l'aimais trop, — je meurs — pour lui.

TRIBOULET

Sort implacable !
Prise dans ma vengeance ! Oh ! c'est Dieu qui m'accable ! —
Comment donc ont-ils fait ? Ma fille, explique-toi !
1580 Dis !

BLANCHE, *mourante.*

Ne me faites pas parler !

TRIBOULET, *la couvrant de baisers.*

Pardonne-moi,
Mais, sans savoir comment, te perdre! Oh! ton front
[penche!

BLANCHE, *faisant un effort pour se retourner.*

Oh!... de l'autre côté!... J'étouffe!

TRIBOULET, *la soulevant avec angoisse.*

Blanche! Blanche!

Ne meurs pas! —

Se retournant, désespéré.

Au secours! Quelqu'un! Personne ici!
Est-ce qu'on va laisser mourir ma fille ainsi!
1585 —Ah! la cloche du bac est là, sur la muraille. —
Ma pauvre enfant, peux-tu m'attendre un peu que j'aille
Chercher de l'eau, sonner pour qu'on vienne? — un
[instant!

Blanche fait signe que c'est inutile.

Non, tu ne le veux pas? — Il le faudrait pourtant!

Appelant sans la quitter.

Quelqu'un!

Silence partout. La maison demeure impassible dans l'ombre.

Cette maison, grand Dieu, c'est une tombe!

Blanche agonise.

1590 Oh! ne meurs pas! Enfant, mon trésor, ma colombe,
Blanche! si tu t'en vas, moi, je n'aurai plus rien!
Ne meurs pas, je t'en prie!

BLANCHE

Oh!...

TRIBOULET

Mon bras n'est pas bien
N'est-ce pas? il te gêne. — Attends que je me place
Autrement. — Es-tu mieux comme cela? — Par grâce,
1595 Tâche de respirer jusqu'à ce que quelqu'un
Vienne nous assister! — Aucun secours! aucun!

BLANCHE, *d'une voix éteinte et avec effort.*

Pardonnez-lui! mon père... — Adieu!

Sa tête retombe.

TRIBOULET, *s'arrachant les cheveux.*

Blanche!... Elle
[expire!

Il court à la cloche du bac et la secoue avec fureur.

A l'aide! au meurtre! au feu!

Revenant à Blanche.

Tâche encor de me dire
Un mot! un seulement! parle-moi, par pitié!

Essayant de la relever.

1600 Pourquoi veux-tu rester ainsi le corps plié?
Seize ans! non, c'est trop jeune! oh! non, tu n'es pas
[morte!
Blanche, as-tu pu quitter ton père de la sorte?
Est-ce qu'il ne doit plus t'entendre? ô Dieu! pourquoi?

*Entrent des gens du peuple, accourant au bruit avec des
flambeaux.*

Le ciel fut sans pitié de te donner à moi!
1605 Que ne t'a-t-il reprise au moins, ô pauvre femme,
Avant de me montrer la beauté de ton âme?
Pourquoi m'a-t-il laissé connaître mon trésor?
Que n'es-tu morte, hélas! toute petite encor,
Le jour où des enfants en jouant te blessèrent!
1610 Mon enfant! mon enfant!

SCÈNE V

LES MÊMES, HOMMES, FEMMES DU PEUPLE.

UNE FEMME

Ses paroles me serrent
Le cœur.

TRIBOULET, *se retournant.*

Ah! vous voilà! vous venez maintenant!
Il est bien temps!

Prenant au collet un charretier, qui tient son fouet à la main.

As-tu des chevaux, toi, manant?
Une voiture? dis?

LE CHARRETIER

Oui. — Comme il me secoue !

TRIBOULET

Oui ? Hé bien, prends ma tête, et mets-la sous ta roue !

Il revient se jeter sur le corps de Blanche.

1615 Ma fille !

UN DES ASSISTANTS

Quelque meurtre ? un père au désespoir !
Séparons-les.

Ils veulent entraîner Triboulet, qui se débat.

TRIBOULET

Je veux rester ! je veux la voir !
Je ne vous ai point fait de mal pour me la prendre !
Je ne vous connais pas. — Voulez-vous bien m'entendre ?

A une femme.

Madame, vous pleurez, vous êtes bonne, vous !
1620 Dites-leur de ne pas m'emmener.

La femme intercède pour lui. Il revient près de Blanche.
Tombant à genoux.

A genoux !

A genoux, misérable ! et meurs à côté d'elle !

LA FEMME

Ah ! calmez-vous. Si c'est pour crier de plus belle,
On va vous remmener.

TRIBOULET, *égaré.*

Non, non ! laissez ! —

Saisissant Blanche dans ses bras.

Je croi

Qu'elle respire encor ! elle a besoin de moi !
1625 Allez vite chercher du secours à la ville.
Laissez-la dans mes bras. Je serai bien tranquille.

Il la prend tout à fait sur lui, et l'arrange comme une mère
   son enfant endormi.

Non ! elle n'est pas morte ! Oh ! Dieu ne voudrait pas.
Car enfin, il le sait, je n'ai qu'elle ici-bas.
Tout le monde vous hait quand vous êtes difforme,
1630 On vous fuit, de vos maux personne ne s'informe,

Elle m'aime, elle! — elle est ma joie et mon appui.
Quand on rit de son père, elle pleure avec lui.
Si belle et morte! oh! non. — Donnez-moi quelque chose
Pour essuyer son front.

Il lui essuie le front.

Sa lèvre est encor rose.
1635 Oh! si vous l'aviez vue, oh! je la vois encor
Quand elle avait deux ans, avec ses cheveux d'or!
Elle était blonde alors! —

La serrant sur son cœur avec emportement.

O ma pauvre opprimée!
Ma Blanche! mon bonheur! ma fille bien-aimée! —

Se calmant et l'admirant.

Lorsqu'elle était enfant, je la tenais ainsi.
1640 Elle dormait sur moi, tout comme la voici!
Quand elle s'éveillait, si vous saviez quel ange!
Je ne lui semblais pas quelque chose d'étrange,
Elle me souriait avec ses yeux divins,
Et moi, je lui baisais ses deux petites mains!
1645 Pauvre agneau! — Morte! oh non! elle dort et repose.
Tout à l'heure, messieurs, c'était bien autre chose,
Elle s'est cependant réveillée. — Oh! j'attend.
Vous l'allez voir rouvrir ses yeux dans un instant!
Vous voyez maintenant, messieurs, que je raisonne,
1650 Je suis tranquille et doux, je n'offense personne,
Puisque je ne fais rien de ce qu'on me défend,
On peut bien me laisser regarder mon enfant.

Il la contemple.

Pas une ride au front! pas de douleurs anciennes! —
J'ai déjà rechauffé ses mains entre les miennes,
1655 Voyez, touchez-les donc un peu!

Entre un médecin.

LA FEMME, *à Triboulet.*

Le chirurgien.

TRIBOULET, *au chirurgien qui s'approche.*

Tenez, regardez-la, je n'empêcherai rien.
Elle est évanouie, est-ce pas?

Le CHIRURGIEN, *examinant Blanche.*

Elle est morte.

Triboulet se lève debout d'un mouvement convulsif. Le méde-
   cin poursuit froidement.

Elle a dans le flanc gauche une plaie assez forte.
Le sang a dû causer la mort en l'étouffant.

TRIBOULET

1660 J'ai tué mon enfant! j'ai tué mon enfant [66]!

Il tombe sur le pavé.

NOTES ET VARIANTES

AMY ROBSART

Les variantes sont empruntées au manuscrit autographe des actes I, II et IV (Ms. 1) et à un manuscrit destiné à la scène pour la représentation de 1828 (Ms. 2).

1. Le décor est indiqué plus simplement dans Ms. 1.
2. Ms. 2 : écuyer.
3. Ms. 1 : les deux premières scènes sont très différentes de l'état définitif. Les voici :

ACTE PREMIER

SCÈNE I

Le comte de Leicester, Richard Varney,
portant un panier de provisions et une cassette d'acier.

Le comte s'avance lentement et semble indiquer du geste et du regard les appartements d'Amy.

Leicester. — Elle dort : laissons-la dormir. — Le jour et les inquiétudes viendront assez tôt.

A Varney.

Mets sur cette table ma cassette d'acier.

Varney obéit. Leicester tire de sa ceinture une petite clef d'or, ouvre la cassette et en extrait une grosse clef de fer et un parchemin marqué de signes cabalistiques. Montrant du doigt à Varney une porte basse et masquée au fond de la salle.

Est-il toujours là ?

Varney. — Comment pourrait-il en être sorti ? La tourelle où il est renfermé n'a que cette issue et vous en avez gardé vous-même la clef.

Leicester. — Il n'a parlé à qui que ce soit, depuis son arrivée ?

Varney. — A qui aurait-il pu parler dans cette inaccessible retraite, si ce n'est aux chouettes et aux hiboux, dont il doit, du reste, entendre à merveille la langue ?

Leicester. — Il n'a vu personne ?

Varney. — Seul, captif dans un étroit observatoire à deux cents pieds de hauteur, qui d'autre aurait-il pu voir, que les nuages et les astres ?

LEICESTER. — Bien. Ainsi, il n'a vu âme qui vive, il n'a parlé à personne ici ?

VARNEY. — Vous le savez mieux que moi, mon honoré maître. C'est vous-même qui, déguisé et masqué, avez enlevé cet homme de sa retraite ignorée; c'est vous qui, dans le plus profond silence, l'avez fait jeter de vive force dans une voiture fermée à tous les yeux; vous avez vous-même empêché qu'il communiquât avec personne durant la route; et lorsqu'hier soir, à la nuit tombante, il est débarqué, escorté par vous-même, à cette partie déserte du château, vous lui avez fait bander les yeux; et on l'a conduit, en votre présence et sans répondre à ses pressantes questions, dans cette tourelle, dont vous-même avez fermé la porte et emporté la clef. Certes, il était impossible d'employer plus de précautions pour l'isoler de tout commerce humain. Vous avez même, en cette circonstance, dérogé à la confiance dont vous m'honorez; vous n'avez pas voulu me charger de cette expédition. Vous avez pris mon rôle.

LEICESTER. — J'avais mes raisons. Je n'eus jamais plus besoin qu'en ce moment des conseils de mon étoile. Ma route sur la terre se couvre de tant de ténèbres que je crains de m'y perdre si les constellations ne l'éclairent. La renommée de cet astrologue est venue jusqu'à moi. J'ai désiré le consulter. Mais, afin d'éviter des déceptions, si ce n'est qu'un charlatan, j'ai dû prendre mes précautions et j'ai voulu éprouver sa science avant de m'y confier. — Maintenant, laisse-moi et tiens-toi dans la galerie voisine.

Varney s'incline et sort. Dès qu'il a disparu le comte s'approche vivement de la porte masquée et l'ouvre avec la clef de fer. Cette porte entrouverte laisse apercevoir les premières marches d'un escalier en spirale. Leicester, à demi penché sous la voûte, appelle d'une voix sourde :

Alasco! Démétrius Alasco!

ALASCO, *de l'intérieur de la tourelle.* — Que me veut-on ?

LEICESTER. — Sors!

On entend des pas dans l'escalier. Un petit vieillard hideux paraît, une lampe à la main, sur le seuil de la porte basse. Barbe blanche. Front et tête absolument chauves. Simarre de bure grise. Tiare chargée de lettres hébraïques.

SCÈNE II

LEICESTER, ALASCO

ALASCO, *à Leicester.* — Que me voulez-vous ?

LEICESTER. — Ecoute. — Hier à minuit, six hommes armés, masqués et muets, t'ont arraché de ta cellule isolée; une voiture fermée t'a reçu, elle a roulé tout le jour sans approcher d'aucune habitation humaine; le soir, elle s'est arrêtée; on t'a bandé les yeux, et l'on t'a jeté sans proférer une parole dans cette tourelle dont la porte s'est refermée sur toi. — Où es-tu ?

ALASCO. — Dans le château de Kenilworth.

LEICESTER, *à part.* — Dieu! qui a pu lui apprendre ?... Bah! quelque blason sculpté dans la voûte; quelque inscription gravée sur le mur de la tourelle!

Se tournant vers le vieillard.

Et à qui parles-tu ?

ALASCO, *prenant la main du comte qu'il examine.* — A Dudley, comte de Leicester.

LEICESTER, *à part.* — Juste Dieu!... — Mais du nom du château au nom du seigneur il n'y a pas bien loin et l'un donne l'autre...

Haut.

Qui t'a dit tout cela ?

Alasco se détourne en silence et lui montre du geste les étoiles, qu'on voit à travers la croisée du fond scintiller sur un ciel noir. En ce moment l'œil du comte rencontre le sourire sardonique de l'astrologue fixé sur lui.

Tu me trompes, misérable! Tu te ris de moi! Il n'y a ici ni puissant comte, ni savant astrologue; mais une dupe et un charlatan.

ALASCO. — Je ne suis qu'un vieillard débile. Ce que dit ma bouche n'a point été conçu dans mon esprit.

LEICESTER. — Ah! ta candeur affectée ne m'abuse pas. Sais-tu bien à qui tu parles ?

ALASCO. — Oui, au roi d'Angleterre.

LEICESTER, *vivement agité.* — Au roi d'Angleterre! — Ah! c'en est trop, vieillard. Tu te railles de moi!

Mettant la main sur son poignard.

Sais-tu que ta raillerie pourrait bien n'être amère que pour toi ?

ALASCO. — Je suis vieux, faible et sans défense. Vous êtes jeune, fort et armé. Ce qu'il plaît à Dieu se fera.

LEICESTER, *lui présentant la lame de sa dague.* — Oui, de par les anges, il se fera! Et il plaît à Dieu que tu meures!...

ALASCO. — Parlez moins haut, mon fils, vous pourriez éveiller quelqu'un.

LEICESTER. — Quelqu'un! que veux-tu dire ? Ta science qui te révèle tout ne t'a donc pas appris que cette partie du château est ruinée, inhabitée, déserte ?...

ALASCO, *hochant la tête.* — Déserte! pas absolument, mon fils.

LEICESTER, *comme pétrifié, à part.* — Saurait-il ?

Haut.

Déserte! te dis-je.

ALASCO. — Oui, le monde le croit. Mais, moi, ne sais-je pas que cette ruine dérobe à tous les yeux un être...

LEICESTER, *à part.* — Dieu! comment a-t-il découvert ?... — Ah! il aura vu de sa tourelle la lumière des croisées. Mettons sa perspicacité à l'épreuve.

Haut.

Et quel est cet être mystérieux ?

ALASCO. — C'est une femme.

LEICESTER, *de plus en plus agité.* — Une femme! une femme!

A part.

Le hasard l'aura bien servi. Embarrassons le devin.

Haut.

Et le nom de cette femme ?

ALASCO. — Amy Robsart.

LEICESTER, *avec un cri d'effroi.* — Il sait tout! Cette fois je ne puis douter de sa science. Encore un mot. Le nom d'Amy Robsart est-il le seul que cette femme ait le droit de porter ?

ALASCO. — Quelques-unes lui donnent aussi, mais bien bas, le nom de comtesse de Leicester.

LEICESTER. — Tais-toi! tais-toi! Je suis confondu d'étonnement et d'épouvante. Quelle science que celle qui lui a dévoilé ce redoutable secret!

ALASCO, *méditant sur un parchemin couvert de lignes symboliques, qu'il a tiré de sa ceinture.* — Oui, le croisement des lignes stellaires annonce légitime mariage, lequel est tenu secret, comme l'indique cette tache au centre de l'étoile de la jeune lady. Mais ce mariage ne peut manquer de se dissoudre. Un astre flamboyant dévorera cette pâle constellation... — Mon fils, vous semblez agité...

LEICESTER. — Achève, achève, malheureux!

ALASCO. — Oui, comte de Leicester, votre ambition est grande, mais votre fortune sera plus grande que votre ambition. L'astre victorieux représente une haute et puissante dame qui viendra du Sud.

LEICESTER. — Juste Dieu! que dit-il ? Vieillard, sais-tu quel formidable sens cachent tes paroles ? Dis-moi... Quelle est... quand arrive cette... princesse ?...

ALASCO. — Vous l'avez dit, et la première des princesses, Elisabeth d'Angleterre.

4. Chez Scott, Amy Robsart a vécu au château de son père, à Lidcote Hall, puis a été séquestrée à Cumnor Place, dont le nom paraît plus loin dans le drame.

5. Alasco-Doboobius vient de Scott.

6. César avait consulté les aruspices avant de franchir le Rubicon (cf. Scott, ch. 18, le dit du futur Auguste).

7. La transmutation des métaux en or. Scott emploie le même mot.

8. Ms. 2 : Alasco se révèle d'emblée comme alchimiste et astrologue. Varney fait allusion à sa connaissance du chaldéen et du syriaque.

9. Hugo choisit des noms de villes qui sont liées à la présence des Juifs.

10. Ms. 1 : « Veux-tu que je pénètre à fond ton âme pour en arracher tes secrets diaboliques ? Le mariage de ton maître que tu veux rompre... C'est par intérêt pour lui, dis-tu, c'est pour qu'il ne s'arrête pas dans son éclatante carrière ? » Ces phrases remplacent le dialogue après la repartie d'Alasco : « Malheureux ! » jusqu'à : « son éclatante carrière ». Elles permettent d'introduire le thème du poison.

11. L'expression se trouve chez Scott.

12. La fin de la scène est plus courte dans Ms. 1, réduite à deux répliques après « se réalisent ». Dans la version définitive, qui correspond à Ms. 2, Hugo introduit Flibbertigibbet.

Ms. 1 :

VARNEY. — Dire ce que je te dirai et taire ce que je ferai. Du reste, tu es libre dans ce donjon pourvu que tu t'arranges à n'être vu que des astres et de tes diableries. — J'entends quelqu'un, séparons-nous de peur d'être vus ensemble.

ALASCO. — Adieu, Richard Varney... Ce vieux scélérat fou me dégoûte.

13. Chez Scott, « Schamajn ». Hugo a mal lu ce mot.

14. « Arrière, Satan. » Parole proférée par Jéhovah contre le démon dans la Bible.

15. Hugo semble avoir mal lu ou mal transcrit « Alcahest » dans Scott. Créé par Paracelse, cité aussi chez Novalis, ce mot désigne le dissolvant universel. « Samech » (hébreu), en alchimie : tartre émétique.

16. Shakespeare et Marlowe avaient alors onze ans. L'anachronisme existe chez Scott.

17. Selon la tradition, l'Ordre de la Jarretière a été institué vers 1350 par Edouard III, qui ramassa la jarretière qu'avait laissé tomber en dansant sa maîtresse la comtesse de Salisbury. L'Ordre compte 25 chevaliers.

18. Thomas, duc de Norfolk (1536-1572), favori d'Elisabeth et rival de Leicester. Il tentera de délivrer Marie Stuart et sera décapité après avoir tramé un complot avec l'Espagne.

19. L'allusion au comte d'Egmont et au prince d'Orange porteurs de la Toison d'or figure dans Scott (ch. 7) comme, plus loin, la mention de l'Ordre de Saint-André rétabli par Jacques d'Ecosse. Cf. p. 51.

20. Ms. 1 : « Malheureuse amie, que dites-vous ? Vous ignorez à quoi tient la faveur. Cette déclaration nous perdrait tous deux. Mais confie-toi à moi, ma bien-aimée Emilia. Un temps plus heureux viendra, où je l'amènerai. En attendant, n'empoisonne pas ces adieux par une prière que ton intérêt même me défend de satisfaire. Voici Jeannette. Je te laisse avec elle. Compte que je te reverrai bientôt, aussitôt que d'importants devoirs me le permettront. »

Ms. 2 :

LEICESTER. — Cette déclaration nous perdrait tous deux.

AMY. — Nous perdrait! et pourquoi ?

LEICESTER. — Vous le saurez et vous le comprendrez plus tard, Amy. En attendant, écoutez-moi. Il faut que vous m'accordiez précisément le contraire de ce que vous me demandiez.

AMY. — Quoi ?

LEICESTER. — Promettez-moi, pour aujourd'hui surtout, de garder plus renfermé que jamais au fond de votre cœur le secret de notre union. Quoi qu'il arrive, quelle que soit la personne qui puisse vous interroger, promettez-moi que le nom de votre mari ne sortira pas de votre bouche. Me le promettez-vous ?

AMY. — Et moi qui me croyais à la veille d'être avouée et reconnue! Ah! quand finiront ces contraintes ? Qui peut vous forcer ?...

LEICESTER. — Ne m'interrogez plus. Tout ce que je fais, vous le savez, cher ange, est pour votre bien. Ma fortune est la vôtre. Votre vie et la mienne dépendent de la promesse que j'attends de vous. Me la faites-vous ?

AMY. — Oui, mon Dudley. Hélas! je promets tout comme je t'ai tout donné, aveuglément.

LEICESTER. — Bien. Confie-toi à moi, ma bien-aimée Amy. Merci et n'empoisonne plus nos adieux par des prières que ton intérêt même me défend de satisfaire.

21. Le nom d'Indamira paraît chez Scott, mais avec celui d'Amoret et non ceux d'Odragonal et de Mériandre.

22. Ms. 2. ajoute : « D'ailleurs je jouais les grands sentiments pour en essayer. Les paroles superbes me gênent quand je les ai dans la bouche. Je suis trop petit pour de si grands mots. »

23. Poignard destiné à donner le coup de grâce.

24. Soutenu par Marguerite de Bourgogne, Lambert Simnel se fit passer pour le roi Edouard VI; battu à la bataille de Stoke (juin 1487), il fut employé comme cuisinier. Scott parle de lui, de la bataille de Stoke et de la reddition du faux Edouard à Roger Robsart.

25. Légende antique. Selon une des versions, le chasseur Alphée s'éprit de la nymphe chasseresse Aréthuse et la poursuivit jusqu'en Sicile. Elle y fut changée en fontaine, lui-même en fleuve qui, sans se mêler aux eaux de la mer, traversa celle-ci pour aller se joindre à Aréthuse.

26. Comte de Sussex (chez Scott).

27. Ms. 2 : « Je le dis pour la dernière fois, donnez-vous cordialement la main. *(D'une voix impérieuse)* De grâce, Comte de Sussex, c'est mon plaisir. *(D'une voix douce)* Lord Leicester, c'est ma volonté. »

28. Homme efféminé dans sa toilette et dans ses gestes.

29. Hugo suit Scott (ch. 23), qui se réfère à Boiardo et à son *Orlando innamorato ;* mais le poète italien parle d'Aglante et non de Morgane.

30. Filleul d'Elisabeth dans Scott.

31. Cette phrase, empruntée à *Macbeth* (I, 7), est citée en épigraphe chez Scott (ch. 21) : « Je n'ai pas d'éperon pour aiguillonner les flancs de mon dessein, mais seulement l'ambition qui se dépasse elle-même et tombe au pas suivant. »

32. Les deux phrases suivantes proviennent d'un remaniement. Première version : « Cependant, Richard, je te promets de la conjurer de consentir à passer pour ta femme, de lui ordonner même au besoin. Son intérêt l'exige. Tu la prépareras à cette lutte douloureuse et nécessaire. Adieu, je vais rejoindre Elisabeth. »

33. Expression ironique : la science du Styx, des enfers.

34. Valet de la comédie italienne ; comédien en général.

35. En latin chez Scott : la haute science de la transmutation.

36. « Rien de plus important que d'être connu par un homme important. » Transposition de Cicéron, qui associe plusieurs fois *laudari* (être loué) à *laudato viro* (par un homme loué).

37. L'âme, dans le langage de l'astrologie et de l'occultisme. L'expression se trouve chez Scott ; elle fournira un titre à Dante-Gabriel Rossetti.

38. Roi d'Angleterre (1002-1066).

39. Trente Anglais ont combattu contre trente Bretons et ont été battus en 1351 non loin de Ploërmel. Cet épisode est raconté par Marchangy (*La Gaule poétique*, t. 7 et, en détail, au t. 8, dans les notes). Le souvenir en reste vivant en Bretagne.

40. John Talbot, comte de Shrewsbury (v. 1373-1453), a combattu Jeanne d'Arc devant Orléans, sans succès.

41. Une épidémie de peste ravagea Londres en 1516-1517.

42. Le futur Philippe II d'Espagne, Henri de Valois, duc d'Anjou (le futur Henri III) et le duc d'Alençon.

43. Cf. n. 19 ; la capitale du duché de Leinster était Dublin.

44. Cf. n. 14.

45. *Faust* de Marlowe (1588). Pandarus paraît chez Chaucer, puis dans *Troïlus et Cressida* de Shakespeare (1601). Le nom est cité par Scott. Dans Ms. 2, Hugo avait ajouté : « don Juan du *Festin de Pierre* ». — Faust reçoit de Méphistophélès un poignard avec lequel il se perce le bras pour signer le pacte ; dans *El burlador de Sevilla*, don Juan saisit son poignard au moment où la statue du Commandeur lui agrippe la main. Pandarus est guerrier pendant le siège de Troie.

46. « en effet mais vraiment », « mais en vérité » ; *sed :* « mais ».

47. Le chien qui gardait les Enfers avait trois têtes. Dante lui fait place dans *La Divine Comédie*.

48. Personnages du *Roland furieux* de l'Arioste (1516 et 1532).

49. Ms. 1 : Emilia est seule.

EMILIA. — Voilà donc les serviteurs du comte de Leicester... Grands dieux ! Ce matin il me serrait tendrement dans ses bras, quelques heures après il m'envoie un breuvage empoisonné ! Je ne sais où je suis. — Oui, ma vie l'importune, il est si près du trône. — Une barrière l'en sépare, il ne peut la franchir, il veut la briser. Et moi, je croyais mon Dudley le plus noble des hommes, je le croyais, il a tenté de m'assassiner ! — Pourquoi ne suis-je pas morte, hélas !

avant que l'illusion ne soit évanouie devant la hideuse réalité! Oh Leicester, si tu m'avais demandé ma vie pour prix d'un peu d'amour, Dieu sait avec quelle joie je l'aurais donnée; mais l'immoler lâchement à l'ambition!... Qui m'eût dit cela de mon généreux Leicester! Mon père! Oui, je veux vous demander pardon avant de mourir.

50. Chez Plaute, A. I, scène 1, Sosie soliloque la nuit en tenant sa lanterne. — Pour Hamlet, Hugo se souvient, par un curieux anachronisme, de Ducis : dans l'adaptation de celui-ci (1769), très libre et simplifiée, Hamlet évoque le souvenir de son père devant ses cendres conservées dans une urne (V, 7).

51. Ms. 1 : « Or je ne me soucie pas de jouer le rôle d'une lanterne, parce que je ne suis pas jaloux de brûler pour éclairer, ni le rôle d'une urne, parce qu'une urne ressemble trop à une cruche. »

52. Ms. 1 :

ELISABETH. — Hé bien, Lord Leicester, votre œil reste fixé à terre et votre bouche muette. Est-ce que vous ne nous pardonnerez pas le mouvement de colère qu'une erreur nous a fait concevoir contre vous ?

LEICESTER. — Votre majesté n'ignore pas quelle fidélité je lui ai toujours conservée.

ELISABETH. — Allons, mon cher comte, ce n'est point encore là un oubli cordial. Nous vous laissons un instant afin que vous reveniez à nous quand ce petit ressentiment se sera évanoui. Soyez sûr que nous vous sommes plus que jamais affectionnée, nous abaisserons nos ennemis et nous vous donnerons une preuve de notre bonne volonté en punissant exemplairement la malheureuse qu'ils ont envoyée pour calomnier le noble lord Leicester, l'honneur de notre cour.

53. Ms. 1 :

LEICESTER. — Madame, bien au contraire, si, pour réparer de cruelles accusations, votre majesté daignait m'accorder une grâce, c'est le pardon de cette infortune que j'oserais implorer. Ordonnez qu'on la rende à la liberté... à son époux...

ELISABETH. — Je vois que vous nous gardez encore rancune, mylord, car cette prière sans doute...

LEICESTER. — Je vois que vous doutez de notre justice. Non, certes, mon cher Dudley, je ne pardonnerai pas votre outrage.

LEICESTER. — Madame, je vous en conjure... peut-être n'est-elle pas coupable...

ELISABETH. — Quand vous êtes l'objet d'aussi viles manœuvres, cette générosité est déplacée.

LEICESTER, à part. — Hélas! Où est-elle la générosité ? haut : Faut-il vous supplier à genoux ?

ELISABETH. — Non, mylord, non, vous dis-je. Vous me pardonnerez ma vivacité à toute autre condition. Je vous quitte un moment afin de laisser votre reste de ressentiment s'évanouir.

54. Ms. ... « Que le ciel tombe, s'il veut, je n'en lèverai pas moins la tête en sauvant, en avouant, ma noble épouse. Déplorable ambition! Où m'a-t-elle conduit ? J'ai voulu m'élever aux suprêmes grandeurs et me voilà dans un abîme. N'avais-je pas au fond de l'âme, même dans les bras d'Emilia, je ne sais quelle vague ambition du trône ? Misérable! Comment avec tant d'amour, ai-je pu conserver un seul instant cette ambition fatale ? Le seul chemin par lequel j'aie jamais pu monter à ce trône m'est ouvert à présent et je recule d'horreur. Je m'endormais sur la foi de ma fortune, et maintenant le remords et le malheur m'éveillent de ce sommeil coupable. Oui,

brisons tous les liens, excepté ceux qui sont sacrés. Emilia, tu seras délivrée, ou je me nommerai ton époux pour périr avec toi, avec le cruel regret d'avoir causé ta mort. Mon Emilia!... »

55. Dans le Ms. 1, la scène VIII était plus courte. La suggestion faite par Varney de dire à la reine qu'Emilia n'avait pas toute sa raison a été ajoutée après coup. Dans Ms. 2, Varney se propose d'aller tout révéler à la reine, avec cette précision : « C'est vous, mylord, qui avez détaché votre fortune de la mienne. Ainsi soit-il. Peut-être ces révélations me feront-elles obtenir un peu plus tôt le rang de chevalier. » Et la longue apostrophe de Leicester était brève : « Tes services, scélérat. Va, tu me fais horreur. »

56. Dante place Ugolin dans l'Enfer, comme dans une prison où il ronge ses enfants (*Divine Comédie*, *Enfer*, ch. 33).

57. Le mot « concubine » a été écarté à la représentation.

58. Allusion à la fable d'Esope, dont Clément Marot dans son *Epître* à François Ier, pour son ami Lyon Jamet, puis La Fontaine, reprirent le sujet.

59. Plantes médicinales.

60. Guillot-Gorju (1600-1648) aura un rôle important dans *Les Jumeaux*. Hugo a dû lire une brochure populaire, *Débats et facétieuses rencontres de Gringalet et Guillot-Gorju*.

61. *Henri VIII* (1617). Selon la tradition, Shakespeare aurait commencé par ce métier.

62. Autre référence anachronique. Scott cite le passage du lion en épigraphe du ch. 26.

63. La mélancolie peut être prise, pour tout ce qui concerne Amy, au sens ancien, plus fort que l'actuel, conformément à la tradition du XVIe siècle.

64. De cette étoile, Hugo écrit, dans un texte isolé : « cet astre qui change de couleur toutes les secondes, tour à tour bleu, rouge, vert, jaune; l'étoile caméléon ».

65. Les Pays-Bas étant sous l'autorité de Philippe II, roi d'Espagne, ils étaient un refuge pour les Anglais qui s'exilaient.

66. Le comte de Fife, en Ecosse, a été parmi les premiers à se révolter contre Elisabeth.

67. L'édition in-16 de 1889 offre une autre fin, beaucoup plus faible que celle de 1828, imputable à Paul Meurice. On jugera :

SCÈNE VII

VARNEY, *seul*. — Est-ce fait ?... Oui, j'ai entendu le bruit... Plus personne!... C'est fait... — Eh bien, quoi! c'est fini! est-ce que tu as peur, Varney!... Non, mais c'est égal, allons hors d'ici, allons à l'air libre! Et réjouis-toi, Richard Varney! ta fortune est faite!

Au moment où il arrive à la petite porte, elle s'ouvre avec violence, Leicester se précipite, suivi de sir Hugh et de Flibbertigibbet.

SCÈNE VIII

VARNEY, LEICESTER, SIR HUGH, FLIBBERTIGIBBET

LEICESTER. — Misérable!

VARNEY, *reculant effaré*. — Qu'est-ce que c'est ?... qu'y a-t-il encore ?

LEICESTER. — Il y a... — Nous savons tout par Alasco... — il y a ton crime!

VARNEY. — Mon crime ?... S'il y a crime, pour qui, pourquoi l'ai-je commis, ce crime ?

LEICESTER. — Pour ta basse ambition, infâme !

VARNEY. — Pour *deux* ambitions, mon maître, — la basse... et la haute.

LEICESTER. — Eh bien, la haute, pour commencer, va châtier la basse ; nous verrons après ! *(Il tire son épée.)*

VARNEY, *fuyant devant lui.* — Oh ! allez-vous donc m'assassiner ?

LEICESTER. — Je vais te punir ! *(Il ouvre la porte et montre la trappe.)* Je vais te jeter là, près de ta victime !

VARNEY. — Ah ! mais maintenant j'ai aussi une épée.

LEICESTER. — Eh bien, sir Richard, défends ta vie !

Ils se battent. Leicester charge Varney avec furie, le pousse jusqu'à la trappe et le frappe. Varney tombe en jetant un cri. Un silence.

SIR HUGH. — Justice est faite !

LEICESTER. — A l'autre coupable à présent ! C'est mon tour, Amy, de te rejoindre !

Il va pour s'élancer dans le gouffre. Sir Hugh et Flibbertigibbet se jettent au-devant de lui.

SIR HUGH. — Mon fils !

FLIBBERTIGIBBET. — Monseigneur !

LEICESTER, *se débattant.* — Laissez ! laissez-moi !...

SIR HUGH. — Non, mon fils, non, ne m'abandonne pas ! Reste-moi, reste-moi, pour que nous pleurions ensemble. C'est la douce morte qui t'en prie ! elle t'aime, elle te pardonne...

LEICESTER, *tombant à genoux devant lui et sanglotant.* — Oh ! moi, mon père, je ne me pardonnerai jamais !

MARION DE LORME

Note sur l'édition :

Les variantes sont reprises au manuscrit autographe. Le manuscrit de la censure a été conservé. Pour la représentation de 1831 Hugo avait supprimé certains passages ; ce manuscrit a disparu dans l'incendie du Théâtre de la Porte-Saint-Martin.

a. Elle avait paru en plaquette chez Ladvocat en 1825 et a été reprise dans *Odes et Ballades* (1826).

b. La querelle entre les partisans de la musique de Gluck et ceux de la « musique italienne » de Piccini. Elle avait agité Paris en 1776.

c. Joseph Balsamo est resté célèbre notamment par le roman que lui a consacré Alexandre Dumas. Médecin et occultiste, il avait eu beaucoup de succès à la cour de Louis XVI.

d. Le rédacteur de *L'Ami du Peuple*, assassiné par Charlotte Corday.

1. Premier titre : *Un duel sous Richelieu.*

2. Hugo connaissait bien la ville de Blois, pour y être venu plusieurs fois. Son père venait d'y mourir.

3. Hugo avait d'abord rédigé un début d'acte qui ne contenait pas cette scène 1. Puis, il en composa un autre où dialoguaient Marion et L'Angély. Enfin, il substitua à celui-ci Saverny.
Ms.

SCÈNE PREMIÈRE

MARION DE LORME, *robe blanche*. DAME ROSE, *costume de duègne,
robe noire selon la mode de Marie [Catherine] de Médicis.*

Le marquis de L'Angely [SAVERNY], *pourpoint, haut-de-chausses et bas
orange, avec des touffes de rubans bleus. Epée. Mantelet de velours noir.
Chapeau gris à plume. Dix-huit ans.*

Marion de Lorme est assise près de la table et travaille à une tapisserie.

DAME ROSE, *entrant.*

Monsieur de L'Angely [Saverny]

Entre L'Angely.

MARION, *se levant à demi.*

Monsieur...

Bas à Rose.

Madame Rose,
Saviez-vous pas ce soir que ma porte était close ?

Haut à L'Angely [Saverny]

Ce m'est un grand plaisir, *monsieur* [marquis]... Par quel hasard ?

L'Angely [SAVERNY] *s'inclinant.*

Je vous baise les mains, belle dame. Il est tard
Pour venir d'une dame assiéger la demeure.
Mais notre privilège est d'entrer à toute heure,
A nous, *bouffons* [pages de rois]. Ce droit a ses ennuis
Parfois, et m'a sur pied fait passer bien des nuits.
Mais la charge est meilleure, et cause moins de peine
Quand le roi par hasard se trouve être une reine,
Comme ce soir.

Il veut lui prendre la main. Elle la retire.

MARION

Je vois que vous êtes toujours
D'humeur fort égayée et galante en discours.

A part.

Le fâcheux ! Pour les gens qui viennent de la sorte
Il faudrait se clouer en travers à sa porte.

L'Angely [SAVERNY]. *Il s'assied familièrement près d'elle.*

Çà, je veux vous gronder. N'est-il pas inhumain
De fuir ainsi Paris ?... — Mon Dieu, la belle main !
Et qu'on recevrait mieux, sans être un bon apôtre,
Soufflets de celle-là que caresses d'une autre !

MARION

Mais si vous en voulez ?

L'Angely [SAVERNY]

Des caresses ?

MARION

Vraiment
Non. Des soufflets. Voyons.

L'Angely [Saverny]

Merci pour le moment.
Vous raillez, mais je suis furieux, moi, madame.
D'honneur ! il faut n'avoir aucune bonté d'âme,
Il faut être de roc pour nous quitter ainsi,
Et venir s'enterrer toute vivante ici !

Voyant que Marion regarde son pourpoint.

C'est le goût. Soie orange avec des faveurs bleues.

Continuant.

Savez-vous bien que Blois est à quarante lieues,
Pour le moins, de Paris, que cela fait crier.
Pour vous suivre à présent il faut s'expatrier.

MARION

Mais qui vous a prié de me suivre ?

L'Angely [Saverny]

Ah ! tigresse !
Ingrate ! ignorez-vous combien l'amour nous presse,
Et quand une beauté nous accepte pour siens
Que nous la suivrions jusque chez les russiens ?

Il se rapproche d'elle. Elle se recule.

MARION

Mais vous me dites là des phrases d'Artamène !

L'Angely [Saverny]

Je viens à Blois exprès pour vous. D'ailleurs, ma reine,
La cour est à Chambord pour les chasses du roi.

MARION

Bon. Le roi vient aussi sans doute exprès pour moi.
Mais comment avez-vous découvert ma retraite ?

L'Angely [Saverny]

Ma foi, j'ai rencontré votre duègne discrète,
Dame Rose, et n'ai point voulu finir le jour
Sans qu'il fût entre nous quelques propos d'amour.
Car je vous aime fort.

Il veut encore lui prendre la main. Elle le repousse.

MARION

Dit-on quelques nouvelles ?

L'Angely [Saverny]

Non. Corneille toujours met en l'air les cervelles.
Guiche est duc. Puis beaucoup d'événements banaux,
On a fait pendaison de quelques huguenots,
Toujours force duels. C'est la mode. — Eh, que dis-je,
Pas de nouvelles ? Mais un miracle, un prodige,
Qui tient depuis deux mois Paris en passion !
La fuite, le départ, la disparition...

MARION

De qui ?

L'Angely [SAVERNY], *mettant un genou en terre*
et lui baisant la main.

D'une beauté qui vous est bien connue,
Charmante Marion !

                                        Elle le relève avec humeur.

MARION, *à part.*

Allons ! il continue !

L'Angely [SAVERNY]

N'est-ce pas une honte ? Au moment où Paris
Et les plus grands seigneurs et les plus beaux esprits
Fixent sur vous des yeux pleins d'amoureuse envie,
A l'instant le plus beau de la plus belle vie,
Quand tous faiseurs de rime et de duels pour vous
Gardent leurs plus beaux vers et leurs plus fameux coups,
A l'heure où vos beaux yeux semant partout les flammes
Font sur tous les amants veiller toutes les femmes,
Que vous, qui de tels feux éblouissiez la cour
Que, le soleil parti, l'on doute s'il fait jour,
Vous veniez, méprisant marquis, vicomte et prince,
Briller, astre bourgeois, dans un ciel de province !

MARION

Calmez-vous.

L'Angely [SAVERNY]

Non, non, rien. Caprice original
Que d'éteindre le lustre au beau milieu du bal !

MARION

Vous voulez rire.

                                        A part.

Ah Dieu ! l'importun !
Regardant l'horloge qui marque près de minuit.
Le temps passe !

Didier qui va venir !

L'Angely [SAVERNY]

Expliquez-vous, de grâce.
Qu'est-on venue ici faire depuis deux mois ?

MARION

Je fais ce que je veux et veux ce que je dois.
Je suis libre, monsieur.

L'Angely [SAVERNY]

Libre ! et, dites, madame,
Sont-ils libres aussi, ceux dont vous avez l'âme,
Moi, le marquis d'Embrun, le pauvre Molembay
Qui n'aime rien que vous, vous et son cheval bay,
Sourdis, le Brichanteau, d'Arquien, les deux Caussades,
Tous, de votre départ si fâchés, si maussades,
Que leurs femmes comme eux vous voudraient à Paris
Pour leur faire, après tout, de moins tristes maris ?

MARION, *baissant les yeux.*

Voilà précisément les causes de ma fuite.
Tous ces brillants péchés qui, jeune, m'ont séduite...

4. Le nom a été formé sans doute à partir de la ville de Saverne.

5. L'action se déroule en septembre (cf. acte V, sc. III).

6. Cette promenade était au XVIIe siècle le centre de la vie mondaine à Paris. Corneille y situe l'action de sa comédie *La Place Royale* (1637). Vigny y fait demeurer Marion de Lorme.

7. Honorat du Bueil, marquis de Racan (1589-1670). Auteur d'une pastorale, *Les Bergeries* (1620, éditées douze fois de 1625 à 1635) et de poèmes, dont les *Stances sur la retraite ;* Hugo se livre ici à une double allusion.

8. Mauvais écrivain, pédant.

9. Le titre est inventé à partir de la célèbre *Guirlande de Julie,* un recueil de poèmes manuscrits, constitué en 1634 par les familiers du salon de la marquise de Rambouillet en l'honneur de sa fille Julie d'Angennes, d'après une mode venue d'Italie.

10. Petites bottes, ce qui oppose Didier aux gentilshommes.

11. Mallarmé aurait-il été frappé, dans sa jeunesse, par ce passage ? Cf. *Apparition :* Quand avec du soleil aux cheveux, dans la rue

Et dans le soir, tu m'es en riant apparue [...]

12. La célèbre courtisane grecque (IVe siècle avant J.-C.).

13. Le dernier bouffon de la cour de France (?-1640). Il était redouté des grands pour ses reparties acérées. Hugo a modifié son caractère et son comportement. Boileau mentionne ce personnage dans ses *Satires* I et VIII.

14. L'ordre [du Saint-Esprit], institué par Henri III en 1578 ; supprimé en 1789, rétabli à la Restauration, il sera définitivement supprimé en 1830.

15. Montdory (1594-v. 1654) est le fondateur du théâtre du Marais et le premier grand acteur français. Sa troupe a créé *Mélite* de Corneille et a représenté des pièces de Rotrou, de Scudéry, de Mairet.

16. Guillaume Colletet (1598-1659) : ce poète a fait partie de l'Académie française en 1640.

17. Ville de la Catalogne (Figueras), non loin de la frontière française. Sous Louis XIII elle a été plusieurs fois reprise par l'armée française. Elle est citée dans *Hernani* (I, 3).

18. Tous les biographes parlent de la mauvaise santé de Richelieu.

19. Héraldique. Les besants étaient le signe que les ancêtres du gentilhomme étaient allés en Palestine. La famille est donc ancienne.

20. *Mélite* a été représenté en 1628, *La Galerie du Palais* en 1632.

21. Georges de Scudéry (1601-1667) a écrit des *Observations sur le Cid* (1637) qui contiennent des critiques sur la pièce, évoquées par Hugo dans *Pierre Corneille.*

22. L'accusation d'indécence — en fait la contravention au principe des « bienséances » telles que les entendaient les théoriciens et les praticiens du théâtre vers 1630 — a été lancée contre *Le Cid :* Chimène épouse le meurtrier de son père. L'hyperbole (« obscène ») parodie le langage des précieux de l'époque.

23. Les « règles classiques », discutées et plus ou moins codifiées par Mairet, Chapelain, Scudéry notamment ; la *Préface de Cromwell* montre le mépris de Hugo pour les académiciens vétilleux qui ont brimé Corneille et épinglé les défauts du *Cid.*

24. *Les amours tragiques de Pyrame et Thisbé,* de Théophile de Viau, date de 1626. L'œuvre constitue une étape importante dans l'histoire du théâtre. Edmond Rostand y fera une allusion dans *Cyrano de Bergerac.*

25. *Bradamante :* tragi-comédie de Robert Garnier (1582).

26. Cette tragédie de Jean de Mairet (1604-1689) date de 1635 ; elle n'a été imprimée qu'en 1639. Il était impossible de la « lire » en 1638.

27. Hugo énumère ici les membres de l'Académie française, qui avait commencé par être, vers 1629, une association libre d'écrivains, où se rencontraient Conrard, Chapelain, Godeau, Giry, les deux frères Habert, Malleville et Cerisay. Richelieu en a fait une société officielle, dotée d'un nom et d'un protecteur. S'y joignirent alors Boisrobert, Desmarets. Plusieurs d'entre eux, sans fortune, ont été pourvus d'une pension octroyée par Richelieu. Hugo vise ici leur liberté relative et aussi le petit nombre des publications de certains d'entre eux. Boisrobert (1592-1662) a collaboré avec Colletet et Rotrou aux pièces écrites par Richelieu. Jean Chapelain (1595-1674) a été un des défenseurs des unités classiques. Cerisay, Philippe Habert et Gombauld (auteur d'un seul recueil de quelque 300 vers), Bautru et Giry ont sombré dans un oubli total, comme Malleville, auteur d'*Héroïdes* (1624), de *Lettres d'amour* (1641). A Desmarets de Saint-Sorlin (1596-1676), on doit une bonne comédie, *Les Visionnaires* (1637). Nicolas Faret (1600-1646) reste connu pour une pointe de Boileau, injuste semble-t-il, où son nom rime avec « cabaret »; son traité, *L'Honnête homme*, synthétise l'idéal de la société d'alors (1630). Pour Cherizy, il faut lire : Germain Habert, abbé de Cerisy, frère de Philippe; il n'avait à son actif que quelques poèmes épars dans des recueils. Enfin, Gomberville (1600-1674) a été un romancier célèbre; *L'Exil de Polexandre*, publié à partir de 1619, a été lu dans les cercles mondains. Cette énumération comporte une part d'ironie chez Hugo quant à la célébrité des « immortels ». D'où la formule finale.

28. Dans les *Sentiments de l'Académie française sur la tragi-comédie du Cid* (1637). Est visée ici la critique tatillonne et officielle. Hugo songe aux reproches adressés par des inventeurs sans génie au créateur authentique.

29. Cette fois, Hugo oppose le grand talent à l'aristocratie, le bourgeois génial, dans lequel il se projetait, au monde superficiel des nobles. Son fragment *Pierre Corneille* contenait déjà cette antithèse.

30. Antoine Godeau (1605-1672), évêque de Grasse, puis de Vence. Il était poète et fréquentait l'hôtel de Rambouillet.

31. Les théoriciens se réclamaient, entre autres, de la *Poétique* et de l'autorité d'Aristote.

32. Coiffures rondes comme en portaient et en portent les magistrats.

33. Ou pasquedilles : ancienne espèce de broderie. Le mot semble mal connu des lexicologues. Il a eu une certaine vogue à l'époque romantique, notamment chez Gautier (cf. *Larousse du XIXᵉ siècle*).

34. Mauvais ensemble de vers ou de prose.

35. L'expression est restée célèbre. Dans un duel, le seigneur de Jarnac a porté à son adversaire, redoutable bretteur, un coup inattendu et victorieux (1547).

36. Confident de la mère de Louis XIII, Michel de Marillac avait été exilé par Richelieu après la « journée des dupes » (11 novembre 1630) lorsque le cardinal, près de la disgrâce, élimina ses adversaires.

37. François de Montmorency, seigneur de Boutteville, s'était battu en duel sur la Place Royale en mai 1627. Il a été exécuté.

38. Dieu des enfers.

39. La Feuillade était effectivement de la famille d'Aubusson.

40. Officier chargé de surveiller un quartier de ville.

41. Hugo avait d'abord songé à mettre en scène Laubardemont, que Richelieu avait nommé conseiller d'Etat et qui présida aux jugements d'Urbain Grandier et de Cinq-Mars. Vigny l'ayant fait figurer dans son roman, Hugo lui substitua Isaac de Laffemas (1584-1657); il venait d'être nommé lieutenant-civil à Paris en 1637. Sa tâche fut plus importante que celle qui lui est assignée dans le drame : il a lutté contre le vagabondage, le banditisme et la prostitution. Dans le

volume qu'il lui a consacré (Paris, Bossard, 1929), Georges Mongrédien souscrit au portrait que trace de lui Hugo.

42. Petite barbiche sous la lèvre inférieure.

43. Mots forgés sur le modèle de tétanos. La fantaisie de Hugo se libère ici, à l'occasion du travesti que porte Saverny.

44. La gorge.

45. Léger anachronisme. Jean Pecquet était né en 1622. Il pratiqua effectivement la vivisection sur des animaux.

46. La référence à Aristote comme autorité en médecine est ironique.

47. Le premier grade militaire : le soldat qui seconde le caporal.

48. Hugo avait d'abord donné une autre forme à cette scène : Laffemas dévoilait très rapidement son identité. Il a préféré maintenir l'effet de suspens.

49. Ce personnage de comédie apparaît au XVIIIe siècle, chez Palissot et Saurin notamment. Il semble avoir été utilisé à l'époque romantique comme un type pour désigner une fille facile.

50. Les comédiens errants paraissent dans le roman « réaliste » du XVIIe siècle, dans *Le Roman comique* de Scarron par exemple. L'image passera chez Théophile Gautier, dans *Le Capitaine Fracasse*. Hugo se souvient ici de Walter Scott et de *Kenilworth*, où des comédiens aident Amy dans sa fuite ; en outre, du *Songe d'une nuit d'été*. Corneille, dans *L'Illusion comique*, avait fait paraître des comédiens dans la pièce et utilisé la formule du théâtre dans le théâtre.

51. Les personnages stéréotypés de Scaramouche, du Capitan et du Matamore paraissent dans la comédie en France à la fin du XVIe siècle. Ils viennent de la comédie italienne et espagnole. De cette dernière vient aussi le « gracioso », le bouffon auquel Hugo attache tant de prix pour l'effet de contraste qu'il peut introduire dans le drame. Le Taillebras paraît dans *Le Brave* de Jean-Antoine de Baïf en 1567.

52. Ou nécromanciens : ceux qui évoquent les esprits des morts.

53. Le personnage apparaît dans *Tartuffe*, puis dans des comédies du XVIIIe siècle, sans qu'il ait des traits constants.

54. Selon la légende, le fondateur de la dynastie française, d'origine franque. — Les douze amants que Saverny prête à Marion signifient, pour Hugo, tout le passé galant et mondain qu'elle veut effacer ; c'est, à ce moment, la synthèse de ce qu'elle a été. L'avenir, pour elle, c'est la pureté et l'amour d'un être d'origine obscur. Si le nom de Richelieu apparaît ici, c'est que les racontars lui attribuaient quelques aventures galantes.

55. Juge, en Espagne.

56. Agent de police, en Espagne.

57. Monnaie d'origine génoise. Les quatre suivantes sont également des pièces d'or. Le dramaturge se plaît à jouer à la fois sur leur sens financier et sur l'accumulation des mots. Le thème de l'or est repris, au début de la scène IX, mais sur le plan moral.

58. Egyptiens et bohémiens ou tziganes étaient errants et disaient souvent la bonne aventure. Voltaire leur a consacré un chapitre de l'*Essai sur les mœurs* (CIV).

59. Richelieu a écrit *Europe* et *Mirame*.

60. Cette chanson est extraite d'un poème plus vaste de Hugo, *Les Joyeux fils de Nature et d'Amour*, écrit en 1828. — L'orfraie est un oiseau de proie, dont le cri est désagréable, d'où est née la locution : « pousser des cris d'orfraie », à laquelle allusion est faite ici.

61. Cette pièce semble une invention de Hugo. Des notes manuscrites contiennent ces trois vers, avec des variantes pour les deux derniers. Ces notes n'ont pas de rapport direct, semble-t-il, avec le drame.

62. Vers extraits de *Bradamante* de Robert Garnier (1582). Mais

ils sont prononcés non par Charlemagne, mais par Roger. Hugo soude ici deux extraits différents (III, 2 et IV, 2). Dans le second, l'ordre des vers est interverti. Les fonctions binaires y sont évidentes.

63. *Le Cid*, V, 1.

64. La haute justice était celle qu'exerçaient les rois et les suzerains pour les faits graves ; la basse justice était l'équivalent de l'actuel tribunal de paix ou même d'un tribunal de police.

65. Le juron favori de Henri IV est resté célèbre. Nangis ayant été le compagnon d'armes de ce roi, les rappels de son règne seront nombreux, même dans des détails apparemment anecdotiques. Le contraste entre Louis XIII et son ancêtre s'en trouve davantage marqué.

66. Galants empressés auprès des dames.

67. Appelé en France par François Ier, il a décoré le château de Fontainebleau et construit le château de Chambord, dont la beauté est célébrée longuement par Vigny dans *Cinq-Mars*. Hugo ne manque pas de le souligner dans son compte rendu de *La Quotidienne* ; il avait visité Chambord.

68. L'expression est restée célèbre à propos de Henri IV.

69. Cette cité protestante s'était révoltée contre Louis XIII. Richelieu avait personnellement dirigé le siège de la ville, soutenue par les Anglais.

70. Jeu de mots : le sens militaire se double du sens juridique, le droit canon ou canonique.

71. Gaston d'Orléans, ou Monsieur, frère du Roi, que Richelieu avait eu comme adversaire.

72. La tiédeur du roi était notoire. On disait aussi : Louis le Juste. Le jeu de mots a dû plaire à Hugo.

73. Officier qui commandait un équipage pour la chasse au loup.

74. A une vingtaine de kilomètres d'Orléans.

75. Le surnom du Père Joseph du Tremblay est connu. Vigny a fait une place à ce personnage dans son roman. Sa présence n'est appelée ici que pour le jeu de l'antithèse.

76. Dans sa politique extérieure Richelieu s'est attaqué à la maison d'Autriche partout où elle avait le pouvoir, en Alsace, en Espagne, en Italie, aux Pays-Bas. La reine de France, Anne d'Autriche, était une descendante de Charles Quint.

77. Unité de poids, environ 245 g.

78. Une demande écrite pour solliciter une faveur ou une grâce.

79. La tradition, remontant à Saint Louis, prétendait que la maladie des écrouelles était guérie lorsqu'on touchait le roi.

80. Tallemant parle de ce frère du Cardinal.

81. Elle était dame d'atours de la reine. La rumeur populaire prétendait qu'elle était la maîtresse de son oncle ; on la chansonna (pour le texte et l'air, cf. Pierre Barbier et France Vernillat, *Histoire de France par les chansons*, I, Paris, Gallimard, 1956).

82. Les Suédois étaient les alliés de la France contre l'Allemagne, pendant la guerre de Trente Ans.

83. Place où étaient exécutés les condamnés à mort.

84. Ce personnage apparaît chez Vigny.

85. Marie de Médicis, régente pendant la minorité de Louis XIII, avait été écartée du pouvoir et de toute influence depuis la « journée des dupes ».

86. Ils avaient assiégé La Rochelle et continuaient d'écumer la côte française.

87. Le roi de Suède.

88. Est-ce une allusion aux guerres de religion ? Elles avaient cessé, en principe, depuis l'Edit de Nantes en 1594. Ou aux insurrections des protestants au début du règne de Louis XIII ? et aux rébellions

des grands, entre autres Condé ? Lors de la représentation de 1873, ce vers suscita une émotion particulière : le souvenir de la Commune était encore très vif dans les esprits.

89. Le lieu où étaient pendus les criminels.

90. Accorde.

91. Sens ancien : groupe, troupe.

92. Ravaillac, le meurtrier de Henri IV, en 1610. — Les deuils de Nangis ont été causés par les guerres de religion.

93. Hugo utilise dans cette scène, par intuition, une thématique qui avait été propre à bon nombre d'écrivains baroques et qui a été étudiée récemment par Jean Rousset.

94. Le nom de cet animal minuscule est resté grâce à une des *Pensées* de Pascal, qui le suggère sans doute à Hugo.

95. Faucons de chasse.

96. Terme très rare : une variété de faucon de chasse. Louis XIII était réputé posséder un ensemble d'oiseaux de chasse très varié, plus riche encore que ses meutes.

97. Ms. Une des deux versions donne ceci :

Le roi

Que vas-tu devenir, pauvre fauconnerie ?

L'Angely

Sire, il faut tous mourir. Qu'on chante ou que l'on crie,
Qu'on soit difforme ou beau, qu'on soit grand ou petit,
La mort dévore tout d'un égal appétit.

98. Ms.

L'Angely

Ils me pendront, à moins que le roi ne me signe...

Le roi

Plus que jamais, je t'aime ! — Ah ! comme il se résigne !
S'approchant du bouffon et s'appuyant affectueusement sur son épaule.
Vois-tu, être pendu, cela fait peu de mal.
Et puis, cela fera plaisir au cardinal.
Il me remerciera.

L'Angely

Grand merci !

Le roi

Ton office
Va donc vaquer ! Allons, je fais mon sacrifice !

L'Angely *(à part)*

Je ne fais pas le mien ! Par le mauvais côté
Il a pris tout cela. *Haut.* Mais votre majesté
N'aurait qu'à dire un mot...

Le roi

Qui donc me fera rire ?

99. Le geste de Marion et la réaction de Louis XIII sont probablement inspirés par la *Biographie Universelle* de Michaud (art. *Louis XIII*) : Mlle d'Hautefort aurait de la même manière empêché le roi de lire un billet qu'elle voulait lui cacher.

100. Le Ms. fournit, dans une suite intéressante, une velléité de rébellion du roi contre le cardinal :

LE ROI

Monsieur le cardinal, monsieur le cardinal,
C'est le commencement! — Et vous aurez du mal.
C'est une trahison que de venir en face
Au fils du roi Henri rayer son droit de grâce!
Dans les plis de sa robe, il me prend, L'Angely,
Et comme en un linceul, j'y suis enseveli.
Cet homme est mon sépulcre, et mes peuples me pleurent.

101. Le Ms. organise autrement les scènes. La scène première
met face à face Marion et Laffemas.

MARION

Oh! va-t'en!

LAFFEMAS

Est-ce là le dernier mot ?

MARION

Infâme!

LAFFEMAS

Quel abîme profond qu'un caprice de femme!
Vous étiez autrefois humaine à moindre prix.
Maintenant, votre amant dans nos griffes est pris,
Vous pouvez le sauver, c'est votre unique envie,
Et vous ne voulez pas! — Pour une heure, une vie!
C'est bien payé pourtant!

MARION

Oh! j'ai fait un grand pas!
Ecoute... Mais non, toi, tu ne comprendrais pas!

Elle se tourne vers la prison, les mains jointes.

Même pour te sauver, redevenir infâme...

LAFFEMAS

Si... vous vouliez... — Alors je puis faire garder
La brèche qu'on fera pour que monseigneur entre
Par des hommes à moi...

MARION

Tire-les de cet antre,
Et fais ce que tu veux! Je te suis!

LAFFEMAS

Un instant!

MARION

Quoi ?

LAFFEMAS

Je ne savais pas me compromettre tant.
Après tout, je ne sais où ma bonté m'entraîne,
Et si dans tout cela le plaisir vaut la peine!

MARION

Misérable!

LAFFEMAS

Moins haut! On vous entend crier.

MARION

Veux-tu de moi, réponds !

Se tordant les bras.

En être à le prier !

LAFFEMAS

Je puis être cassé...

MARION, *tombant à genoux.*

Prends mon corps ! prends mon âme !
L'enfer, et qu'il se sauve !

LAFFEMAS

Allons ! Venez, madame.

Il sort par la grande porte, à droite.

MARION, *à genoux.*

O Didier !

Elle se lève, et le suit. Entrent des ouvriers, la pioche et la pelle sur le dos.

SCÈNE II

DES OUVRIERS

PREMIER OUVRIER, *examinant le mur latéral vers le fond.*

Voilà donc le gros mur qu'il nous faut
Jeter par terre.

SECOND OUVRIER

Pierre, as-tu vu l'échafaud ?

[En marge, un texte a été biffé.]

TROISIÈME OUVRIER, *travaillant.*

A l'ouvrage !

SECOND OUVRIER, *travaillant.*

As-tu vu l'échafaud noir, mon frère ?

PREMIER OUVRIER

Tout pour les nobles !

DEUXIÈME OUVRIER

Rien pour le peuple.

PREMIER OUVRIER

Mettons
Qu'un jour nous assommions, armés de gros bâtons,
Un bourgeois, ou fassions des prouesses plus belles,
Comme d'ouvrir sans clef la caisse des gabelles,
Ou de tuer un daim du roi, certes, il faut voir
S'ils feraient pour nous pendre un bel échafaud noir !

DEUXIÈME OUVRIER

Ah bien oui ! — Ces seigneurs ont de drôles de crimes !
Ils se gourment, et, comme ils savent les escrimes,
Ils conviennent que l'un tuera l'autre, d'accord.
Mais tuer un seigneur c'est mal, c'est un grand tort.
Alors pour leur prouver la chose sans réplique,
Tous deux on les tue. — Hein, comprends-tu, Dominique ?

TROISIÈME OUVRIER, *avec un signe négatif.*

Non. C'est de la justice, et moi, je ne sais pas
Le latin... [...]

Le mur démoli, ils cachent la brèche avec un grand rideau noir et s'en vont.

102. Chez Vigny dix-huit hommes portent la litière. Hugo suit
Tallemant des Réaux.

103. Monstre de la Bible. Hobbes donnera son nom à son traité
politique, où Léviathan désigne le peuple face au pouvoir absolu (1651).
Le nom a aussi sa place dans le langage cabalistique, pour désigner
un des esprits qui président aux quatre points cardinaux, en
l'occurrence celui du midi.

104. En 1836, Hugo a ajouté la note suivante, en annexe :

L'auteur croit devoir prévenir ceux de MM. les directeurs de province qui jugeraient à propos de monter sa pièce qu'ils pourront y faire
(seulement dans les détails de caractère et de passion, bien entendu)
les coupures qu'ils voudront. Cette portion du public, à laquelle les
rapides croquis de Marivaux et de son école ont fait perdre l'habitude
des développements, reviendra sans doute peu à peu, et revient même
déjà tous les jours, à un sentiment plus mâle et plus large de l'art.
Mais il ne faut rien brusquer. Observez le spectateur, voyez ce qu'il
peut supporter, *quid valeat, quid non*, et arrêtez-vous là. Faites votre
œuvre comme l'art et votre conscience la veulent, entière, complète,
faites-la ainsi pour vous ; mais ayez le courage de supprimer à la
représentation ce que la représentation ne saurait encore admettre.
On ne doit pas oublier que nous sommes dans la transition d'un goût
ancien à un goût nouveau.

Le même conseil peut être adressé aux acteurs. Ceux de la Porte-
Saint-Martin l'ont parfaitement compris. Cette troupe est décidément
une des meilleures, une des plus intelligentes, une des plus lettrées
de Paris. Il n'est pas de pièce qui ait été exécutée avec plus d'ensemble
que *Marion de Lorme*. Tous les rôles, et entre autres ceux de L'Angely,
de Saverny, du marquis de Nangis, de Laffemas, du Gracieux, ont
été joués avec un rare talent ; chaque personnage a une physionomie
vraie et une physionomie poétique qui ont été toutes deux saisies
par l'acteur. M. Bocage, dans Didier, tout à tour grave, lyrique,
sévère et passionné, a réalisé l'idéal de l'auteur. M. Gobert, dans
Louis XIII, mélancolique, malade, sombre, ployé en deux sous le
poids de la lourde couronne que lui a forgée Richelieu, a reproduit
la réalité de l'histoire.

Quant à Madame Dorval, elle a développé, dans le rôle de Marion,
toutes les qualités qui l'ont placée au rang des grandes comédiennes
de ce temps ; elle a eu dans les premiers actes de la grâce charmante
et de la grâce touchante. Tout le monde a remarqué de quelle façon
parfaite elle dit tous ces mots qui n'ont d'autre valeur que celle qu'elle
leur donne : *Serait-ce un huguenot ? — Etre en retard! déjà! — Monseigneur, je ne ris plus.* — etc. — Au cinquième acte, elle est cons-
tamment pathétique, déchirante, sublime, et, ce qui est plus encore,
naturelle. Au reste, les femmes la louent mieux que nous ne pour-
rions faire : elles pleurent.

105. Le manuscrit fait paraître ici les ouvriers de la scène 1.

106. Didier dit, sur un ton grave, la pensée que François Ier a
gravée sur la fenêtre du château (Cf. *Le Roi s'amuse*, v. 1198 et n. 53).
En outre, allusion à Desdémone et aux paroles d'Othello : « fausse
comme l'eau » (*Othello*, V, 2), et surtout à Virgile : « La femme est
toujours un être inconstant et changeant », (*Enéide*, IV, 569).

107. Réminiscence de Villon et de sa *Ballade des pendus ?*

108. Ms.

DIDIER

Pourvu que rien des cœurs dans la tombe enfermés
Ne vive pour haïr ceux qu'ils ont trop aimés!
— Comme je haïrais!

Il croise les bras et tombe dans une profonde rêverie.

SCÈNE VI

LES MÊMES, MARION, LAFFEMAS

LAFFEMAS, *au fond du théâtre, bas à Marion.*
Silence! nous y sommes!

MARION, *apercevant Didier.*

Le voici!

LAFFEMAS

Tout est prêt.

Montrant les sentinelles.

J'ai gagné ces deux hommes.

Une voiture est là.

Posant le paquet à terre.

Ci, les déguisements.

Désignant les prisonniers.

Les voulez-vous tous deux?

MARION

Oui.

LAFFEMAS, *ricanant d'un air goguenard.*

Tous les deux?

MARION

Tu mens,

Misérable!

A part.

A jamais me voilà retombée!

LAFFEMAS, *lui montrant la brèche.*

Vous sortirez par là tous à la dérobée.
On peut de Beaugency fuir sans être aperçu.

A part, en se retirant.

Me voilà compromis pourtant! — Si j'avais su!...

Revenant sur ses pas.

Il est huit heures.

MARION

Bien.

LAFFEMAS, *à part.*
Ah! la maudite affaire!

A Marion.

Pas de bruit.

A part.

Je voudrais être encor à le faire.
Ce sera négligence!... — Il faut se hasarder.
Au diable! Elle serait femme à me poignarder!

Revenant encore à Marion.

Richelieu va venir voir comme on exécute
Ses ordres. Gardez-vous de perdre une minute!
Le canon tirera pour sa venue, et si
Vous êtes encor là, tout est perdu!

MARION

Merci.

LAFFEMAS *s'éloigne, puis revient d'un air caressant.*

Vous ne m'embrassez pas pour ma tête risquée ?

MARION, *reculant avec dégoût, à part.*

Sa lèvre est un fer rouge et m'a toute marquée.

Repoussant Laffemas qui s'approche toujours.

Non! non! — Devant Didier!...

LAFFEMAS, *la saisissant par la taille.*

Mais on se dit adieu.

MARION, *s'arrachant de ses bras.*

Vous êtes donc un homme à ne pas croire en Dieu!

LAFFEMAS, *saluant.*

Comme il vous plaira! —

Se rapprochant de son oreille.

Mais, au point où vous en êtes,
Me ménager serait plus prudent.

MARION, *brisée et d'une voix éteinte.*

Allons, faites!

Laffemas la saisit dans ses bras et l'embrasse. Au bruit du baiser Didier se réveille, se retourne, prend la lanterne sourde à terre, la dirige sur les visages de Marion et de Laffemas, et tous trois restent quelques instants immobiles et comme pétrifiés. Enfin Didier éclate d'un rire horrible.

DIDIER

Ha!... — C'est bien Marion de Lorme, que je croi!

MARION, *s'arrachant des bras de Laffemas.*

Anges du jugement! prenez pitié de moi!

Elle vient tomber à genoux sur le devant du théâtre.

DIDIER

La place est bien choisie, — et l'homme aussi, madame!

MARION, *se relevant, égarée.*

Didier, fuyez!... — Didier, j'en jure sur mon âme, —
C'était pour vous sauver, vous arracher d'ici,
Pour fléchir ce bourreau! pour vous sauver!

DIDIER

Merci!

Donc, je suis bien ingrat! — Comment! je vous tourmente,
Tandis que c'est pour moi, chaste et fidèle amante,
Qu'à ce juge, qui vient torturer et tuer,
Vous avez la bonté de vous prostituer!

Pardon, je suis de trop. Je gêne, j'importune...
Madame et le bourreau sont en bonne fortune !

Montrant la lampe.

Eteindrai-je ceci ? — Dites-moi seulement,
Si c'est la fin, madame, ou le commencement.

MARION, se tordant les bras.

Ah !...

DIDIER, à Laffemas interdit.

Vous, craignez-vous pas qu'à peu de chose il tienne
Que je n'accouple ici votre tête à la mienne ? —
Je vous fais grâce ! — Allez, monsieur, faites des lois,
Et jugez ! — Que m'importe, à moi, que le faux poids
Qui fait toujours pencher votre balance infâme
Soit la tête d'un homme ou l'honneur d'une femme ?

A Marion.

Allez avec lui, vous !

MARION

Oh ! ne me traitez pas ainsi !...

109. Dans l'édition de 1836 Hugo a ajouté une note qui en dit
long sur la pudibonderie du public en 1831 :

ACTE V, SCÈNE VI

Pour les raisons déjà exprimées dans la note précédente, à la représentation, au lieu de :

Faire au premier venu
Pour y dormir une heure offre de mon sein nu.

On dit :

Vendre au premier venu
Un amour à son gré, naïf, tendre, ingénu.

Il n'y a rien qui soit plus grossier, à notre sens, que ces prétendues
délicatesses du public blasé, lesquelles craignent moins la chose que
le mot, et excluraient du théâtre tout Molière.

110. Ms.

DIDIER

...ma fosse !

MARION

Oh ! je la creuserai !

DIDIER

Pourquoi donc ? qui vous tient ?
Vous êtes belle encore, —

Montrant Laffemas.

Et vous voyez qu'on vient !

MARION

Chaque mot qu'il me dit me déchire et me brûle !

DIDIER, avec un rire amer.

Que je fus insensé, stupide et ridicule !
Oh ! que vous ririez bien si vous pouviez vous voir
Comme vous fit mon cœur, cet étrange miroir !
Que vous avez bien fait de le briser, madame !
Vous étiez là candide, et pure, et chaste... O femme !
Que t'avait fait cet homme, au cœur profond et doux,
Et qui t'a si longtemps aimée à deux genoux ?

Deux versions se présentent à partir d'ici :

1.   MARION

Grâce!

                          DIDIER, *à Laffemas.*

          Car je l'aimais, monsieur. Oui j'aimais celle
Que vous voyez ici, la même, c'est bien elle.
Moi, — vous,
Montrant Saverny endormi qui se retourne en soupirant.

          Lui. — Seulement, ici, nous sommes trois!

                                   MARION

Que ne suis-je rouée, et morte, et mise en croix!

                          SAVERNY, *en dormant.*

Marion! Marion! Venez, ma toute belle!
Un seul baiser!

                          DIDIER, *à Marion.*

          Je crois que quelqu'un vous appelle.

*Promenant tour à tour les yeux de Laffemas à Saverny et les ramenant
     sur lui.*

A ce qu'il me paraît, nous sommes ici trois...

                                   MARION

Que ne suis-je rouée, et morte, et mise en croix!

2.   DIDIER, *tirant le portrait de son sein.*

A propos, à cette heure il convient de vous rendre
Ce bijou, d'amour pur gage fidèle et tendre.

                                        Il lui présente le portrait.

          MARION, *se détournant avec un cri.*

Dieu!

               DIDIER, *la poursuivant du portrait.*

     Ne l'avez-vous pas pour moi fait peindre exprès?
                                   Il rit et jette le médaillon à terre.

                                   MARION

Quelqu'un, par charité, me tuera-t-il après?

                                  LAFFEMAS

L'heure passe.

                                   MARION

          Ah! le temps marche, et l'instant s'envole!

                                  HERNANI

    Les variantes sont empruntées au manuscrit et à des notes compo-
sées par Hugo pour l'édition de 1836 où sont signalés et reproduits les
passages importants qui avaient été supprimés pour la représentation
et qui ne figuraient pas dans l'édition originale et dans celles qui ont
suivi immédiatement.
    1. Ms. *Hernani. Tres para una* (Trois pour une).
Ed. orig. :
Hernani ou l'honneur castillan. Pour son protagoniste, Hugo se souvient d'une localité espagnole qu'il a traversée en 1811, Ernani.

2. *Lettre-préface aux « Poésies de feu Charles Dovalle »*, parue dans un album qui rassemblait les poèmes d'un jeune poète tué dans un duel; cet événement fit du bruit dans les milieux littéraires; Jules Janin le commente dans un article du *Journal des Débats*.

3. « Je les envie, je les envie parce qu'ils se reposent. »

4. Auteur de *La Pratique du théâtre* (1657), un traité qui fit autorité au XVIIᵉ siècle pour la codification des principes dramaturgiques, selon des préceptes tirés d'Aristote.

5. Jurisconsulte français (1520-1590). Il envisageait un droit uniforme pour toute la France.

6. L'aristocratie et les révolutionnaires.

7. Recueil de poèmes narratifs ou lyriques, qui ont trait à l'histoire réelle ou légendaire de l'Espagne. Il a été constitué à partir d'environ 1550, et régulièrement après cette date.

8. « Les vastes travaux interrompus restent en suspens, ainsi que les vastes murailles » (*Énéide*, IV, 88).

9. Reine d'Espagne, mère de Jeanne la Folle (1450-1504). Don Carlos (1500-1558) : duc de Bourgogne, archiduc d'Autriche, petit-fils de Maximilien de Habsbourg, fils de Philippe le Beau et de Jeanne la Folle. Il est devenu empereur en 1519. La plupart des noms de personnages espagnols sont tirés du *Romancero general*.

10. Ville de la province de Guadeloupe (Espagne). Le troisième duc était Ruy Gomez da Silva.

11. Ms. :
... Doña Sol! — Ah! ces yeux que je vois
Sont vos yeux, cette voix qui parle est votre voix! Enfin!
Dieu soit loué qui le soir me délivre
De ceux parmi lesquels le jour il me fait vivre!
Doña Sol! Quand je pense aux visages humains!
Que j'ai vu aujourd'hui passant par les chemins!
Ange! Daignez longtemps mêler votre âme aux nôtres!
J'ai tant besoin de vous pour oublier les autres!

12. Hispanisme, peut-être repéré dans Voltaire : l'*Essai sur les mœurs* (ch. XXVII) précise que les « ricos hombres — rich-hommes », étaient propriétaires de terres, donc seigneurs.

13. Sens ancien : ceux qui combattent en champ clos.

14. Patron de l'Espagne. Cf. Saint-Jacques de Compostelle.

15. Don Rodrigue de Bivar, dit le Cid Campeador (vers 1040-1099), a combattu les Maures. Son nom et ses exploits figurent dans de nombreuses romances. Les luttes de Bernardo del Carpio (personnage légendaire du IXᵉ siècle) pour libérer son père ont fait de lui un héros. Selon certaines versions, il aurait tué Roland à Roncevaux.

16. Langue classique : tourment, désespoir. De même au v. 1751.

17. Ville de León. Bernardo del Carpio y aurait battu les Sarrazins. Plusieurs batailles se sont déroulées dans cette localité.

18. Tour classique : qui dérobe l'honneur.

19. L'ordre a été institué par Philippe le Bon, duc de Bourgogne, en 1429. Cf. aussi v. 401.

20. Maximilien était duc de Bourgogne, roi d'Espagne, empereur d'Allemagne. Il est mort à Innsbruck en 1519. Le titre impérial n'était pas transmissible par voie héréditaire.

21. Figueras : Ville de la Catalogne, non loin de la frontière française. Son nom paraît aussi dans *Marion de Lorme*.

22. Parmi les prétendants au titre impérial, on trouve François Iᵉʳ et l'électeur de Saxe Frédéric le Sage.

23. La Diète siégeait à Spire; l'élection eut lieu à Francfort.

24. Lieu de naissance de Charles Quint.

25. Les royaumes de Naples et des Deux-Siciles appartenaient, depuis 1514, à la famille de Ferdinand le Catholique, grand-père maternel de Charles Quint.

26. Don Carlos imagine le dialogue qu'il tiendra avec le Pape lorsqu'il sera empereur.

27. Charte qui, depuis 1356, règle le mode d'élection des empereurs l'Allemagne. Elle fixait, entre autres, le nombre des électeurs (7), le lieu de l'élection (Francfort), le mode (la pluralité des suffrages), le lieu du sacre (Aix-la-Chapelle). Elle est restée en vigueur jusqu'à Napoléon (1806). On comprend comment Hugo a été amené à fondre en un seul lieu la ville de l'élection et celle du sacre.

28. Dans une ébauche on trouve :

DON CARLOS

Comte de Monterey, vous me questionnez.

Les deux seigneurs reculent et se taisent.

Que j'achèterais bien de trois de mes Espagnes
Trois Espagnols pareils à ce roi des montagnes !

DON MATIAS

Vous gagneriez peut-être au marché. Car on dit
Qu'un grand nom est caché sous son nom de bandit.

DON CARLOS

Ce que si haut en lui j'estime et je proclame
Ce n'est pas le grand nom, marquis, c'est la grande âme.
Mais quel seigneur dit-on ? Ce doit être un de ceux
Qui pour m'avouer roi furent si paresseux
Que je n'ai jamais vu leurs visages.

DON MATIAS

                                  Cet homme,
Cet Hernani, dit-on, c'est Haro qui vous somme
De lui rendre Astorga.

DON CARLOS

                          L'insolent ! Ces Haro
Ont toujours fait doubler la solde du bourreau !
Et puis ?

DON MATIAS

          Le duc d'Arcos qui fait cette tempête
Dit-on.

DON CARLOS

        Le duc d'Arcos est trop grand de la tête.

DON RICARDO

Et puis encor Tellez Giron qui dans le lit
De sa femme vous sut prendre en flagrant délit,
Et veut venger l'honneur de sa tendre compagne.

DON CARLOS

Celui-là se révolte alors contre l'Espagne.
Qui nomme-t-on encore ?

DON RICARDO

                          On cite avec ceux-là
Le révérend Vasquez, évêque d'Avila.

DON CARLOS

Est-ce aussi pour venger la vertu de sa femme ?

DON MATIAS

Et Gaspard de Lara, mécontent, qui réclame
Le collier de votre ordre.

DON CARLOS

Ah! Gaspard de Lara!
Si ce n'est qu'un collier qu'il lui faut, il l'aura!

DON MATIAS

Enfin, dans tous ces bruits qu'on invente et qu'on forge,
Ce Hernani, dit-on, n'est autre que don Jorge
D'Aragon, se disant duc de Segorbe, né
Dans l'exil, fils proscrit d'un père infortuné
Qui pour avoir aimé la reine comme une autre
Finit sur l'échafaud sa lutte avec le vôtre.
Il est jeune, et nourri dans la montagne. Il a
Par son père Aragon, par sa mère Alcala.
On l'aime ici d'avoir aiguisé son épée
Sur les monts et dans l'eau des torrents retrempée,
Et lui, veut se tailler, dit-on, le déloyal,
Un bon manteau de duc dans le manteau royal.

DON CARLOS, pensif.

Oui, voilà qui ressemble à mon homme.

A Matias.

Son âge ?

DON MATIAS, comptant sur ses doigts.

Vingt ans.

DON CARLOS

C'est lui! Vingt ans ?

DON MATIAS

Oui, seigneur.

DON CARLOS

C'est dommage.
— Bah! trêve pour l'instant; qu'il soit ce qu'il voudra,
Aragon ou Cordoue, Alencastre ou Lara,
Ce n'est pas cette nuit le souci qui m'arrête.
J'en veux à sa maîtresse encor plus qu'à sa tête.
J'en suis amoureux fou, mes amis! les yeux noirs
Les plus beaux, les plus grands! deux flambeaux! deux miroirs!
Je n'ai bien entendu de toute leur histoire
Que ces trois mots : demain, venez à la noire.
Mais c'est l'essentiel. — Devançons le galant
Et prenons-lui sa belle. Est-ce pas excellent,
Tandis que lui conspire et croit ouvrir ma tombe,
Je viens tout doucement dénicher sa colombe ?

DON RICARDO

Altesse, il eût fallu, pour compléter le tour,
Dénicher la colombe en tuant le vautour.

29. Première version :

DON MATIAS

Altesse, est-il prudent, tandis que des félons
Tiennent tout le pays, de venir de la sorte,
Vous le roi, hasarder vos jours à cette porte ?

DON CARLOS

Marquis, nous sommes trois.

DON RICARDO

                    Et puis le nom du roi !

DON MATIAS

Des voleurs en prendraient peu de souci, je croi.

DON RICARDO

Marquis, vous outragez la majesté royale !...

(La dernière lumière disparaît.)

DON CARLOS

La dernière s'éteint. Tout dort.

        Regardant la croisée de Doña Sol qui est toujours obscure.

                    La déloyale
Ne vient pas. Rien encor ! Il faut pourtant finir,
Messieurs. A tout moment l'autre peut survenir.
Quelle heure est-il ?

DON MATIAS

            Seigneur, je ne sais.

*Une lanterne traverse lentement le fond du théâtre, portée au bout d'un
long bâton par un homme vêtu de noir qu'on distingue à peine dans la
nuit profonde qui couvre la scène.*

DON CARLOS

            Dans la place
Qui brille ainsi là-bas ?

DON RICARDO

            C'est le crieur qui passe.

DON CARLOS

Il dit l'heure. Ecoutons. Paix !

LE CRIEUR, *au fond du théâtre.*

                    Minuit ! Priez tous
Pour les âmes des morts !

*Tous trois tombent à genoux et prient. Le crieur passe lentement et dispa-
raît. Ils se relèvent.*

DON CARLOS, *achevant tout haut sa prière.*

                    ... Ils espèrent en vous,
Seigneur ! pardonnez-leur leurs péchés et leurs fautes.
De votre paradis les murailles sont hautes,
Laissez-les-leur franchir, Seigneur, ainsi qu'à nous.

DON RICARDO, *montrant les murailles de l'hôtel.*

Faut-il aussi franchir celles-là ?

Don Carlos

Taisez-vous!

Vous êtes un impie!

La fenêtre de Doña Sol s'éclaire.

Ah! messieurs! la fenêtre!
Jamais jour ne me fut plus charmant à voir naître.
Hâtons-nous! une chose à faire reste encor.
C'est le signal! il faut sonner trois fois du cor.

Il tire un cor de sa ceinture.

Nous la verrons paraître.

Il porte le cor à sa bouche.

Un instant. Notre nombre
N'aurait qu'à l'effrayer. — Allez tous deux dans l'ombre
Là-bas, épier l'autre, et faites de façon
Qu'il ne puisse mêler sa flûte à ma chanson.
Ce qui gâterait l'air. S'il vient, de l'embuscade
Sortez, et lui poussez au ventre une estocade.
Sans le tuer. Pendant qu'il sera sur le grès...

30. Coup donné avec la pointe de la lame.
31. A la représentation de 1830, on substitua à ce mot celui de « favorite », moins choquant pour le public.
32. Langage de la vénerie : appât trompeur.
33. Réminiscence du *Cid* : « Va, je ne te hais point » ?
34. Les Indes occidentales, l'Amérique.
35. Allusion à la parole que la tradition attribue à Charles Quint, amenée ici par une curieuse anticipation : « le soleil ne se couche jamais sur mon empire ». Schiller place la même parole dans la bouche de Philippe II (*Don Carlos*, I, 6).
36. La censure fit modifier ce vers, qui attaquait directement la royauté. Les éditions donnent : « Crois-tu donc que pour nous il soit des noms sacrés ? »
37. Officier chargé du ministère public dans certaines justices seigneuriales.
38. Ms.

Don Carlos

A quel prix voulez-vous qu'on mette votre tête ?

Hernani

Elle est à prix déjà.

Don Carlos

La somme est-elle honnête ?

Hernani

Non. Cinq cents carolus. Seigneur, c'est un faux poids.
Car ma tête vaut bien la tienne mille fois.

Don Carlos

Je doublerai la somme.

Hernani

Et ce sera mieux.

39. Langue classique : refuge.
40. Au sud des Pyrénées et à l'ouest de la Catalogne.
41. Petite localité près de Teruel.
42. A Saragosse, cette église est encore un lieu de pèlerinage.

43. Ancienne monnaie française frappée sous Charles VIII.
44. Le manuscrit contient une esquisse abandonnée pour le début de la scène IV.

Hernani, immobile et les yeux baissés, se tient debout sur le devant du théâtre. Doña Sol congédie d'un signe ses femmes et court à lui tout éperdue.

DOÑA SOL

Etes-vous insensé ? quelle étrange démence ?
Je vous revois ! la vie en mon cœur recommence,
Et vous voulez vous perdre ! et quel est mon forfait ?
Ah ! vous êtes sauvé malgré vous. C'est bien fait.
Vous mériteriez bien que de vous je me venge !
Mais je suis bonne. Hélas ! mon Hernani ! mon ange !
Que je baise à genoux le bord de ton manteau !
Oh ! tu m'es donc rendu !   *Elle veut baiser le manteau d'Hernani.*

HERNANI, *la regardant courbée devant lui.*

Quoi ! pas même un couteau !

DOÑA SOL

Quel bonheur ! c'est bien lui ! c'est bien lui ! quelle joie !
Dieu permet qu'il soit là, près de moi, que je voie
Encor ses yeux, son front, sa brave et noble main !
Hélas ! il était temps ! c'était trop tard demain !

45. Dans l'édition de 1836, Hugo a inséré une note qui introduit la version abrégée en 1830 pour la représentation.

NOTE

Nous avons jugé inutile d'indiquer, dans les deux premiers actes, les différences assez nombreuses entre le texte des précédentes éditions et le texte de l'édition actuelle. Ces différences, comme nous l'avons déjà dit, proviennent toutes des mutilations faites à la représentation ; la question littéraire était encore trop peu comprise en 1830 pour que Hernani pût être représenté tel qu'il avait été écrit. Il faut dire pourtant que les retranchements n'avaient pas essentiellement altéré les deux premiers actes ; mais ils avaient assez profondément modifié le troisième, pour que nous croyions nécessaire de réimprimer ici les scènes IV, V et VI de cet acte comme on les a imprimées en 1830, comme on les a jouées à cette époque et comme on les joue encore aujourd'hui ; de cette façon, le lecteur peut confronter les deux textes, l'œuvre mutilée et l'œuvre complète, et décider qui avait raison alors et qui a raison maintenant.

SCÈNE IV

HERNANI, DOÑA SOL

Hernani, immobile, considère avec un regard froid l'écrin nuptial placé sur la table ; puis il hoche la tête et ses yeux s'enflamment.

Examinant le coffret.

— Sans doute tout est vrai, tout est bon, tout est beau,
Il n'oserait tromper, lui qui touche au tombeau !

Il prend l'une après l'autre toutes les pièces de l'écrin.

Rien n'y manque. Colliers, brillants, pendants d'oreille,
Couronne de duchesse, anneau d'or... — A merveille!
Grand merci de l'amour sûr, fidèle et profond!
Le précieux écrin!

DOÑA SOL

Elle va au coffret, y fouille, et en tire un poignard.

Vous n'allez pas au fond! —

Hernani pousse un cri et tombe prosterné à ses pieds.

Ont été supprimés dans les éditions les v. 895-909, les v. 925-928, les v. 937-1012. Cette dernière altération du texte est particulièrement regrettable : Hernani y définit l'essentiel de son être, sa relation avec le destin (cf. les v. 992 et suivants). On comprend l'indignation de Hugo. La scène suivante a été également modifiée par l'élimination des v. 1063-1078. Ont disparu les v. 1095-1098, avec l'expression, considérée comme triviale — mais elle était forte : « Puis fais jeter le cadavre à la porte / Et laver le plancher, si tu veux, il n'importe! »

46. Olmedo est près de Valladolid. Une douzaine de villes portent le nom d'Alcala. Cervantès est né à Alcala de Hénarès.

47. Ed. orig. « Vous êtes mon seigneur vaillant et généreux ». A l'époque romantique, le mot « lion » avait, dans le public mondain, un sens particulier : « homme à femmes ». Mlle Mars prétendit ne pas suivre sur ce mot le texte de Hugo et exigea la modification du vers.

48. Faux monnayeurs.

49. Ludovic Sforza, le More, duc de Milan, qui aurait fait assassiner son neveu ; il a trahi les Français, a été trahi par toute sa famille et a été livré aux Français. Mort à Loches en 1510. — Luther allait consommer sa rupture avec Rome en 1520. Le conflit avec la papauté était patent depuis 1517. — Borgia : allusion au pape Alexandre VI ? ou à son fils César ? ou aux deux. Leur famille était apparentée à celle d'Aragon.

50. Légende espagnole : les sept infants (on traduit parfois : enfants) de Lara auraient été attirés dans une embuscade par leur oncle et massacrés. Cf. *Romancero general*.

51. Une troupe importante.

52. La scène des portraits est inspirée de Shakespeare (la scène des ombres dans *Richard III*, V, 3) et de Schiller (*Les Brigands*, IV, 2).

Edition originale de 1830 :

DON RUY GOMEZ *montrant au roi le vieux portrait.*

Ecoutez! — Des Silva
C'est l'aîné, c'est l'aïeul, l'ancêtre, le grand homme;
Don Silvius, qui fut trois fois consul de Rome!
[v. 1135 à 1146 supprimés]

Mouvement d'impatience de don Carlos. A un autre portrait.

Ecoutez-moi : voici Ruy Gomez de Silva,
Grand-maître de Saint-Jacque et de Calatrava.
Son armure géante irait mal à nos tailles;
Il prit trois cents drapeaux, gagna trente batailles,
Conquit au roi Motril, Antequera, Suez,
Nijar, et mourut pauvre. — Altesse, saluez!

Il s'incline, se découvre et passe à un autre. — Le roi l'écoute avec une impatience et une colère toujours croissantes.

Près de lui, Juan son fils, cher aux âmes loyales.
Sa main pour un serment valait les mains royales.

A un autre.

— Don Gaspar, de Mendoce et de Silva l'honneur!
Toute noble maison tient à Silva, seigneur.

Sandoval tour à tour nous craint ou nous épouse.
Mantique nous envie et Lara nous jalouse.
Alencastre nous hait. Nous touchons à la fois
Du pied à tous les ducs, du front à tous les rois !
   [les v. 1141-1143 ont été condensés en un seul]
— Vasquez qui soixante ans garda la foi jurée.

Geste d'impatience du roi.

J'en passe, et des meilleurs. — Cette tête sacrée,
C'est mon père. Il fut grand, quoiqu'il vînt le dernier.
Les Maures de Grenade avaient fait prisonnier
Le comte Alvar Giron, son ami ; mais mon père
Prit pour l'aller chercher six cents hommes de guerre ;
Il fit tailler en pierre un comte Alvar Giron
Qu'à sa suite il traîna, jurant par son patron
De ne point reculer que le comte de pierre
Ne tournât front lui-même et n'allât en arrière.
Il combattit, puis vint au comte, et le sauva.

DON CARLOS, *hors de lui.*

Mon prisonnier !

DON RUY GOMEZ

C'était un Gomez de Silva.
Voilà donc ce qu'on dit quand dans cette demeure
On voit tous ces héros...

DON CARLOS, *frappant du pied.*

Mon prisonnier, sur l'heure !

DON RUY GOMEZ

*Il s'incline profondément devant le roi, lui prend la main et le mène devant
le dernier portrait, celui qui sert de porte à la cachette où il a fait entrer
Hernani. Doña Sol le suit des yeux avec anxiété.*

Ce portrait, c'est le mien. — Roi don Carlos, merci ! —
Car vous voulez qu'on dise en le voyant ici :
« Ce dernier, digne fils d'une race si haute,
« Fut un traître, et vendit la tête de son hôte ! »

*Le roi, déconcerté, s'éloigne avec colère, puis reste quelques instants silen-
cieux, les lèvres tremblantes et l'œil enflammé.*

DON CARLOS

Duc, ton château me gêne et je le mettrai bas.

DON RUY GOMEZ

Car vous me le paîriez, Altesse, n'est-ce pas ?

DON CARLOS

Duc, j'en ferai raser les tours pour tant d'audace,
Et je ferai semer du chanvre sur la place !

DON RUY GOMEZ

Mieux voir croître du chanvre où ma tour s'éleva,
Qu'une tache ronger le vieux nom de Silva.

Aux portraits.

N'est-il pas vrai, vous tous ?

DON CARLOS

Duc ! cette tête est nôtre,

Et tu m'avais promis...

> DON RUY GOMEZ
>
> J'ai promis l'une ou l'autre.
>
> *Se découvrant.*
>
> Je donne celle-ci. Prenez-la.

> DON CARLOS
>
> Ma bonté
>
> Est à bout ! livre-moi cet homme.

> DON RUY GOMEZ
>
> En vérité,
>
> J'ai dit.

> DON CARLOS, *à sa suite.*
>
> Fouillez partout ! et qu'il ne soit point d'aile,
> De cave, ni de tour...

> DON RUY GOMEZ
>
> Mon donjon est fidèle
> Comme moi. Seul il sait le secret avec moi.
> Nous le garderons bien tous deux.

> DON CARLOS
>
> Je suis le roi.

> DON RUY GOMEZ
>
> A moins de démolir le château pierre à pierre,
> D'assassiner le maître, on n'aura rien !

> DON CARLOS
>
> Prière,
> Menace, tout est vain ! — Livre-moi le bandit,
> Duc, ou, tête et château, j'abattrai tout !

> DON RUY GOMEZ
>
> J'ai dit.

> DON CARLOS
>
> Eh bien donc ! au lieu d'une, alors j'aurai deux têtes.
>
> *Au duc d'Alcala.*
>
> Jorge, arrêtez le duc !

53. *Les Sarrazins.* Boabdil fut le dernier roi maure, qui perdit toutes ses provinces et fut contraint à se reconnaître vassal du roi Ferdinand d'Aragon, qui assiégea et conquit Grenade (1492). — *Mahom* : graphie médiévale de Mahomet.

54. La plupart des noms sont empruntés au *Romancero general.* L'accumulation des noms de personnes et de lieux a pour but tout à la fois de donner une couleur historique et d'être un jeu de sonorités.

55. Ms., après ce vers :
Il y mourut. Cet autre est don Nuño, le père
De Sanchez que voici. Tous deux dans son repaire
Tuèrent Mauregat, l'usurpateur maudit.
Celui-là, c'est don Juan de Silva, qui vendit
Ses terres pour payer la rançon de don Ramire.

— Le roi Mauregat (fin du VIIIe siècle) et le tribut des cent jeunes filles sont mentionnés par Voltaire (*Essai sur les mœurs*, ch. XXVIII).

56. L'ordre de Saint-Jacques (Santiago) de l'Epée était militaire ; il a été fondé en 1175 et était le plus renommé en Espagne. — L'ordre

de Calatrava, religieux et militaire, a été créé en 1158; Voltaire signale qu'il a été fondé par des moines de Cîteaux (ch. LXIV).

57. Emir du VIIIᵉ siècle (Ibn Melik el-Khaulana Samah).

58. Un Alfonso Tellez Giron a participé à la bataille de Toro vers 1356.

59. Le chanvre pousse rapidement.

60. Ms. A la suite, un dialogue entre trois seigneurs :

DON PEDRO COLON, comte de Selves, *au vieux duc d'Alcala.*
Duc, que dis-tu du roi ?

DON PARAFAN DE RIBEIRA, duc d'Alcala, *au comte de Selves.*
                              Pour un homme, une fille,
Laide ou jolie! Au lieu d'une épée, une aiguille!
Gomez et le bandit se tirent de ce pas;
Mais l'altesse est dupée, et moi je ne vois pas
Que monseigneur le roi dans tout ce qui se passe
Ait son compte.

DON RICARDO, *à don Mathias, derrière le duc d'Alcala.*
              Le duc a la vue un peu basse.

61. Hellénisme.

62. Forme ancienne de Luxembourg, qui n'a pas de duc.

63. Allusion à l'un des douze travaux d'Hercule, la lutte contre le lion de Némée.

64. Ces deux vers ont été interdits par la censure; ils ont été remplacés par :
« Pour un titre, ils vendraient leur âme, en vérité.
Vanité! vanité! tout n'est que vanité! »
Ce dernier vers reproduit la phrase célèbre de la Bible : « Vanitas vanitatum, omnia vanitas » *(Ecclésiaste).*

65. Le passage qui suit ne figure pas dans l'édition originale, jusqu'à l'adresse à don Ricardo : « Va-t'en. C'est l'heure... »

66. Cornelius Agrippa, surnommé le Trismégiste (1486-1536). Médecin, auteur d'un livre sur la science occulte (1533).

67. Né à Trittenheim, abbé de Saint-Jacques à Wurzbourg (1461-1516). Historien et auteur de traités de religion. On le croyait mage.

68. La famille des comtes de Limbourg existait au XVIᵉ siècle.

69. Pour la représentation, ce long monologue a été abrégé : ont été omis les v. 1437-1440; 1465-1472; 1505-1508; 1525-1536; 1547-1554. Le voici, dans la version de la scène :

SCÈNE II

DON CARLOS, *seul.*

Charlemagne, pardon! — Ces voûtes solitaires
Ne devraient répéter que paroles austères;
Tu t'indignes sans doute à ce bourdonnement
Que nos ambitions font sur ton monument.
— Ah! c'est un beau spectacle à ravir la pensée
Que l'Europe ainsi faite et comme il l'a laissée!
Un édifice, avec deux hommes au sommet,
Deux chefs élus auxquels tout roi né se soumet.
Presque tous les Etats, duchés, fiefs militaires,
Royaumes, marquisats, tous sont héréditaires;

Mais le peuple a parfois son pape ou son César,
Tout marche, et le hasard corrige le hasard.
De là vient l'équilibre, et toujours l'ordre éclate.
Electeurs de drap d'or, cardinaux d'écarlate,
Double sénat sacré dont la terre s'émeut,
Ne sont là qu'en parade, et Dieu veut ce qu'il veut.
Qu'une idée, au besoin des temps, un jour éclose,
Elle grandit, va, court, se mêle à toute chose,
Se fait homme, saisit les cœurs, creuse un sillon;
Maint roi la foule aux pieds ou lui met un bâillon;
Mais qu'elle entre un matin à la diète, au conclave,
Et tous les rois soudain verront l'idée esclave
Sur leurs têtes de rois que ses pieds courberont
Surgir, le globe en main ou la tiare au front.
— Le pape et l'empereur sont tout. Rien n'est sur terre
Que par eux et pour eux. Un suprême mystère
Vit en eux; et le ciel, dont ils ont tous les droits,
Leur fait un grand festin des peuples et des rois.
Le monde au-dessous d'eux s'échelonne et se groupe.
Ils font et défont. L'un délie et l'autre coupe.
L'un est la vérité, l'autre est la force. Ils ont
Leur raison en eux-mêmes, et sont parce qu'ils sont.
Quand ils sortent, tous deux égaux, du sanctuaire,
L'un dans sa pourpre, et l'autre avec son blanc suaire,
L'univers ébloui contemple avec terreur
Ces deux moitiés de Dieu, le pape et l'empereur.
— L'empereur! l'empereur! être empereur! — O rage,
Ne pas l'être! — et sentir son cœur plein de courage!
Qu'il fut heureux celui qui dort dans ce tombeau!
Qu'il fut grand! — De son temps c'était encor plus beau.
Oh! quel destin! — Pourtant cette tombe est la sienne!
Tout est-il donc si peu que ce soit là qu'on vienne ?
Quoi donc! avoir été prince, empereur et roi!
Avoir été l'épée, avoir été la loi!
Vivant, pour piédestal, avoir eu l'Allemagne!
Quoi! pour titre César et pour nom Charlemagne!
Avoir été plus grand qu'Annibal, qu'Attila,
Aussi grand que le monde!... — Et que tout tienne là!
Ah! briguez donc l'empire! et voyez la poussière
Que fait un empereur! Couvrez la terre entière
De bruit et de tumulte. — Elevez, bâtissez
Votre empire, et jamais ne dites : C'est assez!
Si haut que soit le but où votre orgueil aspire,
Voilà le dernier terme!... — Oh! l'empire! l'empire!
Que m'importe! j'y touche, et le trouve à mon gré.
Quelque chose me dit : Tu l'auras! — Je l'aurai. —
Si je l'avais!... — O ciel! être ce qui commence!
Seul, debout, au plus haut de la spirale immense!
D'une foule d'Etats l'un sur l'autre étagés
Etre la clef de voûte, et voir sous soi rangés
Les rois, et sur leurs têtes essuyer ses sandales;
Voir au-dessous des rois les maisons féodales,
Margraves, cardinaux, doges, ducs à fleurons;
Puis évêques, abbés, chefs de clans, hauts barons;
Puis clercs et soldats; puis, loin du faîte où nous sommes,
Dans l'ombre, tout au fond de l'abîme, — les hommes.
— Les hommes! — c'est-à-dire une foule, une mer,
Un grand bruit; pleurs et cris, parfois un rire amer;

Ah! le peuple! — océan! onde sans cesse émue!
Où l'on ne jette rien sans que tout ne remue!
Vague qui broie un trône et qui berce un tombeau!
Miroir où rarement un roi se voit en beau!
Ah! si l'on regardait parfois dans ce flot sombre,
On y verrait au fond des empires sans nombre,
Grands vaisseaux naufragés, que son flux et reflux
Roule, et qui le gênaient, et qu'il ne connaît plus!
Gouverner tout cela ? — Monter si l'on vous nomme,
A ce faîte! Y monter, sachant qu'on n'est qu'un homme!
— Avoir l'abîme là!... — Malheureux! qu'ai-je en moi ?
Etre empereur ? mon Dieu! j'avais trop d'être roi!
Certe, il n'est qu'un mortel de race peu commune
Dont puisse s'élargir l'âme avec la fortune.
Mais, moi! qui me fera grand ? qui sera ma loi ?
Qui me conseillera ?...

> *Il tombe à genoux devant le tombeau.*

Charlemagne! c'est toi.
Ah! puisque Dieu, pour qui tout obstacle s'efface,
Prend nos deux majestés et les met face à face,
Verse-moi dans le cœur, du fond de ce tombeau,
Quelque chose de grand, de sublime, de beau!
Oh! par tous ses côtés fais-moi voir toute chose!
Montre-moi que le monde est petit, car je n'ose
Y toucher. Apprends-moi ton secret de régner,
Et dis-moi qu'il vaut mieux punir que pardonner!
— N'est-ce pas ? — Ombre auguste, empereur d'Allemagne,
Oh! dis-moi ce qu'on peut faire après Charlemagne!
Parle! — dût en parlant ton souffle souverain
Me briser sur le front cette porte d'airain! —
Ou, si tu ne dis rien, laisse en ta paix profonde,
Carlos étudier ta tête comme un monde; —
Laisse, qu'il te mesure à loisir, ô géant!
Car rien n'est ici-bas si grand que ton néant!
Que la cendre, à défaut de l'ombre, me conseille!

> *Il approche la clef de la serrure.*

Entrons!

> *Il recule.*

Dieu! s'il allait me parler! s'il s'éveille!
S'il était là, debout et marchant à pas lents!
Si j'allais ressortir avec des cheveux blancs!
Entrons toujours!

> *Bruit de pas.*

On vient! Qui donc ose à cette heure,
Hors moi, d'un pareil mort éveiller la demeure ?
Qui donc ?

> *Le bruit s'approche.*

Ah! j'oubliais! ce sont mes assassins!

Il ouvre la porte du tombeau, qu'il referme sur lui. — Entrent de divers côtés plusieurs hommes, marchant à pas sourds, cachés sous leurs manteaux et leurs chapeaux.

70. « Vers les sommets / par des voies étroites. » Cette sentence médiévale a été transmise sous plusieurs formes; elle a été adoptée comme devise, notamment par le margrave de Brandebourg (début du XVIIe s.). Elle s'inspirait de l'Evangile : « Intrate per angustam

portam » (Matthieu, VII, 13). Mais le jeu d'opposition sur les sonorités et le sens des deux mots est essentiel ici.

71. Le sens est hébraïque : le grand prêtre sacrifiait une victime
en holocauste.

72. Ms. :

DON RUY GOMEZ, *tirant le cor de sa ceinture.*

Elle! je te la cède, et te rends ce cor.

HERNANI, *ébranlé.*

Quoi ?

La vie de Doña Sol!

Non, je tiens ma vengeance!
Avec Dieu dans ceci je suis d'intelligence.
J'ai mon père à venger!...

peut-être plus encor!

DON RUY GOMEZ

Elle, je te la donne, et je te rends ce cor!

73. La Diète.

74. Roi de Babylone qui, au cours d'un festin, vit s'inscrire sur
le mur trois mots : Mané, Thécel, Pharès, qui, selon le prophète
Daniel, annonçaient sa mort. Nouvelle forme du destin.

75. Le dernier roi des Visigoths d'Espagne, Rodrigue, ayant insulté
la fille du comte Julien, fut battu et tué par les Arabes en 711. Voltaire consacre plusieurs lignes au conflit qui opposa ces deux personnages.

76. En fait, le dernier descendant de la famille d'Aragon est don
Carlos.

77. Style classique, comme « vos sacrés genoux » au v. 1751.

78. Dans le Ms. Hernani montre plus d'hésitation devant le
bonheur; il songe à son père et à la vengeance :

HERNANI, *levant les yeux au ciel.*

Mon Dieu! n'interromps pas ce rêve, ce beau rêve
Commencé...

DOÑA SOL

C'en est un funèbre qui s'achève!

HERNANI

Oh! c'est trop de bonheur, et j'en ai du remords.
Doña Sol! doña Sol! mon père est chez les morts,
Mon père veut du sang, mon père veut sa proie.
Me voici ton époux, fête, fanfare, joie!
Me voici duc, puissant, riche, envié de tous!
C'est bien. Mais tout cela ne venge pas mon père.

DOÑA SOL

Que dis-tu ?

HERNANI

Fais-je ici ce que je devrais faire ?
Il faudrait refuser et frapper!

DOÑA SOL

Hernani!

HERNANI

Ah! Dieu me punira de n'avoir pas puni!

79. Ms. :

                                        Espagnol ou Saxon,
Je vous fais grâce à tous! L'empereur vous pardonne!
C'est la leçon qu'au monde il convient que je donne.

Hugo a modifié ces vers, où l'accent cornélien est évident.

80. La Toison d'Or était placée sous le patronage de saint André
et de la Vierge, non de saint Étienne.

81. Christian II le Cruel (1481-1559) qui, en 1520, se fera couronner
roi de Suède.

82. Soliman n'allait être sultan que l'année suivante.

83. Les Carvajal sont cités dans le *Romancero general*. Mérimée a
utilisé ce nom dans le *Théâtre de Clara Gazul* (1825).

84. Homme de la police.

85. Le sonnet pénétra en Espagne, avec le pétrarquisme, au début
du xve siècle, notamment par le marquis de Santillana.

86. Ms. :

                                        ange! — *A part.* O Dieu!
C'est le vieillard!

                    DOÑA SOL, *écoutant.*

                    C'est l'air qu'on sonne au couvre-feu,
Que je chantais le soir à mes jeunes compagnes...

                                                        Ecoutant.

Mais l'aubade est pour vous. C'est le cor des montagnes!

                                                        Le cor se tait.

Gageons que c'est pour vous.

                    HERNANI, *égaré.*
                    Pour moi.

                    DOÑA SOL, *souriant.*

                                        Gageons!

                                        Le cor recommence.

                    HERNANI

                                        Encor!

                    DOÑA SOL, *souriant.*

Don Juan! je reconnais le son de votre cor!

87. Allusion évidente au vers de Vigny et hommage à un ami :
« J'aime le son du cor, le soir au fond des bois ». *Le Cor*, dans les
Poèmes antiques et modernes (1826).

88. Dans le Ms. la scène se terminait de la manière suivante :

                    HERNANI

Ce devrait être fait!

                    DOÑA SOL

                    Tu ne te sens pas bien ?

                    HERNANI

Un mal... auquel je suis sujet...

                    DOÑA SOL

                                        Ce cor vous trouble!
Chaque fois qu'il reprend, votre angoisse redouble.

                    HERNANI

Non. Ce cor est charmant, et j'en aime le son.

                                        Le cor recommence. A part.

Il le veut! Un poignard! par pitié! du poison!
Je manque à mon serment! — Rien! — Fanfare implacable.

Haut.

Ah! ce pourpoint m'étouffe, et ce collier m'accable!

              Il arrache son collier et le jette à terre.

DOÑA SOL

Mais coupez le pourpoint!...

            HERNANI
            Ah!... le poignard du roi,

L'as-tu toujours ?

            DOÑA SOL

   Oui.

            HERNANI
          Cours me le chercher!

            DOÑA SOL
                    Pourquoi ?

      HERNANI, *montrant son pourpoint.*
Pour l'ouvrir.

            DONA SOL
          Il serait plus simple que je prisse

Des ciseaux...

            HERNANI
       Le poignard!

            DOÑA SOL
          Mais...

            HERNANI
              Ah! c'est un caprice!

Va, cours. J'en ai besoin.

            DOÑA SOL
         J'obéis, monseigneur!

89. Nouvelle allusion à Balthasar; voir note 74.
Le manuscrit offre une version différente, où paraît le thème du Commandeur, de la légende de Don Juan. Don Ruy Gomez offre à Hernani le choix entre le poison et le poignard. Puis :

    A mon dernier banquet, mon hôte, je t'invite.
    Ce que tu laisseras sera pour moi. Fais vite.

90. Hugo avait songé à plusieurs versions pour cette scène. Voici l'une d'elles. Ms. :

            HERNANI
         Bien. Quel est ton plaisir ?
Le poison ? le poignard ? Parle.

     LE DOMINO NOIR, *mettant sur la table*
         un poignard et une fiole.
         Tu peux choisir.
A mon dernier banquet, mon hôte, je t'invite.
Ce que tu laisseras sera pour moi. Fais vite.

            HERNANI

Je suis prêt.

LE DOMINO NOIR

Un peu tard. — Si je n'étais monté...

HERNANI

Crois-tu donc que sur toi, vieillard, j'avais compté ?
Tout me manquait.

LE DOMINO NOIR

C'est bien. Ce qu'il faut, je l'apporte.
Nous partirons tous deux.

HERNANI

Soit.

LE DOMINO NOIR

Prions-nous ?

HERNANI

Qu'importe !

LE DOMINO NOIR

Que prends-tu ?

HERNANI

Le poison.

LE DOMINO NOIR

C'est le plus long.

Il prend la fiole sur la table et la présente à Hernani.

— Ta main ?

Hernani prend la fiole. Lui, prend le poignard.

Bois, — pour que je finisse !

Hernani approche la fiole de ses lèvres, puis la remet sur la table.

HERNANI

Oh ! par pitié, demain !

LE DOMINO NOIR

Demain !

HERNANI

Ah ! s'il te reste un sentiment humain...

91. Ms. :

HERNANI

Non.

DON RUY GOMEZ, *ramassant la fiole.*

Ah ! c'est toi dont l'âme est jalouse et cruelle !
Hélas ! rien qu'une goutte et la boire après elle,
Et je mourrais content !

DOÑA SOL

Parlons de nos amours...

Tu ne sais rien encor ?

HERNANI

Toi, souffres-tu toujours ?

DOÑA SOL

Non. — Voilà notre nuit de noce commencée !
Je suis bien pâle, dis, pour une fiancée ?

HERNANI

Oh! tes traits par la mort sont encore embellis!
— Souffres-tu ?

DOÑA SOL

Non. Plus rien. Mais toi ?... Dieu! tu pâlis!

HERNANI

C'est de peur... de te voir souffrir...

DOÑA SOL

Non. Sois tranquille.
Je suis bien : n'es-tu pas mon Don Juan, mon asile ?
Près de toi, la douleur me quitte. Près de toi
Je ne sens plus qu'amour et joie... — Oh! sauve-moi!
Sauve-moi! — Je l'ai là qui me tord les entrailles!
Ah! c'est à se jeter le front sur les murailles!
Toi qui m'aimes, Don Juan, sauve-moi. C'est du feu!
Je t'assure ami! je souffre trop! — Mon Dieu!
De l'eau! De l'eau! — Don Ruy! va-t'en! je te déteste!

HERNANI

Duc, si quelque poignard, quelque pitié te reste,
Abrège! achève-nous. O rage! ô désespoir!
O tourment! Doña Sol souffrir, et moi le voir!

DOÑA SOL

Calme-toi. Je suis mieux. Vers des clartés nouvelles
Nous allons tout à l'heure ensemble ouvrir nos ailes.
Partons d'un vol égal, pleins d'amour et de foi!
Un baiser seulement! un baiser!

Ils s'embrassent.

DON RUY GOMEZ, *se cachant les yeux.*

Devant moi!

92. NOTE DE 1830

Shakespeare [a] par la bouche de Hamlet, donne aux comédiens des conseils qui prouvent que le grand poète était aussi grand comédien. Molière, comédien comme Shakespeare, et non moins admirable poète, indique en maint endroit de quelle façon il comprend que ses pièces soient jouées. Beaumarchais, qui n'est pas indigne d'être cité après de si grands noms, se complaît également à ces détails minutieux qui guident et conseillent l'acteur dans la manière de composer un rôle. Ces exemples, donnés par les maîtres de l'art, nous paraissent bons à suivre, et nous croyons que rien n'est plus utile à l'acteur que les explications, bonnes ou mauvaises, vraies ou fausses, du poète. C'était l'avis de Talma [b], c'est le nôtre. Pour nous, si nous avions un avis à offrir aux acteurs qui pourraient être appelés à jouer les principaux rôles de cette pièce, nous leur conseillerions de bien marquer dans Hernani l'âpreté sauvage du montagnard mêlée à la fierté native du grand d'Espagne; dans le don Carlos des trois premiers actes, la gaieté, l'insouciance, l'esprit d'aventure et de plaisir, et qu'à travers tout cela, à la fermeté, à la hauteur, à je ne sais quoi de prudent dans l'audace, on distingue déjà en germe le Charles Quint du quatrième acte; enfin, dans le don Ruy Gomez, la dignité, la passion mélancolique et profonde, le respect des aïeux, de l'hospitalité et des serments, en un mot, un vieillard homérique selon le Moyen Age. Au reste, nous signalons ces nuances aux comédiens qui n'auraient pas pu étudier la manière dont ces rôles sont représentés à Paris par trois excellents acteurs, M. Firmin, dont le jeu plein d'âme électrise si souvent l'auditoire ; M. Michelot, que sert une si rare intelligence ; M. Joanny, qui empreint tous ses rôles d'une originalité si vraie et si individuelle.

Quant à Mlle Mars, un de nos meilleurs journaux a dit, avec raison, que le rôle de doña Sol avait été pour elle ce que *Charles VI*ᶜ a été pour Talma, c'est-à-dire son triomphe et son chef-d'œuvre. Espérons seulement que la comparaison ne sera pas entièrement juste, et que Mlle Mars, plus heureuse que Talma, ajoutera encore bien des créations à celle-ci. Il est impossible, du reste, à moins de l'avoir vue, de se faire une idée de l'effet que la grande actrice produit dans ce rôle. Dans les quatre premiers actes, c'est bien la jeune Catalane, simple, grave, ardente, concentrée. Mais au cinquième Mlle Mars donne au rôle un développement immense. Elle y parcourt en quelques instants toute la gamme de son talent, du gracieux au sublime, du sublime au pathétique le plus déchirant. Après les applaudissements, elle arrache tant de larmes, que le spectateur perd jusqu'à la force d'applaudir. Arrêtons-nous à cet éloge, car, on l'a dit spirituellement, *les larmes qu'ils font verser parlent contre les rois et pour les comédiens.*

a. *Hamlet*, III, 2.

b. François-Joseph Talma (1763-1826) fut le plus grand acteur français sous la Révolution et l'Empire.

c. Tragédie en 5 actes et en vers de La Ville Mirmont, représentée au Théâtre-Français le 6 mars 1826.

LE ROI S'AMUSE

Edition originale : Paris, Renduel, 1832.

Pour le texte originel, voir l'analyse et le commentaire de Françoise Lambert, *Le Manuscrit du Roi s'amuse* (B. N., n.a.fr., 13370). Paris, Les Belles Lettres, 1964. Annales littéraires de l'Université de Besançon, 63. Un manuscrit du Théâtre-Français subsiste, portant un bon nombre de remaniements, de mots et de répliques apportés par Hugo immédiatement après la première représentation ; ici : Ms. Th.-Fr.

1. Premier titre, dans un projet : *Le roi s'ennuie.* En maint endroit du drame, des traces subsistent de cette orientation donnée au sujet.

2. La charte a été octroyée par Louis XVIII. La liberté de la presse y figurait. Mais la censure continuait à sévir.

3. François-Eugène Vidocq (1775-1857), aventurier, bagnard, avait été chef de la police de sûreté à Paris de 1809 à 1827. On sait qu'il a prêté ses traits à Vautrin.

4. 1465. Bataille entre Louis XI et les confédérés de la Ligue du Bien public. L'issue en est restée douteuse.

5. Voir la formule pudique de la *Biographie universelle* de Michaud, dans notre introduction.

6. Personnages de l'ancien théâtre : les noms de Lisette et de Marton apparaissent dans la comédie en France au XVIIᵉ siècle.

7. *Othello.* La formule « Honest Iago » y est utilisée plusieurs fois : après coup, elle a valeur d'antiphrase.

8. Acte III, sc. 3 : « Vos mères aux laquais se sont prostituées », dit Triboulet aux courtisans.

9. « Femme belle en haut. » Voir Horace, *Art poétique*, v. 4 : « Une femme belle par le haut du corps, s'achève en queue de poisson. »

10. Le tableau du Titien est conservé au Louvre.

11. Le *Livre du chevalier de La Tour Landry pour l'enseignement de ses filles* (vers 1370) a été célèbre au Moyen Age. Ici, un de ses descendants.

12. Fou de Louis XII et de François Ier, né à Blois avant 1500, et mort avant 1529. Jean Marot mentionne son nom.

13. La famille existait au XVIe siècle. Guillaume de Gordes-Sémiane recevra des lettres patentes de Louis XIII et pourra élever sa baronnie en marquisat.

14. La famille de Roquemartine d'Albe existait au XVIe siècle.

15. Au XVIIe siècle existait un marquis de Montchevreuil, duc du Maine.

16. La famille existait au XVIe siècle. Ici : Charles (1506-1563/1564 ?).

17. Fille de Jean de Poitiers, comte de Saint-Vallier, Diane (1499-1566) a épousé à l'âge de treize ans Louis II de Brézé; veuve en 1533. Après avoir soutenu François Ier, Saint-Vallier avait pris le parti du connétable de Bourbon et de Charles Quint et avait contribué à la défaite du roi à Pavie. François Ier l'avait condamné à mort. Sa grâce a été obtenue en dernière minute par son gendre et par un ami, non par Diane de Poitiers, sur la place de Grève, cf. v. 309.

18. Léger anachronisme. Les premiers sonnets français datent d'environ 1532.

19. Clément Marot (1496-1544) a été le protégé de François Ier et surtout de sa sœur Marguerite de Navarre.

20. Tallemant des Réaux parle de cette famille.

21. Est-ce une réminiscence ou une allusion ? Mérimée a pris cette phrase comme titre d'une des pièces du *Théâtre de Clara Gazul* (1825).

22. Pris dans les filets, embrouillé : mot trouvé par Hugo dans Caillot. Supprimé dans Ms. Th.-Fr. : il avait suscité des huées la veille.

23. Un Arnaud de Pardaillan, vicomte de Castillon, a participé à la guerre en 1514. Il appartenait à une vieille famille de l'Armagnac.

24. Jean Marot, et non Clément, a écrit un poème sur le siège de Peschière (1509). Hugo peut avoir utilisé une édition de ses œuvres, jointes à celles de Clément Marot, parue à Paris ou à La Haye au XVIIIe s.

25. Graphie à la fois médiévale et latine, encore en usage chez les rhétoriqueurs du XVe siècle et chez des poètes du XVIe siècle, chez Marot notamment.

27. A partir d'ici, le passage a été simplifié dans Ms. Th.-Fr. et remplacé par : « Il est, par grâce souveraine/ Nommé survivancier du singe de la reine. » Toute la richesse de ces reparties avait disparu.

28. Au XVe siècle, on a fait tourner certaines broches au moyen d'une roue dans laquelle était enfermé un petit chien.

29. Poème à forme fixe, cultivé surtout au XVe et au XVIe siècle.

30. Jean de Bedford, troisième fils du roi Henri IV d'Angleterre (1390-1435), a été régent de France pendant la Guerre de Cent Ans et a lutté contre Jeanne d'Arc — d'où l'allusion.

31. Marguerite d'Angoulême, d'Alençon, de Navarre, sœur du roi, protectrice des écrivains et des penseurs, surtout réformés; elle-même est l'auteur de l'*Heptaméron*, de poèmes et d'une pièce de théâtre.

32. Le royaume de Navarre était distinct de celui de France, bien qu'ils eussent parfois les mêmes rois.

33. Philippe de Chabot, comte de Charny et de Buzançay, amiral de Brion (1480-1543). — Anne de Montmorency, connétable de France, a été élevé avec François Ier. Il a été fait prisonnier à la bataille de Pavie (1525).

34. Le sens de la liberté du citoyen romain était très vif dans l'Antiquité.

35. Pierre du Terrail, seigneur de Bayard (1476-1524). Le « chevalier sans peur et sans reproche » a combattu pour la monarchie. A la bataille de Marignan (1515), il était aux côtés du roi, qui lui demanda d'être sacré chevalier par lui sur le champ du combat. La référence à Bayard est d'autant plus significative qu'à Brescia il a défendu les jeunes filles d'une famille qui allait être livrée à la violence de l'armée.

37. Titre primitif : *Chez Maguelonne*. — Pour le nom du spadassin, Hugo se serait-il inspiré de l'espagnol « saltabardales » : « écervelé », « tête folle », non pour le sens, mais pour la consonance ? En outre, la finale en « dil », comme dans Boabdil ?

38. Archaïque : don pour un service rendu.

39. Transposition d'une locution qui était en usage : dîner en ville ou chez soi.

40. Ce nom peut être venu à l'esprit de Hugo par des légendes et des récits médiévaux sur la belle Maguelonne et Pierre de Provence, diffusés dans des livrets populaires. Il en avait emprunté un volume à la Bibliothèque Royale en 1822. Clément Marot a écrit une *Epître de Maguelonne à son amy Pierre de Provence*, incluse dans *L'Adolescence clémentine* (1532).

41. Ces trois vers ont été modifiés pour la scène :
J'ai ma sœur, une jeune et belle créature,
Qui chez nous aux passants dit la bonne aventure;
Votre homme la viendrait consulter une nuit.

42. Sens ancien : activité, métier.

43. Où rien ne prépare les âmes...

44. Collerette qui couvre la gorge.

45. Pris de folie furieuse. Voir aussi à la fin de l'acte : « comme un furieux ».

46. Italianisme utilisé en France aux XVIe et XVIIe siècles.

47. L'encrier noirci par l'encre.

48. Héraldique. Les Cossé-Brissac avaient : de sable à trois feuilles de scie d'or en fasce. Le blason se prêtait au jeu de mots ici utilisé.

49. La chanson de Jean de Nivelle(s) est déjà bien connue au XVIe siècle.

50. Cette chanson fut composée vers 1524, après l'échec du Connétable de Bourbon; voir le texte, air et paroles, dans Pierre Barbier et France Vernillat, *Histoire de France par les chansons*, I, Paris, Gallimard, 1956, p. 146.

51. Hugo avait d'abord songé au titre : *Les Bohémiens*.

52. Ed. 1836 : « Une grève déserte au bord de la Seine, au-dessous de Saint-Germain. — A droite [puis : tout le texte, jusqu'à « bac »]. Au fond, au-delà de la rivière, le bois du Vésinet. A droite un détour de la Seine laisse voir la colline de Saint-Germain, avec la ville et le château dans l'éloignement. »

53. François Ier avait gravé les deux premiers vers dans le bois de la croisée au château de Chambord. Hugo les y avait vus. Les paroles sont devenues populaires par l'air de Verdi dans l'opéra *Rigoletto*.

54. Maison de débauche.

55. Ms. « Plus d'une à qui j'ai dit quelques mots, en effet. »
Qui naguère était rose, est maintenant bien rouge.
Bah! — Tu m'as ce matin emmené dans ce bouge,
Méchante hôtellerie où [...]

56. Morale tirée ironiquement du *Livre de la Sagesse*, en isolant de leur contexte les propos tenus par les impies.

57. Dialecte méridional : « le diable m'emporte » (sens littéral :

« que l'âne me f... »). Repris à Caillot, comme le dicton chanté par Maguelonne au vers 1282. Supprimé dans Ms. Th.-Fr. ainsi que la réplique du roi v. 1285-1287.

58. Dans Ms. Th.-Fr. les 5 vers suivants ont été biffés.

59. Allusion, assez étonnante dans la bouche d'une bohémienne, à la formule royale : « Tel est notre bon plaisir ».

60. La bataille de Marignan (1515) avait été meurtrière.

61. Une locution populaire, dans le folklore, dit que le tonnerre est produit par une dispute au ciel — ou que le diable bat sa femme.

62. Même remarque que pour Cupido, cf. n. 25.

63. Ms. Th.-Fr. : ces vers ont été biffés.

64. Le pape; Andrea Doria (1468-1560), le doge de Venise, qui a pris le parti de François Ier contre Charles Quint; le sultan de Constantinople.

65. Ils étaient chargés d'arrêter les mendiants et de les mener à l'hôpital.

66. Version primitive :

TRIBOULET

J'ai tué mon enfant!

UN PASSANT, survenant, à Triboulet.

Monsieur, qu'est-ce que c'est que cette jeune femme ?

TRIBOULET, absorbé dans sa douleur.

J'ai tué mon enfant!

UN AUTRE PASSANT, l'accostant.

Cours vite à Notre-Dame
Y demander asile, avant qu'on t'ait saisi!

TRIBOULET

J'ai tué mon enfant!

Entre un magistrat, accompagné d'estaffiers.

LE MAGISTRAT, à Triboulet.

Qu'est-ce que tout ceci ?
Voici des faits qu'il faut que la justice éclaire.
Etes-vous du quartier ? Je suis juge ordinaire.
Je dois verbaliser. Dites auparavant
Vos noms et qualités.

TRIBOULET

J'ai tué mon enfant!

Il tombe sur le pavé.

ARCHIVES DES ŒUVRES

MARION DE LORME

Il est impossible de parler du style. M. Hugo a fait, comme on sait, alliance offensive et défensive avec le barbarisme et le solécisme, ces usurpateurs que notre siècle a mis sur le trône, sous le nom pompeux de néologisme. Les oreilles tintent au seul souvenir de l'harmonie de ces vers, et je crois vraiment que c'était pour nous mettre en haleine qu'il nous a cité au deuxième acte du Garnier et du Chapelain *(sic)*. On dit à cela que c'est un dialecte nouveau, à la bonne heure; mais alors on ne s'étonnera pas en m'entendant dire que le dialecte de M. Hugo n'a aucun rapport avec le dialecte français.

La Quotidienne, 15 août 1831.

[...] c'est une œuvre forte et large, une magnifique inspiration d'un homme de génie, où la poésie coule à pleins bords; c'est le drame comme le feraient Shakespeare et Corneille au dix-neuvième siècle, et que Lord Byron n'a pas voulu comprendre. Une œuvre pareille, au milieu de tous ces chétifs vaudevilles dont fourmillent nos théâtres, grands et petits, n'est-ce pas Hercule au pays des Pygmées ?

*Le Mercure du XIX*e *siècle*,
vol. 34, 1831.

Je n'avais jamais entendu rien de pareil à ces vers de *Marion Delorme;* j'étais écrasé sous la magnificence de

ce style, moi à qui le style manquait surtout. On m'eût
demandé dix ans de ma vie en me promettant qu'en
échange j'atteindrais, un jour, à cette forme, je n'eusse
point hésité, je les eusse donnés à l'instant même [...]
Je donnerais celui de mes drames que l'on voudrait
prendre au choix, pour avoir fait le quatrième acte de
Marion Delorme.

> Alexandre DUMAS, *Mémoires*, 5e série
> Paris, Michel Lévy, 258-259.

HERNANI

Quant à Mademoiselle Mars, il faut la mettre hors de
ligne. Dans les premiers actes, il est impossible de prêter
à l'amour tendre, inquiet, désintéressé, un langage plus
vrai, un organe plus séducteur. Dans le cinquième acte,
elle a prouvé qu'au besoin toutes les ressources d'une
grande tragédienne étaient à sa disposition.

> *Le Journal des Débats*, 27 février 1830.

Les acteurs étaient frappés de nullité. Ils devront
longtemps étudier le nouveau genre qu'ils ne comprennent
pas encore. Michelot-Carlos n'a eu d'autre mérite que
celui d'une perruque et d'un costume exacts. Joanny,
qui représentait le vieux comte, ne pouvait sauver l'inutile bavardage dont ce rôle est chargé; Firmin-Hernani
à force d'agitation, a cru prêter à son personnage la
bizarrerie qui lui manquait. Il s'est trompé pendant les
cinq actes, et surtout au dernier, où l'affectation a été
poussée beaucoup trop loin. Mlle Mars avait un rôle
long de présence, pauvre de mots saillants, ce rôle
sort de son emploi... Samson a été au niveau de son rôle,
le plus faible de la pièce.

> *Le Corsaire*, 27 février 1830.

Un fait commence, se passe et s'achève; ce fait, c'est
votre drame; divisez-le en cinq, en huit, en dix actes,
comme il vous plaira; mais rappelez-vous toujours cet
adage : en tout, il faut un commencement, un milieu,

et une fin. Or, M. Victor Hugo ne veut point de ces choses. Sa pièce est en cinq actes, ces cinq actes sont cinq faits indifférents l'un à l'autre, chaque scène est un fait isolé, et tous ces faits ont lieu de prime-abord sans commencement, et aucun ne se termine; c'est un mot, une anecdote, une pensée, un costume, une entrée, une sortie, un cri, un conte; que sais-je ? C'est tout; mais jamais ce n'est un drame, ou une partie de drame; nulle part enfin, ces parties diverses ne concourent à former un tout de quelque manière que ce soit.

Le Corsaire, 27 février 1830.

[...] une fable grossière, digne des siècles les plus barbares; un tissu de crimes froidement déroulés, sans combinaison, sans art, sans moralité [...]

La Gazette de France, 27 février 1830.

Nous remarquons dans la conduite de ce drame une qualité assez rare et qui peut racheter plus d'un défaut, c'est que tout se passe en scène; l'auteur ne cache pas dans les coulisses une partie de l'action qu'il lui faille ensuite nous apprendre par des explications et des récits, toujours plus ou moins froids. Il n'y a ici ni récits ni explications. Un dialogue vif et en situation, fait pour les personnages, non, comme il arrive si souvent, pour les seuls spectateurs, nous apprend naturellement tout ce que nous devons savoir.

La Revue encyclopédique, t. 45, mars 1830.

Pour tout dire en un mot, Charles Quint, Hernani, doña Sol (sauf les différences, et elles sont grandes) ne vivent pas à la scène d'une autre vie que Pyrrhus, Oreste et Hermione. Seulement Racine, avec son admirable habileté, sait fondre et nuancer les couleurs; il n'abandonne pas du premier coup la passion à elle-même; il ne laisse pas ses personnages errer à l'aventure et se lancer, comme à corps perdu, au milieu de l'action; il les tient, les possède, les met dans une relation toujours

harmonique les uns avec les autres. Tandis que chez
M. Hugo, jetés, poussés comme au hasard, on les voit
dès l'abord atteindre la dernière limite de leur passion,
et étourdir, fatiguer l'esprit du choc continuel qui résulte
de leurs rapports brusques et désordonnés.

La Revue française, mars 1830.

Il est assez remarquable que ce soit précisément le
style d'*Hernani* contre lequel on avait soulevé tant de
préventions, qui ait déterminé le succès de ce drame et
fait oublier, jusqu'à un certain point, l'invraisemblance
des principales situations. C'est que M. Victor Hugo est
vraiment poète, c'est que novice encore dans l'art de la
scène, dans ce qu'on appelle le calcul théâtral, il sait
mieux que personne peindre avec la parole, étonner
l'esprit par le choc des pensées hardies où se déroule
toute une âme, où se réveille quelquefois toute une
époque.

Le Courrier français, 1er mars 1830.

[...] on retrouve dans le plan de l'ouvrage, dans sa
contexture, dans sa marche, tous les moyens employés
par les prédécesseurs de Corneille, c'est-à-dire l'irré-
gularité, le désordre, la confusion, le choc, que l'on
remarque même dans les premiers essais de l'immortel
auteur du *Cid*. Singulières et bizarres innovations que
celles qui tendent à nous replonger dans l'enfance de
l'art.

Le Constitutionnel, 28 février 1830.

LE ROI S'AMUSE

Hugo « se soucie peu de la conduite de son poème;
il imagine un sujet, et dans ce sujet, quatre ou cinq
situations principales, qu'il traite de main de maître, et
il abandonne le reste comme au hasard. Les préparations
dramatiques, les convenances, les vraisemblances se ren-
contreront, si elles peuvent; mais du pathétique, de la
passion, des couleurs chaudes et vives, il vous en donnera
et en profusion. Malheureusement, il y a toujours dans
un public plus d'esprits choqués d'une grande inconve-

nance que charmés d'une grande beauté. C'est ce qui explique le succès toujours si contesté des drames de M. Hugo.

Le Courrier français, 24 novembre 1832.

Sont-ce de telles mœurs que l'art doit exposer aux yeux du public ? Est-ce là que devaient nous mener ces nouvelles et fastueuses théories ? Dans le théâtre antique, la royauté proscrite et malheureuse allait se réfugier au pied du Cythéron, appuyée sur le bras d'Antigone, dans notre théâtre maintenant, la royauté, ivre, vient dormir dans un mauvais lieu, entre les bras d'une fille publique. Voilà ce qu'on nomme progrès !

Le Journal des Débats, 24 novembre 1832.

ZOLA

Ces œuvres [*Hernani* et *Ruy Blas*] demeureront quand même des poèmes immortels. [...] Au sortir de nos leçons, la mémoire glacée des tirades que nous devions apprendre par cœur, c'était pour nous une débauche pleine de frissons et d'extases que de nous réchauffer, en logeant, dans nos cervelles, des scènes d'*Hernani* et de *Ruy Blas*. [A la représentation :] Ma stupeur a été grande. Ce drame, où le poète a tout sacrifié à l'effet, où il a entassé les invraisemblances pour développer uniquement la splendeur du spectacle et le relief puissant de l'antithèse, ce drame est justement d'un effet dramatique médiocre. M. Perrin a eu beau monter la pièce merveilleusement, soigner la figuration du quatrième acte et même faire écrire une fanfare nouvelle par un musicien de talent, — le cœur n'est pas pris, la tête reste libre, l'effet produit est simplement une désillusion, car l'on avait rêvé tout cela plus large et plus foudroyant [...] Le poète semble être monté trop haut. Il a besoin de l'imagination du lecteur pour emplir le cadre de ses poèmes dramatiques. Quand on lit, les invraisemblances choquent moins, les personnages surhumains sont acceptables, les décors simplement indiqués prennent une largeur démesurée. Au contraire, le théâtre ramène tout à la matière : le cadre se circonscrit, le manque d'humanité des personnages saute aux yeux, la banalité des planches semble railler l'enflure du drame [...]. [Doña Sol et Hernani] sont des types à la mode de 1830, avec une pointe de fatalité et de mystère; dans ce singulier mouvement littéraire, plus le personnage restait inconnu et plus il devenait intéressant. Don Carlos seul est étudié; et pour moi la grandeur du drame est en lui. [...] Le drame romantique est devenu certainement aussi ennuyeux que la tragédie. Nous ne nous intéressons pas à ces gens-là.

> *Le Bien public*, 26 novembre 1877, *Revue dramatique et littéraire*. Article repris dans *Nos auteurs dramatiques*. Paris, Charpentier, 1881.

Francisque Sarcey

Tout l'art de Victor Hugo consiste à mettre violemment ses personnages dans une position où il puisse aisément, lui poète, s'épancher en odes, en élégies, en imprécations, et, en un seul mot, en pièces de vers. Il se prépare, comme un habile librettiste à un compositeur, des airs de bravoure, des duos, des trios, des finales. Plusieurs de ses drames sont devenus des opéras, où le vers tiendrait lieu de musique [...]. Vous pouvez étudier sans cesse les rôles de Polyeucte et de Néron, vous y ferez tous les jours de nouvelles découvertes. D'un coup d'œil, vous embrassez Don Carlos, Ruy Gomez, Doña Sol, et Hernani lui-même. Ce sont des costumes pittoresques, plutôt que des hommes de chair et d'os. Ils saisissent tout d'abord, et ils étonnent, tant ils sont fièrement campés, tant la draperie est éclatante. Mais n'enfoncez pas : vous ne trouverez là-dessous que ce que la musique peut exprimer, des formes générales et vagues de caractères et de passions. *Hernani* est une belle partition.

> *Le Temps*, 24 juin 1867, repris dans *Quarante ans de théâtre. Feuilletons dramatiques*, IV. Paris, Bibliothèque des Annales politiques et littéraires, 1901.

VERLAINE

HERNANI — Première représentation — Reprise.

Le succès d'*Hernani* a été immense, inouï, colossal, écrasant ! — et, ce qui ne gâte rien, pacifique, — personne ne s'étant trouvé pour jouer le rôle de l'esclave insulteur des triomphes romains. [...] Allons, allons, messieurs les grondeurs pour rire, avouez qu'au fond vous êtes contents de nous, les jeunes, que nous ne dégénérons pas trop de nos pères de 1830 et que véritablement *nous sommes les petits de ces grands lions-là !* C'était l'avis de Gautier, l'autre soir, de Gautier, qui se démenait dans sa stalle comme aux beaux jours des gilets rouges et des cheveux mérovingiaques, c'était l'avis de Dumas, superbe d'attendrissement et d'expansion à chaque sursaut d'enthousiasme de la salle !

Quelle belle chose aussi que ce drame, en dehors de toute préoccupation d'école et de tradition ! Quel sublime cornélien mêlé à l'émotion shakespearienne avec ce je ne sais quoi de spécialement ému et sublime qui n'appartient qu'à Hugo ! Quoi de comparable dans le théâtre espagnol, si fier pourtant, à cette splendide scène des portraits ! Et ce cinquième acte, ne hausse-t-il pas à la taille de *Roméo et Juliette* les deux amants du drame français !

[...] En somme, glorieuse soirée, dont on sera fier plus tard de dire : « J'en étais ! » puisqu'elle a consacré à jamais parmi nous le théâtre d'Hugo et réparé les injustices de la cabale classique de 1830. Retenons bien cette date : 20 juin 1867 !

L'International, 23-24 juin 1867.

AMY ROBSART a des « qualités » de mélodrame à outrance, une mise en scène et en œuvre qui rappelle de très près les absurdes mais si divertissantes péripéties de *Han d'Islande*, péché aussi, d'extrême jeunesse. [...]

Je suis fou de théâtre, je le confesse sans trop de honte, et par instants je le préfère encore immensément à ce qu'on fait, à tout ce qu'on fait et peut faire à présent : RUY BLAS est une charmante comédie suffisamment psychologique et que ne gâte pas trop un sot dénouement. HERNANI chante « cler et beau » et si MARION DELORME [ou de l'Orme], sauf le premier acte, et LE ROI S'AMUSE m'assomment franchement, j'incline vers plusieurs scènes des BURGRAVES. Quant aux drames en prose, ils délectent ce que j'ai dans mes tréfonds de spectateur faubourien.

[...] l'éloquence j'ose dire concentrée, laconique quoique prolixe en apparence, par exemple, du fameux monologue d'*Hernani*, presque tout en petites phrases, celle de la non moins célèbre apostrophe de Ruy Blas aux ministres, pleines de faits pittoresques qui font saillie et ponctuent nettement, on dirait sèchement, la période, les discours, trop longs, mais encore mesurés, dans *Les Burgraves* [...].

> *A propos d'un récent livre posthume de Victor Hugo*, dans *La Revue d'aujourd'hui*, 11 juillet 1890.

LÉOPOLD MABILLEAU [1]

Ce qui apparaît pour la première fois [dans *Hernani* et dans *Marion de Lorme*], et ce qui va devenir une seconde marque caractéristique de la manière de Hugo, c'est l'outrance des sentiments mis en jeu dans le drame : par excès d'amour, Marion perd Didier et Didier perd Marion; par excès d'honneur, Ruy Gomez épargne Hernani et Hernani se livre. Tout est excessif dans ces prodigieuses actions, l'indécision de Louis XIII, l'insouciance de Saverny, la dureté de Charles Quint; tout est héroïque, surhumain, *imaginaire* en un mot et comme posé à dessein pour frapper les sens et les esprits.

La nature même de l'effet cherché par le poète montre quel abîme sépare désormais le drame de la tragédie. L'acception nouvelle que prend le mot « théâtral » en témoigne : plus de *caractères*, mais des rôles où tout est subordonné à l'impression intérieure; une rhétorique exubérante et indépendante de l'action, la prépondérance du décor et des costumes expressifs, même dans la

---

1. Cherchant une méthode autre que l'histoire et la biographie littéraires, Léo Spitzer a découvert l'analyse stylistique. Parmi ceux qui l'ont mis sur sa voie, il cite le livre de Mabilleau et *L'Art de la prose* de Lanson; la préface de l'édition allemande de 1922 le dit explicitement. Ce « détail » disparaît dans les éditions plus récentes; il a été omis dans la traduction française d'un choix, d'ailleurs contestable, de ces *Etudes*. Aborder en 1893 « le monde imaginaire de Victor Hugo » (Troisième partie, chapitre III) était un acte novateur et audacieux. Dans Mabilleau, on n'a vu, sans doute, qu'un disciple mineur de Taine et d'Emile Hennequin.

conception des personnages et dans le mouvement de
l'intrigue.

Victor Hugo. Paris, Hachette, 1893.
Les grands écrivains français.

ALBERT THIBAUDET

Grand poète épique, Hugo n'a pas été une victime,
mais un triomphateur de l'épopée. Au contraire, on peut
voir en lui une victime du théâtre. Ce n'est pas seulement,
ce n'est pas surtout parce qu'il n'a pas très bien réussi
comme auteur dramatique : les vers d'*Hernani* et des
Burgraves lui valent assez de circonstances atténuantes
pour que nous n'insistions pas. Mais il y a ceci, qui
importe davantage. Ce grand poète lyrique est entré au
théâtre moins pour donner des rôles que pour jouer un
rôle : le rôle d'un conquérant, quand le romantisme avait
le théâtre à conquérir.

Hugo, au théâtre comme à la ville, c'est l'homme du
monologue, de la tirade, de l'interpellation, de la fusée
lyrique où l'on est seul, où l'autre est muet, ou se borne
au *Mais*..., vite écrasé, du mort au whist. Les apostrophes
de Milton, de Saint-Vallier, de Ruy Blas, le monologue
de Charles Quint, les Quatre Jours d'Elciis, le Satyre
devant l'assemblée des Dieux, ou l'Homme qui rit devant
celle des pairs d'Angleterre, voilà l'attitude à laquelle le
ramène invinciblement son mouvement naturel.

*Histoire de la littérature française de
1789 à nos jours.* Paris, Stock, 1936.

JEAN GIRAUDOUX

[En 1830] Ce que ces jeunes gens pleins d'ardeur et de
génie, la poitrine et le cœur recouverts d'une housse
rouge, voulaient donner au monde, c'était non pas un
sens des mots, une vertu des caractères, mais un vocabu-
laire plus éloigné de la pensée et du sentiment que tous
les vocabulaires passés et futurs.
[...] Les romantiques français se sont battus, le jour
d'*Hernani*, non pour libérer les hommes et les animaux
d'une seule de leurs servitudes ou de leurs fatalités, mais
pour leur imposer les reliures à la cathédrale, les sièges

gothiques, les cannes à pommeau d'ivoire sculpté en femme nue. Ils ont dissocié l'art du métier et de la conviction.

> *De siècle à siècle.* Conférence prononcée à l'occasion du centenaire de *Hernani*, dans *Littérature*. Paris, Grasset, 1941.

Paul Valéry

Ad augusta per auctura. [1938]
[référence au mot de passe des conjurés dans *Hernani* : vers les sommets par des moyens accrus].

> *Cahiers* I. Texte établi, présenté et annoté par Judith Robinson. Paris, Gallimard, 1972, p. 372.

C'est le grand vice de bien des pièces de Hugo et le grand écueil des thèmes historiques ou légendaires qu'il vaut mille fois mieux rendre aussi *actuels* que possible, que de colorer à froid en couleurs locales et ton de l'époque [toujours faux et sensiblement tel]. *Poésie.*

> *Cahiers II*, 1974, p. 1121.

Louis Jouvet

La grande erreur, toujours la même, plus flagrante encore avec l'auteur des *Burgraves*, c'est de *lire ses* pièces ou de les juger *littérairement*. On veut refuser à l'auteur de *Ruy Blas* le génie dramatique, parce qu'on le juge à froid. La tirade qui fait la grandeur de Hugo dramaturge, devient alors parfaitement inacceptable.

Et pourtant, c'est cette tirade même qui, à la représentation, crée l'extase d'une foule, et déchaîne son enthousiasme.

Il faut avoir senti déferler cette houle, ce roulis et ce tangage humains dans l'entonnoir du théâtre d'Orange pour comprendre la vraie valeur d'*Hernani*, pour juger aussi l'océan populaire soulevé par le souffle et le vent lyrique du poète. Tout est conçu pour le couplet, et si l'acteur a su attaquer et chanter juste pour amener cet

« instant dramatique » et créer cette stase chère aux musiciens et aux chanteurs d'opéra, la partie est gagnée. Hugo est un grand bonhomme, mais c'est un dramaturge qu'il ne faut pas analyser.

[...] Hugo est un grand poète, sans doute, et un dramaturge contestable, mais je ne lui en ferai pas grief. Cependant, je songe avec mélancolie que, sans lui, Musset eût été peut-être notre Shakespeare et que si Balzac n'a pas réussi au théâtre, c'est par la faute d'*Hernani*.

> *Réflexions du comédien*, Bruxelles-Paris, Editions du Sablon, 1944, 130-133.

CHARLES BAUDOUIN

L'analogie est précise si nous songeons qu'Hernani est un « bandit », un « proscrit », poursuivi par le roi [= père] [...].

La poursuite du « destin insensé », cette fatalité que le héros romantique porte en soi, rejoint donc le motif de la fuite devant le Père.

La situation se précise si l'on songe que l'un des noms de Hernani est précisément don Juan. On reconnaît alors, très exactement, ce motif de don Juan et de la statue [de pierre du comte Alvar Giron, III, 6, v. 1171 et n. 89].

> *Psychanalyse de Victor Hugo*. Paris, Armand Colin, 1972. Coll. U2. Texte publié en 1942.

MICHEL BUTOR

[...] même l'examen le plus rapide prouve [que] le vers de Hugo vient du théâtre, c'est d'abord dans son théâtre que l'on trouve les figures qui seront superbement organisées dans les grands poèmes, l'organisation des scènes romanesques vient du théâtre, etc.

[...] le passage de Hugo, les huit pièces produites sous son nom de 1830 à 1843, [...] est de beaucoup l'événement le plus considérable [de l'histoire de la scène française] jusqu'au renouvellement naturaliste de la mise en scène avec Antoine.

[...] le problème posé par le théâtre de Hugo nous renseigne certainement sur la nature même de ce qu'est le théâtre aujourd'hui, de ce qu'il était au XIXe siècle, sur ce qui nous sépare de ce temps-là.

L'unité de durée, par exemple la phrase ou le discours, commence la plupart du temps au milieu d'un vers, pour se terminer au milieu d'un autre. Il s'agit alors de remplir ce vide laissé, et c'est ce qui est souvent si sensible.

[...] il comprend ses vers ou sa prose comme phénomène sonore s'inscrivant sur un fond de bruits.

[...] dans *Marion de Lorme*, le drame est directement provoqué par le grand écriteau sur lequel est affiché l'édit contre le duel, lu d'abord publiquement par le crieur, mais dont la lecture privée mettra tout en branle.

Les personnages vont parler par leur présence, par leur ombre, par leur portrait, par leur blason, aussi par leurs costumes et par leurs gestes. Sujets de tableaux ils vont constituer des tableaux.

Cuits dans l'alambic du vers, serrés dans ce pressoir qu'est le cadre de la scène, les discours se mettent à suinter en apartés qui les dénoncent.

Son vers « débordant » va admirablement servir le débordement par le peuple de ses représentants indignes, et « provoquer » le gouvernement.

> Michel Butor, *Le théâtre de Victor Hugo*, dans *La Nouvelle Revue Française*, novembre 1964 - janvier 1965.

TABLE DES MATIÈRES

PUBLICATIONS NOUVELLES

Vous trouverez chez votre libraire le catalogue complet des livres de poche GF-Flammarion et Champs-Flammarion.

GF — TEXTE INTÉGRAL — GF

92/04/M0568-VI-1992 — Impr MAURY Eurolivres SA, 45300 Manchecourt.
N° d'édition 13767. — 2ᵉ trimestre 1979. — Printed in France.